MARIO PUZO
EDWARD FALCO

RODZINA CORLEONE

Powieść na kanwie scenariusza Maria Puzo

Z angielskiego przełożył
ANDRZEJ SZULC

Tytuł oryginału:
THE FAMILY CORLEONE

Copyright © The Estate of Mario Puzo 2012
All rights reserved

Polish edition copyright © Wydawnictwo Albatros A. Kuryłowicz 2012

Polish translation copyright © Andrzej Szulc 2012

Redakcja: Joanna Morawska

Zdjęcia na okładce:
Filip Fuxa/Shutterstock (*front*)
Imagno/Hulton Archive/Getty Images/Flash Press Media (*Nowy Jork 1935/tył*)

Zdjęcie autora: Premium Archive/Getty Images/Flash Press Media

Projekt graficzny okładki i serii: Andrzej Kuryłowicz

Skład: Laguna

ISBN 978-83-7659-834-5

Książka dostępna także jako ebook

Dystrybutor
Firma Księgarska Olesiejuk sp. z o.o. sp. k.-a.
Poznańska 91, 05-850 Ożarów Maz.
t./f. 22.535.0557, 22.721.3011/7007/7009
www.olesiejuk.pl

Sprzedaż wysyłkowa – księgarnie internetowe
www.merlin.pl
www.fabryka.pl
www.empik.com

Wydawca
WYDAWNICTWO ALBATROS A. KURYŁOWICZ
Hlonda 2A/25, 02-972 Warszawa
www.wydawnictwoalbatros.com

2013. Wydanie III
Druk: CPI Moravia Books, Czech Republic

RODZINA CORLEONE

Mojemu ojcu i jego rodzinie: sześciu braciom i dwóm siostrom
Falco z Ainslie Street w Brooklynie w Nowym
Jorku oraz mojej matce i jej rodzinie — Catapano i Esposito
z tej samej dzielnicy — dzieciom włoskich imigrantów,
którzy wszyscy zapewnili dobre i porządne życie sobie, swoim
rodzinom, dzieciom oraz dzieciom swoich dzieci:
lekarzom, prawnikom, nauczycielom, sportowcom, artystom
i przedstawicielom każdej innej profesji. A także
naszemu rodzinnemu doktorowi z lat czterdziestych
i pięćdziesiątych, Patowi Franzesemu, który przychodził
i opiekował się nami, kiedy byliśmy chorzy, nieraz
za darmo albo za nędzne grosze. Z miłością, najlepszymi
życzeniami i wielkim szacunkiem.

KSIĘGA PIERWSZA

Mostro

JESIEŃ 1933

1

Giuseppe Mariposa stał przy oknie, z rękoma opartymi na biodrach i oczyma utkwionymi w Empire State Building. Żeby zobaczyć szczyt budynku, przeszywającą jasnobłękitne niebo, podobną do igły antenę, nachylił się i przytknął twarz do szyby. Oglądał wcześniej, jak wieżowiec piął się ku górze, i lubił opowiadać chłopakom, że był jedną z ostatnich osób, która jadła obiad w starym hotelu Waldorf-Astoria, wspaniałym gmachu stojącym niegdyś w miejscu, gdzie teraz wznosił się najwyższy budynek świata. Po chwili cofnął się od okna i strzepnął kurz z marynarki.

Ulicą, w stronę skrzyżowania, jechał furgon ze śmieciami, na którego koźle siedział postawny mężczyzna w roboczym drelichu. Trzymając na kolanie czarny melonik, potrząsał sfatygowanymi skórzanymi lejcami nad grzbietem łękowatego konia. Giuseppe popatrzył w ślad za furgonem, a kiedy zniknął za rogiem, wziął z parapetu swój kapelusz, przycisnął go do serca i przyjrzał się swemu odbiciu w szybie. Włosy miał już siwe, lecz nadal gęste i mocne. Odgarnął je do tyłu, poprawił węzeł krawata i wyprostował go tam, gdzie wybrzuszył się lekko nad kamizelką. Za jego plecami, w mrocznym rogu pustego mieszkania próbował coś powiedzieć Jake LaConti, lecz Giuseppe słyszał tylko jego gardłowe mamrotanie. Kiedy się odwrócił, do mieszkania wszedł Tomasino i poczłapał przez pokój z brązową papierową torbą w ręce. Chociaż Giuseppe sto razy powtarzał mu, żeby używał grzebienia, Tomasino włosy miał jak zwykle w nieładzie — i jak zwykle mógłby się ogolić. Był taki niechlujny. Giuseppe zmierzył go pogardliwym spojrzeniem, którego Tomasino oczywiście nie zauważył. Miał rozluźniony krawat, rozpiętą koszulę i krew na pogniecionej marynarce. Spod rozpiętego kołnierzyka koszuli wystawały mu kręcone czarne włosy.

— Powiedział coś? — zapytał, po czym wyjął z papierowej torby butelkę szkockiej, odkręcił nakrętkę i pociągnął łyk.

Giuseppe spojrzał na zegarek: wpół do dziewiątej rano.

— Czy wygląda, jakby mógł coś powiedzieć, Tommy? — zapytał. Twarz Jake'a była poobijana. Głowa opadała mu na pierś.

— Nie chciałem złamać mu szczęki — powiedział Tomasino.

— Daj mu się napić — poradził Giuseppe. — Zobacz, czy to pomoże.

Jake siedział na podłodze, z podwiniętymi nogami, oparty o ścianę. Tommy wywłókł go z hotelowego pokoju o szóstej rano i Jake wciąż miał na sobie jedwabną piżamę w czarno- -białe paski, w której położył się spać poprzedniej nocy, tyle że teraz dwa górne guziki były oderwane i wystawała spod niej muskularna pierś o połowę młodszego od Giuseppego, trzydziestoletniego mężczyzny. Kiedy Tommy ukląkł przy nim i uniósł lekko jego głowę, by móc mu wlać szkocką do gardła, Giuseppe popatrzył na niego z zainteresowaniem. Zastanawiał się, czy alkohol okaże się pomocny. Wysłał Tommy'ego do samochodu po szkocką, kiedy Jake zemdlał.

Teraz rozkaszlał się, plamiąc kropelkami śliny pierś, po czym łypnął przez spuchnięte powieki i powiedział coś, czego nie sposób byłoby zrozumieć, gdyby nie powtarzał tych samych trzech słów przez cały czas, kiedy go bili.

— To mój ojciec — wymamrotał, choć zabrzmiało to bardziej jak „dołu ociee".

— Tak, wiemy o tym. — Tommy spojrzał na Giuseppego. — Trzeba mu przyznać, że jest lojalny.

Giuseppe przyklęknął przy nich.

— Jake — powiedział. — Giacomo. Przecież i tak go znajdę. — Wyciągnął z kieszeni chusteczkę i użył jej, by nie zakrwawić sobie rąk, kiedy obracał twarz chłopaka w swoją stronę. — Dni twojego starego, dni Rosaria, dobiegły końca. Nie możesz na to nic poradzić. Rosario jest już skończony. Rozumiesz mnie, Jake?

— *Si* — odparł Giacomo, tę jedną sylabę wymawiając całkiem wyraźnie.

— No dobrze — podjął Giuseppe. — Gdzie on jest? Gdzie się ukrywa ten sukinsyn?

Giacomo spróbował poruszyć prawym barkiem, który był złamany, i jęknął z bólu.

— Gadaj, gdzie on jest, Jake! — wrzasnął Tommy. — Co się z tobą, do diabła, dzieje?

Giacomo otworzył szerzej oczy, jakby chciał zobaczyć, kto się na niego wydziera.

— Dołu ociee — wymamrotał.

11

— *Che cazzo!* — zaklął Giuseppe, podnosząc w górę ręce. Przez chwilę patrzył na Jake'a i słuchał jego chrapliwego oddechu. Z ulicy dobiegały krzyki dzieci bawiących się w berka. Giuseppe spojrzał na Tommy'ego i wyszedł z mieszkania. Na korytarzu zaczekał do chwili, gdy rozległ się trzask tłumika podobny do dźwięku uderzającego w drzewo młotka. Tommy dołączył do niego po chwili. — Jesteś pewien, że już po nim? — zapytał Giuseppe, zakładając kapelusz tak, jak lubił, z opuszczonym rondem.

— A jak myślisz, Joe? — odparł Tommy. — Że nie znam się na swojej robocie? — Kiedy Giuseppe nie odpowiedział, przewrócił oczyma. — Odstrzeliłem mu czubek głowy. Mózg rozprysnął się na wszystkie strony.

— Nie zdradził ojca — powiedział Giuseppe, zatrzymując się na podeście pierwszego piętra. — Trzeba mu to przyznać.

— Był twardy — zgodził się Tommy. — Nadal uważam, że powinieneś dać mi popracować nad jego zębami. Mówię ci, nie ma chojraka, który nie zacząłby mówić po czymś takim.

Giuseppe wzruszył ramionami, dając mu do zrozumienia, że być może ma rację.

— Jest jeszcze drugi syn — powiedział. — Posuwamy się w tej sprawie do przodu?

— Na razie nie — odparł Tommy. — Możliwe, że ukrywa się razem z Rosariem.

Giuseppe dumał przez chwilę o drugim synu Rosaria, a potem wrócił myślami do Jake'a LaContiego, którego nie udało się skłonić do zdradzenia ojca.

— Wiesz co? — zwrócił się do Tomasina. — Zadzwoń do jego matki i powiedz, gdzie może go znaleźć. Niech wezmą dobrego trumniarza — dodał po chwili zastanowienia — i ładnie go poskładają. Mogą urządzić piękny pogrzeb.

— Nie wiem, czy uda im się go poskładać, Joe — mruknął Tommy.

— Jak się nazywał ten przedsiębiorca pogrzebowy, który tak ładnie zajął się O'Banionem? — zapytał Giuseppe.

— Tak, wiem, o kogo ci chodzi.

— Skontaktuj się z nim — polecił Giuseppe i poklepał Tommy'ego po piersi. — Sam się tym zajmę, pokryję wszystkie koszty. Rodzina nie musi nic wiedzieć. Powiedz mu, żeby zaproponował im swoje usługi za darmo, bo Jake był jego przyjacielem i tak dalej. Możemy chyba to tak załatwić?

— Jasne — odparł Tommy. — To bardzo wielkodusznie z twojej strony, Joe — dodał i poklepał Giuseppego po ramieniu.

— No dobrze. To by było na tyle — powiedział Giuseppe i zbiegł na parter, przeskakując po dwa schodki jak młody chłopak.

2

Sonny siadł wygodniej za kierownicą ciężarówki i nasunął na czoło rondo kapelusza. To nie była jego ciężarówka, ale nikt nie powinien go tu o to pytać. O drugiej w nocy na tym odcinku Jedenastej Alei było pustawo, jeśli nie liczyć przemykających co jakiś czas na chwiejnych nogach pijaków. W którymś momencie mógł go minąć patrol, ale Sonny miał zamiar zsunąć się wtedy na siedzeniu i nawet gdyby gliniarz go zauważył, co było mało prawdopodobne, wziąłby go za jakiegoś odsypiającego sobotnie pijaństwo łobuza, co nie odbiegało zbytnio od prawdy, ponieważ rzeczywiście ostro uderzył w gaz. Ale nie czuł się wcale pijany. Był dużym chłopakiem — w wieku siedemnastu lat miał sto osiemdziesiąt trzy centymetry wzrostu, barczyste ramiona i mocną głowę. Otworzył szybę, by wiejąca od Hudson rześka bryza nie pozwoliła mu zasnąć. Był zmęczony i kiedy tylko oparł się o szeroką kierownicę, zaczął go morzyć sen.

Godzinę wcześniej popijał w Juke's Joint w Harlemie razem z Corkiem i Nikiem. A jeszcze godzinę wcześniej w nielegalnym barze gdzieś w śródmieściu, dokąd Cork zabrał go po tym, jak stracili razem prawie sto dolców, grając w pokera z Polakami na Greenpoincie. Kiedy Cork oświadczył, że on i Sonny muszą wyjść, dopóki jeszcze mają koszule na plecach, wszyscy wybuchnęli śmiechem. Sonny też się roześmiał, choć sekundę wcześniej miał ochotę zarzucić największemu siedzącemu przy stole Polakowi, że jest cholernym oszustem. Cork, który znał dobrze Sonny'ego, wyciągnął go stamtąd, nim ten zrobił coś głupiego. Kiedy wylądowali u Juke'a, nie był zalany, ale niewiele mu brakowało. Po paru tańcach i kilku kolejnych drinkach uznał, że na dziś wystarczy i szykował się do wyjścia, kiedy kumpel Corka zatrzymał go przy drzwiach i powiedział o Tomie. Sonny o mało mu nie przywalił, ale w ostatniej chwili opanował się i wcisnął mu zamiast tego parę dolców. Chłopak dał mu adres i Sonny siedział teraz w jakiejś poobijanej przedpotopowej ciężarówce, obserwując przesuwające się za zasłonami mieszkania Kelly cienie.

Wewnątrz mieszkania Tom zaczął się ubierać. Kelly O'Rourke przemierzała pokój, owinięta w prześcieradło, które przyciskała do biustu i które podwinęło się pod jedną pierś i wlokło za nią po podłodze. Była pozbawioną gracji dziewczyną o niesamowicie pięknej twarzy — nieskazitelnej cerze, czerwonych wargach, niebieskozielonych oczach i jasnorudych lokach — i w tym, jak przechadzała się po pokoju, było coś dramatycznego, zupełnie jakby występowała w jakimś filmie i wyobrażała sobie, że Tom to Cary Grant albo Randolph Scott.

— Ale dlaczego musisz już iść? — zapytała po raz któryś z rzędu, dotykając ręką czoła, jakby mierzyła sobie temperaturę. — W środku nocy, Tom. Dlaczego w środku nocy porzucasz dziewczynę?

Tom włożył podkoszulek. Łóżko, z którego dopiero co wstał, przypominało raczej pryczę, na podłodze leżały porozrzucane czasopisma, w większości numery „Saturday Evening Post", „Grand" i „American Girl". Leżąca u jego stóp Gloria Swanson spoglądała ponętnie z okładki starego numeru „The New Movie".

— Laleczko — powiedział.

— Nie mów do mnie „laleczko" — odpaliła Kelly. — Wszyscy mówią do mnie „laleczko". — Oparła się o ścianę przy oknie, puściła prześcieradło, które opadło na podłogę, i wysunęła do przodu biodro, stając przed nim w wyzywającej pozie. — Dlaczego nie chcesz ze mną zostać, Tom? Co z ciebie za facet?

Tom włożył koszulę i gapiąc się na Kelly, zaczął ją zapinać. W jej oczach płonął niepokój i szczypta szaleństwa, jakby oczekiwała, że lada chwila może się zdarzyć coś zaskakującego.

— Jesteś chyba najpiękniejszą dziewczyną, jaką kiedykolwiek spotkałem — powiedział.

— Nigdy nie byłeś z kimś ładniejszym ode mnie?

— Nigdy nie byłem z dziewczyną piękniejszą od ciebie — przyznał Tom. — Nigdy w życiu.

Niepokój zniknął w tym momencie z jej oczu.

— Zostań ze mną na całą noc, Tom — poprosiła. — Nie odchodź.

Tom usiadł na skraju łóżka, przez chwilę się nad tym zastanawiał, po czym włożył buty.

Sonny patrzył, jak światło padające z latarni z kutego żelaza odbija się od biegnących ulicą szyn. Opierając rękę na dźwigni zmiany biegów, przypomniał sobie, jak w dzieciństwie siedział na chodniku i gapił się na przejeżdżające Jedenastą Ulicą pociągi towarowe i na nowojorskiego konnego policjanta, który pilnował, żeby pijacy i małe dzieci nie wpadli pod ich koła. Kiedyś zobaczył stojącego na dachu jednego z wagonów mężczyznę w dziwacznym ubraniu. Pomachał do niego, a mężczyzna skrzywił się i splunął, jakby widok Sonny'ego wzbudził w nim odrazę. Kiedy zapytał matkę, dlaczego ten facet tak się zachował, machnęła ze zniecierpliwieniem ręką. *„Sta'zitt'!* Jakiś *cafon* pluje na chodnik, a ty mnie o to pytasz? *Madon'!*", zawołała i odeszła zagniewana, co było jej typową reakcją na większość pytań, które zadawał jako dziecko. Miał wrażenie, że każde wypowiedziane przez nią zdanie zaczyna się od *„Sta'zitt'!*", *„Va fa' Napule!*" albo *„Madon'!*". W domu był wiecznym utrapieniem, intruzem albo *scucc'* i dlatego starał się jak najwięcej czasu spędzać na dworze, biegając po ulicach z dzieciakami z sąsiedztwa.

Będąc teraz w Hell's Kitchen i przyglądając się domom po drugiej stronie ulicy, sklepom na parterze oraz dwóm lub trzem piętrom, gdzie były mieszkania, wrócił myślami do swojego dzieciństwa, do okresu, gdy ojciec wstawał co dzień rano i jechał na Hester Street, do swojego kantoru w magazynie, gdzie wówczas pracował — choć oczywiście teraz, kiedy Sonny dorósł, to, co myślał o ojcu i o tym, jak zarabia na życie, wyglądało zupełnie inaczej. Wtedy wydawało mu się, że ojciec jest biznesmenem i że on oraz Genco Abbandando są właścicielami firmy Genco Pura Olive Oil. W tamtym czasie, widząc ojca na ulicy, podbiegał do niego, brał za rękę i trajkotał o wszystkim, co zajmowało jego dziecinny umysł. Widział, jak traktowali go inni ludzie i pękał z dumy, bo Vito był wielką szychą, miał własną firmę i wszyscy, wszyscy co do jednego, darzyli go szacunkiem. Dlatego jeszcze jako chłopiec Sonny zaczął się uważać za kogoś w rodzaju księcia. Syna wielkiej szychy. Miał jedenaście lat, kiedy to wszystko się zmieniło, a może lepiej byłoby powiedzieć, przeobraziło, bo nadal uważał się za księcia — choć teraz oczywiście za księcia innego rodzaju.

Po drugiej stronie ulicy, w mieszczącym się nad zakładem fryzjerskim mieszkaniu Kelly O'Rourke, za znajomą kratownicą schodów przeciwpożarowych, jakaś postać stanęła przy zasłonach i lekko je uchyliła. Sonny zobaczył smugę jaskrawego światła, skrawek nagiego bladoróżowego ciała i rude włosy i nagle odniósł wrażenie, że znajduje się w dwóch miejscach naraz: siedemnastoletni Sonny gapił się w częściowo zasłonięte okno mieszkania Kelly O'Rourke na pierwszym piętrze, a jedenastoletni Sonny leżał na schodach przeciwpożarowych i patrzył z góry przez okno na to, co działo się na zapleczu baru Murphy'ego. Jego wspomnienie z baru Murphy'ego tamtej nocy momentami pozostało bardzo wyraziste. Pora nie była późna, wpół do dziesiątej, najwyżej dziesiąta. Zaraz po tym, jak położył się do łóżka, usłyszał, że ojciec i matka zamieniają ze sobą parę słów. Niezbyt głośno; mama nigdy nie podnosiła głosu na tatę i nie usłyszał, co mówi, lecz poznał po tonie, że jest zdenerwowana albo zmartwiona — dzieci zawsze wyczuwają takie rzeczy. Potem był odgłos otwieranych i zamykanych drzwi i kroki taty po schodach. W tamtym czasie nikt nie stał na posterunku przy frontowych drzwiach, nikt nie czekał w wielkim packardzie albo czarnym ośmiocylindrowym essexie, żeby zabrać tatę wszędzie, gdzie chciał pojechać. Tamtej nocy Sonny zobaczył przez okno, jak ojciec wychodzi przez frontowe drzwi, zbiega po schodach i rusza w stronę Jedenastej Ulicy. Kiedy skręcił za rogiem i zniknął, Sonny był już w ubraniu i zbiegał po schodach przeciwpożarowych. Dopiero kilka przecznic od domu zaczął się zastanawiać, co takiego wyprawia. Gdyby ojciec go zobaczył, sprawiłby mu niezłe lanie i miałby rację. Był na dworze, na ulicy, w porze, gdy powinien leżeć w łóżku. Sonny zwolnił i już chciał zawrócić, ale ciekawość wzięła w końcu górę i naciągnąwszy wełnianą czapkę na czoło, śledził dalej ojca, starając się kryć w cieniu i skradając się za nim w odległości całej przecznicy. Kiedy znaleźli się w miejscu, gdzie mieszkali Irlandczycy, jego poziom czujności wzrósł o kilka kresek. Nie wolno mu było się tu bawić i nie zrobiłby tego, nawet gdyby mu pozwolono, bo wiedział, że włoskie dzieci nieraz dostawały tu manto, i słyszał opowieści o chłopakach, którzy przepadli w irlandzkiej dzielnicy i dopiero po paru tygodniach wyłowiono ich ciała z Hudsonu. Oddalony od niego o całą przecznicę ojciec szedł szybko, trzymając ręce w kieszeniach, z postawionym kołnierzem marynarki, który chronił go przed wiejącym od rzeki zimnym wiatrem. Sonny podążał za nim prawie do samego nabrzeża. Nagle zobaczył, że ojciec zatrzymuje się przed ceglanym budynkiem ze sfatygowanymi drewnianymi drzwiami. Sonny przyczaił się w jakiejś niszy przy wejściu do sklepu i czekał. Kiedy drzwi otworzyły się i ojciec wszedł do baru, ze środka buchnęły głośne śmiechy i śpiewy mężczyzn, które przycichły po zamknięciu drzwi, ale nadal było je słychać, tyle że stłumione.

Straciwszy z oczu ojca, Sonny kulił się przez chwilę w mroku, lecz już po kilku sekundach przeciął brukowaną ulicę i skręcił w zaśmieconą alejkę. Nie potrafił dokładnie wytłumaczyć, co sobie wyobrażał, poza tym, że bar musiał mieć jakieś tylne wyjście i liczył, że coś tam zobaczy — i rzeczywiście z tyłu budynku odkrył drzwi i zasłonięte okno, przez które padało na alejkę żółtawe światło. Ponieważ przez okno nie było nic widać, wdrapał się na ciężki metalowy pojemnik na śmieci, a stamtąd na najniższy szczebel schodów przeciwpożarowych. Chwilę później, leżąc na brzuchu, zerkał przez szparę między górną krawędzią okna i zasłoną do jasno oświetlonego pomieszczenia. Znajdowało się tam mnóstwo drewnianych skrzyń i kartonów, a ojciec stał z rękoma w kieszeniach i mówił coś spokojnie do mężczyzny, który był chyba przywiązany do drewnianego krzesła. Sonny znał tego faceta. Widywał go w okolicy z żoną i z dziećmi. Jego ręce były niewidoczne za krzesłem i Sonny domyślił się, że są związane. W pasie i na wysokości piersi w pogniecioną żółtą marynarkę faceta wrzynał się sznur do bielizny. Krew płynęła z wargi, a głowa opadała w dół, jakby był śpiący albo pijany. Przed nim na drewnianych skrzynkach siedział z wściekłą miną wujek Sonny'ego, Peter, a obok stał ze skrzyżowanymi na piersi rękoma wujek Sal, mierząc mężczyznę ponurym spojrzeniem. To, że wujek Sal był ponury, nie powinno dziwić, zawsze sprawiał takie wrażenie, ale wściekła mina wujka Petera zaskoczyła Sonny'ego. Wujkowi Peterowi uśmiech nigdy nie schodził z twarzy i zawsze miał na podorędziu jakąś wesołą historyjkę. Zafascynowany zerkał ze swojej kryjówki, widząc ojca i wujów na zapleczu baru, z przywiązanym do krzesła facetem z sąsiedztwa. Nie miał pojęcia, co się dzieje. Najmniejszego pojęcia. A potem ojciec położył rękę na kolanie mężczyzny i przyklęknął przy nim, a tamten splunął mu w twarz.

Vito Corleone wyjął z kieszeni chustkę i wytarł twarz. Stojący za nim Peter Clemenza podniósł leżący na podłodze łom.

— Starczy! — powiedział. — Szkoda więcej czasu na tę kanalię!

Vito podniósł rękę, każąc Peterowi się wstrzymać.

Clemenza poczerwieniał na twarzy.

— Vito! — mruknął. — *V'fancul'!* Nic nie zdziałasz z tym twardogłowym Irlandcem.

Vito spojrzał na zakrwawionego faceta, a potem w okno, jakby wiedział, że Sonny siedzi tam na schodach przeciwpożarowych i go obserwuje — choć w rzeczywistości nie miał o tym pojęcia. Nie widział nawet okna i wiszącej w nim nędznej zasłony. Myślał o mężczyźnie, który właśnie splunął mu w twarz, o Clemenzy, który go obserwował, i o stojącym za nim Tessiu. Obaj go obserwowali. Pokój był jaskrawo oświetlony zwisającą z sufitu gołą żarówką, włączający ją metalowy łańcuszek kołysał się nad głową Clemenzy. Zza okutych drewnianych drzwi dochodziły śmiechy i śpiew mężczyzn w barze.

— Nie jesteś rozsądny, Henry — powiedział Vito do mężczyzny. — Musiałem poprosić Clemenzę, żeby wyświadczył mi tę uprzejmość i nie połamał ci nóg.

— Nic wam nie jestem winien, makaroniarze — przerwał mu Henry, nim Vito zdążył powiedzieć coś więcej. Choć był pijany, w jego mowie słyszało się wyraźnie charakterystyczny irlandzki zaśpiew. — Możecie wracać na tę waszą ukochaną jebaną Sycylię — dodał — i jebać wasze ukochane sycylijskie matki.

Clemenza dał krok do tyłu. Robił wrażenie raczej zdumionego niż wściekłego.

— Vito, ten sukinsyn jest beznadziejny — powiedział Tessio.

Clemenza znowu złapał za łom i Vito znowu uniósł rękę. Tym razem Clemenza głośno parsknął i z jego ust popłynął długi strumień włoskich przekleństw. Vito zaczekał, aż skończy, a potem odczekał jeszcze kilka chwil, zanim Clemenza na niego spojrzał. W milczeniu wytrzymał jego wzrok, po czym znów odwrócił się do Henry'ego.

Kuląc się z zimna na schodach przeciwpożarowych, Sonny przycisnął ręce do piersi. Zerwał się wiatr i zaraz mogło zacząć padać. Od rzeki niosło się długie niskie buczenie okrętowej syreny. Ojciec Sonny'ego był średniego wzrostu, lecz potężnej postury, z muskularnymi barkami i ramionami — pamiątką po tym, jak pracował na kolei. Czasami siadał na łóżku Sonny'ego i opowiadał mu historie z czasów, gdy ładował i rozładowywał wagony. Tylko szaleniec ośmieliłby się splunąć mu w twarz. To był jedyny sposób, w jaki Sonny mógł wytłumaczyć sobie coś tak bulwersującego: siedzący na krześle mężczyzna musiał być szalony. Ta myśl trochę go uspokoiła. Przez chwilę czuł lęk, bo nie potrafił zrozumieć tego, co zobaczył, lecz potem ujrzał, jak ojciec ponownie klęka i zwraca się do mężczyzny. W jego postawie rozpoznał powagę i determinację, którą widywał u ojca, gdy chodziło o coś ważnego, co Sonny powinien zrozumieć. Poczuł się pewniej, tłumacząc sobie, że facet jest szalony, a ojciec próbuje przemówić mu do rozsądku. Wierzył, że lada chwila mężczyzna pokiwa głową, ojciec każe go rozwiązać i spór, który ich poróżnił, zostanie zażegnany, bo przecież po to w ogóle wezwano tam ojca: żeby coś naprawił, rozwiązał problem. Wszyscy w okolicy wiedzieli, że Vito Corleone rozwiązuje problemy. Słynął z tego. Sonny obserwował rozgrywającą się na jego oczach scenę i oczekiwał, że ojciec wszystko naprawi. Ale mężczyzna zaczął się szarpać na krześle i jego twarz wykrzywiła wściekłość. Wyglądał niczym zwierzę usiłujące zerwać się z więzów, a potem poderwał nagle głowę i ponownie splunął na ojca Sonny'ego, krwawą śliną, tak że mogło się zdawać, iż udało mu się zranić Vita, choć w rzeczywistości krew była jego własna. Sonny widział, jak pecyna śliny wyleciała z ust mężczyzny. Widział, jak rozprysła się na twarzy ojca.

To, co zdarzyło się potem, było ostatnią rzeczą, którą Sonny zapamiętał z tamtej nocy. Było to jedno z owych wywodzących się z dzieciństwa wspomnień, które z początku są dziwne i tajemnicze i dopiero później, wraz z nabyciem doświadczenia, nabierają sensu. W tamtym momencie Sonny nie wiedział, co o tym sądzić. Ojciec wyprostował się, otarł ślinę z twarzy, spojrzał na mężczyznę, po czym odwrócił się do niego plecami i odszedł, ale tylko na kilka kroków, do tylnych drzwi, przy których stanął bez ruchu. Wujek Sal wyciągnął z kieszeni marynarki poszwę na poduszkę. Wujek Sal był z nich wszystkich najwyższy, ale chodził zawsze pochylony, z wiszącymi po bokach rękoma, jakby nie wiedział, co z nimi zrobić. Poszwa na poduszkę, wyszeptał na głos Sonny. Wujek Sal stanął za krzesłem i naciągnął poszwę na głowę mężczyzny. Wujek Peter podniósł łom i to, co wydarzyło się później, częściowo się zatarło. Sonny zapamiętał wyraźnie kilka rzeczy: wujka Sala naciągającego poszwę na głowę mężczyzny, wujka Petera biorącego zamach łomem, poszwę, która zrobiła się nagle czerwona, jaskrawoczerwona, i dwóch wujków pochylających się nad siedzącym na krześle

23

facetem, krzątających się przy nim, rozwiązujących sznury. Poza tym nie pamiętał niczego. Później pobiegł chyba z powrotem do domu i położył się do łóżka, ale nic z tego nie pamiętał. Wszystko aż do poszwy było wyraźne, a potem rozmazywało się i zupełnie zacierało w pamięci.

Bardzo długo Sonny nie rozumiał, co wtedy zobaczył. Długie lata zajęło mu poskładanie wszystkiego do kupy.

Po drugiej stronie Jedenastej Ulicy, nad zakładem fryzjerskim, zasłona nagle poruszyła się i odsunęła i z okna wyjrzała Kelly O'Rourke — cudowne mgnienie jasnego kobiecego ciała na tle brudnej ceglanej ściany, czarnych schodów przeciwpożarowych i ciemnych okien.

Kelly spojrzała w ciemność i dotknęła brzucha, co robiła nieświadomie od kilku tygodni, próbując wyczuć trzepotanie życia, które tam się wykluwało. Przesunęła palcami po napiętej skórze i starała się zebrać rozproszone myśli. Jej rodzice i bracia dawno się jej wyrzekli, być może z wyjątkiem Seana, więc dlaczego miałoby ją obchodzić, co sobie myślą? Wzięła w klubie jedną z tych niebieskich tabletek i poczuła się po niej lekka i zwiewna. Myśli rozpierzchły się na wszystkie strony. Przed sobą widziała tylko ciemność i własne odbicie w szybie. Było późno i wszyscy zawsze zostawiali ją samą. Przycisnęła dłoń płasko do brzucha, próbując coś wyczuć. Choć bardzo się starała, nie była w stanie zebrać myśli, zatrzymać ich w jednym miejscu.

Tom stanął za nią i zasunął zasłony.

— Daj spokój, skarbie — powiedział. — Dlaczego to robisz?

— Dlaczego co robię?

— Stajesz tak w otwartym oknie.

— A co? Boisz się, że ktoś cię ze mną zobaczy, Tom?

Kelly oparła dłoń o biodro, a potem opuściła ją w geście rezygnacji. Zaczęła ponownie krążyć po pokoju, wpatrując się w ściany i w podłogę. Nie zwracała w ogóle uwagi na Toma, myślami była gdzie indziej.

— Słuchaj, Kelly. Kilka tygodni temu zacząłem studia i jeśli nie wrócę...

— Och, przestań marudzić, na litość boską — prychnęła.

— Wcale nie marudzę — odparł. — Próbuję ci wytłumaczyć.

Kelly przestała chodzić po pokoju.

— Wiem — powiedziała. — Dzieciak z ciebie. Wiedziałam o tym, kiedy cię poderwałam. Ile ty w ogóle masz lat? Osiemnaście? Dziewiętnaście?

— Osiemnaście. Mówię tylko, że muszę wrócić do akademika. Zauważą, jeśli nie będzie mnie tam rano.

Kelly pociągnęła się za ucho i spojrzała na Toma. Przez chwilę przyglądali się sobie w milczeniu. Tom zastanawiał się, co takiego w nim widzi. Zastanawiał się nad tym, kiedy podeszła do jego stolika w Juke's Joint i zaprosiła go do tańca tak zmysłowym głosem, jakby prosiła, żeby się z nią przespał. Zastanawiał się nad tym ponownie, gdy po kilku tańcach i jednym drinku poprosiła, żeby zabrał ją do domu. Nie rozmawiali ze sobą zbyt wiele. Tom powiedział jej, że studiuje na New York University. Ona powiedziała mu, że obecnie jest bezrobotna i pochodzi z licznej rodziny, ale nie utrzymuje z nią kontaktów. Chciała się zaczepić gdzieś w filmie. Miała na sobie długą niebieską suknię, która opinała jej ciało od łydek aż do piersi. Biała skóra odcinała się wyraźnie od satyny przy głębokim dekolcie. Tom powiedział jej, że nie ma samochodu, że przyjechał tam z przyjaciółmi. Odparła, że to żaden problem, bo sama ma samochód, a jemu nie przyszło do głowy zapytać, jakim cudem bezrobotną dziewczynę z licznej rodziny stać na własne auto. Kiedy przyjechała z nim do Hell's Kitchen, zaczął podejrzewać, że to chyba nie jej samochód. Nie wspomniał, że dorastał kilkanaście przecznic od Jedenastej Ulicy, gdzie zaparkowała. Zobaczywszy jej mieszkanie, wiedział już na pewno, że auto nie należy do niej, ale nie miał czasu o to spytać, bo zaraz wylądowali w łóżku i zapomniał o bożym świecie. Wydarzenia tej nocy następowały bardzo szybko, do czego nie był przyzwyczajony, i obserwując ją teraz, intensywnie się zastanawiał. Jej zachowanie co chwila się zmieniało: najpierw była uwodzicielska, potem wydawała się subtelną dziewczyną, która nie chciała, by ją opuszczał, teraz stała się twarda, jakby zagniewana. Patrząc na niego, zacisnęła zęby i ściągnęła wargi. W Tomie też się coś zmieniało. Szykował się na to, co mogła zrobić albo powiedzieć, szykował się na kłótnię, na to, żeby zareagować.

— Więc kim ty właściwie jesteś? — zapytała, siadając na blacie przy białym porcelanowym zlewie. — Jakimś irlandzko-włoskim kundlem?

Tom odnalazł swój sweter, który wisiał na balustradzie łóżka, zawiesił go sobie na plecach i związał rękawy z przodu.

— Jestem pochodzenia niemiecko-irlandzkiego — odparł. — Dlaczego sądziłaś, że mogę być Włochem?

Kelly wzięła z kredensu za plecami paczkę wingów, otworzyła ją i zapaliła papierosa.

— Bo wiem, kim jesteś — powiedziała i przez chwilę milczała, budując napięcie, zupełnie jakby grała w filmie. —

26

Nazywasz się Tom Hagen. Jesteś adoptowanym synem Vita Corleone — dodała i zaciągnęła się mocno papierosem. W jej oczach lśniło trudne do odgadnięcia połączenie radości i gniewu.

Tom rozejrzał się, po raz pierwszy zwracając uwagę na miejsce, w którym się znalazł — i które było tanim wynajmowanym pokojem, nawet nie mieszkaniem, ze zlewem i szafkami z jednej strony i łóżkiem wielkości pryczy z drugiej. Na podłodze walały się czasopisma, butelki po napojach, ubrania, opakowania batoników i puste paczki wingów i chesterfieldów. Ubrania były o wiele za drogie na to miejsce. W jednym z kątów zobaczył jedwabną bluzkę, która musiała kosztować więcej niż miesięczny czynsz.

— Nie jestem adoptowany — wyjaśnił. — Dorastałem w rodzinie Corleone, ale nigdy mnie nie adoptowali.

— Co za różnica... — mruknęła Kelly. — Więc kim cię to czyni? Irlandcem czy makaroniarzem? A może jakimś makaroniarsko-irlandzkim mieszańcem?

Tom usiadł na skraju łóżka. Teraz rozmawiali tak, jak rozmawia się o interesach.

— Więc poderwałaś mnie, bo wiedziałaś coś o mojej rodzinie? Zgadza się?

— A coś ty sobie wyobrażał, dzieciaku? Że zrobiłam to, bo jesteś taki przystojny? — Kelly strzepnęła do zlewu popiół z papierosa i odkręciła wodę, żeby go spłukać.

— Dlaczego moja rodzina miałaby mieć z tym coś wspólnego? — zapytał.

— Z czym? — odparła z autentycznym uśmiechem, jakby w końcu zaczęła się dobrze bawić.

— Z tym, że cię tu zabrałem i posuwałem — odparł Tom.

— Nie posuwałeś mnie, dzieciaku. To ja cię posuwałam. —
Kelly przerwała i obserwowała go, dalej się uśmiechając.

Tom kopnął paczkę chesterfieldów.

— Kto to pali? — zapytał.

— Ja.

— Palisz wingi i chesterfieldy?

— Wingi, kiedy sama kupuję. Kiedy indziej chesterfieldy.
Wyraźnie się rozgrzewasz — dodała, gdy Tom nic na to nie
odpowiedział.

— No dobrze. Więc czyim samochodem tu przyjechaliśmy?
Nie jest twój. Gdyby do ciebie należał, nie mieszkałabyś
w takim miejscu.

— Prawidłowo, dzieciaku — powiedziała. — Teraz zadajesz właściwe pytania.

— Kto kupuje ci te eleganckie ciuchy?

— Bingo! — zawołała Kelly. — Trafiłeś w samo sedno.
Kupuje je mój chłopak. To jego samochód.

Tom rozejrzał się, jakby dopiero teraz zdziwiło go obskurne
wnętrze.

— Powinnaś mu powiedzieć, żeby wynajął ci jakieś milsze
miejsce.

— Wiem! — odparła i również się rozejrzała, jakby dziwiło
ją to tak samo jak jego. — Uwierzyłbyś, że muszę mieszkać
w takiej szczurzej norze?

— Powinnaś z nim porozmawiać — powiedział Tom. —
Z tym twoim chłopakiem.

Kelly chyba go nie słuchała. Nadal rozglądała się po pokoju,
jakby widziała go po raz pierwszy w życiu.

— Musi mnie chyba nienawidzić, prawda? — zapytała. —
Każąc mi mieszkać w takim miejscu?

— Powinnaś z nim porozmawiać — powtórzył Tom.

— Wynoś się! — zawołała, zeskakując z blatu i owijając się prześcieradłem. — Idź sobie! Mam już dosyć tej ciuciubabki!

Tom ruszył ku drzwiom, na których zawiesił wcześniej na kołku czapkę.

— Słyszałam, że twoja rodzina jest warta miliony — powiedziała, gdy stał odwrócony do niej plecami. — Vito Corleone i jego gang.

Tom nałożył czapkę i zsunął ją na tył głowy.

— Co tu jest grane, Kelly? — zapytał. — Dlaczego mi po prostu nie powiesz?

Kelly machnęła papierosem, dając mu do zrozumienia, żeby zjeżdżał.

— Spadaj — powiedziała. — Do widzenia, Tomie Hagen.

Tom odparł grzecznie do widzenia i wyszedł, ale zdążył pokonać tylko kilka stopni w dół, kiedy drzwi otworzyły się i Kelly stanęła w mrocznym holu bez prześcieradła, które zostawiła gdzieś za sobą w pokoju.

— Nie jesteście tacy twardzi! — zawołała. — Wy, Corleone!

Tom dotknął daszka czapki i popatrzył na Kelly, która stała bezwstydnie przy drzwiach do pokoju.

— Nie jestem chyba reprezentatywny dla mojej rodziny — powiedział.

— Phi! — prychnęła, przeczesując palcami włosy.

Odpowiedź Toma wprawiła ją chyba w zakłopotanie. Po chwili zniknęła w środku, zapominając zamknąć za sobą dobrze drzwi.

Tom nasunął czapkę na czoło i zbiegł po schodach na ulicę.

Kiedy tylko wyszedł z budynku, Sonny wyskoczył z ciężarówki i przebiegł przez ulicę. Tom sięgnął za klamkę, jakby chciał się cofnąć do holu, ale Sonny dopadł go, objął ramieniem i pociągnął w stronę skrzyżowania.

— Ty durniu! — wycedził. — Powiedz mi tylko jedno, dobrze? Chcesz, żeby cię zabili, czy jesteś po prostu takim *stronz*'? Wiesz, z czyją dziewczyną wykonałeś właśnie szybki numerek? Wiesz, gdzie jesteś?

Każde pytanie Sonny zadawał coraz donośniejszym głosem i w końcu wepchnął Toma w boczną alejkę, podniósł pięść i zazgrzytał zębami, ze wszystkich sił powstrzymując się, by mu nie przywalić i nie przygwoździć go do ściany.

— Nie masz pojęcia, w jakich znalazłeś się opałach, prawda? — Sonny pochylił się nad Tomem, jakby lada chwila mógł się na niego rzucić. — A w ogóle dlaczego przygruchałeś sobie jakąś irlandzką cizię? — Podniósł ręce do nieba i obrócił się dokoła, jakby wzywał na świadków bogów. — *Cazzo!* — wrzasnął. — Powinienem skopać ci dupę i zostawić w rynsztoku!

— Uspokój się, proszę, Sonny — powiedział Tom, po czym poprawił koszulę i wiszący na plecach sweter.

— Mam się uspokoić? — żachnął się Sonny. — Pytam jeszcze raz: wiesz, czyją posuwałeś dziewczynę?

— Nie, nie wiem — odparł Tom. — Czyją dziewczynę posuwałem?

— Nie wiesz...

— Nie mam bladego pojęcia, Sonny. Może mi powiesz?

Sonny spojrzał na niego zdumiony, a potem, jak zdarzało mu się często, cały gniew nagle z niego wyparował.

— To dupa Luki Brasiego, idioto. Nie wiedziałeś!?

— Nie miałem pojęcia — odparł Tom. — Kto to taki ten Luca Brasi?

30

— Kto to taki ten Luca Brasi? — powtórzył za nim Sonny. — Lepiej, żebyś nie wiedział, kim jest. Luca to facet, który wyrwie ci rękę z barku i zatłucze na śmierć okrwawionym kikutem tylko za to, że na niego krzywo spojrzałeś. Znam wielkich twardzieli, którzy śmiertelnie się boją Luki Brasiego. A ty właśnie przeleciałeś jego dziewczynę.

Tom przyjął tę informację dość chłodno. Zastanawiał się chyba nad konsekwencjami.

— No dobrze — mruknął. — Teraz ty z kolei odpowiedz na moje pytanie. Skąd się tutaj, do diabła, wziąłeś?

— Chodź no! — zawołał nagle Sonny, czule go obejmując i cofając się, by przyjrzeć się bratu. — I jaka była? *Madon'!* — dodał, machając ręką. — Ale z niej kociak!

Tom wyminął Sonny'ego. Ulicą, tuż przy torach kolejowych, przejechał ciągnięty przez lśniącego deresza furgon piekarni Pechtera z ułamaną w jednym kole szprychą. Trzymający lejce grubas omiótł znudzonym spojrzeniem Toma, który uchylił przed nim czapki i odwrócił się z powrotem do brata.

— I dlaczego jesteś ubrany, jakbyś balował całą noc z Dutchem Schultzem? — zapytał, wodząc palcami po klapach dwurzędowej marynarki Sonny'ego i dotykając jego brokatowej kamizelki. — Jakim cudem stać na taki garnitur chłopaka, który haruje w warsztacie?

— Hej, to ja zadaję tutaj pytania — odparował Sonny. Objął ponownie Toma i ruszył z nim z powrotem w stronę ulicy. — Poważnie, Tommy. Masz pojęcie, w jakie wpakowałeś się kłopoty?

— Nie wiedziałem, że to dziewczyna Luki Brasiego. Nic mi nie powiedziała. Dokąd idziemy? — zapytał Tom, wskazując ulicę. — Z powrotem na Dziesiątą Aleję?

— Co robiłeś w Juke's Joint? — zapytał Sonny.

— Skąd wiesz, że byłem w Juke's Joint?

— Bo byłem tam po tobie.

— W takim razie co ty robiłeś w Juke's Joint?

— Zamknij się, zanim ci przywalę! — Sonny ścisnął Toma za ramię, by dać mu do zrozumienia, że jest na niego naprawdę wściekły. — To nie ja studiuję i nie wystawiam podobno nosa znad książek.

— Jest sobotnia noc.

— Już nie — odparł Sonny. — Jest niedzielny ranek. Jezu — dodał, jakby właśnie uświadomił sobie, jak zrobiło się późno. — Jestem skonany.

Tom wyswobodził się z jego uścisku, zdjął czapkę, wygładził włosy i włożył ją z powrotem, nasuwając nisko na czoło. Myślami wrócił do Kelly, przemierzającej swój niewielki pokoik i ciągnącej za sobą prześcieradło, jakby wiedziała, że powinna się czymś okryć, ale specjalnie jej na tym nie zależało. Pachniała w sposób, który trudno było opisać. Tom ścisnął górną wargę, co robił zawsze, kiedy się nad czymś intensywnie zastanawiał, i powąchał palce. To był złożony zapach, jednocześnie cielesny i surowy. Ostatnie wydarzenia kompletnie go oszołomiły. Miał wrażenie, jakby przeżywał cudze życie. Bardziej w stylu Sonny'ego. Na Jedenastej Ulicy jakiś samochód zahamował za konnym furgonem. Kierowca zerknął na chodnik, a potem ominął wóz i pojechał dalej.

— Dokąd idziemy? — zapytał Tom. — Trochę za późno na spacer.

— Mam samochód — odparł Sonny.

— Masz samochód?

— Z warsztatu. Pozwalają mi nim jeździć.

— Gdzie, do diabła, go zaparkowałeś?

— Kilka przecznic stąd.

— Dlaczego zaparkowałeś tak daleko, skoro wiedziałeś, że jestem...

— *Che cazzo!* — Sonny rozpostarł ramiona w geście wskazującym, że dziwi go ignorancja Toma. — Bo to terytorium Luki Brasiego — wyjaśnił. — Luki Brasiego, braci O'Rourke i bandy stukniętych Irlandców.

— A co to ma wspólnego z tobą? — zapytał Tom, stając mu na drodze. — Co obchodzi chłopaka harującego w warsztacie, czyje to terytorium?

Sonny odepchnął go na bok. Nie zrobił tego zbyt łagodnie, ale miał na twarzy uśmiech.

— To niebezpieczna okolica. Nie jestem taki nieostrożny jak ty — powiedział i roześmiał się, jakby samego go to zaskoczyło.

— Więc dobrze, słuchaj — odparł Tom, ruszając dalej ulicą. — Wybrałem się do Juke's Joint z paroma facetami, których znam z akademika. Mieliśmy trochę potańczyć, wypić parę drinków i wyjść. A potem ta cizia zaprosiła mnie do tańca i zanim się zorientowałem, wylądowałem w jej łóżku. Nie wiedziałem, że to dziewczyna Luki Brasiego, przysięgam.

— *Madon'!* — Sonny wskazał stojącego pod uliczną latarnią czarnego packarda. — To mój — powiedział.

— To znaczy z twojego warsztatu.

— Zgadza się. Wsiadaj i zamknij się.

W samochodzie Tom rozsiadł się wygodnie na siedzeniu i patrzył, jak Sonny zdejmuje kapelusz, kładzie go na siedzeniu obok siebie i wyjmuje kluczyk z kieszeni kamizelki. Wystająca z podłogi długa dźwignia biegów zadrżała lekko, gdy samochód ruszył z miejsca. Sonny wyciągnął z kieszeni marynarki paczkę lucky strike'ów, zapalił i odłożył papierosa do popielniczki na tablicy rozdzielczej z polerowanego drewna. Dym z papierosa snuł się przed przednią szybą. Tom otworzył schowek na rękawiczki i zobaczył w nim paczkę prezerwatyw.

— Pozwalają ci jeździć czymś takim w sobotnią noc? — zapytał.

Sonny, nie odpowiadając, skręcił w aleję.

Tom był zmęczony, ale w ogóle nie chciało mu się spać. Domyślał się, że jeszcze długo nie zmruży oka. Mijali kolejne ulice, Sonny jechał na południe.

— Odwozisz mnie do akademika? — zapytał Tom.

— Jedziemy do mnie. Możesz nocować dziś u mnie — odparł Sonny i obejrzał się przez ramię. — W ogóle się nad tym zastanawiałeś? Myślałeś o tym, co zrobisz?

— Masz na myśli, kiedy ten cały Luca się dowie?

— Zgadza się, to właśnie mam na myśli.

Tom patrzył na mijane przez nich ulice. Okna czynszówek nad palącymi się latarniami były w większości ciemne.

— Jak może się dowiedzieć? — zapytał w końcu. — Przecież ona mu nie powie. — Potrząsnął głową, jakby w ogóle wykluczał taką możliwość. — Moim zdaniem jest trochę stuknięta — dodał. — Przez całą noc zachowywała się jak wariatka.

— Chyba wiesz, że tu w ogóle nie chodzi o ciebie — powiedział Sonny. — Luca dowie się i dorwie cię, a wtedy tato będzie musiał dobrać mu się do skóry. I będziemy mieli wojnę. Wszystko dlatego, że nie umiesz trzymać kutasa w rozporku.

— Och, proszę cię! — zawołał Tom. — Ty będziesz mi prawił kazania o trzymaniu kutasa w rozporku?

Sonny strącił mu czapkę z głowy.

— Ona mu nie powie — upierał się Tom. — Nie będzie żadnych reperkusji.

— Żadnych reperkusji — powtórzył ironicznie Sonny. — Skąd wiesz? Skąd wiesz, czy ona nie chce go sprowokować? Myślałeś o tym? Może chce w nim wzbudzić zazdrość?

— Nie sądzisz, że to by było czyste wariactwo?

— Owszem — odparł Sonny — ale sam powiedziałeś, że jest stuknięta. Poza tym to baba, a wszystkie baby są stuknięte. Zwłaszcza Irlandki. Wszystkie one mają nieźle porąbane w głowach.

Tom przez chwilę się zastanawiał.

— Nie sądzę, żeby mu powiedziała — odezwał się w końcu, jakby ostatecznie rozstrzygnął problem. — Jeśli to zrobi, nie będę miał innego wyboru, jak zwrócić się do taty.

— Jaka to różnica, czy zabije cię Luca, czy tato?

— A co innego mogę zrobić? — zapytał Tom i nagle coś przyszło mu do głowy. — Może powinienem sobie sprawić pistolet?

— I co z nim zrobisz? Strzelisz sobie w stopę?

— A ty masz jakiś pomysł?

— Nie mam — odparł Sonny, szczerząc zęby w uśmiechu. — Ale miło cię było poznać, Tom. Był z ciebie dobry brat — dodał, odchylając się do tyłu i wybuchając głośnym śmiechem.

— Zabawny jesteś. Słuchaj. Założę się, że ona nic mu nie powie.

— No dobrze. — Sonny'emu zrobiło się żal brata. Strzepnął popiół z papierosa i zaciągnął się. — A nawet jeśli to zrobi — powiedział — tato znajdzie jakiś sposób, żeby to załatwić.

Przez jakiś czas będziesz miał przechlapane, ale przecież nie pozwoli, żeby Luca cię zabił. Tyle że są jeszcze jej bracia... — dorzucił po chwili i znowu głośno się roześmiał.

— Dobrze się bawisz, mądralo? — zapytał Tom.

— Przepraszam, ale nie mogę się powstrzymać. Pan Wzorowy wcale nie jest taki wzorowy. Grzeczny chłopiec nieźle narozrabiał. To mi się podoba. — Sonny wyciągnął rękę i zmierzwił mu włosy.

Tom odsunął jego dłoń.

— Mama martwi się o ciebie — powiedział. — Znalazła pięćdziesiąt dolarów w kieszeni spodni, które oddałeś jej do prania.

Sonny uderzył wierzchem dłoni w kierownicę.

— Więc tam były! Powiedziała coś tacie?

— Nie, jeszcze nie. Ale martwi się o ciebie.

— Co zrobiła z pieniędzmi?

— Dała mi.

Sonny spojrzał na Toma.

— Nie przejmuj się — powiedział Tom. — Mam je.

— Więc o co mama się martwi? Przecież pracuję. Powiedz jej, że zaoszczędziłem tę forsę.

— Daj spokój, Sonny. Mama nie jest głupia. Mówimy o pięćdziesięciu dolarach.

— Skoro tak się martwi, dlaczego mnie o to nie zapytała?

Tom odchylił się do tyłu na siedzeniu, jakby zmęczyła go próba rozmówienia się z Sonnym. Otworzył na oścież szybę i wystawił twarz na podmuchy wiatru.

— Nie zapytała cię z tego samego powodu, z jakiego nie pyta taty, dlaczego mamy teraz cały dom w Bronxie, podczas gdy jeszcze niedawno gnieździliśmy się w szóstkę w dwupokojowym mieszkaniu przy Dziesiątej Alei. Z tego samego powodu, z jakiego nie pyta, dlaczego wszyscy, którzy mieszkają w tym domu, dziwnym trafem pracują u ojca i dlaczego na ganku stoją zawsze dwaj faceci, obserwując wszystkich, którzy tamtędy przechodzą i przejeżdżają.

Sonny ziewnął i przeczesał palcami gęste kędzierzawe włosy, które opadały mu na czoło, sięgając prawie do oczu.

— No cóż — powiedział. — Handel oliwą to nie jest bezpieczna branża.

— Co ty robisz z pięćdziesięciodolarowym banknotem w kieszeni, Sonny? Co ty robisz w dwurzędowym garniturze w prążki, w którym wyglądasz jak gangster? I dlaczego... — Tom wsadził szybko rękę pod marynarkę Sonny'ego i go obmacał — ...dlaczego nosisz przy sobie broń?

— Powiedz mi coś, Tom — zagadnął go Sonny. — Twoim zdaniem mama naprawdę wierzy, że tato handluje oliwą?

Tom nie odpowiedział. Obserwował Sonny'ego i czekał.

— Mam przy sobie gnata — wyjaśnił Sonny — bo mój brat wpadł w kłopoty i może trzeba mu będzie pomóc się z nich wykaraskać.

— Skąd w ogóle wziąłeś pistolet? Co się z tobą dzieje, Sonny? Tato zabije cię, jeśli dowie się, że robisz to, co robisz. Co jest z tobą nie tak?

— Odpowiedz na moje pytanie — powiedział Sonny. — Czy twoim zdaniem mama naprawdę wierzy, że tato handluje oliwą?

— Tato handluje oliwą. A co? W jakiej, twoim zdaniem, pracuje branży?

Sonny spojrzał na Toma, jakby chciał powiedzieć: „Nie opowiadaj głupot".

— Nie wiem, w co wierzy mama — odparł Tom. — Wiem tylko, że poprosiła mnie, żebym pogadał z tobą o tych pieniądzach.

— Więc jej powiedz, że zaoszczędziłem je, pracując w warsztacie.

— Nadal pracujesz w warsztacie?

— No jasne — odparł Sonny. — Nadal pracuję.

— Jezus Maria, Sonny... — Tom pomasował oczy palcami. Jechali Canal Street, na chodnikach po obu stronach ulicy stały jeden przy drugim puste stragany. Teraz panował tu spokój, ale za parę godzin ulicę miał wypełnić tłum ludzi w niedzielnych ubraniach, zażywających przechadzki w jesienne popołudnie. — Posłuchaj mnie, Sonny. Mama przez całe życie niepokoiła się o tatę... ale o swoje dzieci nie musiała się niepokoić. Słyszysz mnie, mądralo? — zapytał Tom, podnosząc nieco głos, żeby Sonny dobrze go zrozumiał. — Ja studiuję. Ty masz dobrą robotę w warsztacie. Fredo, Michael i Connie są jeszcze dziećmi. Mama może spokojnie spać, bo nie musi się martwić o dzieci, tak jak w każdej świadomej chwili swego życia musi się martwić o tatę. Pomyśl, Sonny. — Tom chwycił Sonny'ego za klapę marynarki. — Ile jeszcze strapień chcesz przysporzyć mamie? Ile jest dla ciebie wart ten szyty na miarę garnitur?

Sonny wjechał na chodnik przed warsztatem. Robił wrażenie zaspanego i zmęczonego.

— Jesteśmy na miejscu — oznajmił. — Możesz otworzyć bramę, brachu?

— To wszystko? — zapytał Tom. — To wszystko, co masz mi do powiedzenia?

Sonny położył głowę na siedzeniu i zamknął oczy.

— Jezu, ale jestem skonany.

— Jesteś skonany... — powtórzył Tom.

— Naprawdę. Nie pamiętam już, kiedy ostatnio przyłożyłem głowę do poduszki.

Tom wbił wzrok w Sonny'ego i przez chwilę czekał. Po minucie zdał sobie sprawę, że jego brat zasnął.

— *Mammalucc'!* — mruknął, po czym złapał go delikatnie za ramię i potrząsnął.

— O co chodzi? — zapytał Sonny, nie otwierając oczu. — Otworzyłeś już warsztat?

— Masz klucz do bramy?

Sonny sięgnął do schowka na rękawiczki, wyciągnął klucz, wręczył go Tomowi i wskazał drzwi samochodu.

— Proszę bardzo — mruknął Tom, wysiadając z samochodu.

Byli na Mott Street, przecznicę od mieszkania Sonny'ego. Chciał zapytać go, dlaczego trzyma samochód w warsztacie, skoro mógłby go zaparkować tuż przed domem, ale po zastanowieniu dał sobie spokój i poszedł otworzyć bramę.

3

Sonny zapukał raz, otworzył frontowe drzwi i nie zdążył zrobić dwóch kroków do środka, kiedy Connie, wykrzykując głośno jego imię, skoczyła mu w ramiona. Jej jasnożółta sukienka była pobrudzona i przedarta na kolanach. Wokół twarzy fruwały jedwabiste ciemne włosy wyswobodzone z dwóch jasnoczerwonych klamerek. Idący za Sonnym Tom zamknął drzwi przed wiatrem, który porywał liście i śmieci z Arthur Avenue i niósł je wzdłuż Hughes Avenue aż na schody domu rodziny Corleone, gdzie dwaj byli brooklyńscy bokserzy, Gruby Bobby Altieri i Johnny LaSala, stali na ganku, paląc papierosy i rozmawiając o Gigantach. Connie objęła chudymi dziewczęcymi rączkami Sonny'ego za szyję i wycisnęła mokry, głośny pocałunek na jego policzku. Michael oderwał się od warcabów, w które grał z Paulem Gattem, Fredo wybiegł z kuchni i po chwili chyba wszyscy obecni w domu — a w to niedzielne popołudnie kłębił się tam cały tłum — dowiedzieli się o przybyciu Sonny'ego i Toma. Głośne powitania odbijały się echem we wszystkich pokojach.

Na górze, w gabinecie mieszczącym się u szczytu drewnianych schodów, Genco Abbandando wstał ze skórzanego fotela i zamknął drzwi.

— Przyszli chyba Sonny i Tommy — powiedział.

Ponieważ każdy, kto nie był głuchy, usłyszał już wykrzykiwane kilkanaście razy imiona obu chłopców, oświadczenie to było całkowicie zbędne. Vito, siedzący na prostym krześle za biurkiem, z zaczesanymi do tyłu czarnymi włosami, postukał palcami w kolana.

— Załatwmy to szybko. Chcę się zobaczyć z chłopcami.

— Jak już mówiłem, Mariposę trafia szlag — podjął Clemenza, po czym wyjął chusteczkę z kieszeni marynarki i wydmuchał nos. — Trochę się przeziębiłem — wyjaśnił, wymachując chusteczką, jakby Vito potrzebował dowodu. Był zwalistym mężczyzną z okrągłą twarzą i szybko przerzedzającymi się włosami. Jego korpulentne ciało ledwie mieściło się w skórzanym fotelu. Na stoliku między nim i Abbandandem stała butelka anyżówki i dwa kieliszki.

Tessio, czwarty mężczyzna w pokoju, stał obok sofy, przy oknie wychodzącym na Hughes Avenue.

— Emilio wysłał do mnie jednego ze swoich chłopaków — powiedział.

— Do mnie też — mruknął Clemenza.

Vito zrobił zdziwioną minę.

— Emilio Barzini uważa, że kradniemy jego whiskey? — zapytał.

— Nie — odparł Genco. — Emilio nie jest taki głupi. To Mariposa uważa, że kradniemy jego whiskey. Emilio sądzi, że możemy wiedzieć, kto to robi.

Vito przesunął palcami po podbródku.

— Jak człowiek do tego stopnia głupi mógł zajść tak wysoko? — powiedział, mając na myśli Giuseppego Mariposę.

— Ma Emilia, który dla niego pracuje — stwierdził Tessio. — To nie jest bez znaczenia.

— Ma braci Barzini — dodał Clemenza — braci Rosato, Tomasina Cinquemaniego, Frankiego Pentangelego... *Madon'!* Jego *capos*... — Clemenza pstryknął palcami, dając do zrozumienia, że *capos* Mariposy to sami twardziele.

Vito sięgnął po stojący na jego biurku kieliszek stregi, pociągnął łyk i odstawił go z powrotem.

— Ten człowiek — powiedział — ma przyjaciół w organizacji w Chicago. Ma w kieszeni Rodzinę Tattaglii. Popierają go politycy i biznesmeni. — Vito rozłożył ręce, zwracając się do swoich przyjaciół. — Dlaczego miałbym robić sobie wroga z kogoś takiego, kradnąc mu parę dolarów?

— Jest osobistym przyjacielem Capone — wtrącił Tessio. — Znają się od lat.

— W Chicago rządzi teraz Frank Nitti — zauważył Clemenza.

— Nittiemu wydaje się, że rządzi w Chicago — poprawił go Genco. — W rzeczywistości, odkąd Capone wylądował w mamrze, to Ricca pociąga za sznurki.

Vito westchnął głośno i trzej mężczyźni natychmiast umilkli. W wieku czterdziestu jeden lat wyglądał całkiem młodo: miał ciemne włosy, muskularną klatkę piersiową i ramiona, a oliwkowej skóry nie znaczyły jeszcze zmarszczki. Choć nie był wcale starszy od Clemenzy i Genca, wyglądał młodziej od obu — i o wiele młodziej od Tessia, który urodził się, wyglądając jak starzec.

— Genco — powiedział. — *Consigliere.* Czy to możliwe,

że Giuseppe jest taki głupi? Czy może — dodał, wzruszając ramionami — chodzi mu o coś innego?

Genco rozważył tę możliwość. Szczupły, z haczykowatym nosem, sprawiał zawsze wrażenie lekko podenerwowanego. Cierpiał na zgagę i co chwila wrzucał do szklanki z wodą dwie tabletki alka seltzer i wypijał ją, jakby to była whiskey.

— Giuseppe nie jest aż tak głupi, żeby nie potrafił czytać znaków na niebie — odparł. — Wie, że prohibicja wkrótce zostanie zniesiona. Moim zdaniem w całej tej historii z LaContim chodzi mu o to, żeby móc rozdawać karty, kiedy uchylona zostanie ustawa Volsteada. Musimy jednak pamiętać, że jeszcze się z nim nie rozprawił.

— LaConti jest trupem — przerwał mu Clemenza — tyle że jeszcze o tym nie wie.

— Nie jest trupem — sprzeciwił się Genco. — Rosario LaConti nie jest kimś, kogo można by lekceważyć.

Tessio potrząsnął głową, jakby głęboko ubolewał nad tym, co musi powiedzieć.

— W gruncie rzeczy jest już martwy — oświadczył i wyciągnął paczkę papierosów z wewnętrznej kieszeni marynarki. — Większość jego ludzi przeszła do Mariposy.

— LaConti nie jest martwy, dopóki go nie zabili! — warknął Genco — I lepiej uważajcie, kiedy to się stanie! Po zniesieniu prohibicji wszyscy znajdziemy się pod obcasem Mariposy. To on będzie pociągał za sznurki i zadba o to, by wykroić dla siebie największy kawałek tortu. Rodzina Mariposy będzie najsilniejsza ze wszystkich... w Nowym Jorku, wszędzie.

— Z wyjątkiem Sycylii — mruknął Clemenza.

Genco zignorował go.

— Jednak jak już wspomniałem, LaConti jeszcze żyje i dopóki Joe go nie załatwi, to będzie jego główne zmartwienie. Uważa, że jego transporty są przejmowane przez ciebie — dodał, wskazując Tessia — przez ciebie — zwrócił się do Clemenzy — albo przez nas — powiedział do Vita. — Mimo to na razie nie będzie szukał z nami zwady. Przynajmniej do momentu, kiedy nie upora się z LaContim. Ale chce, żeby te kradzieże się skończyły.

Vito otworzył szufladę biurka, wyjął z niego pudełko cygar De Nobili i odwinął jedno.

— Zgadzasz się z tym, co mówi Genco? — zapytał Clemenzę.

Ten skrzyżował ręce na brzuchu.

— Mariposa nie traktuje nas z szacunkiem — powiedział.

— On nie szanuje nikogo — mruknął Tessio.

— Dla Joego jesteśmy bandą *finocch'*. — Clemenza poruszył się nieswojo w fotelu i lekko zaczerwienił. — Jesteśmy jak ci irlandzcy chuligani, których eliminuje z interesów. Nic dla niego nie znaczymy. Nie sądzę, żeby coś go wstrzymywało przed dobraniem się nam do skóry. Nie brakuje mu żołnierzy i cyngli.

— Nie mówię nie. — Genco dopił swoją anyżówkę. — Mariposa jest głupi. Nie szanuje ludzi. Z tym wszystkim się zgadzam. Ale jego *capos* nie są głupi. Dopilnują, żeby najpierw zajął się LaContim. Dopóki się z tym nie upora, te kradzieże to dla niego drobiazg.

Vito zapalił cygaro i spojrzał na Tessia. Na dole jedna z kobiet krzyknęła coś po włosku, jakiś mężczyzna jej odpowiedział i cały dom zatrząsł się od śmiechu.

Tessio zgasił papierosa w czarnej popielniczce przy oknie.

— Joe nie wie, kto przejmuje jego dostawy — powiedział. — Pogrozi nam pięścią, a potem zaczeka i zobaczy, co się stanie.

— Vito — odezwał się, prawie krzycząc, Genco. — Joe daje nam jasno do zrozumienia: jeśli go okradamy, lepiej, żebyśmy przestali to robić. Jeśli nie, lepiej, żebyśmy odkryli, kto to robi, i położyli temu kres, dla naszego własnego dobra. Jego *capos* wiedzą, że nie jesteśmy tacy głupi, żeby połaszczyć się na parę dolców, ale uznali, że skoncentrują się na LaContim, a my odwalimy za nich brudną robotę i zajmiemy się tym problemem. Dzięki temu nie będą musieli sobie zawracać głowy... i możesz się założyć, że wszystko to wymyślili bracia Barzini. — Genco wyciągnął z kieszeni marynarki cygaro i ściągnął z niego folię. — Słuchaj swojego *consigliere*, Vito — dodał.

Vito milczał, czekając, aż Genco się uspokoi.

— Więc teraz pracujemy dla Narwanego Joego Mariposy — powiedział, wzruszając ramionami. — Jak to się dzieje, że ci złodzieje pozostają nieznani? — zapytał, zwracając się do wszystkich trzech mężczyzn. — Muszą chyba sprzedawać komuś tę whiskey, nie?

— Sprzedają ją Luce Brasiemu — odparł Clemenza — a on sprzedaje ją do nielegalnych barów w Harlemie.

— Więc dlaczego Joe nie dowie się tego, co chce wiedzieć, od Luki Brasiego?

Clemenza i Tessio spojrzeli na siebie, jakby każdy z nich miał nadzieję, że ten drugi odezwie się pierwszy.

— Luca Brasi to bestia — oświadczył Genco, kiedy żaden z nich się nie odezwał. — Jest wielki jak dąb, szalony i ma siłę dziesięciu mężczyzn. Mariposa się go boi. Wszyscy się go boją.

— *Il diavolo!* — powiedział Clemenza. — Vinnie Suits z Brooklynu zarzeka się, że widział, jak Brasi oberwał kulką w samo serce, po czym wstał i odszedł, jakby nic się nie stało.

— Demon z piekła rodem — mruknął Vito i uśmiechnął się, jakby go to rozbawiło. — Ciekawe, dlaczego nie słyszałem dotąd o tym człowieku?

— W gruncie rzeczy to mała płotka — wyjaśnił Genco. — Ma gang liczący czterech, najwyżej pięciu chłopaków. Specjalizują się w napadach i loteriach, które przejęli od Irlandczyków. Nigdy nie interesowało go rozszerzenie działalności.

— Gdzie operują? — zapytał Vito.

— W dzielnicy irlandzkiej między Dziesiątą a Jedenastą Ulicą, a także w Harlemie — odparł Tessio.

— No dobrze. — Vito skinął głową na znak, że dyskusja jest skończona. — Zajmę się tym *demone*.

— Luca Brasi nie jest człowiekiem, któremu można by przemówić do rozsądku, Vito — wtrącił Genco.

Vito przeszył go wzrokiem i Genco opadł z powrotem na fotel.

— Coś jeszcze? — zapytał Vito, zerkając na zegarek. — Czekają na nas z kolacją.

— Konam z głodu — powiedział Clemenza — ale nie mogę zostać. Moja żona zaprosiła swoją rodzinę. *Madre 'Dio!* — dodał, klepiąc się w czoło.

Genco roześmiał się i nawet Vito nie zdołał opanować uśmiechu. Żona Clemenzy była tak samo tęga jak on i nie dawała sobie w kaszę dmuchać. Jej rodzina składała się z samych krzykaczy, którzy uwielbiali kłócić się o wszystko, od baseballu do polityki.

— Jeszcze jedno, skoro już mówimy o Irlandczykach — wtrącił Tessio. — Dostałem cynk, że niektórzy z nich próbują się organizować. Powiedziano mi, że odbyły się spotkania z udziałem braci O'Rourke, Donnellych, Pete'a Murraya i innych. Nie są zadowoleni ze sposobu, w jaki wyrugowano ich z interesów.

Vito zlekceważył to kiwnięciem głowy.

— Jedynymi Irlandczykami, o których musimy się martwić, są teraz gliniarze i politycy. Ludzie, o których mówisz, to uliczni zabijacy. Jeśli będą próbowali się zorganizować, upiją się i pozabijają wzajemnie.

— Mimo to — upierał się Tessio — mogą nam przysporzyć problemów.

Vito spojrzał na Genca.

— Miej ich na oku. Jeśli usłyszysz coś więcej... — powiedział Genco do Tessia.

Vito uniósł się z krzesła i klasnął w dłonie, dając do zrozumienia, że spotkanie jest skończone. Zgasił cygaro w kryształowej popielniczce, wypił ostatni łyk stregi i w ślad za Tessiem ruszył na dół po schodach. Dom wypełniali członkowie rodziny i przyjaciele. W salonie Richie Gatto, Jimmy Mancini i Al Hats prowadzili właśnie ożywioną dyskusję na temat Jankesów i Babe'a Rutha.

— Bambino! — wrzasnął Mancini, po czym widząc schodzącego po stopniach Vita, wstał razem z innymi mężczyznami z sofy.

— Ci durnie próbują mnie przekonać, że Bill Terry jest lepszym menedżerem od McCarthy'ego! — zawołał do Tessia Al, elegancko ubrany niski facet koło pięćdziesiątki.

— Bo jest! — powiedział Genco.

47

— Jankesi są pięć meczów do tyłu za Senatorami! — odkrzyknął Clemenza.

— Giganci i tak nie dadzą sobie odebrać zwycięstwa — stwierdził Tessio. Z jego tonu wynikało, że jako zagorzałego kibica Brooklyńskich Dodgersów wcale go to nie cieszy, ale takie są fakty.

— Jak się masz, tato — powiedział Sonny i przecisnął się przez tłum, żeby uścisnąć Vita.

Vito poklepał go po karku.

— Jak ci idzie w pracy?

— Dobrze! Zobacz, kogo znalazłem. — Sonny wskazał otwarte drzwi do jadalni, w których pojawił się Tom, niosąc na rękach Connie, z Fredem i Michaelem u boku.

— Cześć, tato! — powiedział Tom, sadzając Connie na sofie i podchodząc do Vita.

Ten uścisnął go, a potem złapał za ramiona.

— Co tutaj robisz? Dlaczego nie studiujesz, tak jak powinieneś?

Z kuchni wyszła Carmella, niosąc wielki półmisek z *antipasti*: zwiniętymi plasterkami *capicol'*, jasnoczerwonymi pomidorami, czarnymi oliwkami i kawałkami świeżego sera.

— Potrzebuje porządnego jedzenia! — zawołała. — Mózg mu się kurczy od tego dziadowskiego żarcia, którym go tam karmią! *Mangia!* — powiedziała do Toma, po czym zaniosła półmisek do jadalni, gdzie stały dwa dosunięte do siebie stoły nakryte czerwonym i zielonym obrusem.

Tessio i Clemenza przeprosili ich i po uściśnięciu pół tuzina dłoni wyszli.

Vito położył rękę na plecach Toma i zaprowadził go do jadalni. Pozostali mężczyźni i chłopcy przysuwali już krzesła do stołu, a kobiety układały nakrycia i donosiły kolejne półmiski *antipasti* i karafki z oliwą i octem. Żona Jimmy'ego Manciniego, która ledwie skończyła dwudziestkę, była w kuchni z resztą kobiet. Przygotowywały pikantny pomidorowy sos z mięsem i przyprawami i co parę minut jej głośny piskliwy chichot przebijał się przez śmiech starszych kobiet, które opowiadały sobie różne historyjki i rozmawiały o swoich rodzinach i sąsiadach. Stojąca przy kuchennym stole Carmella brała udział w rozmowie, tnąc ciasto, zawijając w nie kawałki ricotty i ściskając brzegi zębami widelca. Wstała wcześniej, by zarobić i ugnieść ciasto i wkrótce miała zacząć wrzucać ravioli do wielkiego garnka z gotującą się wodą. Obok niej jedna z sąsiadek, Anita Columbo, przygotowywała w milczeniu *braciol'*, a jej wnuczka Sandra, szesnastolatka o kruczoczarnych włosach, która niedawno przypłynęła z Sycylii, układała na jasnoniebieskim półmisku brązowe zapiekane ziemniaki. Sandra podobnie jak jej babcia prawie się nie odzywała, choć przybywając ze starego kraju, mówiła płynnie w języku angielskim, którego nauczyli ją wychowywani przez Anitę w Bronxie rodzice.

W salonie Connie bawiła się na dywanie z Lucy Mancini, która choć była w tym samym co ona wieku i przewyższała ją tylko o trzy centymetry, ważyła już dwa razy więcej. Siedziały cicho w kącie, bawiąc się lalkami i filiżankami. W jadalni uwagę wszystkich przykuwał trzynastoletni Michael Corleone, który chodził do ósmej klasy. Ubrany w prostą białą koszulę ze sztywnym kołnierzykiem, siedział przy stole ze skrzyżowanymi przed sobą rękoma i zakomunikował właśnie wszystkim obecnym, że na koniec roku ma do wykonania „kolosalne" zadanie z historii Ameryki i „rozważa" napisanie pracy na temat czterech rodzajów sił zbrojnych: wojsk lądowych, piechoty morskiej, marynarki wojennej, sił powietrznych oraz straży przybrzeżnej.

— Hej, *stupido*! — zawołał Fredo Corleone, który był o szesnaście miesięcy starszy od Michaela i chodził do wyższej klasy. — Odkąd to straż przybrzeżna należy do sił zbrojnych?

Michael zerknął na brata.

— Od zawsze — odparł i spojrzał na ojca.

— Głupek! — wrzasnął Fredo, pokazując mu środkowy palec, a drugą rękę zaciskając na metalowej klamerce swoich szelek. — Straż przybrzeżna to nie jest prawdziwe wojsko.

— To zabawne, Fredo. — Michael odchylił się do tyłu i popatrzył bratu prosto w oczy. — Domyślam się, że autorzy ulotki, którą dostałem z komisji poborowej, są w błędzie.

Wszyscy przy stole wybuchnęli śmiechem.

— Tato! — zawołał Fredo do ojca. — Straż przybrzeżna nie jest przecież rodzajem sił zbrojnych! Prawda?

Siedzący u szczytu stołu Vito nalał sobie czerwonego wina ze stojącego przy jego nakryciu zwykłego czterolitrowego dzbanka. Ustawa Volsteada nadal obowiązywała, ale w Bronxie nie było włoskiej rodziny, gdzie nie podawano by wina do niedzielnego posiłku. Napełniwszy swój kieliszek, nalał trochę Sonny'emu, który siedział po jego lewej stronie. Po prawej stało puste krzesło Carmelli.

— Mikey ma rację — powiedział Tom, obejmując ramieniem Freda i wyręczając Vita. — Rzecz w tym, że straż przybrzeżna nie angażuje się w duże konflikty zbrojne tak jak inne rodzaje wojska.

— Widzisz — mruknął Fredo do Michaela.

— Tak czy inaczej — stwierdził Michael — tematem mojej pracy będzie chyba Kongres.

— Może któregoś dnia sam zasiądziesz w Kongresie — powiedział Vito.

Michael uśmiechnął się w odpowiedzi, a Fredo mruknął coś pod nosem. Chwilę później do mężczyzn dołączyły Carmella i inne kobiety, donosząc dwie wielkie wazy z ravioli w sosie pomidorowym oraz półmiski z mięsem i warzywami. Na widok jedzenia wszyscy zaczęli przekrzykiwać się wzajemnie, a potem, gdy kobiety nakładały porcje na talerze, zaczęły się żarciki. Kiedy każdy miał przed sobą kopiasty talerz, Vito podniósł kieliszek, mówiąc „Salute!", na co wszyscy grzecznie odpowiedzieli i zaczęli pałaszować niedzielny posiłek.

Vito, co było dla niego charakterystyczne, mało się odzywał podczas jedzenia. Jego rodzina i przyjaciele gawędzili wesoło, a on jadł powoli, delektując się sosem, makaronem, klopsikami oraz *braciole* i popijając mocne czerwone wino, które przebyło długą drogę ze starego kraju, by uświetnić jego niedzielny stół. Nie podobało mu się to, jak inni, a zwłaszcza Sonny, połykali jedzenie, koncentrując się bardziej — tak mu się przynajmniej zdawało — na rozmowie niż na posiłku. Drażniło go to, ale skrywał rozdrażnienie pod maską uprzejmego zainteresowania. Wiedział, że odstawał od innych. Lubił robić jedną rzecz naraz i na niej się skupiać. Pod wieloma względami różnił się od kobiet i mężczyzn, którzy go wychowali i wśród których żył. Zdawał sobie z tego sprawę. W przeciwieństwie do własnej matki i większości znanych mu kobiet, które lubiły czasem poświntuszyć, Vito był bardzo wstrzemięźliwy w sprawach seksu. Carmella rozumiała męża i uważała na to, co mówi, gdy był w pobliżu — ale kiedyś wchodząc do kuchni, w której było pełno kobiet, Vito usłyszał, jak wyrażała się w wulgarny sposób na temat upodobań seksualnych innej kobiety, i nie dawało mu to potem spokoju przez wiele dni. Vito był powściągliwy — a żył wśród ludzi słynących z tego, że nie krępowali się okazywać emocji, przynajmniej we własnym towarzystwie, pośród rodziny i przyjaciół. Jadł powoli, przysłuchując się między kęsami rozmowie. Był uważny.

— Vito — odezwała się w połowie posiłku Carmella. Starała się zachowywać z rezerwą, ale nie mogła powstrzymać cisnącego się na usta uśmiechu. — Może jest coś, o czym chciałbyś wszystkim powiedzieć?

Vito dotknął ręki żony i spojrzał na stołowników. Państwo Mancini, Gattowie i Abbandandowie patrzyli na niego z zaciekawieniem, podobnie jak jego własna rodzina, synowie Sonny, Tom, Michael i Fredo. Nawet Connie siedząca przy końcu stołu ze swoją przyjaciółką Lucy spoglądała na niego wyczekująco.

— Skoro jesteśmy wszyscy razem, moja rodzina i przyjaciele — powiedział, wskazując kieliszkiem Abbandandów — to odpowiedni moment, by poinformować was, że kupiłem trochę ziemi na Long Island, niedaleko stąd, w Long Beach, i buduję tam domy dla mojej rodziny oraz dla kilku najbliższych przyjaciół i wspólników w interesach. Na Long Island zamieszkają obecny tu z nami Genco i jego rodzina. Mam nadzieję, że za rok wprowadzimy się wszyscy do naszych nowych domów.

Wszyscy milczeli. Tylko Carmella i Allegra Abbandando

uśmiechały się, bo obie widziały już ziemię i plany rezydencji. Pozostali nie bardzo wiedzieli, jak zareagować.

— Masz na myśli kompleks mieszkalny, tato? — zapytał Tom. — Wszystkie domy razem?

— *Sì! Esattamente!* — odparła Allegra i umilkła, kiedy Genco posłał jej szybkie spojrzenie.

— Jest tam sześć działek — wyjaśnił Vito — i w końcu zbudujemy domy na wszystkich. W tej chwili w budowie są domy dla nas, dla Abbandandów, Clemenzy, Tessia i jeszcze jednego z naszych wspólników, kiedy będziemy go potrzebowali przy sobie.

— Całość będzie otoczona murem — powiedziała Carmella — jak zamek.

— Jak fort? — zapytał Fredo.

— *Sì* — odparła i roześmiała się.

— A co z moją szkołą? — zainteresował się Michael.

— Nie martw się — uspokoiła go Carmella. — Do końca roku szkolnego będziesz chodził tutaj.

— Możemy pojechać go zobaczyć? — zapytała Connie. — Kiedy możemy go zobaczyć?

— Już wkrótce — odparł Vito. — Urządzimy piknik. Pojedziemy i spędzimy tam cały dzień.

— Bóg pobłogosławił was majątkiem, ale będzie nam was brakowało — powiedziała Anita Columbo i złączyła przed sobą dłonie jak do modlitwy. — Bez rodziny Corleone ta dzielnica nigdy już nie będzie taka sama.

— Zawsze będziemy blisko naszych przyjaciół — zapewnił ją Vito. — Mogę wam to wszystkim obiecać.

Sonny, który, co do niego niepodobne, do tej pory milczał, uśmiechnął się szeroko do Anity.

— Niech pani się nie obawia, pani Columbo — powiedział. — Nie sądzi pani chyba, że pozwolę pani pięknej wnuczce zbytnio się ode mnie oddalić?

Jego tupet sprawił, że wszyscy, z wyjątkiem Sandry, pani Columbo i Vita, wybuchnęli śmiechem.

— Niech pani wybaczy mojemu synowi, *signora* — powiedział Vito do pani Columbo, kiedy umilkły śmiechy. — Chłopak ma dobre serce, ale jego przekleństwem jest niewyparzony język — dodał i trzepnął Sonny'ego lekko w tył głowy.

Te słowa i gest Vita jeszcze bardziej rozweseliły towarzystwo. Uśmiechnęła się nawet Sandra — tylko pani Columbo zachowała kamienny wyraz twarzy.

Jimmy Mancini, duży muskularny mężczyzna koło trzydziestki, podniósł w górę swój kieliszek.

— Za rodzinę Corleone! — powiedział. — Niech Bóg im błogosławi i zachowa wszystkich w dobrym zdrowiu. Za pomyślność i szczęście całej rodziny. *Salute!*

Jimmy podniósł kieliszek wyżej, wypił i wszyscy przy stole wzięli z niego przykład, krzycząc „*Salute!*" i pijąc.

4

Sonny wyciągnął się na łóżku, oparł głowę na splecionych dłoniach i założył nogę na nogę. Przez otwarte drzwi sypialni widział swoją kuchnię i zegar, który wisiał nad wanną wspartą na metalowych nóżkach. Tom nazwał jego mieszkanie skromnym i to słowo nie dawało mu spokoju, kiedy czekał na nadejście północy. Czarne litery umieszczonego pośrodku cyferblatu napisu „Smith & Day" były takiego samego kroju co cyfry. Długa wskazówka co minutę przeskakiwała nieco dalej, krótka pełzła powoli w stronę dwunastki. Skromne mieszkanie oznaczało skąpe umeblowanie oraz brak ozdób i to by się zgadzało. W sypialni jedynym meblem poza łóżkiem była tania komódka, którą odziedziczył po poprzednim lokatorze. Umeblowanie kuchni składało się z dwóch białych krzeseł i stołu z jedną szufladą, emaliowanym białym blatem i czerwonymi listewkami po bokach. Czerwony był także uchwyt szuflady. Skromne... Nie potrzebował nic więcej. Matka prała mu rzeczy, kąpał się w domu (bo tak właśnie myślał o mieszkaniu rodziców) i nigdy nie przyprowadzał tutaj dziewcząt: wolał nocować u nich w domu albo robić to szybko na tylnym siedzeniu samochodu.

Do wyjścia zostało mu jeszcze pięć minut. Wstał z łóżka, wszedł na chwilę do łazienki i przejrzał się w lustrze. Miał na sobie ciemną koszulę, czarne spodnie i czarne tenisówki Nata Holmana. Było to rodzajem uniformu. Uznał, że w trakcie roboty wszyscy powinni być ubrani tak samo. Dzięki temu trudniej ich będzie od siebie odróżnić. Nie lubił tenisówek. Jego zdaniem wyglądali w nich jak smarkacze, co było ostatnią rzeczą, jakiej mogliby sobie życzyć, ponieważ najstarszy z nich miał osiemnaście lat. Ale Cork uznał, że w tenisówkach będą mogli szybciej biec i pewniej stawiać stopy, więc stanęło na tenisówkach. Cork miał sto siedemdziesiąt centymetrów wzrostu i nie więcej jak pięćdziesiąt pięć kilogramów wagi, ale nie było nikogo, włączając w to Sonny'ego, kto chciałby się z nim zmierzyć na pięści. Był zawzięty i dysponował potężnym prawym prostym, którym na oczach Sonny'ego znokautował kiedyś faceta. I był całkiem niegłupi. W swoim mieszkaniu miał wszędzie kartony z książkami. Zawsze taki był, dużo czytał, już kiedy chodzili razem do podstawówki.

Sonny zdjął z wieszaka na frontowych drzwiach granatową kurtkę, włożył ją, wyciągnął z kieszeni wełnianą czapeczkę i naciągnął na swoją gęstą czuprynę. Zerknął po raz ostatni na zegar, który właśnie wskazywał północ, po czym zbiegł dwa piętra na dół. Wyłaniający się zza chmur księżyc w trzeciej kwadrze oświetlał kocie łby na Mott Street i oplecione czarnymi schodami przeciwpożarowymi ceglane czynszówki. Wszystkie okna były ciemne, gęste chmury zapowiadały deszcz. Latarnia na rogu Mott i Grand Street rzucała na ulicę krąg światła. Sonny podszedł do niej i sprawdziwszy, czy nikt go nie śledzi, dał nura w labirynt alejek, którymi, przecinając Mulberry, dotarł do Baxter Street. Za kierownicą czarnego nasha z szerokimi stopniami i wystającymi przednimi reflektorami czekał tam na niego Cork.

Kiedy Sonny usiadł obok niego na przednim siedzeniu, ruszył powoli z miejsca.

— Wynudziłem się dzisiaj jak mops, panie Sonny Corleone — powiedział, wymawiając jego nazwisko jak rodowity Włoch, co najwyraźniej bardzo go bawiło. — A ty?

Ubrany tak samo jak Sonny, miał proste jasne włosy, które wystawały spod czapki.

— Tak samo — odparł Sonny. — Denerwujesz się?

— Troszeczkę, ale nie musimy tego mówić innym, prawda?

— Czy ja wyglądam na głupka? — Sonny szturchnął żartobliwie Corka, po czym wskazał róg ulicy, gdzie na schodach przed wejściem do budynku czekali na nich Vinnie i Angelo Romero.

Cork zatrzymał się i kiedy chłopcy usiedli z tyłu, natychmiast ruszył dalej. Vinnie i Angelo byli bliźniakami i Sonny musiał im się bacznie przyglądać, żeby poznać, który jest który. Vinnie był krótko ostrzyżony, przez co wydawał się większym twardzielem od Angela, który czesał się z przedziałkiem. Teraz, kiedy obaj mieli na głowach czapki, Sonny mógł odróżnić Angela od brata tylko po opadających na czoło luźnych kosmykach włosów.

— Jezu — mruknął Cork, zerkając na tylne siedzenie. — Znam was, ptaszki, od urodzenia, ale niech mnie szlag, jeśli potrafię was odróżnić w tym przebraniu.

— Ja jestem ten sprytniejszy — powiedział Vinnie.

— A ja ten przystojniejszy — dodał Angelo i obaj się roześmiali.

— Czy Nico załatwił rozpylacze? — zapytał Vinnie.

— Tak — odparł Sonny, po czym zdjął czapkę, przygładził włosy i spróbował ją założyć tak, by spod niej nie wystawały. — Kosztowały sporo szmalu.

— Ale są tego warte — stwierdził Vinnie.

— Hej, minąłeś naszą alejkę! — zawołał Sonny, odwracając się do przodu i szturchając Corka.

— Gdzie? — zapytał Cork. — I przestań mnie szturchać, pieprzony palancie!

— Przed pralnią! — odparł Sonny, wskazując oszkloną witrynę pralni Chicka. — Ślepy jesteś?

— Takiego wała, ślepy — mruknął Cork. — Myślałem o czymś innym.

— *Stugots...*

Sonny ponownie szturchnął Corka, który wybuchnął śmiechem, po czym wjechał tyłem w zaśmieconą alejkę i zgasił silnik i światła.

— Gdzie oni są? — zapytał Angelo i w tej samej chwili przy pojemnikach na śmieci otworzyły się przekrzywione drzwi budynku i wyszedł przez nie Nico Angelopoulos, a w ślad za nim Stevie Dwyer. Nico miał chude, żylaste ciało biegacza i był o trzy centymetry niższy od Sonny'ego, ale i tak wyższy od reszty. Stevie był niski i krępy. Obaj taskali czarne torby, których płócienne paski zawiesili na ramionach. Po tym, jak stawiali stopy, widać było, że bagaże są ciężkie. Nico usiadł z przodu, wcisnąwszy się między Corka i Sonny'ego.

— Zaczekajcie, aż zobaczycie te cacka — powiedział.

Stevie postawił swoją torbę na podłodze i zaczął ją otwierać.

— Lepiej módlmy się, żeby nie okazały się zwyczajnym szmelcem — mruknął.

— Szmelcem? — zdziwił się Cork.

— Nie sprawdziliśmy, jak strzelają — odparł Stevie. — Powiedziałem temu durnemu Grekowi...

— Och, zamknij się — przerwał mu Nico. — Co mieliśmy robić, faszerować ściany ołowiem, podczas gdy moi starzy słuchali na dole Arthura Godfreya?

— To obudziłoby sąsiadów — przyznał Vinnie.

— Lepiej, żeby to nie były odrzuty — nie ustępował Stevie. — Będziemy mogli wsadzić je sobie w dupę.

Nico wyciągnął ze swojej torby jeden z automatów i podał go Sonny'emu, który zacisnął palce na przymocowanym do lufy polerowanym drewnianym uchwycie. Drewno było solidne i ciepłe, dzięki pokrywającym je żłobieniom nie ślizgały się palce. Zamontowany dwa centymetry przed osłoną spustu czarny okrągły magazynek przypominał Sonny'emu puszkę na taśmę filmową.

— Kupiłeś je od Vinniego Suitsa w Brooklynie? — zapytał Nica.

— No jasne. Tak jak mówiłeś. — Nica zaskoczyło chyba jego pytanie.

Sonny spojrzał na Małego Steviego.

— Więc to nie są odrzuty — zapewnił go. — I nie padło ani razu moje nazwisko? — zapytał Nica.

— Na litość boską... Czy ja wyglądam na idiotę? Nikt nie wymienił twojego nazwiska i w ogóle nic nie mówił na twój temat.

— Jeśli kiedykolwiek wypłynie moje nazwisko — wyjaśnił Sonny — wszyscy jesteśmy ugotowani.

— Jasne, jasne — mruknął Cork, po czym uruchomił samochód i wyjechał z alejki. — Odłóżcie gdzieś te zabawki, bo przyczepi się do nas jakiś gliniarz.

Sonny schował pistolet z powrotem do torby.

— Ile dostaliśmy magazynków? — zapytał.

— Te, które są zamontowane, i po jednym dodatkowym.

— Potraficie się obchodzić z tą bronią, łamagi? — zapytał Sonny bliźniaków.

— Wiem, jak pociągnąć za spust — obruszył się Angelo.

— Jasne. Co w tym trudnego? — dodał Vinnie.

— No to do dzieła. — Sonny szturchnął Corka, żeby ruszał, a sam się odwrócił. — Najważniejsze, żeby tak jak wcześniej wszystko odbyło się szybko i głośno. Żeby nikt poza nami nie wiedział, co się dzieje. Czekamy, aż załadują ciężarówkę. Jeden samochód jedzie przed nią, drugi za nią. Kiedy ten pierwszy nas minie, Cork zajeżdża drogę ciężarówce. Vinnie i Angelo wyskakują i prują seriami. Celujcie wysoko. Nie chcemy nikogo zabić. Ja i Nico podbiegamy do szoferki i załatwiamy kierowcę i tego, który z nim jedzie. Stevie obstawia tył ciężarówki na wypadek, gdyby ktoś siedział na pace.

— Przecież nikogo tam nie będzie — obruszył się Stevie. — No nie? Nigdy nie widziałem, żeby ktoś siedział na pace.

— Na pace nie ma niczego poza gorzałą — zgodził się Sonny. — Ale nigdy nic nie wiadomo, więc bądź w gotowości.

Stevie wyjął automat z torby i sprawdził, jak leży w dłoniach.

— Będę gotów — powiedział. — Prawdę mówiąc, mam nadzieję, że ktoś będzie tam siedział.

— Odłóż to — mruknął Cork. — I nie faszeruj nikogo ołowiem, jeśli nie musisz.

— Nie martw się. Będę celował wysoko — odparł Stevie, szczerząc zęby w uśmiechu.

— Słuchaj Corka. — Sonny mierzył przez chwilę spojrzeniem Steviego, a potem zaczął dalej objaśniać plan. — Kiedy zabierzemy im ciężarówkę, natychmiast stamtąd spadamy. Cork jedzie za nami, a Vinnie i Angelo nadal się ostrzeliwują. Gdyby próbowali za nami jechać — powiedział do braci Romero — strzelajcie w opony i w blok silnika. Cała operacja nie powinna trwać dłużej niż minutę. Wkraczamy do akcji, kończymy i robimy masę hałasu. Jasne?

— Jasne — odparli bracia Romero.

— Pamiętajcie: oni nie wiedzą, co się dzieje — powiedział Sonny. — My wiemy. To oni są zdezorientowani.

— Niczym głodne niemowlę w pokoju pełnym striptizerek — dodał Cork. — Jezu! — mruknął po chwili, kiedy nikt się nie roześmiał. — Gdzie jest wasze poczucie humoru!

— Po prostu jedź, Corcoran — mruknął Stevie.

— Jezu — powtórzył Cork i w samochodzie zapadła cisza.

Sonny wyjął z torby pistolet maszynowy. Marzył o tej nocy od miesiąca, od czasu, gdy usłyszał, jak Eddie Veltri i Gruby Jimmy, dwaj cyngle Tessia, napomykają mimochodem o dostawie. Nie powiedzieli wiele, ale to wystarczyło, by Sonny domyślił się, że whiskey należy do Giuseppego Mariposy, że dostarczana jest z Kanady i rozładowują ją na nabrzeżu Canarsie. Potem było już z górki. Razem z Corkiem kręcił się przy pirsie tak długo, aż zobaczył dwa hudsony zaparkowane obok długiego forda pick-upa z niebieską plandeką. Kilka minut później lustro wody przecięły dwie smukłe motorówki. Zacumowały przy pirsie i sześciu facetów zaczęło wyciągać z nich skrzynie i ładować na pick-upa. Dwadzieścia minut później łodzie odpłynęły, a ciężarówka była załadowana. Gliniarze nie stanowili problemu. Mariposa miał ich w kieszeni. Działo się to we wtorkową noc i w następny wtorek wszystko odbyło się w ten sam sposób. Sonny z Corkiem prześledzili jeszcze jedną dostawę i teraz byli gotowi. Nie powinno być żadnych niespodzianek. Wszystko wskazywało na to, że nie napotkają większego oporu. Kto chciałby dać się zabić za jedną nędzną dostawę wódy?

Kiedy zbliżyli się do portu, Cork zgasił światła i wjechał na teren tak, jak zaplanowali. Jadąc pomału, zobaczyli przed sobą pirs. Pick-up i dwa hudsony były zaparkowane dokładnie tam, gdzie stawały przez ostatnie trzy tygodnie. Sonny opuścił szybę. O przedni błotnik pierwszego samochodu opierało się dwóch elegancko ubranych facetów, paląc i rozmawiając. Między nimi widać było białą oponę i chromowany dekiel koła. Dwaj kolejni siedzieli w szoferce forda z otwartymi oknami. Byli ubrani w wiatrówki i wełniane czapki i wyglądali jak dokerzy. Kierowca trzymał dłonie na kierownicy i siedział z odchyloną do tyłu głową i naciągniętą na oczy czapką. Drugi palił papierosa i gapił się na wodę.

— Wyglądają na robotników portowych, którzy przyjechali ciężarówką — powiedział Sonny do Corka.

— Tym lepiej dla nas — stwierdził Cork.

— Pójdzie jak po maśle — mruknął Nico, ale w jego głosie słychać było zdenerwowanie.

Mały Stevie udał, że strzela z pistoletu maszynowego.

— Ratatata — wyszeptał z uśmiechem. — Jestem Buźka Nelson.

— Masz na myśli Bonni i Clyde'a — poprawił Cork. — Jesteś Bonnie.

Bracia Romero roześmiali się.

— To jest Przystojniak Floyd — oświadczył Vinnie, wskazując Angela.

— Kto jest tam najbrzydszym gangsterem? — zapytał Angelo.

— Pukawka Kelly — odparł Nico.

— To ty — powiedział Angelo do brata.

— Przymknijcie się — syknął Cork. — Słyszycie?

Chwilę później i Sonny usłyszał warkot motorówek.

— Już są — powiedział Cork. — Pora ruszać, chłopaki.

Sonny wziął pistolet maszynowy, oparł palec na osłonie spustu i poruszył lufą, starając się z nim oswoić.

— *Che cazzo!* — zaklął po chwili, po czym wrzucił automat z powrotem do torby, wyciągnął z kabury pod pachą zwykły pistolet i wycelował z niego w sufit.

— Świetny pomysł — stwierdził Cork, po czym wyjął z kieszeni marynarki własny pistolet i położył go na siedzeniu obok.

— Ja też — powiedział Nico, rzucając automat na siedzenie i wyciągając z kabury pod pachą trzydziestkęósemkę. — Z tą pukawką masz wrażenie, jakbyś trzymał w rękach bachora.

Sonny spojrzał na braci Romero.

— Nic nie kombinujcie. Potrzebujemy was z rozpylaczami — powiedział.

— Ja lubię moją chicagowską maszynę do pisania — mruknął Stevie. Wystawił lufę przez szybę i udał, że strzela.

Przy nabrzeżu czterej mężczyźni wysiedli z motorówki. Dwaj eleganci w trzyczęściowych garniturach i kapeluszach podeszli bliżej i zamienili z nimi parę słów, a potem jeden zajął pozycję na skraju nabrzeża i patrzył, jak rozładowywane są motorówki. Drugi pilnował załadunku ciężarówki. Dwadzieścia minut później dokerzy zamknęli tylną klapę forda, spinając ją łańcuchem, a motorówki uruchomiły silniki i pomknęły z rykiem przez Jamaica Bay.

— Wchodzimy — powiedział Cork.

Sonny oparł się o drzwi auta i dotknął ręką klamki. Jego serce wściekle stepowało i mimo wiejącego od zatoki rześkiego wiatru był cały spocony.

Kiedy pierwszy samochód, a potem ford i drugi hudson ruszyły z miejsca, Cork zwiększył obroty silnika.

— Jeszcze chwila — powstrzymał go Sonny. — Pamiętajcie: szybko i głośno! — poinstruował pozostałych.

Kiedy pierwszy samochód objechał ciężarówkę, by zająć pozycję z przodu konwoju, jego światła omiotły czarną taflę wody. A potem wszystko wydarzyło się dokładnie tak, jak to zaplanował Sonny, szybko i z wielkim hałasem. Cork zajechał drogę ciężarówce, a Vinnie, Angelo i Stevie wyskoczyli z samochodu, prując seriami z pistoletów maszynowych. Nabrzeże, jeszcze przed chwilą ciche i spokojne, wyglądało, jakby zaczęły się obchody Czwartego Lipca. Sonny w ciągu sekundy skoczył na stopień forda, otworzył na oścież drzwi i wyciągnął na zewnątrz kierowcę. Kiedy sam siadł za kierownicą, Nico był już przy nim i wrzeszczał: „Zasuwaj! Zasuwaj!". Sonny nie potrafił powiedzieć, czy ktoś odpowiada na ich ogień. Kierowca, którego wyrzucił z szoferki, uciekał jak chart. Z tyłu słyszał odgłosy strzałów i domyślał się, że to Mały Stevie. Kątem oka zobaczył, że ktoś dał nura do wody. Tylne opony stojącego przed nimi hudsona były przestrzelone i długa maska samochodu podniosła się w górę; światła reflektorów rozświetliły chmury. Angelo i Vinnie stali w odległości kilku metrów jeden od drugiego, strzelając krótkimi szybkimi seriami. Za każdym razem, kiedy pociągali za spust, pistolety maszynowe budziły się do życia i usiłowały wyrwać im się z rąk. Tańczyły gigę i bliźniacy tańczyli wraz z nimi. Zapasowa opona przy drzwiach pierwszego hudsona urwała się z mocowań i obracała się w kółko na nabrzeżu, gotowa zaraz znieruchomieć. Kierowcy hudsona nie było nigdzie widać, i Sonny domyślił się, że schował się pod tablicą rozdzielczą. Myśl o facecie skulonym na podłodze samochodu sprawiła, żc roześmiał się na całe gardło. Prowadząc ciężarówkę, widział za sobą w bocznym lusterku Vinniego i Angela, którzy stali na stopniach nasha, trzymając się jedną ręką samochodu i prując wysoko nad nabrzeżem i w stronę zatoki.

Pojechał trasą, którą wcześniej zaplanowali, i kilka minut później skręcił w prawie pusty Rockaway Parkway. Za nimi jechał Cork. Było w zasadzie po akcji. Strzelaninę mieli za sobą.

— Widziałeś, czy Stevie wskoczył do ciężarówki? — zapytał Nica.

— Wskoczył — odparł tamten — i widziałem, jak strzelał na nabrzeżu.

— Wygląda na to, że wszyscy są zdrowi i cali.

— Tak jak zaplanowałeś — rzekł Nico.

Sonny'emu nadal biło szybko serce, ale umysł miał już zajęty liczeniem forsy. Długa paka ciężarówki załadowana była po brzegi skrzynkami kanadyjskiej whiskey. Obliczał, że jest warta mniej więcej trzy tysiące. Plus to, co mogli dostać za ciężarówkę.

— Ile twoim zdaniem możemy za to dostać? — zapytał Nico, jakby czytał w jego myślach.

— Myślę, że po pięć paczek na głowę — odparł Sonny. — To zależy.

Nico roześmiał się.

— Wciąż mam swoją dolę ze skoku na wypłaty. Schowałem ją w materacu — powiedział.

— Co z tobą? — zapytał Sonny. — Nie masz damulek, na które mógłbyś ją wydać?

— Muszę się rozejrzeć za jakąś panną, która by mnie oskubała. — Nico roześmiał się z własnego dowcipu i umilkł.

Wiele dziewcząt uważało, że Nico jest podobny do Tyrone'a Powera. W ostatniej klasie szkoły średniej zabujał się mocno w Glorii Sullivan, ale jej rodzice zakazali jej się z nim spotykać, bo myśleli, że jest Włochem. Kiedy wyjaśnił, że jest Grekiem, nie zrobiło to różnicy. Nadal nie wolno było jej się z nim spotykać. Od tego czasu Nico zrobił się nieśmiały wobec dziewcząt.

— Wybierzmy się jutro do Juke's Joint — powiedział Sonny — i znajdźmy jakieś panny, na które można by wydać trochę forsy.

Nico uśmiechnął się, ale nic nie odpowiedział.

Sonny zastanawiał się przez chwilę, czy nie wyznać mu, że on też trzyma w materacu większą część doli, która przypadła mu po skoku na wypłaty. Zarobili wtedy na czysto siedem kawałków, trochę ponad tysiąc dwieście dolców na głowę — dosyć, by przyczaić się na kilka miesięcy. Poza tym, na co jeszcze, do diabła, miał wydawać pieniądze? Kupił już sobie samochód i eleganckie ciuchy i oceniał, że zostało mu jeszcze w gotówce parę tysięcy. Choć w zasadzie nigdy jej nie liczył. Nie rajcowało go gapienie się na pieniądze. Wypychał nimi materac i kiedy potrzebował szmalu, po prostu go wyciągał. Przed poważnymi skokami, takimi jak ten na wypłaty, upajał się przez kilka tygodni planowaniem, a wieczorem przed samym napadem czuł się jak w przeddzień Gwiazdki — ale nie lubił tego, co działo się później. Nazajutrz wiadomość o skoku pojawiała się na pierwszych stronach „The New York American" i „Mirror" i przez kilka tygodni nie mówiło się o niczym innym. Kiedy rozeszły się plotki, że to robota gangu Dutcha Schultza, odetchnął z ulgą. Wolał nie zastanawiać się, co będzie, kiedy Vito dowie się, co robi. Myślał o tym czasami, ale tylko o tym, co sam powie ojcu. „Daj spokój, tato", mógłby powiedzieć. „Wiem, czym się zajmujesz". Przez cały czas powtarzał w myślach te kwestie. „Jestem już dorosły, tato!", mógłby powiedzieć. „To ja zaplanowałem skok na wypłatę w Tidewater!". Zawsze wiedział, co mógłby powiedzieć — ale nic miał pojęcia, jaka będzie odpowiedź ojca. Wyobrażał sobie tylko spojrzenie Vita patrzącego nań tak, jak to robił, gdy był rozczarowany.

To było naprawdę coś — stwierdził Nico. Wcześniej, kiedy Sonny prowadził ciężarówkę przez Bronx, prawie się nic odzywał. — Widziałeś, jak ten facet dał nura z pirsu? Chryste! — roześmiał się. — Pruł po wodzie jak Johnny Weissmuller!

— O którym facecie mówisz? — zapytał Sonny. Byli na Park Avenue w Bronxie, kilka przecznic od celu podróży.

— O tym, który siedział obok kierowcy ciężarówki — odparł Nico. — Widziałeś go? Usłyszał strzały i trzask-prask! prosto z nabrzeża do wody — dodał i zaniósł się śmiechem.

— A widziałeś braci Romero? — zapytał Sonny. — Wyglądali, jakby nie mogli utrzymać w rękach tych rozpylaczy. Jakby z nimi tańczyli.

Nico pokiwał głową, a potem przestał się śmiać i westchnął.

— Dawały im pewnie takiego kopa, że są cali w sińcach. Sonny skręcił z Park Avenue w cichą boczną uliczkę i stanął przy magazynie z opuszczaną stalową bramą. Cork zatrzymał się tuż za nim.

— Niech Cork z nim gada — powiedział Sonny do Nica, po czym wyskoczył z ciężarówki, wsiadł do samochodu Corka i odjechał.

Angelo i Vinnie, którzy wysiedli wcześniej z nasha, przystanęli na chodniku. Cork wspiął się na stopień ciężarówki.

— Przy bocznych drzwiach jest dzwonek — powiedział do Nica. — Zadzwoń krótko trzy razy, odczekaj sekundę, zadzwoń znowu trzy razy i wróć do ciężarówki.

— Jakie jest tajne hasło? — zapytał Nico.

— Och, na rany Jezusa, idź i wciśnij ten pierdolony dzwonek, Nico. Jestem zmęczony — odparł Cork z mocnym irlandzkim akcentem.

Nico zadzwonił i wrócił do ciężarówki, a tymczasem Cork usiadł za kierownicą. Deszcz, na który zbierało się przez całą noc, zaczął w końcu siąpić i obchodząc ciężarówkę, Nico postawił kołnierz kurtki. Za jego plecami zaczęła się podnosić stalowa brama garażu i na ulicę padła smuga światła ze środka. Pośrodku garażu stał, podpierając się pod boki, Luca Brasi; choć minęła pierwsza w nocy, był ubrany, jakby wybierał się do lokalu z dziewczyną. Miał ze sto dziewięćdziesiąt dwa centymetry wzrostu, i nogi jak słupy telefoniczne. Klatka piersiowa i barki sięgały mu do samego podbródka, w masywnej głowie dominowały potężne brwi wystające nad głęboko osadzonymi oczami. Wyglądał jak neandertalczyk, którego ubrano w popielaty prążkowany garnitur, kamizelkę i przekrzywiony zawadiacko na bakier szary kapelusz. W różnych miejscach garażu stali za nim Vinnie Vaccarelli, Paulie Attardi, Hooks Battaglia, Tony Coli i JoJo DiGiorgio. Cork znał Hooksa i JoJo z sąsiedztwa, a innych ze słyszenia. Byli dużymi chłopakami, gdy on nosił jeszcze koszulę w zębach. Słyszał o nich, już kiedy chodził do przedszkola, więc musieli teraz dobiegać trzydziestki, względnie ją przekroczyli. Luca Brasi był od nich co najmniej dziesięć lat starszy. Wszyscy robili wrażenie twardych sukinsynów. Stali, opierając się o ścianę lub o skrzynie, z rękoma w kieszeniach albo skrzyżowanymi na piersi. Na głowach mieli kapelusze typu fedora albo homburg. Tylko Hooks włożył dziwaczny porkpie z wąskim rondem.

— Kawał sukinsyna — mruknął Nico, patrząc w głąb garażu. — Wolałbym, żeby był tu z nami Sonny.

Cork opuścił szybę i dał znak Vinniemu i Angelowi, żeby stanęli na stopniach ciężarówki.

— Ja będę nawijał — powiedział, kiedy to zrobili, po czym zapalił silnik i wjechał do garażu.

Dwaj ludzie Luki zamknęli bramę, a Cork wysiadł i stanął przy braciach Romero. Nico obszedł ciężarówkę i ustawił się za nimi. Garaż był jaskrawo oświetlony zawieszonymi pod sufitem lampami, które rzucały blask na poplamioną olejem, popękaną betonową podłogę. Tu i tam stały skrzynie i pudła, ale generalnie przestrzeń była pusta. Skądś z góry dobiegał szum płynącej rurami wody. W tylnej ścianie były drzwi i duże okno, za którymi znajdował się prawdopodobnie kantor. Od zasłoniętego żaluzjami okna odbijało się światło. Luca Brasi podszedł do ciężarówki od tyłu, jego ludzie ustawili się za nim. Luca opuścił klapę, odwinął plandekę i zobaczył

Steviego Dwyera, który siedział wciśnięty między skrzynkami z alkoholem i celował do niego z pistoletu maszynowego.

Luca nawet nie mrugnął, ale wszyscy jego ludzie wyciągnęli broń.

— Na litość boską, Stevie! — wrzasnął Cork. — Odłóż to!

— Nie mam gdzie tego odłożyć, do cholery — odparł.

— Więc celuj w dół, głupi kutasie! — krzyknął Hooks Battaglia.

— Zejdź z ciężarówki — polecił Luca.

Stevie zeskoczył z paki ciężarówki, nadal trzymając pistolet maszynowy i szczerząc zęby w uśmiechu. Ułamek sekundy po tym, jak jego stopy dotknęły ziemi, Luca jednym mocarnym łapskiem złapał go za koszulę, a drugim wyrwał z rąk rozpylacz. Rzucił go JoJowi i nim Stevie zdążył odzyskać równowagę, wyprowadził szybki prosty, który posłał go w ramiona Corka. Stevie próbował utrzymać się na nogach, ale ugięły się pod nim kolana i Cork musiał go ponownie złapać.

Luca i jego gang obserwowali to w milczeniu.

Cork przekazał Steviego w ręce Nica, który stanął za nim wraz z resztą chłopaków.

— Myślałem, że zawarliśmy porozumienie — powiedział Cork do Luki. — Czy czekają nas jakieś kłopoty?

— Nie będzie żadnych kłopotów, dopóki nie będzie we mnie celował z automatu jakiś irlandzki debil.

— Facet zrobił to bez zastanowienia — wyjaśnił Cork. — Nie miał złych zamiarów.

— Ten jebany makaroniarz wybił mi ząb! — wrzasnął zza jego pleców Stevie.

Cork odwrócił się do niego.

70

— Stul dziób, do cholery, albo sam cię zastrzelę — powiedział półgłosem, lecz wystarczająco głośno, by wszyscy go usłyszeli.

Stevie miał rozbitą wargę, która zdążyła już brzydko spuchnąć. Krew poplamiła mu podbródek i kołnierzyk koszuli.

— Nie wątpię, że mógłbyś to zrobić — burknął tonem, w którym była zawarta niewypowiedziana, lecz oczywista pretensja: obaj byli Irlandczykami i Cork wystąpił przeciwko swojemu ziomkowi.

— Mam cię w dupie. Po prostu się przymknij i daj nam załatwiać interesy — szepnął Cork, po czym odwrócił się do Luki, który bacznie go obserwował. — Chcemy trzy tysiące — powiedział. — To wszystko kanadyjska whiskey, najlepsza.

— Dam wam tysiąc — odparł Luca, spoglądając na ciężarówkę.

— To nie jest uczciwa cena, panie Brasi — oświadczył Cork.

— Daruj sobie tego „pana Brasiego", dzieciaku. Załatwiamy interesy. Jestem Luca. Ty jesteś Bobby, tak?

— Zgadza się.

— Masz ładną siostrę, ma na imię Eileen. Prowadzi piekarnię na Jedenastej Ulicy.

Cork pokiwał głową.

— Widzisz? Pierwszy raz zamieniamy ze sobą dwa słowa, a ja wiem o tobie wszystko. A dlaczego? Bo moi ludzie wiedzą o tobie wszystko. Hooks i inni zaręczyli za ciebie. W przeciwnym razie nie robilibyśmy interesów. Rozumiesz?

— Jasne — odparł Cork.

— Co o mnie wiesz, Bobby?

Cork patrzył przez chwilę Luce w oczy, próbując go rozgryźć. Niczego w nich nie dostrzegł.

— Niewiele — odparł. — W ogóle nic o tobie nie wiem.

Luca spojrzał na swoich ludzi, którzy się roześmiali.

— Widzisz? — powiedział. — Lubię takie sytuacje. Ja wiem o tobie wszystko. Ty nic o mnie nie wiesz.

— Tak czy owak, tysiąc to nie jest uczciwa cena — stwierdził Cork.

— Nie. Nie jest uczciwa — zgodził się Luca. — Uczciwa byłaby pewnie dwa i pół tysiąca. Ale problem polega na tym, że ukradłeś ten alkohol Giuseppemu Mariposie.

— Wiedziałeś o tym — mruknął Cork. — Powiedziałem o wszystkim Hooksowi i JoJowi.

— Zgadza się — odparł Luca, krzyżując ręce na piersi. Musiał się chyba świetnie bawić. — A JoJo i chłopcy robili z tobą interesy przy dwóch innych okazjach, kiedy poczęstowałeś się wódą Mariposy. Mnie to nie przeszkadza. Nie lubię Giuseppego. — Luca spojrzał na swoją bandę. — Nie lubię większości ludzi — dodał i najwyraźniej rozbawiło to jego chłopaków. — Ale teraz doszły mnie słuchy, że Mariposie bardzo się to nie podoba. Chce wiedzieć, kto kradnie jego whiskey. Chce, żeby podano mu na talerzu jaja złodzieja.

— Chłopcy obiecali mi, że jeśli dobijemy z tobą targu, nasze nazwiska nie zostaną ujawnione — powiedział Cork. — Taka była umowa.

— Rozumiem — odparł Luca. — I dotrzymam słowa. Ale w rezultacie będę miał na pieńku z Mariposą. On wie, że to ja kupuję jego gorzałę. Więc prędzej czy później będę miał z nim do czynienia. I z tego powodu muszę mieć większy zysk. To ja tutaj więcej ryzykuję — dodał, kiedy Cork nic na to nie odpowiedział.

— A ryzyko, które podjęliśmy?! — zawołał Stevie. — To my mogliśmy oberwać kulką!

— Powiedziałem ci, żebyś się przymknął — mruknął Cork, w ogóle na niego nie patrząc.

Luca posłał mu wielkoduszne spojrzenie, jakby rozumiał, jak trudno się dogadać z kretynami.

— W tym interesie przypadła mi w udziale część, która wcale nie jest zabawna i przy której zaczynają się prawdziwe kłopoty. Ale coś ci powiem — dodał, wskazując pick-upa. — Co zamierzacie zrobić z ciężarówką?

— Mamy umówionego kupca — odparł Cork.

— Ile wam za nią daje? — Luca obszedł ciężarówkę, uważnie jej się przyglądając. Była zupełnie nowa, na deskach paki nadal trzymał się lakier.

— Jeszcze nie wiem.

Luca okrążył ciężarówkę i stanął przed Steviem Dwyerem.

— Nie ma w niej ani jednej dziury — stwierdził. — Rozumiem, że ci wszyscy strzelający do ciebie bandyci nie umieli celować.

Stevie odwrócił wzrok.

— Zapłacę ci za nią tysiąc pięćset — powiedział Luca do Corka. — Z tysiącem za alkohol da ci to razem dwa tysiące pięćset, których się spodziewałeś.

— Spodziewaliśmy się trzech tysięcy — odparł Cork. — Za sam alkohol.

— No dobrze, niech będzie trzy tysiące — mruknął Luca. — Ostro się targujesz — dodał, kładąc mu rękę na ramieniu.

Cork spojrzał na swoich chłopaków i z powrotem na Lucę.

— Niech będzie trzy tysiące — powiedział, zadowolony, że ma to już za sobą.

Luca popatrzył na Vinniego Vaccarellego.

— Daj im pieniądze — polecił mu, po czym objął ramieniem Corka i ruszył z nim do kantoru. — Pan Corcoran zaraz do was wróci — zakomunikował pozostałym. — Chcę z nim zamienić dwa słowa.

— Poczekajcie na mnie na rogu — powiedział Cork do Nica.

Luca wszedł pierwszy do kantoru i zamknął drzwi za Corkiem. W pomieszczeniu był dywan i zawalone papierami palisandrowe biurko. Po jego obu stronach stały dwa duże pluszowe fotele, a przy gołych betonowych ścianach sześć krzeseł z prostym oparciem. Nie było żadnych okien. Luca wskazał chłopakowi jeden z foteli i kazał mu usiąść. Następnie podszedł do biurka, wyciągnął pudełko z cygarami Medalist i poczęstował jednym Corka.

Ten podziękował i schował cygaro do kieszeni koszuli.

— Posłuchaj — powiedział Luca, stawiając przed nim jedno z krzeseł. — Nie obchodzisz mnie ty ani twoi ludzie. Chcę po prostu, żebyś wiedział parę rzeczy. Po pierwsze, facet, którego okradacie, zabije was wszystkich, kiedy dowie się, kim jesteście.

— Dlatego załatwiamy to z tobą — odparł Cork. — Facet nigdy się nie dowie, jeśli nas nie zdradzisz.

— Skąd wiecie, czy ktoś was nie rozpozna?

— Nikt nas nie zna. Jeszcze rok temu chodziliśmy wszyscy do szkoły.

Luca przez dłuższy moment obserwował Corka.

— Jesteście sprytni, ale ograniczeni — stwierdził — a ja nie będę wam matkował. Dałem ci dobrą radę. Jeśli będziecie nadal to robili, wylądujecie w kostnicy. Ja nie lubię Mariposy i wcale się go nie boję. Jeśli chcecie dalej go okradać, będę przyjmował od was towar. Ale od tej pory będę to załatwiał tylko z tobą. Nie chcę widzieć żadnego z twoich ludzi, zwłaszcza tego śmiecia z rozpylaczem. Rozumiemy się?

— Tak jest — odparł Cork, po czym wstał i podał Luce rękę.

Ten otworzył przed nim drzwi.

— Dam ci jeszcze jedną radę, Corcoran. Pozbądźcie się tych tenisówek. To nieprofesjonalne.

— Dobrze — powiedział Cork. — Zrobimy to.

Luca wskazał mu boczne drzwi.

— Zostaw je uchylone — polecił i wrócił do swojego kantoru.

Hooks stał na ulicy razem z innymi, słuchając opowiadającego dowcip Pauliego Attardiego. Cork przystanął na zewnątrz kręgu i czekał. Jego chłopców nie było widać. Latarnia na rogu nie paliła się, jedyne światło padało zza uchylonych drzwi. Deszcz zmienił się w zimną mgłę. Opowiedziawszy dowcip, Paulie pociągnął łyk ze srebrnej piersiówki i puścił ją w obieg.

Hooks cofnął się nieco i uścisnął przyjaźnie dłoń Corka, a potem, nie puszczając jej, odciągnął go na bok.

— Jak potraktował cię szef? — zapytał.

— Nie jest taki straszny — odparł Cork. — Ale rzeczywiście to prawdziwy wielkolud.

Hooks nie odpowiedział od razu. Choć zbliżał się do trzydziestki, miał dziecinną twarz. Kilka kasztanowatych loków wystawało spod ronda jego kapelusza.

— Co ci powiedział? — zapytał.

— Dał mi kilka rad.

— Tak? — Hooks wsunął dłoń pod pasek. — Ja też ci coś powiem, bo Jimmy był moim bliskim przyjacielem. Przede wszystkim Luca Brasi to pieprzony psychopata. Wiesz, co to znaczy?

Cork pokiwał głową.

— Na pewno rozumiesz? — zapytał Hooks.

— Tak, wiem, kto to jest psychopata.

— No dobrze — podjął Hooks. — Luca Brasi to psychopata. Nie zrozum mnie źle. Jestem z nim, odkąd skończyłem czternaście lat, i zasłoniłbym go własną piersią... ale co prawda, to prawda. W tej branży bycie psychopatą nie jest wcale takie złe. Musisz zrozumieć, że był dla was miły, bo nienawidzi Mariposy. Podoba mu się, że okradacie tylko jego. Cieszy się, że Joe dostaje w związku z tym białej gorączki. Wygląda to w ten sposób... — Hooks podniósł na chwilę wzrok, jakby szukał odpowiednich słów. — Ponieważ Luca jest pośrednikiem i wszyscy o tym wiedzą, i ponieważ Joe nadal nic nie robi w tej sprawie, Luca wychodzi na kogoś... no, nie wiem... na kogoś, z kim nikt nie chce zadzierać. Nawet Mariposa. Rozumiesz? Więc z jego punktu widzenia, chłopcy, oddajecie mu jakby przysługę.

— Więc na czym polega problem? — zapytał Cork.

— Problem, Bobby, polega na tym, że w końcu wszyscy przez was zginiemy — odparł Hooks i na chwilę przerwał, żeby spotęgować efekt. — Luca jest taki, jaki jest. Ma wszystko w dupie. Ale ja nie, Bobby. Rozumiesz?

— Nie jestem pewien — odparł Cork.

— Więc ci to ułatwię — powiedział Hooks. — Trzymajcie

się z daleka od towaru Mariposy. A jeśli znowu go okradniecie, trzymajcie się z daleka od nas. Teraz rozumiesz?

— Jasne — mruknął Cork — ale skąd ta zmiana? Wcześniej byliście...

— Wcześniej robiłem ci uprzejmość, bo jesteś młodszym bratem żony Jimmy'ego. Mariposa walczy z LaContim, więc uważałem, że nikt nie zauważy, jeśli w ogólnym zamęcie zawieruszy się gdzieś kilka butelek. A nawet jeśli ktoś zauważy, uznają, że to LaConti. Ale sytuacja ułożyła się inaczej. Teraz Joe wie, że ktoś go okrada, wcale mu się to nie podoba i na pewno ktoś za to beknie. W tym momencie nikt nie wie, że to ty. Jeśli jesteś taki sprytny, jak mówią, postarasz się, żeby tak zostało. — Hooks dał krok do tyłu i rozłożył ręce. — Nie potrafię tego wyrazić jaśniej. Nie bądź głupi. Trzymaj się z daleka od Mariposy. I bez względu na to, co zdecydujesz, trzymaj się z daleka od nas.

— W porządku — odparł Cork. — Ale co będzie, jeśli Luca zwróci się do mnie? Jeśli będzie chciał, żebym...

— To się nie zdarzy — powiedział Hooks. — Nie martw się o to. — Wyjął z kieszeni marynarki paczkę lucky strike'ów i poczęstował Corka. Ten wziął jednego, Hooks podał mu ogień, a potem zapalił własnego. Pozostali członkowie gangu Luki wrócili tymczasem do garażu. — Co słychać u Eileen? — zapytał Hooks. — Jimmy to był porządny gość. Jak się miewa jego córeczka? Jak ona ma na imię?

— Caitlin — odpowiedział Cork. — Wszystko u niej w porządku.

— A Eileen?

— W porządku. Jest trochę twardsza niż kiedyś.

— Kiedy kobieta zostaje wdową przed trzydziestką, robi

się twardsza. Przekaż jej ode mnie, że wciąż szukam tego sukinsyna, który zabił Jimmy'ego — powiedział Hooks.

— To były zamieszki — przypomniał Cork.

— Gówno prawda — mruknął Hooks. — To znaczy oczywiście, trwały zamieszki, ale zabił go któryś ze zbirów Mariposy. Przekaż po prostu swojej siostrze, że przyjaciele nie zapomnieli o Jimmym.

— Przekażę.

— W porządku. — Hooks rozejrzał się dokoła. — Dokąd poszli twoi ludzie?

— Czekają na mnie na rogu — powiedział Cork. — Nic nie widać, bo nie pali się latarnia.

— Masz szofera, który po ciebie podjedzie? — Kiedy Cork nie odpowiedział, Hooks roześmiał się, poklepał go po ramieniu i wrócił do garażu.

Cork ruszył powoli chodnikiem, kierując się po omacku w stronę dobiegających od skrzyżowania głosów. Na rogu zobaczył dwa żarzące się papierosy i kiedy podszedł bliżej, zobaczył Sonny'ego i Nica siedzących na najniższym stopniu rozchybotanych schodów. W czynszówce za ich plecami nie paliło się żadne światło. Mgła z powrotem zmieniła się w mżawkę i na czapce Nica perliły się krople. Sonny miał gołą głowę i strząsał wodę z włosów, przeczesując je palcami.

— Dlaczego siedzicie tu na deszczu? — zapytał Cork.

— Miałem dosyć słuchania, jak Stevie kłapie dziobem — powiedział Nico.

— Nie podoba mu się, jak to załatwiliście. — Sonny wstał i odwrócił się plecami do stojącego po drugiej stronie ulicy samochodu. — Uważa, że nas obrabowali.

— Bo to prawda — odparł Cork, spoglądając nad ramieniem Sonny'ego na samochód. W środku widać było poruszające się czerwone ogniki papierosów. Szyby były częściowo otwarte i nad lśniącym od deszczu dachem auta unosił się dym. — Ta ciężarówka była prawie nowa. Dostalibyśmy za nią łatwo dwa tysiące.

— I co? — mruknął Sonny, jakby się dziwił, że tyle nie dostali.

— Co chcesz zrobić? — odparł Cork. — Wezwać gliny?

Sonny roześmiał się.

— Brasi ma rację — odezwał się Nico. — To on będzie miał do czynienia z Mariposą. Wolę wziąć mniej forsy i zachować życie.

— Nikomu o nas nie powie, tak? — zapytał Sonny.

— No jasne. Chodź, schowajmy się przed deszczem — zaproponował Cork i podeszli do samochodu.

— Rozmawiałeś z nim o pieniądzach? — zapytał Stevie Dwyer, kiedy tylko Sonny zatrzasnął za sobą drzwi i uruchomił silnik. Pozostali milczeli. Czekali, co ma do powiedzenia Sonny.

— O czym Sonny miał ze mną rozmawiać, Stevie? — spytał Cork, odwracając się.

Sonny ruszył.

— Co cię gryzie? — zwrócił się do Steviego.

— Co mnie gryzie? — Stevie ściągnął z głowy czapkę i uderzył się nią po kolanie. — Daliśmy się obrabować, to jest to, co mnie gryzie! Sama ciężarówka była warta trzy kawałki!

— Jasne, gdybyś mógł ją sprzedać legalnie — zauważył Cork. — Ale kto kupi ciężarówkę bez żadnych papierów?

— Nie mówiąc o tym, że jeśli zobaczy cię w niej niewłaściwa osoba — wtrącił Nico — możesz oberwać kulką w tył głowy.

— Trafna uwaga — stwierdził Sonny.

Cork zapalił papierosa i otworzył szybę, żeby wypuścić dym.

— Zważywszy na to, w jakiej byliśmy sytuacji, poszło nam całkiem nieźle — powiedział do Steviego. — Luca trzymał w ręku wszystkie karty. Nikt inny nie kupi od nas wódy Mariposy. Nikt. Brasi o tym wie. Mógł nam zaproponować półtora dolca, a my musielibyśmy się zgodzić.

— Gówno prawda — warknął Stevie, po czym naciągnął czapkę na głowę i odchylił się do tyłu.

— Jesteś rozżalony, bo Luca dał ci w zęby — zasugerował Cork.

— Jasne! — wrzasnął Stevie i jego krzyk zabrzmiał jak eksplozja. — I gdzie byli wtedy moi kumple?! — zawołał, tocząc dokoła wściekłym wzrokiem. — Gdzie, do diabła, byliście?!

Angelo, który do tej pory prawie nie zabierał głosu, odwrócił się do Steviego i spojrzał mu prosto w twarz.

— A co mieliśmy zrobić? Strzelać się z nimi?

— Mogliście mnie poprzeć! — stwierdził Stevie. — Mogliście coś zrobić!

Cork przesunął na bok czapkę i podrapał się po głowie.

— Daj spokój, Stevie — powiedział. — Zastanów się.

— Mam się zastanowić? — rzucił Stevie. — Ty pierdolony makaroniarsko-spageciarsko-italiański lizodupcu!

Na chwilę w samochodzie zapadła cisza. I nagle wszyscy oprócz Steviego wybuchnęli śmiechem. Sonny walnął ręką w kierownicę.

— Ty pierdolony makaroniarsko-spageciarsko-italiański lizodupcu! Chodź no tutaj! — zawołał, po czym złapał Corka i nim potrząsnął.

Vinnie Romero poklepał go po ramieniu.

— Ty pierdolony makaroniarski lizodupcu! — powtórzył.

— Śmiejcie się, śmiejcie — burknął Stevie i skulił się przy drzwiach.

Pozostali posłuchali go i samochód aż kołysał się od ich śmiechu. Tylko Stevie w ogóle się nie odzywał. A także Nico, który pomyślał nagle o Glorii Sullivan i jej rodzicach. On też się nic śmiał.

.   .   .

Vito kartkował gruby plik planów posiadłości na Long Island. Przeglądając plany parteru, rozluźnił krawat, widząc już przed oczyma umeblowanie, które zaplanował do każdego z pokojów. Z tyłu miał zamiar urządzić ogród kwiatowy, a obok warzywny. W Hell's Kitchen, w ogródku wielkości znaczka pocztowego na tyłach jego starej czynszówki w czasach, gdy dopiero rozkręcał swoją firmę handlującą oliwą, przez kilka sezonów hodował drzewko figowe, aż w końcu zabiły je mrozy. Jednak przez kilka lat przyjaciele cieszyli się, kiedy przynosił im owoce z własnego drzewka — i dziwili się, gdy mówił, że dojrzały tu, w tym mieście, w jego ogródku. Często ten czy inny znajomy przychodził z nim do domu, a Vito pokazywał mu drzewko figowe, brązowe gałązki i zielone liście rosnące tuż przy murze z czerwonych cegieł, opowiadał o korzeniach, które sięgały aż pod budynek, przywierały do piwnicy, grzejąc się w cieple bijącym w zimie od pieca. Postawił na podwórku mały stolik i kilka składanych krzeseł, a Carmella przynosiła na dół butelkę grappy, chleb, oliwę, trochę sera i pomidory — cokolwiek mieli — i częstowała Vita i jego gości. Często schodziła tam razem z dziećmi i podczas gdy one bawiły się na podwórku, słuchała, jakby niezmiennie ją to fascynowało, Vita, który wyjaśniał sąsiadom, jak co rok we wrześniu po zebraniu owoców starannie owija drzewko grubym płótnem i okrywa brezentem, zabezpieczając je przed nadchodzącą zimą.

Po pracy, nawet jesienią i zimą, zatrzymywał się często przed wejściem na górę, żeby sprawdzić drzewko. Na podwórku było cicho i chociaż należało do całej kamienicy, sąsiedzi oddali mu je w użytkowanie, choć wcale o to nie prosił. W ciągu wszystkich tych lat, które przeżył w Hell's Kitchen — gdzie stale słychać było stukot kół pociągów towarowych, warkot samochodów, nawoływania szmaciarza, lodziarza, domokrążców i ostrzycieli noży — ani razu w ciągu wszystkich lat, które przeżył w tej hałaśliwej części świata, nie zobaczył, by ktoś siedział przy jego stoliku, obok jego drzewka. W sierpniu, kiedy pod zielonymi liśćmi dojrzewały pierwsze owoce, stawiał rano drewnianą miskę z soczystymi figami na podeście pierwszego piętra i kiedy przed południem nie było już ani jednej, Carmella zabierała miskę z powrotem do kuchni. Pierwszą figę zawsze zachowywał dla siebie. Przecinał kuchennym nożem mahoniową skórkę, pod którą był jasnoróżowy miąższ. Na Sycylii nazywali taką figę *Tarantella*. Z dzieciństwa zapamiętał figowy gaj za domem, cały las fig, i to, że kiedy dojrzewały, zajadał je ze swoim bratem Paolem jak cukierki, opychając się słodkimi, soczystymi owocami.

Z dzieciństwa zostały mu i inne wspomnienia, które pielęgnował. Zamknąwszy oczy, widział siebie idącego krok w krok za ojcem wczesnym rankiem, o pierwszym brzasku, kiedy ten wychodził na polowanie z zawieszoną na ramieniu strzelbą. Pamiętał posiłki przy stole z nieheblowanych desek, ojca siedzącego zawsze u szczytu, matkę z drugiej strony, siebie i Paola między nimi, naprzeciwko siebie. Za Paolem były drzwi ze szklanymi szybkami, a za nimi ogród... i drzewka figowe. Musiał się mocno starać, by przypomnieć sobie twarze rodziców, nie potrafił odtworzyć w pamięci nawet rysów Paola, mimo że przez wszystkie te lata, które spędził na Sycylii, łaził za nim wszędzie jak szczeniak. Ich twarze zatarły się z biegiem lat i chociaż był pewien, że rozpoznałby ich, gdyby wrócili z zaświatów, nie widział ich wyraźnie we wspomnieniach. Ale pamiętał ich głosy. Słyszał matkę, która zachęcała go, by mówił: „*Parla! Vito!*". Pamiętał, jak martwiła się, że tak rzadko się odzywa, i potrząsała głową, kiedy wzruszał ramionami i wyjaśniał: „*Non so perché*". Nie wiedział, dlaczego tak mało mówił. Pamiętał głos ojca opowiadającego mu wieczorem bajki przy kominku. Pamiętał śmiech Paola nabijającego się zeń, kiedy pewnego wieczoru zasnął przy stole. Pamiętał, jak obudzony przez niego otworzył oczy i zobaczył, że trzyma głowę tuż nad talerzem. Miał wiele takich wspomnień. Często, po jakichś brutalnych przejściach, których wymagała jego praca, siadywał na swoim małym podwórku w zimnym Nowym Jorku i wspominał rodzinę na Sycylii.

Były również wspomnienia, których chętnie by się pozbył. Najgorszy był obraz matki padającej do tyłu z rozłożonymi rękoma i echo jej ostatnich słów, wciąż rozbrzmiewających w powietrzu: „Uciekaj, Vito!". Pamiętał pogrzeb ojca. Pamiętał, jak szedł przy matce, która trzymała rękę na jego ramieniu, jak ze wzgórz dobiegły strzały i jak na ich odgłos żałobnicy porzucili trumnę z jego ojcem i uciekli. Pamiętał matkę klęczącą przy zwłokach Paola, który chciał wziąć udział w pogrzebie, obserwując go z góry. Następne sceny zlewały się w jego pamięci — widział, jak matka płacze nad ciałem Paola, i zaraz potem, jak idzie z nią żwirowaną alejką przez posiadłość don Ciccia. Po obu stronach alejki rosły piękne jaskrawe kwiaty, a matka trzymała go za rękę i ciągnęła za sobą. Don Ciccio siedział przy stoliku, na którym stała patera z pomarańczami i karafka wina. Stolik był okrągły i drewniany, z grubymi nóżkami. Don był krępym mężczyzną z wąsami i znamieniem na prawym policzku. Miał na sobie kamizelkę i lśniącą w jasnym słońcu białą koszulę z długimi rękawami. Ukośne paski kamizelki zbiegały się w środku w kształcie litery V. Między kieszonkami zwisał, opierając się na brzuchu don Ciccia, złoty łańcuszek zegarka. Za plecami mężczyzny były dwie kamienne kolumny i ozdobne ogrodzenie z kutego żelaza, przy którym stało kilku ochroniarzy ze strzelbami na ramionach. Vito pamiętał wyraźnie każdy najmniejszy szczegół: jak matka błagała o darowanie życia jedynemu pozostałemu synowi, jak don odmówił, jak matka uklękła, by wyciągnąć nóż spod czarnej sukni, i jak przystawiła go don Cicciowi do szyi. Pamiętał jej ostatnie słowa: „Uciekaj, Vito!". I strzał, który posłał ją do tyłu z rozłożonymi szeroko rękoma.

To były wspomnienia, których chętnie by się pozbył. Kiedy przed czternastu laty wybrał obecną życiową drogę, zabijając don Fanucciego — kolejnego tłustego wieprza, który próbował rządzić swoim niewielkim kawałkiem Nowego Jorku tak, jakby to była sycylijska wioska — jego przyjaciele uznali, że jest nieustraszony i nie pobłaża swoim wrogom. Pozwalał im w to od czasu do czasu wierzyć. I chyba była to prawda. Ale prawdą było również to, że chciał zabić Fanucciego, odkąd go pierwszy raz zobaczył, i odnalazł w sobie determinację, by to zrobić, kiedy zdał sobie sprawę, jakie to mu może przynieść korzyści. Czekał na Fanucciego w mrocznym korytarzu przed jego mieszkaniem, słysząc przez ceglane ściany odgłosy festynu ku czci San Gennaro. Żeby stłumić huk wystrzału, obwiązał lufę białym ręcznikiem i gdy oddał pierwszy strzał w serce Fanucciego, ręcznik zajął się ogniem. Fanucci rozerwał na piersi kamizelkę, jakby szukał pocisku, który go ugodził, a Vito strzelił do niego ponownie, tym razem w twarz. Kula weszła gładko, zostawiając tylko małą dziurkę w policzku. Kiedy Fanucci w końcu upadł, Vito zerwał płonący ręcznik z lufy, wsadził mu lufę w usta i ostatni strzał oddał w jego mózg. Patrząc na leżącego w progu mężczyznę, odczuwał wyłącznie ulgę. Choć logika rozumu nie wyjaśniała, w jaki sposób, zabijając Fanucciego, mścił się za śmierć swojej rodziny, dla logiki serca było to absolutnie jasne.

To był początek. Następny na liście był sam don Ciccio. Vito wrócił na Sycylię do wioski Corleone i wypatroszył go jak świnię.

A teraz siedział w gabinecie swojego przestronnego mieszkania, przeglądając plany własnej posiadłości, i sam nosił tytuł don. Na dole Fredo i Michael znowu się kłócili. Vito zdjął marynarkę i zawiesił ją na oparciu krzesła. Kiedy chłopcy przestali się wydzierać, ponownie skupił uwagę na planach. Ale chwilę później Carmella zaczęła krzyczeć na chłopców, a oni głośno skarżyli jeden na drugiego. Vito odsunął plany i ruszył do kuchni. Zanim zszedł po schodach, krzyki ucichły. Kiedy wszedł do kuchni, Michael i Fredo siedzieli w milczeniu przy stole, Michael, czytając książkę, a Fredo, nic nie robiąc, ze skrzyżowanymi na piersi rękoma. Na oczach zatroskanej Carmelli Vito złapał każdego z nich za ucho i zaciągnął do salonu. Nadal trzymając ich za uszy, usiadł na skraju pluszowego fotela przy oknie. Fredo zaczął krzyczeć „Tato! Tato!", kiedy tylko go złapał. Michael jak zwykle zacisnął usta.

— Michael zabrał mi pięć centów z kieszeni kurtki, tato! — poskarżył Fredo. W oczach lśniły mu już łzy.

Vito spojrzał na Michaela. Najmłodszy syn przypominał mu jego, kiedy był mały. Najbardziej lubił bawić się sam i rzadko się odzywał.

Michael popatrzył ojcu w oczy i pokręcił głową.

Vito trzepnął Freda i wziął go za podbródek.

— Miałem w kieszeni pięć centów! — wrzasnął z wściekłością chłopiec. — A teraz ich nie ma!

— Dlatego oskarżasz brata, że jest złodziejem?

— Przecież zginęło mi pięć centów, tak czy nie?

Vito ścisnął trochę mocniej Freda za podbródek.

— Pytam cię jeszcze raz. Oskarżasz brata, że jest złodziejem? — zapytał i kiedy Fredo odwrócił w odpowiedzi wzrok, puścił go. — Przeproś Michaela — rozkazał.

— Przepraszam — mruknął bez przekonania Fredo.

Za nimi otworzyły się frontowe drzwi i do przedpokoju wszedł Sonny. Miał na sobie kombinezon mechanika i twarz całą umorusaną smarem. Carmella, która stała w progu kuchni, posłała mężowi znaczące spojrzenie.

Vito kazał chłopcom iść do swojego pokoju i nie schodzić na dół aż do kolacji, co było karą jedynie dla Freda. Michael i tak poszedłby do swojego pokoju i czytałby albo sam się bawił.

— Przyjechałeś tu aż z Bronxu, żeby się wykąpać? — zapytał Vito, kiedy Sonny wszedł do salonu.

— Skoro już tu jestem, chętnie spróbowałbym kuchni mamy — odparł Sonny. — Poza tym, jeśli chcę się wykąpać u siebie, tato, muszę to robić w kuchni.

Carmella weszła do pokoju, rozwiązując fartuch.

— Popatrz na siebie — powiedziała. — Jesteś cały umorusany.

— Tak się dzieje, kiedy człowiek pracuje w warsztacie, mamo. — Sonny pochylił się i mocno ją uścisnął. — Zaraz się umyję — dodał, spoglądając na Vita.

— Zostaniesz na obiedzie? — zapytała Carmella.

— Jasne, mamo. Co ugotowałaś? — spytał, ruszając po schodach do swojego pokoju.

— Cielęcinę parmigiana.

— Sprawdzasz menu? — zapytał Vito. — Czy będzie ci smakowało?

— Smakuje mi wszystko, co gotuje mama. Prawda, mamo? — odparł Sonny i nie czekając na odpowiedź, popędził po schodach.

Kiedy zniknął z pola widzenia, Carmella posłała mężowi kolejne spojrzenie.

— Porozmawiam z nim — powiedział cicho Vito, po czym wstał z fotela i zerknął na zegarek, który trzymał w kieszeni kamizelki. Zbliżała się szósta. Wychodząc z salonu, zatrzymał się, włączył radio i powoli przesunął igłą po skali. Znalazłszy stację nadającą wiadomości, słuchał ich przez minutę, a potem zaczął szukać dalej, mając nadzieję, że trafi na jakąś włoską operę. W wiadomościach mówili tylko o liście wyborczej City Fusion Party, reformatorach oraz o nowym kandydacie na urząd burmistrza Nowego Jorku, neapolitańskim *pezzonovante*, który uchodził za zwolennika reform. Kiedy trafił na reklamę Pepsodentu, po którym zaczął się *Amos and Andy Show*, słuchał go przez chwilę i przekonawszy się, że Kingfish znowu wpędził Andy'ego w jakieś kłopoty, wyłączył radio i poszedł na górę. Zapukał do pokoju Sonny'ego, który uchylił lekko drzwi, a potem otworzył je szerzej, wyraźnie zaskoczony tym, że ojciec puka do jego pokoju. Obnażony do pasa, miał przewieszony przez ramię ręcznik.

— No? — zapytał Vito. — Mogę wejść?

— Jasne — odparł Sonny. — Co takiego przeskrobałem? — Otworzył na oścież drzwi i odsunął się na bok.

Jego pokój był mały i prosty: wąskie łóżko pod jedną ze ścian, krucyfiks nad wezgłowiem, komódka ze stojącą pośrodku pustą kryształową miseczką na cukierki i białe muślinowe firanki w dwóch oknach. Vito usiadł na łóżku i dał znak Sonny'emu, żeby zamknął drzwi.

— Włóż koszulę — powiedział. — Chcę z tobą porozmawiać.

— O co chodzi, tato? — Sonny wziął z komódki pogniecioną koszulę i włożył ją. — Czy coś się stało? — zapytał, zapinając się.

Vito poklepał łóżko obok siebie.

— Usiądź tutaj — poprosił. — Matka martwi się o ciebie.

— Martwi się o te pieniądze — stwierdził Sonny, jakby nagle zrozumiał, o co chodzi.

— Zgadza się — potwierdził Vito. — Martwi się o te pieniądze. Nie zgubiłeś przypadkiem pięćdziesięciu dolarów?

Zostawiasz pięćdziesiąt dolarów w kieszeni spodni i nawet nie pytasz, co się z nimi stało?

— Mama dała te pieniądze Tomowi — odparł Sonny, siadając obok Vita. — Tom mi o wszystkim opowiedział. Gdybym myślał, że zgubiłem pięćdziesiąt dolarów, pytałbym o nie w całym mieście. Ale teraz wiem, gdzie są, więc po co mam pytać?

— Skąd masz pięćdziesięciodolarowy banknot, Sonny? — zapytał Vito. — To więcej niż twoje dwie tygodniówki.

— A na co mam wydawać pieniądze, tato? Jadam przeważnie tutaj. Czynsz jest niski.

Vito położył ręce na kolanach i czekał.

— Jezu — jęknął Sonny. Po chwili zerwał się z łóżka i stanął plecami do Vita, a potem się odwrócił. — W sobotę wieczorem grałem w pokera z Polakami na Greenpoincie. — Broniąc się, podniósł nieco głos. — Zagrałem dla zabawy, tato! Przeważnie przegrywam albo wygrywam parę dolców... ale tym razem mi się poszczęściło! — Sonny klasnął w dłonie. — To tylko partyjka pokera w sobotnią noc, tato!

— To właśnie robisz z zarobionymi pieniędzmi? Grasz w pokera z bandą Polaczków?

— Potrafię o siebie zadbać — oznajmił Sonny.

— Potrafisz o siebie zadbać — powtórzył Vito i wskazał łóżko, dając mu do zrozumienia, żeby usiadł. — Czy oszczędzasz jakieś pieniądze? Czy założyłeś rachunek w banku, tak jak ci kazałem?

Sonny klapnął na łóżku obok Vita i wbił wzrok w podłogę.

— Nie — powiedział Vito. Uszczypnął Sonny'ego w policzek i ten odsunął się od niego. — Posłuchaj mnie, Santino. W branży motoryzacyjnej ludzie zarabiają kokosy. Za dwadzieścia, trzydzieści lat... — Vito rozłożył ręce na znak, że możliwości są tu nieograniczone. — Jeśli będziesz ciężko pracował, mogę ci tu i tam pomóc i kiedy skończysz tyle lat co ja, będziesz miał więcej pieniędzy, niż mnie się kiedykolwiek śniło. — Położył dłoń na kolanie Sonny'ego. — Musisz ciężko pracować. Musisz poznać tę branżę od podstaw. A w przyszłości będzie cię stać, żeby wynająć kogoś, kto zaopiekuje się mną, kiedy nie będę mógł o własnych siłach dojść do łazienki.

Sonny oparł się o wezgłowie łóżka.

— Posłuchaj, tato. Nie wiem, czy się do tego nadaję.

— Do czego? — Vito sam był zaskoczony irytacją, którą usłyszał w swoim głosie.

— Do tego, żeby dzień w dzień tyrać jak jakiś robol — odparł Sonny. — Pracuję osiem, dziesięć godzin dziennie, żeby Leo mógł zarobić pięćdziesiąt dolców, a on płaci mi pięćdziesiąt centów. To praca dla frajerów, tato.

— Chcesz już na samym początku zostać szefem? — zapytał Vito. — Czy to ty kupiłeś sprzęt i narzędzia, czy Leo? Czy to ty płacisz czynsz, czy Leo? Czy na szyldzie jest napisane „Warsztat Lea", czy „Warsztat Santina"? Bierz przykład z Toma, Sonny — dodał, kiedy syn nie odpowiedział na jego pytania. — Ma rachunek w banku, na którym zaoszczędził już dwieście dolarów. Pracował przez całe wakacje, żeby dorzucić się do czesnego. Tom wie, że trzeba się przyłożyć, żeby coś w życiu osiągnąć. — Vito wziął Sonny'ego pod brodę i przyciągnął go bliżej. — Na tym świecie nikt nic nie osiągnie, jeśli nie będzie ciężko pracował! Pamiętaj o tym, Santino! — Wstając z łóżka, Vito miał zaczerwienioną twarz. Otworzył drzwi i odwrócił się do syna. — Nie chcę już słyszeć, że to praca dla frajerów, *capisc'*? Bierz przykład z Toma, Santino. — Zmierzył syna surowym wzrokiem i wyszedł z pokoju, zostawiając otwarte drzwi.

Sonny padł na wznak na łóżko i machnął pięścią w powietrzu, w wyobraźni mając przed sobą twarz brata. Co pomyślałby ojciec, gdyby dowiedział się, że jego ukochany Tom Hagen przeleciał irlandzką dziwkę? Sonny bardzo chciałby to wiedzieć. I jakimś sposobem ta myśl — że Tom tak fatalnie podpadł Luce Brasiemu — sprawiła, że się uśmiechnął i roześmiał, i ulotniła się gdzieś cała jego złość. Leżał na plecach, z dłońmi splecionymi pod głową i szerokim uśmiechem na twarzy. Tato zawsze stawiał Toma wyżej od niego — Tom zrobił to, Tom zrobił tamto — ale nigdy nie kwestionował jego lojalności czy miłości. Sonny był najstarszym synem Vita. Jeśli było się Włochem, nie trzeba było mówić nic więcej. A poza tym Sonny nigdy nie mógł się długo gniewać na Toma. W jego sercu Tom Hagen na zawsze pozostał dzieciakiem, którego zobaczył siedzącego na koślawym krześle na ulicy, po tym jak właściciel wyrzucił wszystkie meble z mieszkania, w którym mieszkał. Matka Toma zmarła przed rokiem z przepicia, a kilka tygodni wcześniej zniknął jego ojciec. Wkrótce potem katolickie organizacje charytatywne zgłosiły się po Toma i jego siostrę, lecz on zwiał, nim po niego przyszli, i całymi tygodniami włóczył się po bocznicach, sypiając w wagonach towarowych i obrywając od kolejowych gliniarzy za każdym razem, kiedy go dorwali. W sąsiedztwie dobrze o tym wiedziano i ludzie mówili, że jego ojciec powinien się pojawić i że pewnie poszedł w tango — lecz ojciec niestety się nie pojawił i któregoś ranka właściciel mieszkania opróżnił je i wyrzucił wszystkie meble na ulicę.

W południe na chodniku zostało już tylko krzesło z trzema nogami i parę rupieci. Wszystko to zdarzyło się, kiedy Sonny miał jedenaście lat. Tom, o rok od niego starszy, był chudy jak szczapa i każdy, kto na niego spojrzał, nie dałby mu więcej jak dziesięć. Tymczasem Sonny wyglądał raczej na czternaście niż na jedenaście lat.

Tamtego popołudnia szedł za nim Michael. Miał wówczas siedem albo osiem lat; wracali ze sklepu Nina na rogu z torbą zakupów na obiad. Michael zobaczył Toma pierwszy i pociągnął brata za nogawkę spodni.

— Sonny — powiedział. — Popatrz.

Sonny spojrzał tam i zobaczył siedzącego na koślawym krześle chłopca z torbą na głowie. Kilka ganków dalej palili papierosy Johnny Fontane i Nino Valenti, dwaj starsi chłopcy z sąsiedztwa. Sonny przeszedł na drugą stronę ulicy. Michael pociągnął go za koszulę.

— Kto to jest? — zapytał. — Dlaczego ma torbę na głowie?

Sonny wiedział, że to Tom Hagen, ale nie odezwał się. Stanął przed Johnnym i Ninem i zapytał, co się dzieje.

— To Tom Hagen — wyjaśnił Johnny, chudy, ładny chłopiec z gęstymi włosami zaczesanymi na czoło. — Myśli, że oślepnie.

— Że oślepnie? — zdziwił się Sonny. — Dlaczego?

— Umarła mu matka, a ojciec... — zaczął Nino.

— Wiem o tym — przerwał mu Sonny. — Dlaczego on myśli, że oślepnie? — zwrócił się do Johnny'ego.

— Skąd mam wiedzieć, Sonny? Idź i sam go zapytaj. Jego matka oślepła przed śmiercią — dodał. — Może myśli, że się od niej zaraził.

Nino roześmiał się.

— Twoim zdaniem to takie śmieszne, Nino? — zapytał Sonny.

— Nie zwracaj uwagi na Nina. To kretyn — powiedział Johnny.

Sonny dał krok w stronę Nina, który podniósł ręce.

— Hej, Sonny! — zawołał. — Nie miałem na myśli nic złego.

Michael pociągnął brata za koszulę.

— Chodź, Sonny — powiedział. — Musimy iść.

Sonny mierzył jeszcze przez chwilę spojrzeniem Nina, a potem odszedł i zatrzymał się przed Tomem.

— Co ty robisz, głupku? — zapytał. — Po co założyłeś sobie tę torbę na głowę? — Tom nie odpowiedział, więc Sonny uniósł brzeg torby i zobaczył, że chłopak obwiązał sobie oczy brudnym bandażem z gazy. Pod skrajem bandaża na lewym oku widać było zaschniętą ropę i krew. — Co się, do diabła, dzieje, Tom? — zapytał.

— Ja ślepnę, Sonny! — odparł Tom.

Dotąd prawie się nie znali. Rozmawiali raz czy dwa, nic więcej — a mimo to Sonny usłyszał w jego głosie błaganie, jakby byli starymi przyjaciółmi i Tom zwracał się osobiście do niego. „Ja ślepnę, Sonny!" — powiedział, bo stracił ostatnią nadzieję i jednocześnie prosił o pomoc.

— *V' fancul'!* — mruknął Sonny. Obrócił się na pięcie na chodniku, jakby ten krótki piruet mógł dać mu parę sekund, których potrzebował, by się zastanowić. Oddał torbę z zakupami Michaelowi, po czym objął ramionami Toma razem z krzesłem i poniósł go ulicą.

— Co ty robisz, Sonny? — zapytał Tom.

— Zabieram cię do mojego ojca — odparł Sonny.

I to właśnie zrobił. Z drepczącym mu po piętach zdumionym Michaelem zaniósł Toma razem z krzesłem do domu, gdzie Vito rozmawiał z Clemenzą w salonie, i postawił krzesło przed ojcem. Vito, który słynął ze swojej zimnej krwi, zrobił taką minę, jakby miał zemdleć.

Clemenza ściągnął torbę z głowy Toma i widząc sączącą się spod bandaża ropę i krew, cofnął się o krok.

— Kto to jest? — zapytał Sonny'ego.

— Tom Hagen.

Carmella weszła do pokoju, dotknęła delikatnie głowy Toma i przechyliła ją, żeby lepiej przyjrzeć się jego oku.

— *Infezione* — powiedziała do Vita.

— Wezwij doktora Molinariego — szepnął do niej, jakby nagle zaschło mu w gardle.

— Co ty robisz, Vito? — zapytał Clemenza.

Vito podniósł rękę, uciszając go.

— Zaopiekujemy się nim — oznajmił. — To twój przyjaciel? — zapytał Sonny'ego.

Ten przez chwilę się nad tym zastanawiał.

— Tak, tato — odparł. — Jest dla mnie jak brat.

Ani wtedy, ani teraz nie miał pojęcia, dlaczego to powiedział.

Vito przez długą chwilę mierzył go wzrokiem, jakby próbował zajrzeć mu do serca, a potem objął Toma i zaprowadził go do kuchni. Tej nocy i przez następne pięć lat, aż do dnia, kiedy poszedł na studia, Tom spał w pokoju Sonny'ego. Oko się zagoiło. Przybrał na wadze. Przez całą szkołę był prywatnym korepetytorem Sonny'ego — pomagając mu rozwiązywać zadania, kiedy to było możliwe, i rozwiązując je sam, kiedy nie dało się inaczej.

Tom starał się, jak mógł, by zadowolić Vita — ale nic, co

robił, nie mogło zeń uczynić jego syna. I nic, co robił, nie mogło mu przywrócić prawdziwego ojca. To sprawiało, że Sonny nie mógł się na niego za długo gniewać, to i wspomnienie tamtego dnia, kiedy znalazł go z torbą na głowie, siedzącego na krześle z trzema nogami i mówiącego: „Ja ślepnę, Sonny!”. Ta scena wryła się w jego serce i pamiętał ją, jakby zdarzyła się wczoraj.

Z kuchni płynął po schodach głos mamy podobny do słów piosenki.

— Santino! — wołała. — Obiad już prawie gotowy! Dlaczego nie słyszę szumu wody w łazience?

— Będę na dole za dziesięć minut, mamo! — odkrzyknął i zerwał się z łóżka, rozpinając koszulę.

W szafie znalazł szlafrok i włożył go, a potem wyciągnął z tyłu pawlacza pudło na kapelusze, które tam schował. Wyjął z niego nową jasnoniebieską fedorę i włożył ją na głowę. Następnie przejrzał się w lusterku, naciągnął kapelusz na czoło, przekrzywił go lekko na bakier, wyszczerzył zęby w uśmiechu, schował kapelusz z powrotem do pudła i odłożył je na pawlacz.

— Santino! — wołała Carmella.

— Już idę, mamo — odparł i wybiegł z pokoju.

· · ·

Parę minut po północy w Juke's Joint pełno było elegantów w cylindrach i smokingach i kobiet w futrach i jedwabiach. Puzonista na scenie celował instrumentem w sufit, jedną ręką poruszając suwakiem, a drugą tłumikiem, i wykonując wraz z zespołem smętną jazzową wersję *She Done Him Wrong*. Perkusista, który pochylił się do przodu tak nisko, że dotykał

95

prawie twarzą werbla, wybijał rytm, zanurzony w swoim prywatnym świecie dźwięków. Spocone pary rozpychały się i zderzały na parkiecie, zaśmiewając się i pociągając ze srebrnych i obszytych skórą piersiówek. Po przestronnej sali biegali kelnerzy, donosząc tace z jedzeniem i piciem do stolików, przy których siedzieli dobrze ubrani i dobrze uposażeni.

Sonny i Cork pili już od paru godzin, podobnie jak Vinnie, Angelo i Nico. Stevie się nie pojawił, mimo iż wszyscy uzgodnili, że będą świętowali u Juke'a. Vinnie i Angelo byli w smokingach. Angelo zaczął wieczór z zaczesanymi elegancko do tyłu włosami, ale z upływem godzin i kolejnych drinków luźne kosmyki zaczęły mu opadać na twarz. Nico i Sonny mieli na sobie dwurzędowe garnitury z szerokimi klapami i satynowe krawaty, Nico jasnozielony, a Sonny niebieski, pasujący do nowego kapelusza. Większość panienek u Juke'a miała powyżej dwudziestu lat, ale nie przeszkadzało to wcale chłopcom zapraszać je do tańca i teraz, po północy, wszyscy byli spoceni i w różnych stadiach upojenia alkoholem. Rozpięli kołnierzyki koszul, rozluźnili krawaty i śmiali się do rozpuku z własnych żartów. Cork, w tweedowym garniturze, kamizelce i muszce, był z nich najmniej elegancki i najbardziej pijany.

— Jezu... jestem ululany w trzy dupy, panowie — wymamrotał, informując ich o czymś, o czym i tak wiedzieli, po czym oparł głowę o stół.

— Ululany w trzy dupy — powtórzył Sonny, którego bardzo rozbawiło to określenie. — Może zamówić ci kawę?

Cork wyprostował się.

— Kawę?! — zawołał, wyjmując z kieszeni piersiówkę. —

Kiedy mam jeszcze pierwszorzędną kanadyjską słodową whiskey?

— Ty irlandzki złodziejaszku! — obruszył się Nico. — Ile zwędziłeś dla siebie butelek?

— Och, zamknij się, ty makaroniarsko-spageciarsko-italiański lizodupcu!

Od ostatniego skoku powtarzali bez końca dla zgrywu to przekleństwo i również u Juke'a wywarło ono pożądany skutek. Vinnie Romero zaśmiał się głośno i nagle umilkł, widząc wchodzącego do klubu Lucę Brasiego.

— Hej, chłopcy — powiedział do pozostałych. — Popatrzcie.

Luca wszedł do klubu z opartą o jego ramię Kelly O'Rourke. Sam był w prążkowanych spodniach i fraku, z białym goździkiem przypiętym do butonierki. Tuląca się do niego Kelly miała na sobie zmysłową kremową suknię na jedno ramię. Jej materiał spinała na biodrze brylantowa brosza w kształcie serca. Kelner prowadził ich do stolika w pierwszym rzędzie, tuż przy orkiestrze. Widząc, że Cork i chłopcy go obserwują, Luca skinął do nich, szepnął słówko kelnerowi i przyprowadził Kelly do ich stolika.

— Niech mnie kule — mruknął — jeśli to nie gang podkradaczy.

Wszyscy chłopcy wstali, a Luca uścisnął dłoń Corkowi.

— Co to za koleś? — zapytał, patrząc na Sonny'ego.

— Ten tutaj? — odparł Cork, szturchając przyjaciela. — Jakiś gamoń. Przysiadł się, żeby się z nami napić.

— Hej! — obruszył się Sonny i podrapał się w głowę, próbując udać bardziej pijanego, niż był. — O co chodzi z tym gangiem podkradaczy? — zapytał.

— Nieważne — odpowiedział mu Cork. — To taki żart. Kim jest ta laleczka?

— A co to cię obchodzi? — odpalił Luca i udał, że uderza go w szczękę.

— Jestem dziewczyną Luki — powiedziała Kelly, przedstawiając się.

— Prawdziwy z ciebie szczęściarz — stwierdził Cork, patrząc na Lucę.

Kelly uwiesiła się ramienia swojego faceta i świdrowała wzrokiem Sonny'ego.

— Nie jesteś przypadkiem kumplem tego studenciaka, Toma Jakiegośtam? — zapytała.

— Jakiego studenciaka? — zainteresował się Luca, zanim Sonny zdążył odpowiedzieć.

— Takiego tam studenciaka — odparła. — O co chodzi, Luca? Nie jesteś chyba zazdrosny o jakiegoś studenciaka? Wiesz, że jestem twoją dziewczyną — dodała, kładąc mu głowę na ramieniu.

— O nikogo nie jestem zazdrosny, Kelly — oświadczył Luca. — Znasz mnie wystarczająco dobrze, by o tym wiedzieć.

— Jasne, znam cię dość dobrze — powiedziała, ściskając mocniej jego ramię. — No? — zwróciła się do Sonny'ego. — Nie jesteś jego kumplem?

— Toma Jakiegośtam? — Sonny wsadził rękę do kieszeni i zauważył, że Luca powiódł za nią wzrokiem. — Tak, znam pewnego studenta, który ma na imię Tom.

— Powiedz mu, żeby do mnie zadzwonił. Powiedz, że chcę, żeby się odezwał.

— Naprawdę? — zapytał Luca i spojrzał na chłopaków. — Kobiety... — mruknął, jakby dzielił się jakąś ogólną wiedzą na temat płci pięknej. — Idziemy, laleczko — zwrócił się do Kelly, po czym objął ją w talii i odciągnął od stolika.

— Co tu było, do diabła, grane? — zapytał Nico Sonny'ego, kiedy Luca oddalił się na bezpieczną odległość.

— No właśnie, Sonny — zawtórował mu Cork. — Skąd ona, do cholery, zna Toma?

Sonny zerknął na salę i zobaczył, że Luca zerka w jego stronę.

— Spadamy stąd — mruknął.

— Jezu Chryste — jęknął Cork, patrząc w stronę wyjścia. — Ty idź pierwszy — powiedział. — Pamiętaj, że się nie znamy.

— Będziemy mieli na oku Lucę — zapewnił go Angelo.

Sonny wstał, cały w uśmiechach, a Cork podał mu rękę, jakby żegnał się z przygodnym znajomym.

— Zaczekam na was w samochodzie — powiedział Sonny i ruszył powoli do szatni. Nie chciał, by Luca odniósł wrażenie, że ucieka. Zatrzymał mijającą go dziewczynę w siatkowych pończochach i cylindrze na głowie, żeby kupić od niej camele.

— Powinien pan spróbować lucky strike'ów — oświadczyła, wdzięcząc się do niego i trzepocząc rzęsami. — Tytoń jest w nich prażony. To chroni gardło i poprawia smak.

— Wybornie — odparł. — Daj mi paczkę, laleczko.

— Niech pan sobie sam weźmie — powiedziała, prężąc piersi i wysuwając ku niemu tacę. — Są takie krągłe, takie mocne, takie napakowane.

Sonny rzucił jej na tacę dwadzieścia pięć centów.

— Reszty nie trzeba.

Mrugnęła do niego i odeszła. Sonny powiódł za nią wzrokiem. W drugiej części sali zobaczył Lucę, który pochylał się nisko nad stolikiem, mówiąc coś do Kelly. Nie miał zadowolonej miny.

— Zabiję cię, Tom — szepnął pod nosem Sonny, po czym wziął z szatni płaszcz i kapelusz i wyszedł na ulicę.

Z Juke's Joint wychodziło się na Zachodnią Sto Dwudziestą Szóstą Ulicę, nieopodal Lenox Avenue. Sonny przystanął przed plakatem, otworzył paczkę lucky strike'ów i zapalił. Plakat reklamował Caba Callowaya i jego orkiestrę grającą *Minnie the Moocher*. Sonny zanucił „haj di haj di haj" i postawił kołnierz płaszcza. Była jesień, ale chłodny wiatr zapowiadał zimę. Za jego plecami otworzyły się drzwi klubu i na zewnątrz popłynęły dźwięki muzyki. Siwy facet w czarnym palcie z futrzanym kołnierzem wyszedł na ulicę i zapalił cygaro.

— Jak leci? — zapytał Sonny'ego, który skinął mu głową, ale nie odpowiedział. Chwilę później z klubu wyszedł chudy chłopak w swetrze w romby. Spojrzał na siwego i ruszyli razem ulicą.

Sonny podążał za nimi aż do samochodu. Usiadł za kierownicą, opuścił szybę i przeciągnął się w fotelu. Szumiało mu trochę w głowie, ale szybko wytrzeźwiał, kiedy Kelly zapytała go o Toma. Przypomniał sobie, jak odsunęła zasłony i wyjrzała na ulicę. Stała w oknie tylko sekundę, zanim pojawił się za nią Tom i zasunął z powrotem zasłonę, ale w tym czasie Sonny zdążył przyjrzeć się jej ciału, które wyglądało wprost bajecznie: bladoróżowe, zwieńczone burzą rudych włosów. W okrągłej twarzy widać było czerwone usta i skośne brwi — i nawet przez szybę i z dużej odległości, stojąc po drugiej stronie Jedenastej Alei, miał wrażenie, że dostrzega malujący się na niej gniew.

Zastanawiał się, jak niebezpieczna może się okazać Kelly O'Rourke. Zsunął kapelusz z czoła i podrapał się w głowę. Próbował odkryć, jaką prowadziła grę, i przychodziło mu do głowy tylko jedno wytłumaczenie. Chciała wzbudzić w Luce zazdrość. Ale dlaczego padło na Toma? Skąd wiedziała, że Sonny zna Toma? I w ogóle skąd znała Sonny'ego? W tym momencie utknął. Kobiety zawsze było trudno rozgryźć, a ta była mistrzynią świata. Jeśli tato się o tym dowie, *Madon'*! Nie chciał być na miejscu Toma. Tato zaplanował przyszłość dla wszystkich swoich dzieci. Tom miał zostać prawnikiem i zająć się polityką. Sonny miał być przemysłowym magnatem. Michael, Fredo i Connie byli jeszcze za młodzi, by wybrać im jakąś przyszłość — ale niedługo to się stanie. Wszyscy powinni być tacy, jak tato sobie wyobraził — tyle że on, Sonny, nie miał zamiaru tyrać jak niewolnik u Lea. Będzie musiał znaleźć jakiś sposób, by rozmówić się z ojcem. Wiedział, co chce robić, i był w tym dobry. Kierował swoim gangiem dopiero od niespełna roku i miał już własny samochód, eleganckie ciuchy i kilka tysięcy schowanych w materacu.

— Hej! — Cork zapukał w szybę od strony pasażera i usiadł obok niego.

— *Minchia!* — zaklął Sonny, poprawiając kapelusz, który zsunął się na bok, kiedy wzdrygnął się na widok Corka.

Tylne drzwi otworzyły się i do samochodu wsiedli bracia Romero i Nico.

— O co mu, do diabła, chodziło? — zapytał Nico.

Sonny obrócił się na siedzeniu, żeby mieć ich wszystkich przed sobą.

— Nie uwierzycie w to — oświadczył, po czym wyjaśnił, co zdarzyło się między Tomem i Kelly.

— Chryste! — zawołał Vince. — Tom przeleciał tę lalunię!

— Jeśli Luca się dowie... — mruknął Cork.

— Nawet twój tato go nie uratuje — zawyrokował Nico.

— Ale co ona kombinuje? — zapytał Sonny, zwracając się do Corka. — Jeśli powie Luce, jest gotów zabić i ją.

— Gotów? — mruknął Angelo. — Można się założyć, że to zrobi.

— Więc co tu jest grane? — zapytał Sonny, patrząc na Corka.

— Niech mnie diabli, jeśli coś z tego kapuję — odparł Cork, po czym rozsiadł się wygodnie i nasunął kapelusz na oczy. — To wszystko jest porąbane. — Przez chwilę się nie odzywał i wszyscy w samochodzie też umilkli, czekając, że coś powie. — Jestem zbyt pijany, żeby się nad tym zastanawiać — oznajmił w końcu. — Sonny, brachu — dodał. — Bądź tak dobry i odwieź swojego kumpla Corka do domu, dobrze?

— W porządku, panowie...

Sonny wyprostował się za kierownicą. Zastanawiał się, czy nie ostrzec ich, żeby nie kłapali dziobami o Tomie i Kelly, ale uznał, że to niepotrzebne. Z całej trójki najbardziej rozmowny był Nico, lecz i on rzadko kiedy odzywał się do kogoś spoza gangu. Dlatego właśnie ich wybrał. Bliźniacy znani byli z tego, że gadali tylko ze sobą, a i to niewiele. Cork miał dar wymowy, ale był sprytny i można mu było zaufać.

— Odwiozę tu obecnego księcia do domu — powiedział Sonny.

— Na jakiś czas się przyczaimy? — zapytał Nico.

— Jasne — odparł Sonny. — Tak jak zawsze po skoku. Nie spieszy się nam.

Vinnie klepnął go po ramieniu i wysiadł z samochodu.

— Do zobaczenia, Cork — pożegnał się Angelo, wychodząc w ślad za bratem.

Nico wystawił nogę z samochodu i wskazał podbródkiem Corka.

— Zabierz tego makaroniarsko-spageciarsko-italiańskiego lizodupca do domu — powiedział do Sonny'ego.

— Jezu — jęknął Cork. — Moglibyście sobie w końcu odpuścić.

Sonny skręcił w Sto Dwudziestą Szóstą Ulicę.

— Chryste — mruknął. — Muszę iść jutro do pracy.

Cork oparł się o drzwi i rzucił kapelusz na tylne siedzenie. Z przygniecionymi przez jego denko włosami wyglądał jak dziecko, które zasnęło podczas jazdy.

— Widziałeś, jakie cycki miała ta szatniarka? — zapytał. — Miałem ochotę dać nura i utonąć między nimi.

— No proszę.

Cork cisnął kapeluszem w Sonny'ego.

— O co ci chodzi? — zapytał. — Nie na wszystkich panienki lecą tak jak na ciebie. Niektórzy muszą zdać się na wyobraźnię.

Sonny odrzucił mu kapelusz.

— Wcale na mnie nie lecą — stwierdził.

— Gówno prawda — odparł Cork. — Ile przeleciałeś w tym tygodniu? Daj spokój, Sonny. Możesz powiedzieć staremu kumplowi Corkowi. Widziałeś tę dziwkę przy sąsiednim stoliku? — zapytał, kiedy Sonny się nie odezwał. — Jezu. Miała dupę jak autobus!

Sonny roześmiał się wbrew sobie. Nie lubił, kiedy Cork zaczynał nawijać o kobietach.

— Dokąd mnie wieziesz? — zapytał nagle Irlandczyk.

— Do domu. Tak jak chciałeś.

— Nie. — Cork podrzucił w górę kapelusz i próbował podstawić pod niego głowę. Kiedy mu się nie udało, podniósł go i spróbował ponownie. — Nie chcę wracać do mojej klitki. Nie zmywałem naczyń od tygodnia. Zabierz mnie do Eileen.

— Minęła pierwsza w nocy, Cork. Obudzisz Caitlin.

— Caitlin śpi jak suseł. Obudzę tylko Eileen, a jej to nie przeszkadza. Kocha swojego braciszka.

— Jasne — powiedział Sonny — bo tylko ty jej pozostałeś.

— Co ty opowiadasz? Ma Caitlin i około pięciuset innych rozsianych po całym mieście Corcoranów, z którymi jest bliżej lub dalej spokrewniona.

— Skoro tak mówisz... — Sonny zatrzymał się na czerwonych światłach, nachylił się nad kierownicą, by sprawdzić, czy nic nie jedzie z lewej i prawej strony, po czym przejechał przez skrzyżowanie.

— Zuch chłopak! — mruknął Cork. — Grunt to szanować przepisy.

— Eileen zawsze powtarza, że tylko ty jej pozostałeś — upierał się Sonny.

— Ma typowo irlandzką skłonność do dramatyzowania — odparł Cork. — Myślałeś kiedykolwiek o tym, że któryś z nas może zginąć, Sonny? — zapytał po krótkiej chwili. — No wiesz, w trakcie roboty?

— Nie — mruknął Sonny. — Jesteśmy wszyscy kuloodporni.

— Oczywiście, ale czy o tym kiedykolwiek myślałeś?

Sonny nie obawiał się, że zginie on ani którykolwiek z jego ludzi. Planował wszystko tak, że jeśli wszyscy robili, co do nich należało — a robili — wtedy nie powinno być żadnych problemów.

— Bardziej martwię się o mojego tatę — powiedział, spoglądając na Corka. — Słyszałem, co mówią na mieście. Wygląda na to, że ma jakieś problemy z Mariposą.

— Nie — odparł Cork, w ogóle się nad tym nie zastanawiając. — Twój ojciec jest na to za sprytny, a poza tym ma całą cholerną armię, która go broni. Z tego co słyszałem, gang Mariposy to banda debili, którzy próbują wyjebać klamkę.

— Skąd ci to przyszło do głowy?

— Mam bujną wyobraźnię! — zawołał Cork. — Pamiętasz piątą klasę? Panią Hanley? Z twarzą niczym rozłupana główka kapusty? Łapała mnie za ucho i mówiła: „Jaką ty masz wyobraźnię, Bobby Corcoranie!".

Sonny zatrzymał się przy Piekarni Corcorana i spojrzał na okna na piętrze, w których tak, jak się spodziewał, było ciemno. Zaparkowali na rogu Czterdziestej Trzeciej Ulicy i Jedenastej Alei, pod uliczną latarnią. Obok piekarni za ogrodzeniem z kutego żelaza stała dwupiętrowa kamienica z fasadą z czerwonego kamienia. Spomiędzy słupków ogrodzenia wyrastały chwasty, na małym podwórku po obu stronach ganku walały się śmieci. Krawędzie okien i linia dachu obłożone były granitem, który musiał kiedyś dodawać elegancji budynkowi, ale teraz był matowy, popękany i brudny. Corkowi najwyraźniej nie spieszyło się, by wyjść z samochodu, a Sonny też chciał posiedzieć chwilę w spokoju.

— Słyszałeś, że ojciec Nina stracił robotę? — zapytał Cork. — Gdyby nie Nino, wszyscy staliby w kolejce po darmowy chleb.

— Nino nie mówi im, skąd ma pieniądze?

— Nie pytają go. Posłuchaj — dodał Cork — czekałem na odpowiedni moment, żeby ci powiedzieć: Hooks nie chce, żebyśmy nadal okradali Mariposę. Jeśli będziemy to robili, nie możemy już korzystać z pośrednictwa Luki.

— A to dlaczego?

— To zbyt niebezpieczne. Mariposa dostaje na punkcie tych kradzieży białej gorączki. — Cork spojrzał na ulicę, a potem z powrotem na Sonny'ego. — Będziemy chyba musieli napadać ludzi na ulicy, porywać ich czy coś w tym rodzaju — stwierdził.

— Nie będziemy nikogo porywali — oświadczył Sonny. — Zwariowałeś? To ja zajmuję się planowaniem — dodał, kiedy Cork nic nie odpowiedział. — Postaram się coś wymyślić.

— Tylko żeby to nie trwało zbyt długo. Mnie się nic nie stanie, ale Romerowie wylądują na ulicy, jeśli bliźniacy nie zorganizują wkrótce trochę szmalu.

— Jezu — mruknął Sonny. — Jesteśmy teraz Urzędem Robót Publicznych?

— Jesteśmy czymś w rodzaju Urzędu Odbudowy Kraju — powiedział Cork.

Sonny spojrzał na niego i obaj parsknęli śmiechem.

— Jesteśmy Nowym Ładem — podsumował Sonny, nadal się śmiejąc.

Cork nasunął kapelusz na oczy.

— Jezu — jęknął. — Ale się uchlałem.

— Muszę porozmawiać z tatą — stwierdził z westchnieniem Sonny. — Chodzenie do tej zasranej pracy po prostu mnie dobija.

— A co mu powiesz? — zapytał Cork przez kapelusz, który zasłonił mu całą twarz. — Że chcesz być gangsterem?

— Jestem gangsterem — odparł Sonny — podobnie jak on. Różni nas tylko to, że on udaje legalnego biznesmena.

— Bo jest legalnym biznesmenem. Prowadzi firmę Genco Pura Olive Oil.

— Oczywiście — zgodził się Sonny. — I każdy sklep spożywczy w mieście sprzedaje oliwę Genco Pura, żeby nie musiał ubezpieczać się przed pożarem.

— No więc dobrze, jest bezwzględnym biznesmenem — odparł Cork, po czym usiadł i zsunął kapelusz z powrotem na tył głowy. — Ale który odnoszący sukcesy biznesmen nie jest bezwzględny?

— Zgoda — mruknął Sonny. — Tak czy inaczej legalny biznesmen nie zajmuje się loteriami, hazardem, lichwą, związkami zawodowymi i całą resztą rzeczy, w które angażuje się tato. Dlaczego udaje, że jest kimś innym? — Sonny odchylił się do tyłu i spojrzał na Corka, mając nadzieję, że ten udzieli mu odpowiedzi. — Zachowuje się tak, jakby to, że ludzie, którzy mu podpadli, trafiali na ogół na cmentarz, nie było faktem — dodał. — Rozumiesz? W moich oczach to czyni z niego gangstera.

— Ja osobiście nie widzę żadnej różnicy między biznesmenem i gangsterem. — Cork uśmiechnął się do Sonny'ego i rozbłysły mu oczy. — Widziałeś braci Romero z tymi rozpylaczami? — zapytał. — Jezu Chryste! „To twoja ostatnia szansa, Rico!" — wrzasnął, udając, że trzyma w rękach pistolet maszynowy. — „Wychodzisz, czy chcesz, żeby cię stamtąd wynieśli?"* — Naciskając wyimaginowany spust, zaczął podskakiwać na siedzeniu, obijając się o tablicę rozdzielczą, drzwi i oparcie.

---

* Cytat z gangsterskiego filmu *Mały Cezar* z 1931 roku.

Sonny, śmiejąc się, wysiadł z samochodu.

— Wyłaź — powiedział. — Za parę godzin muszę być w pracy.

Cork wygramolił się z auta i spojrzał w górę.

— O Jezu... — jęknął i oparł się o samochód. — Cholera! — zaklął, po czym podbiegł do ogrodzenia przy piekarni, złapał za słupki i zwymiotował na trawę i chwasty.

Nad piekarnią otworzyło się okno i wyjrzała przez nie Eileen. Jej twarz z obu stron okalały takie same jak u brata jasnorudawe włosy. Ciemne oczy połyskiwały w świetle ulicznej latarni.

Sonny rozłożył ręce, jakby nie brał za nic odpowiedzialności.

— Prosił, żebym go tu przywiózł — powiedział, starając się nie krzyczeć i mimo to zostać usłyszanym.

— Przyprowadź go na górę — odparła Eileen i zamknęła okno.

— Nic mi nie jest — oświadczył Cork i wziął głęboki oddech. — Już mi lepiej. Możesz jechać — zwrócił się do Sonny'ego, odprawiając go gestem dłoni. — Wszystko w porządku.

— Na pewno?

— Na pewno — odparł Cork, po czym wsadził rękę do kieszeni marynarki i wyciągnął z niej pęk kluczy. — Możesz jechać — powtórzył, ponownie machając ręką.

Sonny patrzył, jak Cork usiłuje najpierw znaleźć właściwy klucz, a następnie włożyć go do dziurki.

— *Cazzo!* — mruknął. — Ile ty musiałeś wypić?

— Otwórz mi tylko te drzwi, przyjacielu, dobrze? Kiedy uda mi się rozwiązać zagadkę tych cholernych drzwi, już sobie poradzę.

Sonny wziął od niego klucz i przekręcił go w zamku.

— Drzwi Eileen też będą zamknięte — zauważył.

— Na to wygląda — zgodził się Cork z irlandzkim akcentem, którym lubił się od czasu do czasu popisywać.

— Chodź. — Sonny objął go ramieniem w pasie i poprowadził na górę po schodach.

— Dobry z ciebie kumpel, Sonny Corleone — stwierdził tubalnym głosem Cork.

— Daj sobie siana, dobrze? Obudzisz cały budynek.

Słysząc wchodzących po schodach chłopców, Eileen uchyliła drzwi do pokoju Caitlin i zajrzała do środka. Dziewczynka spała zdrowo, obejmując obszarpaną żółto-brązową żyrafę, którą z nikomu nieznanych przyczyn nazywała Boo. Przywiązała się do pluszaka wkrótce po śmierci Jamesa i wszędzie go ze sobą targała. Obecnie jego futro było sfilcowane i spowiałe, i trudno było w nim rozpoznać żyrafę — chociaż czym innym jak nie żyrafą mógł być ściskany przez dziecko i przypominający długoszyje zwierzę kawałek żółto-brązowego materiału?

Eileen podciągnęła kołdrę pod brodę Caitlin i pogładziła ją po włosach.

W kuchni wypłukała dzbanek i wyjęła z kredensu puszkę kawy. Kiedy otworzyły się frontowe drzwi i do środka wszedł Sonny, praktycznie niosąc Corka, odwróciła się i wzięła pod boki.

— Popatrzcie, jak wy wyglądacie.

— Ach, siostrzyczko — mruknął Cork, odsuwając się od Sonny'ego i stając o własnych siłach. — Czuję się świetnie — dodał, zdejmując kapelusz i wciskając jego denko.

— I świetnie wyglądasz, tak?

— Po prostu trochę się zabawiliśmy — wyjaśnił Sonny.

Eileen zmierzyła go stalowym spojrzeniem.

— Widzisz? — zapytała Corka, pokazując leżącą na kuchennym stole gazetę. — Zachowałam to dla ciebie. Dla was obu, chłopcy — dodała, spoglądając na Sonny'ego.

Cork podszedł ostrożnie do stołu, pochylił się nad gazetą i mrużąc oczy, zerknął na zdjęcie leżącego na ulicy, elegancko ubranego młodego mężczyzny, którego mózg obryzgał krawężnik. Obok niego leżał nowy słomkowy kapelusz.

— Cały „Mirror" — mruknął. — Zawsze szukają jakiejś sensacji, którą mogliby dać na pierwszą stronę.

— Jasne — odparła Eileen. — To nie ma z wami nic wspólnego, prawda?

— Ach, siostrzyczko — powtórzył Cork, przewracając stronę gazety.

— Przestań z tą „siostrzyczką"! — skarciła go. — Wiem, co robicie — powiedziała, przewracając stronę z powrotem. — To są sprawy, w których maczacie palce. I tak właśnie skończycie.

— Ach, siostrzyczko — powtórzył jeszcze raz Cork.

— I nie uronię nad twoim grobem ani jednej łzy, Bobby — podsumowała.

— Będę już szedł — powiedział Sonny, stojąc przy drzwiach z kapeluszem w ręce.

Eileen spojrzała na niego nieco łagodniej.

— Zaparzę kawę — stwierdziła, po czym odwróciła się plecami do chłopców i wyjęła ze zlewu sitko dzbanka.

— Dla mnie nie rób — mruknął Cork. — Jestem wykończony.

— Rano muszę iść do pracy — oznajmił Sonny.

— No i dobrze — odparła Eileen. — Napiję się sama. Teraz, kiedy już mnie obudziłeś, nie zmrużę oka przez całą noc.

— Ach, siostrzyczko... Chciałem tylko zobaczyć się z Caitlin i zjeść z nią rano śniadanie.

Cork puścił stół, którego trzymał się oburącz, ruszył w stronę zlewu i nagle się potknął. Sonny złapał go, nim runął na podłogę.

— Na litość boską — parsknęła Eileen. — Zaprowadź go do pokoju od podwórka, dobrze? — poprosiła Sonny'ego. — Łóżko jest już posłane.

— Dzięki, siostrzyczko. Czuję się świetnie, przysięgam — stwierdził Cork, poprawiając na głowie kapelusz, który przekrzywił się, kiedy o mało nie upadł.

— To dobrze. Trochę się prześpij, Bobby. Rano zrobię ci śniadanie.

— W porządku. Dobranoc, Eileen — powiedział Cork. — Czuję się świetnie — poinformował Sonny'ego. — Możesz jechać. Porozmawiamy jutro. — Podszedł ostrożnie do Eileen, pocałował ją w policzek, co przyjęła z kamienną twarzą, po czym wycofał się do pokoju od podwórka i zamknął za sobą drzwi.

Kiedy Sonny usłyszał, że Cork wali się na łóżko, podszedł do stojącej przy zlewie Eileen i mocno ją objął.

— Zwariowałeś? — szepnęła, odpychając go. — Z moim bratem w jednym pokoju i córką w drugim? Kompletnie ci odbiło, Sonny Corleone?

— Szaleję na twoim punkcie, laleczko.

— Cśś — mruknęła, chociaż rozmawiali półgłosem. Idź już. Wracaj do domu — dodała, wypychając go za drzwi.

— W przyszłą środę? — zapytał na korytarzu.

— Oczywiście — odparła, po czym wystawiła głowę na korytarz, rozejrzała się i cmoknęła go w usta. — A teraz zmykaj i jedź ostrożnie do domu.

— Do środy — szepnął Sonny.

Eileen patrzyła za nim, kiedy schodził po schodach, trzymając w ręku kapelusz i przeskakując po dwa stopnie naraz — duży i barczysty, z potężną grzywą kędzierzawych czarnych włosów. Na dole schodów zatrzymał się, żeby włożyć kapelusz, i kiedy nasuwał go na czoło, wpadające przez szybkę światło z ulicy rozjaśniło niebieskie denko. W tym momencie wyglądał jak gwiazdor filmowy: wysoki, śniady, przystojny i tajemniczy. Na pewno nie wyglądał na siedemnastoletniego chłopaka, który przyjaźnił się z jej bratem, kiedy obaj biegali jeszcze w krótkich spodenkach.

— O Boże — westchnęła cicho, kiedy Sonny wyszedł na ulicę. Powtórzyła to jeszcze raz na korytarzu, a potem dodała: — O Jezu — i zamknęła za sobą drzwi.

5

Kelly stukała młotkiem w dolną prowadnicę okna, próbując obtłuc z niej farbę. Po pewnym czasie odstawiła młotek z kulistym noskiem na podłogę, wsunęła dłonie pod ramę po obu stronach zamka i pchnęła ją w górę. Kiedy okno nie dało się otworzyć, sklęła je, siadła na drewnianym zydlu i zaczęła się zastanawiać, co robić. Szyby brzęczały na wietrze. Za oknem kołysały się rosnące na podwórku drzewa. Była w domu Luki przy West Shore Road w Great Neck, tuż za granicą miasta na Long Island. To miejsce w niczym nie przypominało ciasnej nory w Hell's Kitchen, gdzie dorastała jako najmłodsze dziecko i jedyna córka, lecz mimo to przywodziło jej na myśl tamto mieszkanie, to, jak czekała niczym niewolnica na trzech starszych braci i rodziców tylko dlatego, że była dziewczynką. Wszystko w tamtym mieszkaniu było parszywe i zapluskwione, co zawdzięczali jej żałosnemu ojcu, który wywracając się, szczał pod siebie i wszystko zasmradzał. Matka nie była wiele lepsza, oboje warci siebie. W takim miejscu dziewczyna nie mogła mieć nic ładnego. I co dostawała za to, że robiła wszystkim śniadania, obiady i kolacje? Trzepnięcie otwartą dłonią od matki i wulgarne słowa od wszystkich mężczyzn z wyjątkiem Seana, który był dużym dzieciakiem. Kiedy odeszła z Lucą — wyrzucili ją jak jakiegoś śmiecia — wydawało im się, że się jej pozbyli, ale tak naprawdę to ona się ich pozbyła, wszystkich. Była wystarczająco ładna, by występować w filmach, wszyscy to mówili. Musiała tylko skończyć ze śmierdzącymi szczurzymi norami takimi jak ta, i z Lucą mogła to zrobić, ponieważ nikt nie był twardszy od Luki Brasiego — a teraz miała mu urodzić dziecko, choć on jeszcze nic o tym nie wiedział. Luca mógł odnieść sukces, a ona razem z nim, choć czasami doprowadzał ją do szaleństwa, bo nie miał żadnych ambicji. Weźmy choćby tę ruderę: to, jak bardzo była zapuszczona. To ją złościło.

Wiejski dom miał dobre kilkadziesiąt lat, jeśli nie więcej. Wszystkie pokoje były duże i wysokie, z oknami, w których szyby wydawały się faliste, jakby roztopiło się w nich szkło. Nocując tu, Kelly zawsze musiała sobie powtarzać, że do miasta jest tylko pół godziny jazdy. To był zupełnie inny świat, z lasami ze wszystkich stron, żwirowanymi drogami i dziką plażą przy Little Neck Bay. Lubiła spacerować do zatoki, a potem wracać i patrzeć na dom, wyobrażać sobie, jak mógłby wyglądać, gdyby poświęcić mu trochę pracy i uwagi. Żwirowany podjazd można by wybrukować. Można by zeskrobać obłażącą i popękaną białą farbę i odświeżyć ściany z desek, malując je na jasnoniebieski kolor. Odmalowania wymagały też z całą pewnością wnętrza, a podłogi warto by wypolerować — ale po takim remoncie dom byłby naprawdę uroczy i Kelly lubiła przystawać na podjeździe i wyobrażać sobie, jak mógłby wyglądać.

Teraz jednak zależało jej tylko na tym, żeby otworzyć okno i wpuścić do środka trochę powietrza. Stojący w piwnicy przedpotopowy węglowy piec stękał i huczał, wypluwając z siebie ciepło. Kaloryfery syczały i bulgotały, a kiedy piec na dobre się rozkręcił, czasami przez cały dom przechodziło drżenie — tyle wysiłku wymagało jego ogrzanie. Kelly nie potrafiła wyregulować ogrzewania. Zawsze było albo gorąco jak w piekle, albo zimno jak w psiarni, a tego ranka było gorąco — mimo zimna i wiatru na zewnątrz. Otuliła się szczelniej szlafrokiem i weszła do kuchni, gdzie znalazła w zlewie nóż do mięsa. Miała nadzieję, że zdoła nim zeskrobać farbę i odblokować okno. Za jej plecami zszedł na dół Luca: na bosaka i z gołym torsem, ubrany tylko w pasiaste spodnie od piżamy. Na policzku miał ślady odciśnięte po śnie, a krótkie ciemne włosy spłaszczone po prawej stronie, tam gdzie przyciskał głowę do poduszki.

— Śmiesznie wyglądasz, Luca — powiedziała Kelly.

Luca usiadł na kuchennym krześle.

— Co to było, do diabła, za walenie? — zapytał. — Myślałem, że ktoś próbuje wyważyć drzwi.

— To ja — odparła. — Mam ci zrobić śniadanie?

Luca oparł głowę na dłoniach i pomasował sobie skronie.

— A co mamy? — zapytał, patrząc na blat stołu.

Kelly otworzyła lodówkę.

— Jajka i szynkę. Mogłabym ci zrobić jajecznicę.

Luca pokiwał głową.

— Co to był za łomot? — zapytał ponownie.

— Próbowałam otworzyć okno. Było tak gorąco, że nie mogłam spać. Dlatego wstałam.

— Swoją drogą, która jest godzina?

— Koło dziesiątej.

— Jezu Chryste — jęknął. — Nienawidzę wstawać przed południem.

— No tak — odparła Kelly — ale było strasznie gorąco. Luca popatrzył na nią, jakby próbował czytać w jej myślach.

— Robisz kawę? — zapytał.

— Tak, oczywiście, skarbie.

Kelly otworzyła szafkę nad zlewem i wyjęła paczkę eight o'clock.

— Dlaczego nie otworzyłaś po prostu okna w sypialni? — zapytał Luca. — Tamto łatwo się otwiera.

— Bo wtedy wiałoby prosto na nas. Pomyślałam, że jeśli otworzę okno na dole, zrobi się chłodniej w całym domu.

Luca odwrócił się i spojrzał do pustego pokoju za kuchnią, gdzie przy oknie stał drewniany zydel, a obok niego młotek. Wstał, poszedł tam, uderzył kilka razy nasadą dłoni w ramę okna, po czym szarpnął je i podniósł na całą wysokość. Zimny wiatr zawirował wokół niego i wpadł do kuchni. Luca opuścił okno, zostawiając kilkucentymetrową szparę. Kiedy wrócił do stołu, Kelly uśmiechnęła się do niego.

— Co jest?

— Nic — odparła. — Jesteś po prostu taki silny.

— No jasne — mruknął. W padającym przez kuchenne okno świetle włosy Kelly nabrały szczególnie płomiennego koloru. Pod szlafrokiem nic na sobie nie miała i widział jej wystające piersi. — A ty taka cholernie apetyczna.

Kelly rozpromieniła się i posłała mu kokieteryjny uśmiech, a potem rozbiła na patelni dwa jajka i dorzuciła do nich plasterek szynki, tak jak lubił. Kiedy śniadanie było gotowe, postawiła przed nim talerz i szklankę świeżego soku pomarańczowego.

— Ty nic nie będziesz jadła? — zapytał.

— Nie jestem głodna — odparła. Przygotowała kawę, podkręciła gaz pod dzbankiem i stanęła obok, czekając, aż się zagotuje.

— Za mało jesz — stwierdził. — Jak nie będziesz więcej jadła, zrobisz się chuda.

— Zastanawiałam się, Luca... — powiedziała, odwracając się do niego twarzą i opierając o kuchenkę.

— Oho — mruknął i zaczął jeść śniadanie.

— Ale posłuchaj. — Kelly wyjęła z kieszeni szlafroka chesterfieldy i pochyliła się nad palnikiem, żeby zapalić papierosa. — Zastanawiałam się po prostu — powtórzyła, wypuszczając kłąb dymu, który rozjaśniło padające przez okno światło. — Wszyscy wiedzą, że nie ma większego od ciebie chojraka w całym mieście. Nie podskoczy ci nawet Mariposa, choć to gruba szycha. Praktycznie rządzi całym miastem.

Luca przestał jeść. Robił wrażenie rozbawionego.

— Co ty wiesz o tych rzeczach? — zapytał. — Wtykasz nos w nie swoje sprawy?

— Ja dużo wiem — stwierdziła Kelly. — Słyszę to i owo.

— Naprawdę?

— Chodzi mi tylko o to, że powinieneś panować nad sytuacją. Kto jest od ciebie twardszy?

Kawa zagotowała się. Kelly zdjęła ją z palnika, przykręciła gaz i postawiła dzbanek z powrotem, żeby grzał się na małym ogniu.

— Panuję nad sytuacją — powiedział Luca. — Robię dokładnie to, co chcę robić.

— Oczywiście — odparła Kelly, po czym stanęła za nim

i pomasowała mu ramiona. — Jasne. Tu zorganizujesz włamanie, tam loterię... Robisz to, co twoim zdaniem pasuje tobie i twoim chłopakom.

— Właśnie tak — potwierdził Luca.

— No właśnie. Chciałam powiedzieć, że powinieneś uporządkować swoje sprawy. Jesteś jedynym makaroniarzem w Nowym Jorku, który wciąż pracuje w pojedynkę. Wszyscy inni twoi ziomkowie ze sobą współpracują. I w porównaniu z tobą zarabiają krocie.

— To również prawda — zgodził się Luca. Przestał jeść i położył swoją dłoń na dłoni Kelly, która masowała mu ramię. — Ale rzeczą, o której zapomniałaś wspomnieć, laleczko, jest to, że wszyscy ci faceci wykonują rozkazy. — Obrócił się na krześle, objął Kelly w talii i pocałował ją w brzuch. — Ci ludzie... nawet ten świr Mariposa... wszyscy wykonują rozkazy. Jego przyjaciel Al Capone każe mu srać do kapelusza, Mariposa sra do kapelusza. I wszyscy inni... wszyscy muszą robić to, co im każą. A ja — dodał, odsuwając Kelly na długość ramienia — ja robię to, co mi się żywnie podoba. I nikt, nawet Giuseppe Mariposa, Al Capone i w ogóle nikt, kto chodzi po tej ziemi... nikt nie mówi mi, co mam robić.

— Jasne — odparła Kelly i przeczesała palcami jego włosy. — Ale w ten sposób przechodzi ci koło nosa duża forsa, dzieciaku. Przechodzi ci koło nosa duży szmal.

— O co ci chodzi? Czy o ciebie nie dbam? Nie kupuję ci ładnych strojów i pięknej biżuterii, nie płacę za ciebie czynszu, nie daję forsy na drobne wydatki? — zapytał Luca i znowu zaczął jeść, nie czekając na odpowiedź.

— Och, jesteś cudowny — powiedziała i pocałowała go w ramię. — Wiesz o tym. Wiesz, że cię kocham, dzieciaku.

118

— Mówiłem, żebyś nie nazywała mnie „dzieciakiem". Nie lubię tego. — Luca odłożył widelec i uśmiechnął się do niej. — Moi ludzie śmieją się ze mnie, kiedy słyszą, jak nazywasz mnie dzieciakiem, rozumiesz?

— Jasne — odparła Kelly. — Po prostu zapomniałam.

Nalała sobie kawy do filiżanki, usiadła naprzeciwko niego przy stole i patrzyła, jak je. Po minucie wzięła z lodówki plastikową popielniczkę, zgasiła w niej papierosa i postawiła na stole obok swojej filiżanki. Potem wstała, włączyła palnik kuchenki, żeby zapalić kolejnego papierosa, i usiadła z powrotem.

— Pamiętasz, jak rozmawialiśmy, żeby sprawić sobie jakieś fajne meble do tego domu, Luca? — powiedziała. — Naprawdę, skarbie... Sypialnia to praktycznie jedyny pokój, który jest umeblowany. Właściwie jedynym meblem, który masz w tym domu, jest ogromne łóżko.

Luca skończył śniadanie, spojrzał na Kelly, ale nic nie powiedział.

— Moglibyśmy urządzić fajnie ten dom — naciskała go łagodnie, lecz jednak naciskała. — Widziałam piękny zestaw mebli do salonu w katalogu Searsa. Byłby dla nas idealny. Poza tym — dodała, zataczając krąg ręką — moglibyśmy zawiesić zasłony w oknach...

— Podoba mi się ten dom taki, jaki jest — odparł Luca. — Już ci mówiłem. — Wziął papierosa Kelly i zapalił go zapałką, którą potarł o ścianę kuchni. — Nie zaczynaj znów — mruknął. — Daj człowiekowi żyć, Kelly. Dopiero co wstaliśmy z łóżka, a ty już zaczynasz.

— Nie zaczynam — odparła i słysząc w swoim głosie płaczliwy ton, wpadła w złość. — Nie zaczynam — powtórzyła, tym razem głośniej. — Próbuję ci tylko uświadomić, że świat się zmienia. Świat nie może wiecznie stać w miejscu.

— Naprawdę? — mruknął i strząsnął popiół z papierosa. — O czym ty mówisz, laleczko?

Kelly wstała, odeszła od stołu i oparła się o kuchenkę.

— Nie urządzasz tego domu, Luca — powiedziała — bo w gruncie rzeczy mieszkasz z matką. Nocujesz tam częściej niż tutaj. Bez przerwy tam się stołujesz. Zupełnie, jakbyś nadal u niej mieszkał.

— A co to cię obchodzi, Kelly? — zapytał, ściskając grzbiet nosa. — Co cię obchodzi, gdzie sypiam i gdzie się stołuję?

— To nie może tak dłużej trwać.

— Dlaczego nie? Dlaczego to nie może tak dłużej trwać?

Czując, że łzy napływają jej do oczu, Kelly odwróciła się plecami do Luki, podeszła do okna i spojrzała na żwirowany podjazd, drogę, która do niego prowadziła, i okalające ją lasy.

— Wszystko, co masz w tym domu, to jedno wielkie łóżko — powiedziała, nadal wyglądając przez okno. Zabrzmiało to tak, jakby mówiła do siebie. Usłyszała, jak Luca odsuwa swoje krzesło od stołu. Kiedy się odwróciła, gasił papierosa w popielniczce. — Czasami mam wrażenie, że ten dom służy ci wyłącznie jako melina i miejsce, gdzie możesz się przespać ze swoimi dziwkami. Mam rację, Luca?

— Ty to powiedziałaś. — Luca przesunął popielniczkę po stole. — Wracam do łóżka — oznajmił. — Może kiedy się obudzę, będziesz w lepszym humorze.

— Nie jestem w złym humorze — odparła. Ruszyła za nim i patrzyła, jak idzie po schodach. — Swoją drogą, ile masz tych dziwek?! — zawołała z dołu. — Jestem po prostu ciekawa, Luca. Po prostu ciekawa.

Kiedy nie odpowiedział, stała przez kilka chwil w miejscu. Usłyszała, jak łóżko skrzypi pod ciężarem jego ciała. W piwnicy piec obudził się do życia, wydając serię stęknięć, a potem zaczęły syczeć i bulgotać kaloryfery. Kelly weszła na górę i stanęła w progu sypialni. Luca leżał na plecach na łóżku z rękoma pod głową. Na nocnej szafce stała szklanka wody i czarny telefon z tarczą i słuchawką na widełkach. Luca spoglądał na drzewa, które targał świszczący za oknem wiatr.

— Nie zaczynaj, Kelly. Przysięgam na Boga. Jest za wcześnie.

— Nie zaczynam — odparła, przyglądając się leżącemu mężczyźnie: jego białe muskularne ramiona kontrastowały z ciemnymi deskami wezgłowia, przykryte kołdrą stopy opierały się o skraj łóżka. — Po prostu chcę wiedzieć, Luca. Ile masz dziwek, które tutaj przyprowadzasz?

— Kelly... — zaczął Luca i zamknął oczy, jakby chciał na sekundę zniknąć. — Wiesz, że przywożę tutaj tylko ciebie, laleczko — powiedział, kiedy je otworzył. — Wiesz o tym.

— Jakie to słodkie — mruknęła, ściągając poły szlafroka i ściskając palcami materiał frotté, jakby musiała się czegoś przytrzymać. — Więc gdzie rżniesz swoje inne kurwy? W jednym z tych burdeli na północy miasta?

Luca roześmiał się i przycisnął dłonie do oczu.

— Lubię lokal Madam Cristal przy Riverside Drive — przyznał. — Znasz go?

— Jak mogłabym go znać! — zawołała. — Co chcesz przez to powiedzieć?

Luca poklepał łóżko obok siebie.

— Chodź tutaj.

— Po co?

— Powiedziałem: chodź.

Kelly odwróciła się i spojrzała na schody i okno na podeście. Widać było przez nie koniec podjazdu i pustą drogę, a za nią drzewa.

— Nie każ mi tego powtarzać po raz trzeci — powiedział Luca.

Kelly westchnęła.

— Na litość boską — mruknęła, po czym usiadła obok niego, nadal ściskając w palcach poły szlafroka.

— Pytam cię po raz kolejny i chcę usłyszeć odpowiedź. Co to za student, o którym mówiłaś u Juke'a?

— Och, tylko nie to — odparła. — Już ci mówiłam. To nikt ważny. Po prostu jakiś dzieciak.

Luca złapał Kelly za włosy jak lalkę i szarpnął w górę.

— Znam cię — rzucił. — Wiem, że to nie wszystko. I zaraz mi powiesz.

Kelly złapała go za rękę i wyprostowała się.

— Jesteś moim facetem, Luca. Przysięgam. Jesteś jedyny. — Luca pociągnął ją mocniej za włosy i podniósł drugą rękę, żeby wymierzyć cios. — Nie, Luca! — wrzasnęła. — Proszę! Jestem przy nadziei! To twoje dziecko! Jestem przy nadziei!

— Że co? — Luca przyciągnął ją do siebie.

— Jestem w ciąży — odparła, wybuchając długo wstrzymywanym płaczem. — To twoje dziecko, Luca.

Luca puścił ją i zwiesił nogi z łóżka. Przez chwilę siedział nieruchomo, wbijając wzrok w ścianę. W końcu pochylił głowę.

— Luca — powiedziała cicho. Kiedy dotknęła jego pleców, odsunął się od niej. — Luca — powtórzyła.

Luca podszedł do szafy i wrócił, kartkując strony małego czarnego notesu. Kiedy znalazł to, czego szukał, usiadł na skraju łóżka przed Kelly.

— Weź to — polecił, wskazując wzrokiem telefon. — Masz zadzwonić pod ten numer.

— Po co, Luca? — zapytała. — Dlaczego chcesz, żebym do kogoś dzwoniła?

— Pozbędziesz się go — oświadczył, po czym położył przed nią na łóżku czarny notes i wbił w nią wzrok, czekając, co zrobi.

Kelly odsunęła notes.

— Nie — powiedziała. — Nie mogę, Luca. Oboje trafilibyśmy do piekła. Nie mogę, Luca.

— Ty głupia dupo — odparł. — I tak trafimy do piekła. — Wziął telefon z nocnej szafki, postawił go na materacu przy kolanach Kelly i zawiesił z powrotem słuchawkę, która spadła z widełek. W końcu podniósł aparat i przez chwilę trzymał go przed Kelly. Kiedy pokręciła głową, cisnął jej telefonem w twarz.

Kelly wrzasnęła, bardziej ze strachu niż z bólu, i się cofnęła.

— Nie zrobię tego! — krzyknęła, przesuwając się na skraj łóżka.

Luca odstawił telefon na nocną szafkę.

— Pozbędziesz się go — powtórzył spokojnie.

— Nie! — zawołała, klękając i rzucając się na niego.

— Nie? — Skoczył na łóżko i wymierzył kilka ciosów, zrzucając ją na podłogę.

Kelly skuliła się w rogu pokoju.

— Nie zrobię tego, Luca! Niech cię diabli! Nie zrobię tego!

Luca podniósł ją, wsuwając jedną rękę między nogi, a drugą łapiąc pod ramiona, po czym nie zwracając uwagi na to, że biła go po twarzy i piersi, podszedł do schodów i zrzucił ją na dół.

Lądując na podeście, Kelly posłała mu wiązankę przekleństw. Nie była bardzo poobijana. Uderzyła się głową o słupek i bolały ją oba kolana, ale wiedziała, że tak naprawdę nic się jej nie stało.

— Ty żałosny makaroniarski skurczybyku! — wrzasnęła.

Luca pokiwał głową, wpatrując się w Kelly, która siedziała na podłodze, mając za plecami okno. Twarz pociemniała mu tak bardzo, że wydawał się kimś zupełnie innym. Piec na dole znowu zahuczał i zatrząsł się cały dom.

— Chcesz wiedzieć, kim był ten student? — zapytała Kelly. Dźwignęła się na nogi, naciągnęła na siebie szlafrok, który zsunął się z jej ramion, i zawiązała pasek na elegancką kokardę. — To Tom Hagen. Wiesz, kto to jest?

Luca nie odezwał się ani słowem. Patrzył na nią i czekał.

— To syn Vita Corleone — wyjaśniła — i pozwoliłam mu się pieprzyć, kiedy wiedziałam już, że noszę w brzuchu twoje dziecko. I co na to powiesz, Luca?

Luca pokiwał tylko głową.

— Co teraz zrobisz? — zapytała, dając krok po schodach w jego stronę. — Wiesz, kim są Corleone, prawda, Luca? Wy wszyscy makaroniarze dobrze się znacie. I co teraz zrobisz? Zabijesz mnie, choć jestem z tobą w ciąży? A potem zabijesz syna Vita Corleone? Wypowiesz wojnę całej rodzinie?

— On nie jest synem Vita — powiedział spokojnie Luca — ale owszem, zabiję go. — Ruszył na dół po schodach i nagle się zatrzymał. — Skąd ty w ogóle wiesz o Vicie Corleone i jego rodzinie? — zapytał, jakby go to po prostu zaciekawiło. Cały jego gniew gdzieś się ulotnił.

Kelly wspięła się stopień wyżej i zacisnęła dłonie w pięści.

— Hooks powiedział mi o nich wszystko — odparła i weszła jeszcze wyżej. — I sama też im się trochę przyjrzałam. — Na policzku miała krew i wytarła ją. Nie wiedziała, skąd się wzięła.

— Tak mówisz? — zapytał nagle rozbawiony Luca. — Przyjrzałaś im się?

— Zgadza się — potwierdziła Kelly. — Dowiedziałam się o nich wszystkiego. I wiesz, co odkryłam? Nie są tacy mocni, żebyś nie mógł im się dobrać do skóry, Luca. Kto jest od ciebie twardszy? Mógłbyś przejąć ich terytorium i zarabiać miliony.

— Teraz, kiedy postawiłaś mnie w sytuacji, że muszę zabić jednego z synów Vita, być może rzeczywiście do tego dojdzie.

— A co będzie ze mną? — zapytała trochę ciszej i w jej głosie po raz pierwszy zabrzmiał strach. — Mnie też zabijesz?

— Nie — odparł Luca. — Nie zabiję cię. — Zaczął schodzić po schodach, powoli i ociężale, jakby przygniatał go do ziemi własny ciężar. — Ale spuszczę ci łomot, którego nie zapomnisz do końca życia.

— Proszę bardzo. Co mi zależy? Co mi zależy na czymkolwiek... — Wysunęła do przodu podbródek, wspięła się stopień wyżej i czekała na Lucę.

. . .

Eileen uniosła lekko prześcieradło i zajrzała pod nie.

— Mój Boże, Sonny — powiedziała. — Powinni zbudować kapliczkę i modlić się do tej rzeczy.

Sonny bawił się jej włosami, które opadały na jego nagi bark. Lubił ich delikatny dotyk, lubił czuć je między palcami.

Leżeli w jej łóżku w wietrzne jesienne popołudnie. Światło, które wpadało między listewkami żaluzji przez okno nad wezgłowiem łóżka, barwiło całą sypialnię na czerwono. Caitlin była u babci, u której spędzała każdą środę aż do kolacji. Eileen zamknęła piekarnię godzinę wcześniej.

— Niektórzy chłopcy nazywali mnie w szkole Pytą — przyznał Sonny.

— Pytą? Naprawdę?

— Tak — odparł. — No wiesz, w szatni po gimnastyce, kiedy...

— Jasne, rozumiem — przerwała mu. — Nie musisz tłumaczyć.

Sonny objął ją w pasie i przyciągnął do siebie, a ona zmierzwiła mu włosy, pocałowała w ciemię i położyła mu głowę na piersi.

— Naprawdę, Sonny — odezwała się po krótkiej chwili — powinniśmy mu zrobić zdjęcie. Kiedy opowiem o nim moim przyjaciółkom, uznają mnie za najsprośniejszą kłamczuchę w całym Nowym Jorku.

— Przestań. Oboje wiemy, że nikomu o niczym nie mówisz.

— To prawda — zgodziła się z nim Eileen. — Ale chciała-bym — dodała tęsknie.

Sonny odgarnął włosy z jej twarzy, by móc spojrzeć Eileen w oczy.

— Wcale nie — odparł. — Lubisz sekrety.

Przez chwilę się nad tym zastanawiała.

— To także prawda — przyznała. — Pewnie nie powiem nikomu, że sypiam z najlepszym kumplem mojego młodszego brata.

— Obawiasz się o swoją reputację? — zapytał.

Eileen uniosła się i obróciła głowę tak, że jej policzek opierał się teraz o kręcone włosy, które rosły niczym skrzydła między brodawkami jego piersi. Na komódce leżała odwrócona oprawiona w ramki fotografia Jimmy'ego i Caitlin. Zawsze kładła ją spodem do góry, kiedy była z Sonnym — i nigdy to nie pomagało. Po drugiej stronie ramki Jimmy Gibson podrzucił właśnie swoją córeczkę do góry. Rozłożył ręce, patrzył na uszczęśliwioną buzię Caitlin i bez końca czekał, by wpadła z powrotem w jego ramiona.

— Chyba rzeczywiście obawiam się o swoją reputację — powiedziała. — Już samo to, że masz siedemnaście lat, nie wygląda najlepiej. Co gorsza, jesteś makaroniarzem.

— Tobie to nie przeszkadza.

— Mnie nie, ale reszta mojej rodziny nie jest taka tolerancyjna.

— Dlaczego wy, Irlandczycy, tak bardzo nie znosicie Włochów?

— Wy, Włosi, też nas zbytnio nie kochacie, prawda?

— To co innego. — Sonny objął ją w pasie i przyciągnął do siebie. — Naparzamy się z wami, ale nie nienawidzimy was, jakbyście byli najgorszymi szumowinami. Niektórzy z was zachowują się tak, jakby Włosi byli czymś brudnym.

— A więc mówimy teraz serio? — zapytała Eileen.

— Tak jakby.

Eileen zastanawiała się przez chwilę nad jego pytaniem. Drzwi sypialni były zamknięte na klucz i na górnym kołku wisiały na nich marynarka i czapka Sonny'ego. Na dolnym kołku wisiało jej robocze ubranie. Wpatrując się w szarą bluzkę i spódnicę, miała wrażenie, że przez zamknięte drzwi widzi kuchnię, a za nią ściany domu z czerwonej cegły, za którymi słyszała, jak pani Fallon trzepie na schodach przeciwpożarowych dywanik albo materac — tap, tap, tap tępego przedmiotu uderzającego w coś miękkiego.

— Przypuszczam — powiedziała — że dla wielu Irlandczyków nie jesteście po prostu biali, bo chyba nie jesteście? Traktują was jak kolorowych, jakbyście nie należeli do tej samej rasy co my.

— Ty też tak uważasz? Uważasz, że nie jesteśmy tej samej rasy?

— A co mnie obchodzą te sprawy? Sypiam z tobą, tak? — Uniosła prześcieradło i znowu pod nie zajrzała. — Prawdziwe z ciebie monstrum, Sonny! Mój Boże, tylko na to spójrz!

Sonny pchnął Eileen na plecy i pochylił się nad nią. Lubił patrzeć na jej białą skórę, podziwiać, jaka jest miękka i kremowa, z czerwonym znamieniem na biodrze, którego nie oglądał nikt poza nim.

— O czym myślisz, Sonny Corleone? — zapytała i zerknęła w dół. — Nieważne, widzę już, o czym myślisz.

Sonny odgarnął jej włosy z twarzy i pocałował w usta.

— Nie możemy — powiedziała.

— Dlaczego nie?

— Bo to byłyby trzy razy w jedno popołudnie! — Eileen odepchnęła go od siebie otwartymi dłońmi. — Jestem starszą panią, Sonny. Mogłabym tego nie przeżyć.

— Och, daj spokój — odparł, po czym znowu ją pocałował i przytulił twarz do jej piersi.

— Nie mogę — powtórzyła. — Przestań. Będę śmiesznie chodziła przez kilka dni. Ludzie to zauważą! — Kiedy Sonny nie rezygnował, westchnęła, cmoknęła go w policzek i wyślizgnęła się spod niego. — Poza tym jest już za późno. — Wstała z łóżka, znalazła halkę w szufladzie komódki i włożyła ją. — Może przyjść Cork — dodała, dając znak Sonny'emu, żeby wstał z łóżka.

Ten poprawił poduszkę pod głową i skrzyżował ręce na brzuchu.

— Cork nie przychodzi tutaj po południu.

— Może wpaść — powiedziała — i wtedy oboje będziemy mieli kłopoty.

— Jesteś pewna, że Cork nie ma o nas pojęcia?

— Oczywiście, że nie ma o nas pojęcia! — zawołała. — Oszalałeś, Sonny? Bobby Corcoran jest Irlandczykiem, a ja jestem jego najświętszą siostrzyczką. Uważa, że w ogóle nie uprawiam seksu. — Eileen kopnęła łóżko. — Wstawaj i ubieraj się! Muszę się wykąpać i odebrać Caitlin przed szóstą. Dobry Boże — dodała, zerkając na zegar na komódce. — Jest już wpół do szóstej.

— Och, kurczę — westchnął Sonny. — Wstał, odnalazł przy łóżku swoją garderobę i zaczął się ubierać. — Szkoda, że jesteś taką starszą panią. — Zapiął spodnie i włożył podkoszulek. — Gdyby nie to, mógłbym mieć wobec ciebie poważne zamiary.

Eileen zdjęła z kołka jego marynarkę i czapkę, i zawiesiła sobie marynarkę na przedramieniu.

— Mamy romans — powiedziała, patrząc, jak Sonny zapina koszulę i pasek. — Cork nie może się o tym nigdy dowiedzieć. Właściwie nikt nie może się dowiedzieć. Jestem dla ciebie o dziesięć lat za stara. Koniec kropka.

Sonny wziął od niej marynarkę, a ona włożyła mu czapkę na głowę, naciągając ją na jego kędziory.

— W niedzielę będę jadł obiad z pewną ładną dziewczyną — oznajmił. — Ma szesnaście lat i jest Włoszką.

— To świetnie — stwierdziła Eileen, odsuwając się od niego. — Jak ma na imię?

— Sandra. — Nacisnął klamkę, ale nadal wpatrywał się w Eileen.

— Nie skrzywdź jej, Sonny. — Eileen podparła się pod boki i zmierzyła go surowym spojrzeniem. — Szesnaście lat to za mało na to, co robimy.

— A co my takiego robimy? — zapytał, szczerząc zęby.

— Wiesz bardzo dobrze co — odparła, po czym wypchnęła go z sypialni do kuchni i ruszyła za nim do frontowych drzwi. — Spędzamy po prostu miło czas, nic poza tym — powiedziała, stając na palcach i cmokając go w usta. — Nic poza miłym spędzaniem czasu i hasaniem na sianie — dodała, otwierając przed nim drzwi.

Sonny zerknął na korytarz, żeby sprawdzić, czy nikogo tam nie ma.

— Do następnej środy? — zapytał.

— Jasne — odparła. Mrugnęła do niego, zamknęła drzwi i przez chwilę stała z dłonią na klamce, słuchając, jak Sonny zbiega po schodach. — Chryste — mruknęła, uświadamiając sobie, jak jest późno. Pobiegła do łazienki i wskoczyła do wanny, nie czekając, aż woda naleje się do pełna.

6

Tomasino Cinquemani podrapał się jedną ręką pod żebrami, a drugą złapał szklankę whiskey. Było późno, po trzeciej w nocy, i siedział w klubowej loży naprzeciwko Giuseppego Mariposy, Emilia Barziniego i Tony'ego Rosata. Młodsi bracia Emilia i Tony'ego, Ettore i Carmine, którzy nie przekroczyli jeszcze trzydziestki, siedzieli ściśnięci po tej samej stronie stołu co Tomasino. Czterdziestoletni Frankie Pentangeli usiadł okrakiem na krześle z rękoma splecionymi na oparciu. Byli w Chez Hollywood, jednym z klubów Phillipa Tattaglii na środkowym Manhattanie, olbrzymim lokalu z rozstawionymi na parkiecie palmami i paprociami w donicach. Ich loża była jedną z kilku znajdujących się przy ścianie po lewej stronie estrady, na której stało, rozmawiając, kilku muzyków i piosenkarka. Muzycy, nie spiesząc się, pakowali swoje instrumenty. Piosenkarka, w obszytej cekinami czerwonej sukni z dekoltem, który sięgał jej do pępka, miała ondulowane platynowe włosy i ciemne zasnute mgłą oczy. Giuseppe, który opowiadał anegdoty przy stoliku, co jakiś czas przerywał i wpatrywał się w dziewczynę, która nie mogła jeszcze mieć dwudziestu lat.

Mariposa był jak zawsze elegancki: w różowej frakowej koszuli z białym kołnierzykiem i złotą szpilką zamiast krawata. Jego przedzielone przedziałkiem śnieżnobiałe włosy kontrastowały ostro z czarną marynarką i kamizelką. Choć przekroczył już sześćdziesiątkę ze swoją szczupłą sylwetką sprawiał wrażenie o wiele młodszego. Zwalisty i zarośnięty pięćdziesięcioczteroletni Tomasino wyglądał przy nim jak przebrana małpa. Ettore i Carmine wydawali się chudymi młodzieniaszkami.

Frankie Pentangeli pochylił się nad stołem. Łysiejący i rumiany, miał krzaczaste brwi, wąsy, które zakrywały górną wargę, i głos brzmiący, jakby urodził się na żwirowisku.

— Hej, Tomasino! — zawołał, otwierając usta i pokazując jeden z trzonowych zębów. — Mam tutaj dziurę.

Siedzący przy stole wybuchnęli śmiechem.

— Chcesz, żebym ją zaplombował? — zapytał Tomasino. — Powiedz kiedy.

— Nie, dziękuję — odparł Frankie. — Mam własnego dentystę.

Giuseppe podniósł swoją szklankę i wskazał stojącą na estradzie piosenkarkę.

— Jak myślicie? Zabrać ją dziś w nocy do domu? — zapytał, zwracając się do wszystkich.

Frankie obrócił się, żeby na nią spojrzeć.

— Potrzebuję chyba masażu pleców — podjął Giuseppe i przesunął palcami po ramieniu. — Mam tu obolałe miejsce — dodał, prowokując kolejny wybuch śmiechu.

— Jej chłopakowi pewnie się to nie spodoba — powiedział

Emilio, przystojny mężczyzna z zaczesanymi do tyłu ciemnymi włosami. Trzymając w jednej ręce szklankę bourbona, którego popijał od godziny, palce drugiej wsunął pod sztywny kołnierzyk i poprawił czarną muszkę.

— Który z nich to jej chłopak? — zapytał Giuseppe.

— Ten chudy — odparł Carmine Rosato. — Z klarnetem.

— Hm. — Mariposa obserwował przez chwilę klarnecistę i nagle odwrócił się do Emilia. — Co robimy z Rodziną Corleone? — zapytał.

— Wysłałem dwóch moich ludzi, żcby porozmawiali z Clemenzą i...

— I straciliśmy kolejną dostawę. — Mariposa złapał szklankę whiskey, jakby miał zamiar nią w kogoś cisnąć.

— Przysięgają, że nie mają z tym nic wspólnego — powiedział Emilio i upił trochę bourbona, zerkając nad szklanką na Mariposę.

— To robota Clemenzy albo samego Vita. To musi być któryś z nich — oświadczył Giuseppe. — Kto inny?

— Nie słyszałeś, co mówi nasz ubiegający się o urząd burmistrza *paisan'*, Joe? — odparł Frankie. — W mieście szaleje przestępczość.

Tomasino parsknął śmiechem.

Mariposa spojrzał na niego i Frankiego, po czym uśmiechnął się i roześmiał.

— Ten tłusty neapolitański wieprz Fiorello LaGuardia może mnie pocałować w sycylijską dupę. — Odsunął od siebie szklankę. — A kiedy skończę sprawę z LaContim, dopadnę tego mówiącego gładkie słówka drania Vita Corleone. — Przerwał i rozejrzał się dokoła. — Zajmę się nim i Clemenzą teraz, dopóki nie urośli na tyle, by przysporzyć mi poważnych kłopotów. — Mariposa zamrugał raz i drugi, co robił zawsze, kiedy był zdenerwowany albo zły. — Kupują gliniarzy, sędziów i polityków, jakby to była sezonowa wyprzedaż. Widać, że mają określone plany. Te plany nie mogą zostać zrealizowane — dodał, potrząsając głową.

Ettore Barzini spojrzał na siedzącego po drugiej stronie stołu starszego brata. Emilio skinął do niego prawie niezauważalnie głową, gestem zrozumiałym tylko między braćmi.

— Niewykluczone, że tym złodziejem jest Tessio, Joe — powiedział Ettore.

— Zajmę się i Tessiem — mruknął Mariposa.

Siedzący obok Emilia Tony Rosato głośno odchrząknął. Do tej pory prawie się nie odzywał i pozostali odwrócili się, żeby na niego spojrzeć. Był umięśnionym, potężnym mężczyzną z krótkimi ciemnymi włosami i niebieskimi oczyma.

— Wybacz mi, don Mariposa — powiedział — ale jednego nie rozumiem. Dlaczego nie każemy powiedzieć nam, co wie, temu gnojkowi Luce Brasiemu?

Frankie Pentangeli parsknął.

— Nie chcę zadzierać z Lucą Brasim — odpowiedział szybko Mariposa. — Słyszałem, że go postrzelili, a on jakby nigdy nic wstał i sobie poszedł. Nie chcę mieć z nim nic wspólnego — dodał i trzepocząc powiekami, dopił drinka.

Jego podniesiony głos zwrócił uwagę muzyków — przestali rozmawiać, spojrzeli w stronę loży i dopiero po chwili wzdrygnęli się i szybko wrócili do rozmowy.

Tomasino rozpiął kołnierzyk, rozluźnił krawat i podrapał się po karku.

— Wiem, gdzie można znaleźć Lucę Brasiego — oświadczył i położył rękę na sercu, jakby nagle coś go zabolało. —

Agita — zwrócił się do pozostałych, którzy go obserwowali. — Znam paru facetów, którzy robią z nim interesy — wyjaśnił. — Jeśli chcesz, mogę pójść i z nim pogadać.

Mariposa świdrował go przez chwilę wzrokiem, po czym zwrócił się do Emilia i Tony'ego.

— Corleone, Clemenza i Genco Abbandando. Zajmę się nimi teraz, póki łatwo dobrać się im do skóry. Duża część ich dochodu pochodzi ze źródeł niezwiązanych z przemytem gorzały... a to znaczy, że mogą być z nimi problemy po zniesieniu prohibicji. — Mariposa potrząsnął ponownie głową, dając do zrozumienia, że nie można do tego dopuścić. — Chcę przejąć ich interesy, łącznie z należącą do Vita firmą handlującą oliwą. Kiedy skończy się ta historia z LaContim, będą następni. Znasz Vita — zwrócił się do Frankiego. — Pracowałeś z nim, kiedy zaczynał, tak?

Ten zamknął oczy i pokręcił lekko głową, przyznając, że zna Vita, ale wykręcając się od jednoznacznej odpowiedzi.

— Oczywiście, że znam Vita — powiedział.

— Masz z tym jakiś problem?

— Vito to arogancki sukinsyn. Zadziera nosa, jakby był od nas wszystkich lepszy. Głupi skurczybyk uważa się za jakiegoś włoskiego Vanderbilta. — Frankie zamieszał drinka palcem. — Nie ma z niego żadnego pożytku.

— Dobrze! — Mariposa uderzył pięścią w stół, zamykając temat. — Idź i złóż wizytę temu sukinsynowi Luce Brasiemu — polecił Tomasinowi — ale zabierz ze sobą paru chłopaków. Nie podobają mi się historie, które słyszałem o tym *bastardo*.

Tomasino wsadził dłoń pod kołnierzyk, żeby podrapać się pod ramiączkami podkoszulka.

— Zajmę się tym — obiecał.

— Widzicie? — powiedział Giuseppe do Carminego i Ettore'a. — Uczcie się, jak załatwiać interesy, chłopcy. Emilio — dodał, nalewając sobie po raz kolejny kanadyjskiej whiskey — zrób mi grzeczność i pogadaj z tym małym klarnecistą. A ty, Carmine, przyprowadź tu tę dziwkę. W porządku, chłopcy — zwrócił się do pozostałych. — Znajdźcie sobie jakieś zajęcie.

Kiedy odchodzili od stolika, popijał drinka i obserwował, jak klarnecista znika w drzwiach razem z Emiliem. Carmine rozmawiał z piosenkarką w obszytej cekinami czerwonej sukni. Ta rozejrzała się, szukając wzrokiem swojego chłopaka. Carmine powiedział jej jeszcze parę słów. Kiedy zerknęła w stronę stolika, Giuseppe podniósł szklankę i uśmiechnął się. Carmine położył dłoń na jej plecach i poprowadził przez salę.

· · ·

Donnie O'Rourke stał pod zieloną markizą baru Paddy'ego, kiedy zaczęło nagle ulewnie padać i strumień deszczówki popłynął wzdłuż krawężnika, wpadając do studzienki kanalizacyjnej, którą szybko zatkały gazety i śmieci. Donnie zdjął kapelusz i strząsnął z niego krople wody. Po drugiej stronie ulicy dwie starsze kobiety z brązowymi papierowymi torbami w rękach rozmawiały w otwartej bramie, a za nimi jakieś dziecko zbiegało i wbiegało po schodach. Jedna z kobiet spojrzała w stronę Donniego i szybko odwróciła wzrok. Świecące jeszcze przed kilku minutami słońce szykowało się chyba do triumfalnego powrotu, czekając na moment, kiedy rozejdą się burzowe chmury. Widząc, jak zza rogu wychodzi jego młodszy brat i truchta ku niemu, trzymając nad sobą czarny parasol, Donnie wziął się pod boki i odwrócił w jego stronę.

— Spóźnisz się na własny pogrzeb — powiedział, kiedy brat stanął pod markizą.

Willie O'Rourke złożył parasol i strząsnął z niego wodę. Był o trzy centymetry niższy od brata i w przeciwieństwie do barczystego i korpulentnego Donniego sprawiał wrażenie kruchego i chudego. W dzieciństwie i młodości był bardzo chorowity i dopiero teraz, kiedy przekroczył trzydziestkę, cieszył się w miarę dobrym zdrowiem, choć nadal zapadał na wszystkie choroby, które pojawiały się w okolicy, a zawsze jakaś się pojawiała. Donnie, siedem lat starszy od Williego, był dla niego kimś w rodzaju ojca — podobnie zresztą jak dla ich najmłodszego brata Seana, który niedawno skończył dwudziestkę. Ich rodzice, notoryczni pijacy, zamienili życie swoich dzieci w koszmar trwający do momentu, kiedy pięt- nastoletni Donnie położył kres biciu i prześladowaniom, spuszczając ojcu manto, po którym tamten wylądował na całą noc w szpitalu. Potem nie było już żadnych wątpliwości, kto rządzi w domu. Sean oraz najmłodsza z rodzeństwa Kelly nigdy nie chodzili spać głodni albo posiniaczeni, co wcześniej często zdarzało się Donniemu i Williemu.

— Musiałem wrócić po parasol. Wiesz, jak łatwo się przeziębiam — wyjaśnił Willie, po czym ponownie strząsnął wodę z parasola i zawiesił go na ręce.

Za jego plecami Sean wyszedł z baru Paddy'ego, uśmie- chając się od ucha do ucha. Sean zawsze się uśmiechał. On jeden z całej trójki był przystojny; odziedziczył urodę po matce.

— Lepiej tam wejdź — powiedział do Donniego. — Rick Donnelly i Corr Gibson zaraz się pozabijają z powodu jakiejś historii, która wydarzyła się przed dwudziestu laty. Jezu — dodał. — Jak się tam zaraz nie pojawisz, wybuchnie strzelanina.

— Za chwilę — odparł Donnie. — Postaw wszystkim kolejkę.

— Jasne. Tego właśnie im trzeba, następnej kolejki — stwierdził Sean i zniknął z powrotem w barze. Bracia O'Rourke, Donnie i Willie, słynęli z abstynencji. Sean wypijał czasami jeden kieliszek, ale na tym koniec. Natomiast Kelly odziedziczyła po rodzicach skłonność do alkoholu i bracia nie mogli na to nic poradzić. Odkąd w wieku szesnastu lat stała się prawdziwą pięknością, nie sposób było ją kontrolować.

— Ja będę trzymał gadkę — oświadczył Donnie.

— Czy kiedykolwiek było inaczej?

— Masz gnata? — zapytał Donnie.

— Jasne — odpowiedział Willie i dotknął rękojeści pistoletu, który trzymał pod marynarką. — Myślisz, że będę go potrzebował?

— Nie — mruknął Donnie. — Ale nigdy nic nie wiadomo.

— Nadal uważam, że postradałeś zmysły — powiedział Willie. — Przez ciebie wszyscy możemy pożegnać się z życiem. Tak myślę.

— Nieważne, co myślisz — odparł Donnie.

Po wejściu do Paddy'ego zaciągnął w oknach zielone rolety i zamknął drzwi na klucz, a Willie dołączył do innych przy barze. Rick Donnelly i Corr Gibson klepali się wzajemnie po plecach. Donnie patrzył, jak stukają się kuflami, z których przelewała się piana, a potem kilkoma łykami wychylają całe piwo i zaśmiewają się wraz z innymi. Czegokolwiek dotyczył ich spór, został szczęśliwie zażegnany ku uldze wszystkich, a zwłaszcza siedzącego po drugiej stronie baru brata Ricka, Billy'ego. Rick, który skończył czterdziestkę, był o kilka lat starszy od Billy'ego, ale ze względu na uderzające podobieństwo można ich było wziąć za bliźniaków. Billy wyjął rękę z kieszeni i sączył swoje piwo z błogim wyrazem twarzy. Pośrodku baru, naprzeciwko luster i półek z alkoholem siedzieli Pete Murray i Mały Stevie Dwyer. Corr Gibson skończył popijać z Rickiem Donnellym i dołączył do nich, siadając obok Murraya. Pięćdziesięcioletni Pete był wśród nich najstarszy. Całe życie pracował dorywczo jako doker i miał ramiona niczym lufy armatnie. Siedzący po jego drugiej stronie Mały Stevie Dwyer, wyglądał przy nim jak chórzysta. Spośród nich trzech Corr Gibson najlepiej odgrywał rolę irlandzkiego gangstera, w szykownym garniturze i getrach, z czarną lakierowaną pałką, którą trzymał za wystający u góry sęczek niczym laskę dżentelmena.

— Chłopcy! — zawołał Donnie, przeciskając się do baru i klepiąc po drodze po ramieniu Billy'ego Donnelly'ego. Stanąwszy przy kontuarze, odwrócił się do wszystkich twarzą i złożył ręce jak do modlitwy. — Zebraliśmy się w tym dniu wszyscy razem... — zaczął poważnym tonem i kiedy tak, jak się spodziewał, ludzie wybuchnęli śmiechem, wykorzystał tę chwilę, by nalać sobie kufel piwa.

— Ojcze O'Rourke — powiedział Corr Gibson i postukał pałką w blat baru. — Czy wygłosisz nam kazanie, ojcze?

— Żadnych kazań — zapewnił go Donnie i pociągnął mały łyk. Wszyscy wiedzieli, że nie pije, i docenili, że chce zbratać się z nimi, biorąc kufel do ręki i przynajmniej moczący wargi w piwie. — Słuchajcie, chłopcy. Na początek chcę wam zakomunikować, że nie prosiłem, byście oderwali się od waszych ważnych zajęć i złożyli mi wizytę tutaj, u Paddy'ego, żeby prosić was o pieniądze.

— W takim razie o co ci chodzi? — zapytał Corr. — Czyżbyś ubiegał się o miejsce w radzie miejskiej, Donnie?

— Nie, o nic się nie ubiegam, Corr... i czyż nie o to właśnie chodzi? — Donnie przyjrzał się twarzom otaczających go mężczyzn. Wszyscy milczeli, czekając, co powie. Plusk deszczu zacinającego o ściany budynków nakładał się na szum obracających się pod sufitem skrzydeł wiatraka. — Czyż nie o to właśnie chodzi... — powtórzył, napawając się dźwiękiem własnego głosu. — Jestem tutaj, bo przestałem się o cokolwiek ubiegać i dzisiaj mam zamiar zapoznać was... moich szanownych kolegów... z tym, co zaplanowałem. Rozmawiałem już z Pete'em Murrayem i braćmi Donnelly i zamieniłem parę słów z pozostałymi — dodał, wskazując po kolei kuflem każdego z mężczyzn. — Wszyscy wiecie, co myślę — powiedział, podnosząc głos. — Nadeszła pora, byśmy pokazali, kto tu rządzi, tym makaroniarskim draniom, którzy wyrugowali nas z interesów i zostawili nam wyłącznie czarną robotę, której sami nie chcą wykonywać. Pora, żebyśmy pokazali, kto tu rządzi, skopali im makaroniarskie tyłki i przegonili z powrotem do ich makaroniarskiej dzielnicy.

Mężczyźni przy barze z poważnymi minami wpatrywali się w swoje kufle albo zerkali na Donniego.

— Posłuchajcie — podjął Donnie, nie bawiąc się już w wielkie przemówienia. — Pozwoliliśmy Luce Brasiemu, Pete'owi Clemenzy i innym makaroniarzom wejść na nasz teren i przejąć loterie, hazard, kobiety i wódę... wszystko.

Dokonali tego, rozwalając kilka łbów i posyłając do piachu paru facetów, między innymi Terry'ego O'Baniona i Diggera McLeana. A pozostali się z tym pogodzili. Nie chcieliśmy urządzać krwawej łaźni i uważaliśmy, że nadal będzie nam się znośnie żyło... ale makaroniarze nie spoczną, póki nie przejmą wszystkich interesów w całym mieście. Chcę powiedzieć, że jeśli mamy odzyskać to, co się nam należy, musimy po prostu przestać kulić ogon pod siebie i pokazać im, że jesteśmy gotowi walczyć. — Donnie na chwilę przerwał. — Moi bracia i ja mamy zamiar załatwić Lucę Brasiego i jego ludzi — dokończył w zupełnej ciszy. — To już postanowione — oświadczył i odstawił kufel z piwem na blat.

Corr Gibson stuknął dwa razy pałką w podłogę.

— Sprawa nie kończy się na Brasim i Clemenzy, ani nawet na Vicie Corleone, Donnie — powiedział, gdy wszyscy spojrzeli w jego stronę. — Mówimy o Mariposie, braciach Rosato, braciach Barzini i wielu innych aż do tego wieprza Ala Capone w Chicago. Makaroniarze tworzą prawdziwą armię, Donnie. W tym sęk.

— Nie twierdzę, że rozprawimy się z całym syndykatem — odparł Donnie, odchylając się do tyłu i opierając łokcie o półki z alkoholem, jakby szykował się do dłuższej dyskusji. — Przynajmniej na razie — dodał — póki się jeszcze nie zorganizowaliśmy. Twierdzę, że ja i moi bracia chcemy załatwić Lucę Brasiego. Zależy nam zwłaszcza na jego loteriach. Chcemy, żeby jego ludzie pracowali dla nas, i chcemy przejąć jego kantor.

— Ale problem polega na tym — włączył się Pete Murray, podnosząc wzrok znad kufla — że za Lucą Brasim stoi Giuseppe Mariposa. Jeśli zadrzecie z Brasim, będziecie mieli do czynienia z Mariposą, a jeśli zadrzecie z Mariposą, wtedy, tak jak mówi Corr, będziecie mieli do czynienia z braćmi Rosato, braćmi Barzini, Cinquemanim i całą resztą.

— Mariposa wcale nie stoi za Brasim! — zawołał Willie, nachylając się nad barem do Murraya. — O to właśnie chodzi! Nikt go nie wspiera.

Donnie nawet nie spojrzał na Williego.

— Słyszeliśmy, że Brasi działa na własną rękę — powiedział tak, jakby Willie w ogóle się nie odezwał. — Nie stoi za nim Mariposa ani nikt inny. — W tym momencie wskazał podbródkiem Małego Steviego i wszyscy spojrzeli na chłopaka, jakby dopiero teraz zauważyli jego obecność.

— Byłem jakiś czas w bandzie Sonny'ego Corleone i kilku rzeczy się dowiedziałem — oświadczył Stevie. — Z tego co słyszałem, Luca jest samodzielny. Nikt za nim nie stoi. Tak mówią. Mariposa nie miałby właściwie nic przeciwko temu, żeby skasować Brasiego.

— A to dlaczego? — zapytał Pete Murray, wpatrując się w swój kufel.

— Nie znam szczegółów — odparł Stevie, lekko się zacinając.

— Och, dajcie spokój — odezwał się Rick Donnelly, przerywając ciszę, która zapadła. — Jestem z braćmi O'Rourke, podobnie jak mój brat. Ci spageciarze to tchórze. Kiedy paru z nich odstrzelimy łby, szybko się wycofają.

— Nie są tchórzami — zaprotestował Mały Stevie. — Możesz o tym zapomnieć. Ale jestem z wami. To hańba, że dajemy się tak rozstawiać makaronom. Nie zamierzam dłużej kłaść uszu po sobie.

— Sam jeden Luca Brasi jest groźnym przeciwnikiem —

odezwał się w końcu Billy Donelly, który siedział odchylony do tyłu, ze skrzyżowanymi na piersi rękoma, jakby oglądał film. — Ten facet to wybryk natury i nie będziecie pierwszymi, którzy próbowali dobrać mu się do skóry.

— To już nasze zmartwienie — odparł Donnie. — Słuchajcie, chłopcy — podjął. — Przejdźmy do sedna, dobrze? Kiedy dopadniemy Brasiego, może się zrobić gorąco w całej dzielnicy. Jeśli będziemy się trzymali razem i wykrzeszemy z siebie trochę irlandzkiej ikry, wykopiemy stąd makaroniarzy i pokażemy, kto tu rządzi. Co wy na to? Czy ja i moi bracia zostaniemy sami, czy nas poprzecie?

— Jestem z wami — powtórzył bez wahania Mały Stevie.

— Możecie na nas liczyć — powiedział Rick Donnelly w imieniu swoim i brata. Oświadczył to zdecydowanym tonem, choć bez entuzjazmu.

— Jasna sprawa — mruknął Corr Gibson. — Niech mnie diabli, jeśli kiedykolwiek zrejterowałem przed walką.

Pete Murray nadal wpatrywał się w swój kufel z piwem. Pozostali odwrócili się do niego i czekali.

— Co z tobą, Pete? — zapytał Donnie, kiedy milczenie się przedłużało. — Jakie jest twoje stanowisko?

Pete podniósł wzrok znad piwa i spojrzał najpierw na Seana, potem na Williego i wreszcie na Donniego.

— A co z twoją siostrą, Donnie? — zapytał. — Czy rozmawiałeś ze swoją siostrą Kelly o tym, że zadaje się z ludźmi pokroju Luki Brasiego?

W barze słychać było głośny szum deszczu, który znowu zaczął padać i plaskał o markizę, i płynął ulicami.

— O jakiej siostrze mówisz, Pete? — zapytał Donnie. — W moim domu nie mieszka żadna Kelly.

— Aha — odparł Pete. Przez sekundę chyba się nad tym zastanawiał, a potem podniósł kufel. — Wolę zginąć walcząc, niż całować w dupę jakiegoś spageciarza. Za odzyskanie naszej dzielnicy — dodał, wznosząc toast.

Wszyscy obecni w barze łącznie z Donniem podnieśli kufle i wypili razem z nim. A potem nie było już żadnego świętowania. Mężczyźni pili dalej i rozmawiali cicho między sobą.

7

Donnie zerknął znad krawędzi płaskiego, krytego papą dachu na wąską alejkę oddzielającą budynek, w którym mieszkał Luca Brasi, od stojącego za nim mniejszego magazynu. Na dachu magazynu stały paki i skrzynie, a przez drzwi wchodziło tam i wychodziło kilkunastu mężczyzn z kartonami na ramionach. Torami, które biegły wzdłuż Trzeciej Alei, przejeżdżał akurat pociąg i stukot kół, zgrzyt metalu i sapanie lokomotywy odbijały się echem od ścian budynków.

— Na litość boską — mruknął Donnie, kiedy pojawił się za nim Willie, i szybko odepchnął brata od skraju dachu, żeby nie dostrzegli go robotnicy. — Odbywa się tu jakaś cholerna konwencja.

— Co się dzieje? — zapytał Willie.

— A skąd ja mam wiedzieć? — Donnie wziął łom, który leżał tuż przy zamkniętych drzwiach na dach, i zarzucił go sobie na ramię. — Gdzie, do diabła, podziewa się Sean?

— Stoi na czatach.

— I na co on tam czeka? Jezu Chryste, Willie. Naprawdę muszę wam wszystko mówić? Idź po niego.

— Nie powinniśmy najpierw sprawdzić, czy uda nam się wyłamać zamek?

Donnie wsunął łom między zamek a framugę i wyważył drzwi.

— Idź po niego — powtórzył i patrzył, jak Willie biegnie do otoczonej czarnymi metalowymi obręczami drabiny, która prowadziła na dach ze schodów przeciwpożarowych.

Nigdy nie przestawała go zadziwiać i chyba trochę przerażać kruchość brata. Willie nie był wcale słaby, nie tam, gdzie to się liczyło. Tam gdzie to się liczyło, był może najtwardszy ze wszystkich braci. Nie chodziło o to, że niczego się nie bał. Niewykluczone, pomyślał Donnie, że prędzej dałoby się go wystraszyć niż Seana. Odznaczał się jednak silnym irlandzkim charakterem. Niełatwo było w nim rozniecić gniew, ale później niełatwo go zgasić. Willie nie cofał się przed niczym i nikim i toczył własne wojny. Ileż to razy wracał ze szkoły porządnie poobijany, starając się to za wszelką cenę ukryć, żeby Donnie nie wybił zębów sprawcy napaści. Patrząc teraz na brata, który ukęknął i spojrzał w dół drabiny, Donnie obawiał się, żeby nie zdmuchnął go stamtąd mocniejszy wiatr.

Kiedy nad krawędzią dachu pojawił się w końcu Sean, Donnie popatrzył na chmury zbierające się na coraz ciemniejszym niebie. Zerknął na zegarek.

— Jest już po szóstej — powiedział, kiedy Sean i Willie stanęli przy drzwiach na dach.

— On nigdy nie wraca przed siódmą — odparł Sean. — W każdym razie nie wtedy, kiedy go śledziłem.

— Mamy mnóstwo czasu — stwierdził Willie.

— Jezu — jęknął Sean, obejmując się nagle ramionami i poklepując po barkach.

— Zimno ci? — zapytał Willie.

— Mam pietra — odparł Sean. — Jak wszyscy diabli. Ty nie?

Willie zmierzył go surowym spojrzeniem i popatrzył na Donniego.

Ten trzepnął Seana po głowie.

— Kiedy ty w końcu dorośniesz? — zapytał.

— Jestem dorosły. Mam po prostu cholernego pietra — odparł Sean, masując głowę, po czym włożył czarną włóczkową czapkę, naciągnął ją nisko na czoło i postawił kołnierz zapiętej pod samą szyją starej skórzanej kurtki. Jego obramowana czapką i kurtką twarz była różowa i gładka jak u dziewczyny.

Donnie dotknął kolby pistoletu, który tkwił za paskiem Seana.

— Nie strzelaj z tego, póki dobrze nie wycelujesz, słyszysz mnie, Sean? — powiedział.

— Jezu, powtarzasz mi to setny raz — odparł Sean. — Słyszę.

Donnie złapał go za ramiona i potrząsnął.

— Pociągając za spust, nie zamykaj oczu w nadziei, że kogoś trafisz, bo równie dobrze możesz zabić mnie zamiast Luki.

Sean przewrócił oczyma i autentycznie się zdziwił, kiedy Willie złapał go za kark.

— Słuchaj tego, co mówi Donnie — nakazał mu starszy brat — Jeśli postrzelisz go przypadkiem, postrzelę cię z premedytacją, a jeśli postrzelisz mnie, ty mały popaprańcu, od razu cię, kurwa, zabiję.

Sean przez chwilę spoglądał niepewnie na braci. Kiedy

147

zdał sobie w końcu sprawę, że go podpuszczają, cała trójka wybuchnęła śmiechem.

— Daj spokój — powiedział Donnie. — Po prostu rób, co ci mówimy — dodał przez ramię.

Klatka schodowa w budynku pachniała octem. Ze ścian łuszczyła się pożółkła farba, stopnie pokrywało popękane i zdarte linoleum. Drewniana balustrada schodów była wyślizgana, a słupki okrągłe i nierówno umieszczone. Kiedy zamknęli za sobą drzwi na dach, otoczył ich mrok. Jedyne światło padało z dołu, z podestu schodów.

— Co to za zapach? — zapytał Sean.

— Skąd mam wiedzieć? — odparł Willie.

— Śmierdzi jakimś cholernym środkiem czyszczącym — stwierdził Donnie, po czym zeszli dwa piętra niżej na podest z dwojgiem drzwi po obu stronach korytarza.

— To jego mieszkanie — powiedział Sean, wskazując drzwi po lewej. — Przychodzi tutaj między siódmą i wpół do ósmej. Wchodzi od frontu, od Trzeciej Alei, i minutę później widzę, jak w oknach zapalają się światła. Spędza jakieś dwie godziny sam, a potem, między wpół do dziesiątej i dziesiątą zaczynają się pojawiać jego ludzie.

— Zostało nam jeszcze czterdzieści pięć minut — stwierdził Donnie. — Na pewno nie widziałeś nikogo w innych mieszkaniach?

— Poza nimi nie widziałem tu żywego ducha — odparł Sean. — Nigdy nie widziałem świateł w innych oknach.

Willie cofnął się o krok, jakby przyszło mu do głowy coś zaskakującego.

— Może należy do niego cały dom? — zwrócił się do Donniego.

— Ma magazyn przy Park Avenue, dom na Long Island i jeszcze ten budynek? Jezu — mruknął Donnie. — Musi mieć forsy jak lodu.

— Gówniany budynek, z pociągami, od których pęka ci głowa co piętnaście minut.

— Ale to lepiej dla nas, jeśli nikt poza nim tu nie mieszka — zauważył Sean. — Nie musimy się martwić, że jakiś życzliwy sąsiad wezwie gliniarzy.

— Moim zdaniem jego ludzie przyjdą tutaj i znajdą trupa w progu — powiedział Donnie. — Jeśli będziemy mieli czas, może utnę mu kutasa i wetknę do ust — dodał, zwracając się do Williego.

— Jezu Przenajświętszy! — Sean dał krok do tyłu. — Co się z tobą dzieje, Donnie? Zmieniasz się w dziką bestię.

Przestań się zachowywać jak ciota — warknął Willie. — Sukinsyn na to zasłużył. To dałoby do myślenia innym makaroniarzom, prawda? — zwrócił się do Donniego.

Ten zostawił braci przy schodach i zbadał korytarz. Światło wpadało tam przez matową szybę u szczytu schodów prowadzących z niższego piętra. Drugi koniec korytarza tonął w mroku. Stąpając po pożółkłym linoleum, podszedł z powrotem do braci, żeby sprawdzić, jak głośno słychać jego kroki. Dom był zaniedbany. Luce Brasiemu wiele brakowało do mieszkającego w królewskim przepychu Ala Capone. Z drugiej strony był prawdopodobnie właścicielem tego budynku, a także domu na Long Island i magazynu przy Park Avenue. Płacił również czynsz Kelly, która z tego, co wiedział Donnie, nie przepracowała uczciwie ani jednego dnia w życiu, a miała już dwadzieścia pięć lat. Zgarniał więc sporo szmalu, nawet jeśli nie był Alem Capone.

— Wy dwaj poczekajcie na górze, w miejscu, gdzie nie będzie was widać — powiedział. — Ja zaczekam tutaj — dodał, wskazując pogrążony w ciemności koniec korytarza. — Kiedy podejdzie do drzwi, nafaszeruję go ołowiem. Choć może zamienię z nim kilka słów, zanim poślę go do piekła.

— Ja także chciałbym mu powiedzieć, co o nim myślę — mruknął Willie.

— Ja będę mówił — zdecydował Donnie. — Wy bądźcie czujni, na wypadek gdyby coś poszło nie tak. Zbiegnijcie wtedy z góry, żeby go zaskoczyć.

— Jezu, Donnie, robi mi się niedobrze — mruknął Sean, przyciskając rękę do brzucha.

Donnie dotknął jego czoła.

— Jesteś cały spocony — oznajmił.

— Po prostu się spietrał — ocenił Willie.

— Jasne, że się spietrałem — zgodził się Sean. — Już wam to mówiłem. Myślę także o Kelly — zwrócił się do Donniego. — Jeśli dowie się, że to nasza sprawka, że to my zabiliśmy Brasiego, nigdy nam nie wybaczy. Wiem, że to kawał sukinsyna, ale jest jej facetem.

— Och, na miłość boską — żachnął się Willie. — Martwisz się o Kelly? Kompletnie zgłupiałeś, Sean. Za chwilę wszyscy makaroniarze w tym mieście będą chcieli nafaszerować ołowiem nasze irlandzkie tyłki, a ty martwisz się o Kelly? Zlituj się, Boże, ale mam w dupie Kelly. Robimy to i dla niej. Ten spageciarz ją zniszczył, a my mamy na to spokojnie patrzeć?

— Nie mów tylko, że robisz to dla Kelly — zaprotestował Sean. — Przestałeś się nią przejmować przed wielu laty.

Willie spojrzał na Seana i potrząsnął zdesperowany głową, jakby jego młodszy brat był niespełna rozumu.

— Wyrzuciłeś ją na ulicę — kontynuował Sean — i powiedziałeś, że dla nas umarła. Związała się z tym facetem, bo co miała innego robić?

— Może znaleźć sobie pracę? — zasugerował Willie. — Pójść do pracy, żeby zarobić na życie?

— Och, daj spokój — mruknął Sean, zwracając się do Williego, ale nadal patrząc na najstarszego brata. — Powiedziałeś, że dla nas umarła — powtórzył — i teraz my umarliśmy dla niej. Do tego doszło, Donnie.

Donnie w milczeniu patrzył na padające przez matową szybę dzienne światło, jakby zobaczył tam coś strasznego i smutnego.

— Czy się wami nie opiekowałem? — zapytał, odwracając się w końcu do Seana. — Wzięła sobie tego włoskiego drania, który wyrugował nas z interesów — dodał, kiedy Sean nie odpowiedział. — Myślisz, że to zbieg okoliczności? Myślisz, że nie wiedziała, co robi? — Donnie pokręcił głową w odpowiedzi na własne pytanie. — Nie — mruknął. — Dla mnie teraz umarła — stwierdził i spojrzał na Williego.

— Tak jest! — zawołał tamten, zgadzając się z Donniem.

— Tak jest — powtórzył Sean, przedrzeźniając Williego. — Straciłeś siostrę. Do tego przywiodła cię ta twoja irlandzka duma — powiedział do Donniego.

Donnie zerknął na zegarek i popatrzył na schody prowadzące na dach. Ulicą przejechał kolejny pociąg i stukot kół wypełnił korytarz.

— No dobrze — zwrócił się Donnie do Seana, kiedy hałas umilkł. — Idź stąd. Nie masz do tego serca. Nie powinienem cię tu ściągać — dodał, biorąc go za kark.

— Mówisz serio? — zapytał Willie.

— Owszem — odparł Donnie, popychając Seana w górę schodów. — Idź — powtórzył. — Spotkamy się w domu.

Sean spojrzał na Williego, a kiedy ten pokiwał głową, pobiegł na górę.

— Co ty, do diabła, wyprawiasz, Donnie? — zapytał Willie. — Chłopak nigdy nie dorośnie, jeśli będziesz go traktował jak dziecko.

— Nie traktuję go jak dziecko — odparł Donnie, wysuwając z paczki dwa papierosy i częstując Williego.

Ten wziął jednego, zapalił i popatrzył na brata, czekając na wyjaśnienia.

— Bardziej bałem się, że chłopak wpakuje mi kulkę przypadkiem, niż że Luca zrobi to umyślnie — wyjaśnił Donnie i podszedł do drzwi mieszkania. — Będę stał mniej więcej tutaj — dodał, po czym wskazał schody, na których miał zająć pozycję Sean. — Rozumiesz, o co mi chodzi?

— Było niewielkie prawdopodobieństwo, że w ogóle wyciągnie gnata — oświadczył Willie.

— Jest jeszcze mniejsze, kiedy go tam nie ma. Dopal papierosa i zajmiemy pozycje — dodał Donnie.

— Myślisz, że to pogorszy stosunki z Kelly? — zapytał Willie.

— Kelly ma nas w dupie, Willie. Wiesz, że to szczera prawda. I ja mam ją w dupie. Przynajmniej w tym momencie. Ma za bardzo porąbane życie, żebyśmy się mieli o nią martwić. Przez gorzałę, tabletki i diabli wiedzą, co jeszcze... Kiedy się odnajdzie... jeżeli się odnajdzie, podziękuje nam, że uratowaliśmy ją przed tym sukinsynem. Jezu — dodał. — Wyobrażasz sobie Lucę Brasiego w roli swojego szwagra?

— Niech Bóg broni — powiedział Willie.

— Sami się brońmy — mruknął Donnie, po czym zgasił papierosa i kopnął niedopałek w róg. — Idź — polecił, wskazując schody, i popatrzył, jak Willie znika w ciemności. — To nie potrwa długo — dodał, zajmując swoją pozycję.

. . .

Podczas całego posiłku Sandra powiedziała najwyżej kilkanaście słów, za to Sonny'emu nie zamykały się usta. Opowiadał o swojej rodzinie, życiowych planach, ambicjach i wszystkim, co jeszcze przyszło mu do głowy, podczas gdy pani Columbo nakładała mu kolejne dokładki cielęciny parmigiana. Siedzieli w apartamencie jednego z kuzynów pani Columbo w ich dawnej dzielnicy, dokąd babcia z wnuczką przeniosły się na parę dni na czas prowadzonego przez właściciela remontu mieszkania przy Arthur Avenue. Posiłek jedli przy nakrytym białym obrusem okrągłym stoliku obok wysokiego okna, które wychodziło na Jedenastą Aleję i przecinającą tory kolejowe, rozchybotaną kładkę dla pieszych. W dzieciństwie Sonny uwielbiał na niej siedzieć z dyndającymi nogami, podczas gdy pod spodem przejeżdżały parowozy. Zastanawiał się, czy nie opowiedzieć Sandrze o swoim pierwszym miłosnym zawodzie, którego doznał właśnie na tej kładce, gdy siedząc razem z przepiękną dziewięcioletnią Dianą Ciaffone, wyznał jej miłość i świat zniknął na chwilę w obłoku pary i hurgocie przejeżdżającego pociągu. Do dzisiaj pamiętał milczenie Diany i to, jak unikała jego wzroku, dopóki pociąg nie przejechał i świat nie wyłonił się z powrotem z obłoku pary. Wtedy wstała i bez słowa odeszła. Teraz uśmiechnął się, przypominając sobie to wszystko przy stole.

— O co chodzi, Santino? — zapytała Sandra.

Wzdrygnął się na dźwięk jej głosu i pokazał kładkę.

— Kiedy byłem mały, lubiłem tam siadać i patrzeć na przejeżdżające pociągi.

— Ech, te pociągi! — odezwała się z kuchni pani Columbo. — Bez przerwy pociągi! Niech Bóg mnie strzeże przed nimi!

Słysząc jej gderanie, Sandra spojrzała Sonny'emu w oczy i uśmiechnęła się. Ten uśmiech zdawał się usprawiedliwiać panią Columbo. Taka już ona jest, ta moja babcia, mówił.

Pani Columbo wyszła z kuchni z talerzem zapiekanych ziemniaków i postawiła go przed Sonnym.

— Zrobiła je moja Sandra — oznajmiła.

Sonny odsunął się razem z krzesłem od stołu i złapał za brzuch. Pochłonął już trzy dokładki cielęciny, duży półmisek *linguine* z sosem marinara, a także sporo jarzyn, w tym całego nadziewanego karczocha.

— Zdarza mi się to bardzo rzadko, pani Columbo — powiedział — ale przysięgam: nie dam już rady przełknąć jednego kęsa!

— *Mangia!* — odparła z mocą, podsuwając mu talerz i siadając na swoim miejscu. — Zrobiła je dla ciebie Sandra! — Choć jej mąż zmarł przed kilkunastu laty, była jak zwykle ubrana na czarno.

— *Non forzare...* — zwróciła się Sandra do babci.

— Nikt nie potrzebuje mnie zmuszać, żebym jadł! — przerwał jej Sonny i zaczął pałaszować ziemniaki, każdym swoim gestem pokazując, jakie są pyszne. Sandra i jej babcia patrzyły na niego rozpromienione, jakby nic na świecie nie mogło im sprawić większej radości od patrzenia, jak je. Kiedy wymiótł wszystko z talerza, podniósł ręce. — *Non più!* *Grazie!* — powiedział i roześmiał się. — Jeśli zjem kolejny kęs, chyba pęknę.

— Dobrze — stwierdziła pani Columbo, wskazując mały salonik przy kuchni, gdzie jedynymi meblami były stolik do kawy oraz stojące przy ścianie sofa i tapicerowany fotel. Nad sofą wisiał olejny obraz przedstawiający Chrystusa z twarzą wykrzywioną cierpieniem, a obok Przenajświętszej Panienki ze skierowanymi w górę oczyma, w których malowały się smutek i nadzieja. — Usiądźcie tam — zaproponowała pani Columbo. — Przyniosę espresso.

Wstając od stołu, Sonny wziął ją za rękę.

— Obiad był wspaniały — powiedział, dotykając palcami ust i posyłając jej pocałunek otwartą dłonią. — *Grazie mille!*

Pani Columbo spojrzała na niego podejrzliwie.

— Usiądźcie tam — powtórzyła. — Przyniosę espresso.

W saloniku Sandra usiadła na sofie. Granatowa spódnica sięgała lekko poniżej kolan i Sandra przesunęła ręką po materiale, wygładzając go na nogach.

Sonny obserwował ją, stojąc pośrodku pokoju i nie wiedząc, czy ma usiąść obok niej, czy naprzeciwko, w fotelu. Sandra nieśmiało się do niego uśmiechnęła, poza tym jednak nie dawała mu żadnej wskazówki. Obejrzał się w stronę kuchni, w której niewidoczna pani Columbo stała przy kuchence. Obliczywszy szybko, że może spędzić sam na sam z Sandrą minutę albo dwie, usiadł obok niej na sofie. Kiedy to zrobił, uśmiechnęła się szerzej. Biorąc to za zachętę, wziął ją za rękę i spojrzał jej prosto w oczy. Nie patrzył na jej piersi, ale wiedział, że są pełne i ciężkie, opięte materiałem prostej białej bluzki. Podobał mu się śniady odcień jej skóry, jej ciemne oczy i włosy tak czarne, że w padającym przez okno ostatnim świetle dnia wydawały się niemal granatowe. Wiedział, że ma tylko szesnaście lat, ale wszystko w niej emanowało kobiecością. Zastanawiał się, czy jej nie pocałować, czy mu na to pozwoli. Ścisnął jej rękę, a kiedy ona ścisnęła jego w odpowiedzi, zerknął do kuchni, by upewnić się, że pani Columbo ich nie widzi, po czym pochylił się, pocałował Sandrę w policzek i odsunął się z powrotem, żeby śledzić jej reakcję.

Sandra wyciągnęła szyję i lekko się uniosła, żeby zajrzeć do kuchni. Uznawszy, że babcia na pewno im nie przeszkodzi, objęła jedną ręką jego kark, a drugą tył głowy, wplotła mu palce we włosy i pocałowała w usta. To był cudowny, głęboki, wilgotny pocałunek. Kiedy językiem dotknęła warg Sonny'ego, przez jego ciało przeszedł rozkoszny dreszcz i krew zaczęła mu krążyć szybciej w żyłach.

Sandra odsunęła się i ponownie wygładziła spódnicę. Popatrzyła obojętnym wzrokiem przed siebie, zerknęła na Sonny'ego, a potem znowu przed siebie. Sonny przysunął się do niej bliżej i objął ramieniem, pragnąc kolejnego pocałunku, takiego samego jak poprzedni, lecz ona oparła dłoń na jego piersi, trzymając go na dystans.

— Ejże! — rozległ się w kuchni głos pani Columbo. — Dlaczego nie słyszę, żebyście rozmawiali?

Kiedy sekundę później wyjrzała z kuchni, Sonny i Sandra siedzieli na dwóch przeciwnych krańcach sofy i uśmiechali się do niej. Pani Columbo odchrząknęła, zniknęła z powrotem w kuchni i po kilku chwilach pojawiła się z dużą srebrną tacą, na której stał dzbanek z espresso, dwie filigranowe filiżanki, jedna dla niej, druga dla Sonny'ego, oraz talerzyk z trzema *cannoli*.

Sonny zmierzył łakomym spojrzeniem ciastka. Kiedy pani Columbo nalewała espresso, znowu zaczął gadać. Lubił mówić o sobie, o tym, że ma nadzieję dojść do czegoś w przyszłości, że bardzo pragnie pracować kiedyś ze swoim ojcem, że firma Vita, Genco Pura Olive Oil, jest naprawdę duża, że każdy sklep w mieście sprzedaje ich oliwę i być może któregoś dnia będą ją sprzedawali w całym kraju. Sandra pilnie go słuchała, spijając z ust każde słowo, a pani Columbo kiwała aprobująco głową. Sonny z łatwością mógł jednocześnie jeść i mówić. Popijał espresso i gadał. Odgryzał kawałek *cannoli*, przeżuwał go i mówił dalej. I bez przerwy zerkał na Sandrę, nie przejmując się towarzyszącą im panią Columbo.

. . .

Luca siedział przy stole naprzeciwko matki i trzymał głowę w dłoniach. Jeszcze przed chwilą jadł, rozmyślając o własnych sprawach i nie zwracając uwagi na to, co mówiła, ale nagle znowu zaczęła napomykać o samobójstwie i poczuł, że zaczyna go boleć głowa. Czasami ból był tak silny, że miał ochotę wpakować sobie kulkę w mózg, żeby go uśmierzyć.

— Nie myśl, że tego nie zrobię — powiedziała i Luca pomasował skronie. Miał aspirynę w łazienkowej apteczce tutaj i coś mocniejszego w swoim mieszkaniu przy Trzeciej Alei. — Nie myśl, że tego nie zrobię — powtórzyła matka. — Wszystko sobie zaplanowałam. Nie wiesz, jak to jest, w przeciwnym razie nie robiłbyś czegoś takiego własnej matce. Stale się boję, że jeden z sąsiadów zapuka do drzwi i powie, że mój syn nie żyje albo trafił za kratki. Nie wiesz, jak to jest, dzień po dniu. — Otarła łzy rąbkiem papierowej serwetki. — Lepiej, żebym umarła.

— Możesz odłożyć to na kiedy indziej, mamo? — poprosił Luca.

— Nie mogę tego odłożyć — odparła, po czym rzuciła na stół sztućce i odsunęła od siebie talerz. Na kolację jedli makaron z klopsikami. Posiłek się nie udał, bo sąsiad powiedział matce, że jakiś mafioso chce zabić jej syna, i wyobrażała sobie przez cały czas, że Luca jest jak James Cagney w tym filmie, w którym wloką go postrzelonego ulicami i w końcu przynoszą do domu, zabandażowanego jak mumia, i zostawiają przy drzwiach, gdzie znajduje go matka — i wyobrażając to sobie, rozgotowała makaron i przypaliła sos, i ten nieudany posiłek stał przed nimi teraz niczym zły omen, zapowiedź strasznych rzeczy, które nadejdą, a ona uznała, że woli się zabić, aniżeli oglądać syna zamordowanego w ten sposób albo zamkniętego w więzieniu. — Nie mogę tego odłożyć — powtórzyła i nagle zaczęła szlochać. — Nie wiesz... — zaczęła.

— Czego nie wiem? — zapytał.

Uświadomił sobie, że jego matka jest starą kobietą. Pamiętał czasy, gdy ładnie się ubierała i malowała. Była kiedyś piękna. Widział stare fotografie. Miała błyszczące oczy i na jednym ze zdjęć, ubrana w długą różową suknię, z pasującą do niej parasolką w ręce, uśmiechała się do swojego męża, ojca Luki, który podobnie jak on też był dużym facetem, wysokim i potężnie zbudowanym. Wyszła za mąż młodo, jeszcze przed dwudziestką, i urodziła Lucę przed ukończeniem dwudziestego pierwszego roku życia. Teraz miała sześćdziesiąt, czyli była w podeszłym wieku, niemniej sprawiała na nim wrażenie zgrzybiałej i wychudłej, z szokująco wyraźnym konturem czaszki pod papierową, pomarszczoną skórą twarzy, przerzedzającymi się, siwymi skołtunionymi włosami i łysym plackiem na czubku głowy. Nosiła bure, ciemne ubrania — starucha ubrana w łachmany. Była jego matką, ale zmuszał się, by na nią spojrzeć.

— Czego nie wiem? — zapytał ponownie.

— Luca... — powiedziała błagalnym tonem.

— O co chodzi, mamo? Ile razy ci mówiłem? Nic mi nie będzie. Nie musisz się martwić.

— Luca — powtórzyła. — To moja wina, Luca. Obwiniam o to siebie.

— Nie zaczynaj. Proszę, mamo. Czy możemy zjeść spokojnie obiad? — Luca odłożył widelec i potarł skroń. — Proszę. Pęka mi głowa.

— Nie wiesz, jak ja cierpię — powiedziała matka i wytarła serwetką łzy. — Wiem, że winisz się za tę noc dawno temu, bo...

Luca odepchnął swoje spaghetti aż pod jej talerz. Kiedy odskoczyła do tyłu, złapał stół w obie ręce, jakby chciał go przechylić i pchnąć w jej stronę. Zamiast tego skrzyżował ręce na piersi.

— Znowu o tym zaczynasz? — zapytał. — Ile razy musimy to wałkować, mamo? Ile razy, do jasnej cholery?

— Nie musimy o tym mówić, Luca — odparła i łzy pociekły jej po policzkach. Załkała i schowała twarz w dłoniach.

— Na litość boską... — Luca wyciągnął rękę i dotknął jej ramienia. — Mój ojciec był pijakiem i awanturnikiem, a teraz smaży się w piekle — powiedział i rozłożył ręce, dając do zrozumienia, że nie ma o czym gadać.

— Nie musimy o tym mówić — powtórzyła matka, szlochając i nie odejmując dłoni od twarzy.

159

— Posłuchaj, mamo. To stara historia. Od wieków już nie myślałem o Rhode Island. Nie pamiętam już nawet, gdzie mieszkaliśmy. Wiem tylko, że było wysoko, na dziewiątym, dziesiątym piętrze, i musieliśmy chodzić po schodach, bo winda nigdy nie działała.

— Na Warren Street — wtrąciła. — Na dziesiątym piętrze.

— To stara historia — powtórzył i przysunął do siebie z powrotem talerz. — Zostawmy to.

Matka otarła oczy rękawem i wyprostowała się na krześle, jakby chciała ponownie zacząć jeść. Nadal jednak wstrząsał nią szloch i głowa trzęsła się jej przy każdym spazmie.

Luca patrzył, jak płacze. Żyły nabrzmiały mu na karku, a głowa bolała go tak, jakby ktoś zaciskał na niej gorące kręgi.

— Stary był pijany, mamo — powiedział łagodnie — i zabiłby cię. Zrobiłem, co trzeba było zrobić. Koniec kropka. Nie rozumiem, dlaczego ciągle do tego wracasz. Jezu, mamo, naprawdę. Można by pomyśleć, że będziesz chciała o tym zapomnieć. A ty rok w rok do tego wracasz. Było, minęło. To stara historia. Zostawmy to.

— Miałeś zaledwie dwanaście lat — zdołała wykrztusić między spazmami. — Miałeś zaledwie dwanaście lat i od tego wszystko się zaczęło. Od tego zaczęły się z tobą kłopoty.

Luca westchnął i przez chwilę bawił się jednym z klopsików na talerzu.

— Nie miałeś zamiaru tego zrobić — oznajmiła matka głosem prawie nieróżniącym się od szeptu. — To tylko chciałam powiedzieć. To ja ponoszę winę za to, co się stało. To nie była twoja wina.

Luca wstał od stołu i ruszył do łazienki. Łupało mu w głowie i wiedział, że to jeden z tych bóli, które będą trwały, dopóki czegoś nie weźmie. Aspiryna pewnie niewiele mu pomoże, ale warto było ją zażyć, nawet jeśli ulży mu tylko trochę. Po drodze zatrzymał się i podszedł z powrotem do matki, która płakała z głową wtuloną w ramiona, ponownie odsunąwszy od siebie talerz. Dotknął jej barków, jakby miał zamiar ją pomasować.

— Pamiętasz naszego sąsiada? — zapytał.

— Pana Lowry'ego? Był nauczycielem w szkole średniej.

— Zgadza się. Jak on umarł? — zapytał. — A, prawda, spadł z dachu — mruknął po chwili. — Zgadza się. Dobrze mówię, mamo?

— Zgadza się — wyszeptała. — Prawie go nie znałam.

Luca pogładził ponownie matkę po włosach, po czym poszedł do łazienki, wziął z apteczki słoiczek, wysypał na dłoń trzy aspiryny, połknął je i przejrzał się w lustrze. Nigdy nie podobał mu się własny wygląd, wystające brwi nad głęboko osadzonymi oczyma. Przypominał cholernego małpoluda. Matka myliła się, sądząc, że to był wypadek: chciał zabić ojca. Pięciocentymetrowa kantówka stała na korytarzu, bo ją tam zostawił. Już wcześniej postanowił rozbić staremu łeb, kiedy znowu uderzy matkę albo zacznie go tłuc lub kopnie w jaja, co lubił robić, a potem śmiał się, gdy Luca jęczał i płakał. To wszystko robił tylko po pijanemu. Kiedy nie pił, był zupełnie inny, miły dla Luki i jego matki. Zabierał ich do portu i pokazywał miejsce, gdzie pracował. Raz popłynął z nimi nawet na wycieczkę czyjąś żaglówką. Obejmował Lucę i nazywał go swoim dużym synciem. Luca wolałby chyba, żeby te dobre rzeczy nigdy się nie zdarzyły, bo stary bez przerwy się upijał i nikt nie mógł wtedy z nim wytrzymać — i gdyby nie te rzadkie inne chwile, Luca nie miałby snów, w których ojciec wracał. To go męczyło, te sny oraz przebłyski pamięci, w których widział matkę, nagą od talii w dół, w podartej bluzce, spod której wystawał lśniący, biały, nabrzmiały brzuch, odpełzającą od ojca i krwawiącą tam, gdzie zdążył ją dźgnąć, i starego pełznącego za nią z nożem do krojenia mięsa i wrzeszczącego, że z niej to wyrżnie i rzuci na pożarcie psom. Pamiętał całą tę krew, nabrzmiały okrągły brzuch, a potem zakrwawioną głowę starego, kiedy przyładował mu kantówką. Ojciec stracił przytomność już po pierwszym uderzeniu w tył głowy, ale Luca stał nad nim i wył do chwili, kiedy nie widział już nic poza krwią i nie słyszał nic poza własnym krzykiem — a potem była policja, dni spędzone w szpitalu i pogrzeb małego brata, który zginął w łonie matki, pogrzeb, w trakcie którego Luca nadal przebywał w szpitalu. Po tym wszystkim nigdy już nie wrócił do szkoły. Doszedł tylko do piątej klasy; potem pracował w fabrykach i w porcie, a po przenosinach do Nowego Jorku przy rozładunku wagonów — i stanowiło to kolejną rzecz, której w sobie nie lubił: tego, że był brzydki i głupi.

Okazało się jednak, że wcale nie jest taki głupi. Przejrzał się w lustrze. Spojrzał sobie w oczy. Popatrz na siebie, pomyślał. Miał teraz więcej pieniędzy, niż potrafił wydać, i kierował małym, sprawnym gangiem, którego bali się wszyscy w mieście, nawet największa szycha ze wszystkich, Giuseppe Mariposa — nawet Mariposa bał się go, bał się Luki Brasiego. Więc nie był wcale taki głupi. Zamknął oczy i w pulsującej ciemności, która zapadła, zobaczył dach domu na Rhode Island, dokąd zwabił ich sąsiada, nauczyciela, pana Lowry'ego. Powiedział, że zdradzi mu jakiś sekret i kiedy weszli na dach, zepchnął go w dół. Pamiętał, jak spadając, pan Lowry wyciągnął ręce, zupełnie jakby ktoś mógł go jeszcze złapać i uratować. Pamiętał, że pan Lowry spadł na samochód, którego dach wgiął się do środka i z głośnym hukiem pękły w nim szyby. Stojąc teraz w łazience, nabrał zimnej wody w złączone ręce, przemył twarz i wygładził mokrymi dłońmi włosy, a potem wrócił do kuchni, gdzie matka sprzątnęła już ze stołu i odwrócona do niego plecami, stała przy zlewie, zmywając naczynia.

— Posłuchaj, mamo — zaczął i pomasował łagodnie jej ramiona. Na dworze zapadał zmierzch. Luca zapalił światło w kuchni. — Posłuchaj, mamo — powtórzył. — Muszę już iść.

Matka pokiwała głową, nie podnosząc wzroku znad zlewu. Luca znowu do niej podszedł i pogładził po włosach.

— Nie martw się o mnie — powiedział. — Potrafię o siebie zadbać.

— Jasne — odparła tak cicho, że ledwie ją było słychać przez szum płynącej wody. — Jasne, że potrafisz, Luca.

— Zgadza się — mruknął. Pocałował ją w czubek głowy, a potem zdjął marynarkę i kapelusz z wieszaka przy drzwiach i włożył je, nasuwając kapelusz nisko na czoło. — No dobrze, mamo. Idę.

Wciąż odwrócona do niego plecami, nie podnosząc wzroku znad naczyń, pokiwała głową.

Na ulicy, u stóp schodów, wziął głęboki oddech i odczekał, aż przestanie łupać mu w głowie. Od schodzenia rozbolała go jeszcze bardziej. Poczuł niesiony wiatrem zapach rzeki, a potem gdzieś bliżej ostry smród odchodów. Patrząc w głąb Washington Avenue, zobaczył przy krawężniku rozsypujące się końskie gówno. W zasięgu wzroku nie widać było żadnych konnych wozów, wyłącznie auta i ludzi, którzy wracali do domu, wchodzili po stopniach do budynków, rozmawiali z sąsiadami. Dwaj chudzi chłopcy w zszarganych kurtkach przebiegli koło Luki, jakby przed czymś uciekali, ale nie widział, żeby ktoś ich gonił. W budynku jego matki otworzyło się jedno z okien i na zewnątrz wyjrzała jakaś dziewczynka. Widząc go, zasunęła okno z powrotem. Luca skinął głową do zamkniętego okna. Znalazł w kieszeni marynarki paczkę cameli i zapalił, osłaniając zapałkę przed wiatrem. Wiało coraz mocniej i zrobiło się zimno. Na ulicach zapadał zmierzch, wejścia do budynków, małe podwórka od frontu i długie alejki tonęły w mroku. Nadal łupało mu w głowie, ale ból nie był już tak dotkliwy. Podszedł do rogu Washington i skręcił w Sto Sześćdziesiątą Piątą Ulicę, w stronę swojego mieszkania, które znajdowało się w połowie drogi między domem matki i magazynem.

Dla pewności dotknął wystającej z wewnętrznej kieszeni rękojeści pistoletu. Zamierzał zabić Toma Hagena i wiedział, że to rozgniewa Rodzinę Corleone. Nie było na to rady, czekały go kłopoty. Vito Corleone słynął z tego, że wolał rozmawiać, niż strzelać, ale Clemenza i jego chłopcy to twardziele, zwłaszcza sam Clemenza. Genco Abbandando pełnił tam funkcję *consigliere* i był wspólnikiem Vita w firmie handlującej oliwą. Peter Clemenza pełnił funkcję *capo* i miał pod sobą Jimmy'ego Manciniego i Richiego Gatta. Tyle Luca wiedział na pewno. Bez wątpienia nie była to duża organizacja, nie umywała się do grupy Mariposy czy nawet Tataglii i innych Rodzin. Miał wrażenie, że jest czymś pośrednim między zwykłym gangiem a organizacją Mariposy, Tataglii i LaContiego — czy raczej tego, co zostało z grupy LaContiego.

Wiedział, że Clemenza ma pod sobą nie tylko Manciniego i Gatta, lecz nie znał innych. Wydawało mu się, że do Rodziny Corleone należy także Al Hats, jednak nie miał pewności. Musiał się tego dowiedzieć, zanim zajmie się tym dzieciakiem. Nie przejąłby się, gdyby Corleone miał pod sobą całą armię, ale lubił wiedzieć, z kim przyjdzie mu się zmierzyć. Przyszło mu do głowy, że jego chłopakom wcale się to nie spodoba i zupełnie jakby sprowadził ich myślami, przy krawężniku zatrzymał się należący do JoJa żółty de soto i wyjrzał z niego przez otwarte okno Hooks.

— Cześć, szefie — rzucił i wysiadł z samochodu w czarnym kapeluszu z zatkniętym za wstążkę zielonym piórkiem.

— O co chodzi? — zapytał Luca, patrząc, jak JoJo i pozostali wysiadają z samochodów, zatrzaskują drzwi i stają wokół niego.

— Mamy kłopoty — oświadczył Hooks. — Chce się z tobą spotkać Tommy Cinquemani. Pojawił się właśnie w magazynie z paroma swoimi ludźmi. Nie był zadowolony.

— Chce się ze mną spotkać? — zapytał Luca. Nadal bolała go głowa, ale wiadomość o tym, że Cinquemani przyjechał do Bronxu, żeby zaaranżować spotkanie, sprawiła, że się uśmiechnął. — Kto z nim był? — zapytał, ruszając w stronę swojego mieszkania.

JoJo zerknął na zaparkowany przy krawężniku samochód.

— Zostaw go — powiedział Luca. — Wrócisz po niego później.

— Mamy broń schowaną pod siedzeniami — wyjaśnił JoJo.

— Myślisz, że ktoś okradnie cię w tej dzielnicy?

— No nie — odparł JoJo. — W porządku — dodał i dołączył do reszty.

— Więc kto był z Cinquemanim? — powtórzył Luca. Idąc, zajmowali cały chodnik. Chłopcy byli w garniturach i krawatach i szli po jego obu stronach.

— Nicky Crea, Jimmy Grizzeo i Vic Piazza — poinformował go Paulie.

— Grizz — mruknął Luca. Z całej trójki znał tylko Jimmy'ego i nie lubił go. — Co miał do powiedzenia Tommy?

— Chce się spotkać — oznajmił Hooks.

— Powiedział, o co chodzi?

Vinnie Vaccarelli wsunął rękę w spodnie, żeby się podrapać. Był chudym dwudziestolatkiem, najmłodszym w całym gangu, paradującym w ubraniach, które zawsze wyglądały, jakby miały z niego spaść.

— Są „pewne sprawy", które chce z tobą przedyskutować — powiedział.

— Więc chce się ze mną widzieć dentysta — mruknął Luca.

— Dentysta? — zdziwił się Vinnie.

— Przestań drapać się po jajach, młody — warknął Luca i Vinnie wyciągnął rękę ze spodni. — Tak nazywają Cinquemaniego. Dentysta. Może chce popracować nad moimi zębami — dodał Luca. — Lubi wyrywać zęby obcęgami — wyjaśnił, kiedy żaden z nich się nie odezwał.

— Ja pierdolę — mruknął Hooks, dając do zrozumienia, że nie chce mieć do czynienia z facetem, który wyrywa ludziom zęby.

Luca uśmiechnął się do niego. Wszyscy jego chłopcy wydawali się lekko zdenerwowani.

— Banda *finocch'* — rzucił w ich stronę i ruszył dalej, sprawiając wrażenie jednocześnie zawiedzionego i rozbawionego.

— Więc co chcesz zrobić? — zapytał Hooks.

Byli na Trzeciej Alei, przy torach kolejowych, niedaleko domu Luki. Luca wspiął się po trzech niskich schodkach na ganek i otworzył kluczem drzwi. Inni zaczekali na dole. Luca pchnął drzwi do środka i odwrócił się do Hooksa.

— Niech Cinquemani poczeka — powiedział. — Nic mu nie mówcie. Niech przyjdzie ponownie i poprosi, tym razem grzeczniej.

— Och, na litość boską — parsknął Hooks, przeciskając się obok Luki i wchodząc do środka. — Nie możemy zadzierać z tymi ludźmi, szefie. Mariposa wysłał do nas jednego ze swoich *capos*. Jeśli go zignorujemy, ani się spostrzeżemy, jak wylądujemy w drewnianych skrzynkach.

Luca wszedł w ślad za Hooksem do środka i dołączyli do nich pozostali. Kiedy zamknęli za sobą drzwi, korytarz i schody spowiła ciemność. Luca włączył światło.

— Czujesz papierosy? — zapytał Hooksa, spoglądając w górę.

Hooks wzruszył ramionami.

— Ja zawsze czuję papierosy — odparł. — Dlaczego pytasz? — zapytał, po czym wyjął paczkę winstonów i zapalił.

— Nieważne. — Luca zaczął wchodzić po schodach i pozostali ruszyli w ślad za nim. — Nie lubię Cinquemaniego — oświadczył — i nie lubię Grizza.

— Jimmy'ego Grizzea? — zapytał Paulie.

— Zanim przeszedł do Mariposy, braliśmy razem udział w skoku — odparł Luca. — Nie lubiłem go wtedy i nie lubię go teraz.

— Grizz to płotka — zauważył Hooks. — Mamy problem z Cinquemanim. Wysłał go Mariposa, a my nie możemy ignorować Mariposy.

— Dlaczego nie? — zapytał Luca. Świetnie się bawił. Nadal łupało mu w głowie, ale widok zdeprymowanego Hooksa sprawił, że prawie zapomniał o bólu.

— Ponieważ niektórym z nas wcale nie zależy na tym, żeby zginąć — odpalił Hooks.

— W takim razie wybraliście sobie złe zajęcie — stwierdził Luca. — Wielu ludzi ginie w naszej profesji. — Stali przy drzwiach jego mieszkania. Luca odwrócił się do Hooksa i obmacał kieszenie, szukając kluczy. — Nie możesz przejmować się tym, że zginiesz, Hooks. To ci inni mają się przejmować, że zginą. Rozumiesz, o co mi chodzi?

Hooks chciał coś odpowiedzieć, ale nagle trzasnęły drzwi, gdzieś nad nimi rozległ się tupot kroków i wszyscy odwrócili się i spojrzeli na schody prowadzące na dach.

.   .   .

— Daj mi swojego gnata — powiedział Willie.

— Do czego ci potrzebny? — Donnie, który zaczął właśnie schodzić z dachu po drabinie, spojrzał w górę na Williego. Widząc, że Luca idzie ulicą ze wszystkimi swoimi ludźmi, odłożyli akcję na kiedy indziej. Na zastawionym skrzyniami dachu po drugiej stronie alejki nie było nikogo. Niebo pociemniało i dachy spowijał cień.

— Nieważne — odparł Willie. — Po prostu mi go daj.

— Masz swój — powiedział Donnie i wspiął się nieco wyżej, by spojrzeć na zamknięte drzwi na dach. — Nikt nas nie ściga — oświadczył. — O niczym nie wiedzą.

— Po prostu daj mi tego pieprzonego gnata — powtórzył Willie.

Donnie sięgnął do kabury pod pachą i dał mu swój pistolet.

— Nadal nie wiem, do czego ci potrzebny — mruknął.

Willie pokazał mu sąsiedni dach.

— Idź — poprosił. — Zaraz do ciebie dołączę.

— Chyba nie chcesz mi spłatać jakiegoś figla, Willie? — zapytał ze śmiechem Donnie.

Spojrzał w dół, by zlokalizować kolejny szczebel drabiny, i kiedy podniósł wzrok, zobaczył, że Willie biegnie w stronę drzwi. Zdezorientowany zastygł w bezruchu i dopiero po chwili wspiął się z powrotem na dach i pognał za Williem, który zdążył już zniknąć za drzwiami.

. . .

Luca był przekonany, że to jakiś dzieciak z sąsiedztwa. Dzieciaki zawsze łaziły po dachach. Pomyślał, że może dzieciak ucieka przed kimś, i nagle drzwi otworzyły się z hukiem na oścież, ktoś zbiegł po schodach i na domiar wszystkiego linią biegnącą wzdłuż Trzeciej Alei zaczął jechać pociąg. Luca cofnął się w półmrok i wyciągnął pistolet. I nagle w powietrzu zaczęły fruwać kule.

Jeden facet, dwa pistolety plujące ogniem w ciemności. Luca widział tylko cień strzelającego. Słyszał jedynie łoskot i zgrzytanie pociągu, na które nakładał się huk wystrzałów. Kiedy było już po wszystkim, kiedy cień zniknął szybko jak zjawa, Luca nadal pociągał za spust pustego pistoletu, zatem się ostrzeliwał, ale niech go diabli, jeśli pamiętał coś poza tym pierwszym strzałem i brzękiem tłuczonej szyby, widokiem jęczącego rannego Pauliego, przy którym przykucnął, czekaniem na to, co jeszcze może się zdarzyć, smrodem prochu strzelniczego i ciszą, która zapadła po przejeździe pociągu i ustaniu strzelaniny. Sparaliżowało go zaskoczenie i dopiero, gdy zdał sobie sprawę z tego, co się stało — z tego, że napadł ich, grzejąc z dwóch pistoletów, jakiś pierdolony kowboj — otrząsnął się i popędził za nim po schodach.

Na dachu nie zobaczył niczego. Z obu stron budynku były drabiny przykręcone do schodów przeciwpożarowych. Zapamiętał sobie, że trzeba będzie je zdemontować. Na dachu budynku po drugiej stronie alejki sześciu robotników w kombinezonach stało przy parapecie i gapiło się w dół. Dach za nimi był zastawiony skrzyniami.

— Widzieliście coś?! — zawołał do nich Luca. — No?! — krzyknął, gdy żaden nie odpowiedział.

— Nic nie widzieliśmy — odparł jeden z irlandzkim akcentem. — Słyszeliśmy tylko strzały.

— To nie były strzały — odparł Luca. — To dzieciaki bawiły się fajerwerkami, które zostały po Czwartym Lipca.

— Aha. Więc to fajerwerki — mruknął facet i dołączył do swoich kolegów.

Odwróciwszy się, Luca zobaczył Hooksa i JoJa, którzy stali niczym wartownicy po obu stronach dachu, trzymając w rękach pistolety.

— Schowajcie broń — polecił im.

— Paulie i Tony oberwali — powiedział Hooks.

— Jak poważnie? — Luca minął ich i zszedł na dół. Na schodach było ciemno i musiał trzymać się poręczy, żeby nie zlecieć.

— Przeżyją — mruknął JoJo.

— Jesteś teraz pieprzonym lekarzem? — obruszył się

Hooks. — Wygląda na to, że Tony dostał w nogę — zwrócił się do Luki.

— Gdzie w nogę?

— Kilka centymetrów bardziej w lewo i chłopak zostałby eunuchem.

— A Paulie?

— Prosto w dłoń — wyjaśnił JoJo. — Wygląda jak Jezus Chrystus na krzyżu.

— Nie możemy zadzierać z Cinquemanim i Mariposą, Luca — powiedział Hooks, kiedy zeszli na piętro Luki. Wiatr wiał tam przez wybite okno. — Wszystkich nas ukatrupią.

— Hooks ma rację — dodał JoJo. — To szaleństwo. I co z tego mamy? Kilka dostaw gorzały?

— Strach was obleciał, chłopaki? — zapytał Luca. — Boicie się małej akcji?

— Wiesz, szefie, że nie o to chodzi — odparł Hooks.

W drzwiach do mieszkania Tony klął i jęczał, wbijając nasadę dłoni w ranną nogę i próbując zatamować krwawienie. Luca wybił kilka odłamków szkła ze stłuczonego okna na korytarzu. Było zupełnie ciemno, jedyne światło padało przez otwarte drzwi mieszkania i z ulicy. Gdyby jechali do nich gliniarze, słyszałby już syreny. Wychylił się przez okno, spojrzał na ulicę oraz tory kolejowe i uśmiechnął się, widząc, że na dworze nie ma żywego ducha, żaden dzieciak nie biegnie ulicą, żadna starsza pani nie zamiata ganka.

Za jego plecami Vinnie obwiązywał chustą nogę Tony'ego.

— Krwawi jak świnia — powiedział. — Nie mogę zatamować krwi.

— Zabierzcie jego i Pauliego do szpitala — polecił Lu-

171

ca. — Wymyślcie jakąś bajeczkę. Powiedzcie, że to się stało w porcie.

— Do szpitala? — zdziwił się Hooks. — Nie sądzisz, że może się nimi zająć doktor Gallagher?

— Za bardzo się wszystkim przejmujesz, Hooks — odparł Luca i dał znak Vinniemu, który wszedł do mieszkania po Pauliego.

— Pomóżcie mi znieść Tony'ego — poprosił Hooksa i JoJa, przechodząc przez próg.

Hooks zdjął kapelusz, bawił się chwilę zatkniętym za wstążkę piórkiem i założył go z powrotem na głowę.

— I co teraz? — zapytał Lucę. — Co będzie z Cinquemanim?

Luca wybił kolbą pistoletu kolejne odłamki szyby i spojrzał na niebo i gwiazdy, które były ledwie widocznymi punkcikami w ciemności. Dwa małe ptaszki podfrunęły do parapetu i nagle zawróciły.

— Zorganizuj spotkanie z Cinquemanim — polecił i usiadł na parapecie. — Powiedz mu, że zrozumieliśmy wiadomość. Powiedz, że chcemy się spotkać w jakimś publicznym miejscu...

— Gdzie? — zapytał Hooks. — W restauracji, w jakimś lokalu?

— Nieważne — odparł Luca.

— Dlaczego nieważne? — Hooks znowu zdjął z głowy kapelusz i bacznie obserwowany przez Lucę założył go z powrotem. — Nie rozumiem. Czy nie chcemy sami wybrać jakiegoś miejsca?

— Zaczynasz działać mi na nerwy, Hooks — stwierdził Luca.

— W porządku, szefie — mruknął Hooks, podnosząc ręce na znak, że nie będzie już zadawał więcej pytań. — Powiem im, że to nie ma znaczenia. Mogą sami wybrać miejsce spotkania.

— Dobrze — powiedział Luca. — Upieraj się po prostu, że to musi być publiczne miejsce. Dla bezpieczeństwa wszystkich.

— Jasne — odparł Hooks. — Kiedy?

— Jak najszybciej. Im szybciej, tym lepiej. Nie zaszkodzi, jeśli będziesz się wydawał trochę wystraszony. — Wskazał wynoszonego z mieszkania Tony'ego, który wyglądał, jakby miał zaraz zemdleć. — Zabierzcie chłopców do szpitala i wróćcie tutaj, to objaśnię wam mój plan.

Hooks obserwował Lucę, starając się coś wyczytać w jego oczach. Otworzył usta, mając najwyraźniej zamiar zadać kolejne pytanie — a potem się rozmyślił.

— Chodź, JoJo — powiedział i obaj weszli do mieszkania.

Lucę przestała boleć głowa, kiedy tylko padły pierwsze strzały. Zastanawiał się nad tym, stojąc po ciemku na korytarzu przy jęczącym Tonym.

. . .

Sonny podjechał do krawężnika przy piekarni Eileen, pochylił się w fotelu i nasunął kapelusz na oczy, jakby miał zamiar uciąć sobie krótką drzemkę. Okolica była głośna, z pobliskich bocznic wytaczały się pociągi, ulicą jechały furgony i auta. Pożegnawszy się z Sandrą, spacerował przez kilka chwil Arthur Avenue, czując się pobudzony i spięty — co nie było u niego niczym niezwykłym — a potem wskoczył do samochodu, tak naprawdę nie uświadamiając sobie, że wybiera się do Eileen. Zdawał sobie sprawę, że powinien wrócić do siebie i położyć się spać, ale nie chciał spędzać samotnie wieczoru przy Mott Street. Nie wiedziałby, co tam robić. Gdyby miał coś w lodówce, zjadłby to — ale nie lubił robić zakupów. Kupując artykuły spożywcze, czuł się jak *finnocch'*. Zwykle jeździł się najeść do domu, a matka dawała mu coś na wynos — w ten sposób trafiały do jego lodówki resztki lazanii, *manicotti* i wielkie słoje z sosem. Nigdy nie wracał do siebie bez zapasów, które starczały mu na kilka dni, a potem ponownie wybierał się do domu. W swoim mieszkaniu kładł się na plecach na łóżku i gapił w sufit, a jeśli nie mógł zasnąć, wstawał i wyruszał na poszukiwanie jednego z kumpli, szukał okazji, by zagrać w karty albo trafiał do klubu z nielegalnym wyszynkiem — i nazajutrz rano ledwo żywy wlókł się do roboty. Sandra go podnieciła. Wyobrażał sobie, że rozpina jej bluzkę, zdziera ubranie i obnaża piersi, które musiały być dojrzałe i wspaniałe w dotyku — choć w zasadzie mógł o nich zapomnieć, bo chcąc ich dotknąć, musiałby zaliczyć przynajmniej kilkadziesiąt takich kolacyjek i może nawet się zaręczyć — a on nie miał na to ochoty. Ale dziewczyna mu się spodobała. Była słodka i piękna. Działała na niego.

Zsunął teraz kapelusz na tył głowy, pochylił się nad kierownicą i spojrzał w górę, w okna mieszkania Eileen. W salonie paliło się światło. Nie wiedział, jak zareagowałaby, gdyby tak po prostu się pojawił, bez zapowiedzi, wieczorem. Zerknął na zegarek. Zbliżała się dziewiąta, więc Caitlin była prawdopodobnie w łóżku. Sonny uświadomił sobie, że wieczory, które Eileen spędza samotnie w swoim mieszkaniu, są być może tak samo nudne jak jego, że przed pójściem spać słucha co najwyżej radia. Wysiadł z samochodu, zadzwonił do jej mieszkania i cofnął się na ulicę. Eileen otworzyła okno i wystawiła głowę na zewnątrz.

— Pomyślałem, że masz ochotę spędzić wieczór w czyimś towarzystwie — oznajmił, rozkładając ręce. Była ubrana w niebieską sukienkę z szerokim kołnierzykiem i miała trwałą ondulację. — Zrobiłaś sobie trwałą — powiedział i na jej ustach ukazał się uśmiech, którego nie umiał rozszyfrować.

Nie wiedział, czy jest zadowolona z jego wizyty, czy wprost przeciwnie. Zamknęła okno i bez słowa zniknęła. Sonny podszedł do wejścia i nasłuchiwał odgłosu otwieranych na górze drzwi i jej kroków na schodach. Kiedy niczego nie usłyszał, zdjął kapelusz, podrapał się w głowę i znowu spojrzał w jej okno — i nagle drzwi na dole otworzyły się i na ulicę wyszedł Cork.

— Cześć, Sonny! — przywitał go. — Co tutaj robisz? Eileen powiedziała, że mnie szukasz.

Jego koszula była pobrudzona czerwonymi odciskami dłoni na wysokości serca.

— Co ci się, do diabła, stało? — zapytał Sonny. Powiedział to nieco zbyt głośno i zawadiacko, starając się ukryć zaskoczenie na widok przyjaciela. Ten jednak najwyraźniej nie zwrócił na to uwagi.

— To Caitlin — wyjaśnił, zerkając na plamy. — Zniszczyła mi koszulę.

Sonny przesunął czubkiem palca po plamach i w ogóle się nie pobrudził.

— To jakaś dziecinna farba — powiedział Cork, nadal przyglądając się plamom. — Eileen mówi, że koszula jest do wyrzucenia.

— Ta mała to prawdziwe utrapienie.

— Wcale nie jest taka zła — odparł Cork. — Więc o co chodzi?

— Przechodziłem koło twojego domu — skłamał Sonny. — Nie było cię tam.

— Bo byłem tutaj — odparł Cork i spojrzał na niego z ukosa, jakby miał zamiar spytać, czy Sonny nagle nie cofnął się w rozwoju.

Sonny zakaszlał w dłoń, próbując coś wymyślić. W końcu przypomniał sobie o przygotowywanym skoku.

— Dostałem cynk na temat kolejnej dostawy — powiedział, ściszając głos.

— Kiedy? Dzisiaj?

— Nie. — Sonny stanął obok Corka i oparł się o framugę. — Nie wiem kiedy. Chciałem ci tylko powiedzieć.

— Ale co konkretnie? — Cork zerknął w stronę schodów i dał Sonny'emu znak, żeby wszedł do środka. — Ochłodziło się — zauważył. — Jakby wcześniej zaczęła się zima.

— Transport jest niewielki — oświadczył Sonny, po czym usiadł na schodach i nasunął kapelusz na czoło. — Będą go przewozili samochodem, pod podłogą. Trochę butelek upchną pod tapicerką.

— Do kogo należy?

— A jak myślisz?

— Do Mariposy? Znowu? Co zrobimy z gorzałą? Nie możemy jej sprzedać Luce.

— I bardzo dobrze. Juke kupi ją od nas bezpośrednio. Żadnych pośredników.

— A jeśli Mariposa dowie się, że Juke sprzedaje jego alkohol?

— Jak ma się dowiedzieć? — zapytał Sonny. — Juke na pewno mu o tym nie powie. A Mariposa nie działa w Harlemie.

Cork usiadł obok Sonny'ego i położył się na schodach, jakby to było łóżko.

— Ile możemy wyciągnąć z takiego małego transportu?

— I to właśnie jest najpiękniejsze. To pierwszorzędny szampan i wino prosto z Europy. Luksusowy towar: po pięćdziesiąt, sto dolców za butelkę.

— Ile butelek?

— Moim zdaniem od trzystu do czterystu.

Cork położył głowę na schodku i zamknął oczy, licząc w pamięci.

— Matko Przenajświętsza — mruknął. — Przecież Juke nam tyle nie zapłaci.

— Oczywiście, że nie — odparł Sonny. — Ale i tak zgarniemy sporo szmalu.

— Skąd dostałeś cynk?

— Nic ci nie przyjdzie z tego, że będziesz wiedział, Cork. Dlaczego pytasz, nie wierzysz mi?

— Cholera — mruknął Cork. — Wiesz, że jeśli Mariposa się dowie, wszyscy będziemy wąchali kwiatki od spodu.

— Nie znajdzie nas — odparł Sonny. — Poza tym, jeśli się dowie, i tak jesteśmy już martwi. Więc równie dobrze możemy być martwi i bogaci.

— Ilu ludzi... — zaczął Cork i w tej samej chwili na piętrze otworzyły się drzwi do mieszkania i Eileen stanęła u szczytu schodów, biorąc się pod boki.

— Zaprosisz na górę przyjaciela, Bobby, czy będziecie dalej sterczeli na korytarzu, snując swoje niecne plany? — zapytała.

— Wejdź — powiedział Cork. — Eileen zrobi ci filiżankę kawy.

Sonny wygładził marynarkę i wyprostował się.

— Na pewno nie będę przeszkadzał? — zapytał, zwracając się do Eileen.

— Przecież kazała mi cię zaprosić — odparł Cork.

— No nie wiem — mruknął Sonny. — Na pewno?

Córeczka Eileen wyszła za nią z mieszkania i przytuliła się do jej nogi.

— Wujku Booby! — zawołała.

— Kochana kruszynka — powiedział Cork do Sonny'ego, po czym popędził po schodach, jakby chciał ją złapać. Caitlin uciekła z krzykiem do mieszkania.

— Wejdźcie — powtórzyła zaproszenie Eileen. — Nie ma sensu, żebyście stali na korytarzu — dodała, wchodząc do mieszkania i zostawiając za sobą otwarte drzwi. Zaglądając do kuchni, Sonny zobaczył ją odprężoną z filiżanką kawy i talerzykiem czekoladowych ciastek. — Siadaj — rzekła, przesuwając w jego stronę pustą filiżankę.

Nowa fryzura sprawiła, że jej włosy wydawały się bardziej błyszczące. Ich fale połyskiwały w świetle lampy przy każdym ruchu głowy.

Cork wszedł do kuchni, trzymając Caitlin na barana.

— Przywitaj się z Sonnym — powiedział, po czym usiadł przy stole, zdjął ją z ramion i posadził sobie na kolanach.

— Dobry wieczór, panie Sonny — odezwała się dziewczynka.

— Cześć, Caitlin. — Sonny przyglądał się przez chwilę Caitlin i Eileen. — Kurczę. Jesteś prawie tak samo ładna jak twoja mama.

Eileen spojrzała na niego z ukosa, ale Cork tylko się roześmiał.

— Przestań prawić jej dusery — powiedział. Postawił Caitlin na podłodze i klepnął w pupę. — Idź, pobaw się przez chwilę sama.

— Wujku Booby — odparła błagalnym tonem.

— I przestań nazywać mnie wujkiem Booby*, bo spuszczę ci manto.

— Przyrzekasz?

— Co? Że spuszczę ci manto?

— Że za chwilę przyjdziesz się ze mną bawić?

— Przyrzekam — odparł Cork, dając znak, żeby przeszła do saloniku.

Caitlin zawahała się, zerknęła na Sonny'ego i wyszła z kuchni. Miała blond włosy swojego wujka i brązowe oczy matki.

— Wujku Booby — powtórzył Sonny i roześmiał się.

— Czy to nie jest idealne przezwisko? — zapytała Eileen. — Z ust dziecka...

— Nie podpuszczaj jej — powiedział Cork do siostry. — Mówi tak tylko po to, żeby mnie zdenerwować.

Eileen przez chwilę przesuwała po stole filiżankę, jakby się nad czymś zastanawiała.

— Słyszałeś, że niejaki pan Luigi Hooks Battaglia nadal stara się dopaść zabójcę Jimmy'ego? — spytała Sonny'ego.

Ten spojrzał na Corka.

— Kiedy ostatnim razem wpadłem na Hooksa, prosił, bym powtórzył Eileen, że nie zapomniał o Jimmym — rzekł Cork.

---

* *Booby* (ang.) — głupek.

— Minęły już prawie dwa lata — zwróciła się Eileen do Sonny'ego. — Dwa lata, a on nadal szuka zabójcy Jimmy'ego. Z pana Hooksa Battaglii jest prawdziwy detektyw, nieprawdaż?

— Hooks jest zdania, że Jimmy'ego zabił jeden z zakapiorów Mariposy — oświadczył Cork.

— Czy ja o tym nie wiem? — zapytała Eileen. — Czy wszyscy o tym nie wiedzą? Pytanie brzmi, który to z zakapiorów Mariposy i co można z tym zrobić, skoro minęło już tyle czasu.

— Co czas ma z tym wspólnego? — mruknął Cork. — Jeśli Hooks go znajdzie, po prostu go zabije.

— Co czas ma z tym wspólnego... — powtórzyła Eileen.

— Hooks to Sycylijczyk, Eileen — wyjaśnił Sonny. — Dwa i pół roku to nic. Jeśli Hooks dowie się za dwadzieścia dwa lata, kto zabił jego przyjaciela, daję ci słowo, facet jest martwy. Sycylijczycy nie zapominają i nie wybaczają.

— Sycylijczycy i Irlandczycy z Donegal — uzupełniła Eileen. — Chcę, żeby to sąd skazał mordercę Jimmy'ego — powiedziała do Corka. — Znałeś Jimmy'ego. Wiesz, że tego by chciał.

— Bóg wie, że kochałem go jak brata — odparł Cork i nagle w jego głosie zabrzmiał gniew — ale nigdy nie zgadzaliśmy się w tych sprawach. Wiesz o tym. — Odsunął krzesło od stołu i zajrzał do saloniku, żeby sprawdzić, co robi Caitlin. — Jimmy był idealistą — stwierdził, odwracając się z powrotem do Eileen — a ja, jak wiesz, w tych sprawach jestem realistą.

— Pochwalasz zabicie zabójcy, tak? — Eileen nachyliła się nad stołem do brata. — Myślisz, że to coś udowodni? Myślisz, że to coś zmieni?

— Och, mówisz teraz zupełnie jak Jimmy — odparł i wstał z krzesła. — Aż mi się serce ściska. Hej! Co ty tam robisz?! — zawołał do Caitlin. — Gdybym wiedział, kto zabił Jimmy'ego, zabiłbym go własnymi rękoma i miał to z głowy — oświadczył, po czym zerknął ponownie do saloniku, podniósł ręce nad głowę, ryknął jak potwór i ruszył w pościg za Caitlin, która pisnęła z jakiegoś niewidocznego miejsca.

Eileen spojrzała przez stół na Sonny'ego.

— Jezu — mruknęła. — Wy dwaj...

— Wygląda mi to na rodzinną sprzeczkę — powiedział Sonny, po czym odwrócił się i spojrzał na wiszący na kołku na drzwiach swój kapelusz. — Powinienem już iść.

— Bobby i Jimmy — podjęła, jakby Sonny w ogóle się nie odezwał. — Kłócili się właśnie tutaj, przy tym stole. Zawsze o to samo, choć używali różnych argumentów. Bobby twierdził, że świat jest zdeprawowany i trzeba go akceptować takim, jaki jest, a Jimmy, że trzeba wierzyć w coś lepszego. W kółko na okrągło. — Eileen spojrzała na swoją kawę, a potem ponownie na Sonny'ego. Nie sprawiała wrażenia niezadowolonej. — Taki był Jimmy — dodała. — Nic podważał tego, co mówił Cork: że na świecie jest pełno zła, brudu i zabójstw. I właściwie nie sądził, że to się kicdykolwiek zmieni, ale powtarzał Bobby'emu, próbując go czegoś nauczyć: „Trzeba wierzyć, że to się może zmienić, ze względu na własną duszę".

Eileen umilkła i spojrzała na Sonny'ego.

— Żałuję, że go nigdy nie spotkałem — odparł, a ona pokiwała głową, jakby rozbawiła ją możliwość takiego spotkania.

Cork zawołał Sonny'ego z saloniku i Eileen kiwnęła zachęcająco głową.

— Przyjechałeś tu przecież zobaczyć się z Bobbym, tak czy nie?

W saloniku Cork obejmował ramionami Caitlin. Dziewczynka chichotała jak szalona, próbując się wyrwać.

— Pomóż mi z nią, Sonny, dobrze?! — zawołał Cork, obracając się. — Nie daję już sobie z nią rady! — krzyknął i cisnął ją piszczącą w powietrze, prosto w ramiona Sonny'ego.

— Hej! — zawołał tamten, łapiąc ją i przytrzymując wijące się ciałko. — Co mam z nią zrobić? — zapytał, po czym sam zatoczył krąg i cisnął piszczącą i zawodzącą Caitlin z powrotem do Corka.

— Masz dosyć? — zapytał Cork.

Caitlin przestała się wyrywać i spojrzała na Bobby'ego i Sonny'ego.

— Chcę jeszcze raz! — pisnęła i Cork obrócił się, żeby rzucić ją ponownie do Sonny'ego, który ze śmiechem szykował się, by ją złapać.

Stojąc między nimi w progu kuchni, Eileen oparła się o ścianę i kręciła głową z uśmiechem, który zmienił się w głośny śmiech, kiedy Caitlin przeleciała z piskiem przez pokój i wylądowała w ramionach Sonny'ego.

8

Sean zdarł ze ściany płat łuszczącej się żółtej farby i kiedy ucichł łoskot przejeżdżającego Jedenastą Aleją parowozu, zapukał ponownie do drzwi Kelly. Przez kilka godzin jeździł tramwajami, bo nie chciał wrócić do domu i spojrzeć w twarz Williemu i Donniemu. Nie mógł jednak spędzić poza domem całej nocy — a zresztą czyż nie kazali mu sami odejść? Mimo to nie miał jeszcze ochoty się z nimi spotykać.

— Kelly! — krzyknął do zamkniętych drzwi. — Wiem, że tam jesteś. Widziałem z ulicy, jak przechodziłaś koło okna.

Przycisnął ucho do drzwi i usłyszał skrzypienie materaca i brzęk szkła. Wyobraził sobie leżącego w progu mieszkania trupa Luki Brasiego i zastanawiał się, czy Donnie naprawdę mógł uciąć sukinsynowi fiuta i wcisnąć mu w usta. Wyobraził to sobie, Lucę Brasiego z własnym fiutem w ustach, i mimowolnie się skrzywił. Przeczesał ręką włosy, dotknął rękojeści tkwiącego w kieszeni pistoletu i przypomniał sobie słowa Williego: „Wszyscy makaroniarze w tym mieście będą chcieli nafaszerować ołowiem nasze irlandzkie tyłki".

— Kelly! — zawołał błagalnym tonem. — No, otwórz. Twój brat czeka za drzwiami.

Kiedy drzwi w końcu się uchyliły, dał krok do tyłu i zasłonił twarz rękoma.

— Na litość boską — jęknął.

— Cóż, chciałeś mnie widzieć — powiedziała Kelly. — I oto jestem. — Jedną dłoń trzymała na uchylonych drzwiach, drugą na framudze. Miała podbite oczy, spuchnięte policzki i znikającą pod włosami czerwoną szramę na czole. Stała w progu w jasnoczerwonych butach i męskiej białej koszuli z podwiniętymi rękawami. Sądząc po rozmiarach, koszula musiała należeć do Luki. Jej poły sięgały Kelly do łydek.

— Och, daj spokój, Sean. Nie zachowuj się jak dziecko — powiedziała. — Nie jest aż tak źle.

Sean odsunął ręce od twarzy i spojrzał na nią z grymasem przerażenia.

— Matko Przenajświętsza — mruknął. — Kelly...

Kelly uśmiechnęła się drwiąco i skrzywiła, jakby ją to zabolało.

— Czego chcesz, Sean? Myślałam, że rodzina się na mnie wypięła.

— Wiesz, że ja nie brałem w tym udziału — odparł Sean i zerknął za jej ramieniem do środka mieszkania. — Mogę wejść?

Kelly spojrzała w głąb mieszkania, jakby nagle zmieniło się w miejsce, które ktoś chętnie by odwiedził.

— Jasne — powiedziała. — Witaj w moim pałacu.

Wewnątrz Sean rozejrzał się, szukając jakiegoś miejsca, gdzie mógłby usiąść. Kelly nie miała kuchennego stołu ani krzeseł, wyłącznie pustą przestrzeń przed pustym zlewem.

W gruncie rzeczy nie miała kuchni. Był tam zlew i kilka szafek, a potem coś w rodzaju łuku oddzielającego kącik kuchenny od kącika sypialnianego z niewielkim łóżkiem, rozchybotaną nocną szafką i wielkim tapicerowanym fotelem stojącym przy oknie, które wychodziło na Jedenastą Aleję. Fotel zawalony był aż po poręcze czasopismami i ubraniami. Sean zrzucił kilka z nich na podłogę, z której spojrzały na niego twarze hollywoodzkich gwiazd: Jean Harlow, Carole Lombard i Fay Wray. Odwrócił się i zobaczył, że Kelly stoi oparta o zamknięte drzwi i go obserwuje. Miała rozchyloną koszulę i gołe piersi wystawały spod niej bardziej, niż mógłby sobie tego życzyć.

— Możesz się zapiąć, Kelly? — poprosił, wskazując jej biust.

Kelly otuliła się ciaśniej koszulą i zaczęła majstrować przy guzikach, ale nie przyniosło to większego efektu.

— Och, Kelly. Jesteś taka pijana, że nie możesz zapiąć cholernej koszuli?

— Nie jestem wcale pijana — odparła stłumionym głosem, jakby mówiła bardziej do siebie niż do Seana.

— Nie, po prostu nie potrafisz zmusić palców, żeby zapięły guziki — powiedział i sam zapiął jej koszulę, jakby znowu była małą dziewczynką i musiał się nią zaopiekować. — Spójrz na siebie, Kelly — dodał i w oczach stanęły mu łzy.

— Kiedy przestaniesz być dużym dzieckiem? — zapytała, po czym odepchnęła go i położyła się do łóżka. Okryła nogi i brzuch kocem i poprawiła pod głową poduszkę. — Więc przyszedłeś tutaj, żeby... — Nachyliła się do niego, jakby chciała zapytać, czego chce.

Sean zgarnął resztę ubrań i innych rzeczy z fotela i przysunął go do łóżka.

— Kelly — zaczął, siadając na nim, jakby opadł z sił. — Kochana. To nie jest życie dla ciebie.

— Naprawdę? Może powinnam znowu wam gotować i sprzątać? Być na posyłki jak jakaś służąca? Nie, dziękuję, Sean. Po to tu przyszedłeś? Żeby zabrać mnie do domu?

— Nie przyszedłem zabrać cię do domu — odparł Sean. — Przyszedłem, bo się o ciebie martwię. Spójrz na siebie. — Odsunął fotel od łóżka, żeby jej się lepiej przyjrzeć. — Powinnaś leżeć w szpitalu, a ty leżysz tutaj, upijając się do nieprzytomności.

— Nie jestem pijana — powtórzyła.

Na szafce obok niej stała prawie pełna butelka żytniówki i szklanka. Kelly nalała sobie drinka, ale Sean wyrwał jej szklankę z ręki, zanim zdążyła ją unieść do ust.

— Czego ode mnie chcesz, Sean? Powiedz, czego chcesz, i zostaw mnie w spokoju.

— Dlaczego jesteś z kimś, kto bije cię jak sukę? — Sean odstawił szklankę na nocną szafkę i dopiero teraz zauważył na niej niewielki słoiczek z czarnymi pastylkami.

— A to co takiego?

— Sama się o to prosiłam — powiedziała. — Nie znasz całej historii.

— Mówisz tak samo jak mama. Powtarzała to za każdym razem, kiedy tato spuścił jej manto — stwierdził i potrząsnął słoiczkiem, chcąc, by wyjaśniła mu, co zawiera.

— Załatwił mi je Luca — odparła, odbierając mu słoiczek. — Uśmierzają ból. — Wysypała dwie małe czarne tabletki na dłoń, połknęła je i popiła żytniówką.

— Nie przyszedłem tutaj, żeby zabrać cię do domu — powtórzył Sean. — Donnie i tak by na to nie pozwolił.

Kelly wyciągnęła się na łóżku i zamknęła oczy.

— Więc o co ci chodzi?

— Spójrz na mnie. Przyszedłem ci powiedzieć, że kiedy będziesz w potrzebie, zrobię dla ciebie wszystko, co w mojej mocy.

Kelly roześmiała się i odchyliła do tyłu głowę na poduszce.

— Jesteś dużym dzieckiem — mruknęła. — Zawsze nim byłeś, Seanie O'Rourke'u. — Dotknęła jego dłoni i znowu zamknęła oczy. — Idź już i daj mi się zdrzemnąć. Jestem zmęczona. Sen mnie odświeży. — Chwilę później jej ciało zwiotczało i zasnęła.

— Kelly — powiedział, a kiedy nie odpowiedziała, dotknął jej szyi i poczuł regularny puls pod opuszkami palców. — Kelly — powtórzył, nie zwracając się do nikogo. — Wyjął jedną tabletkę z plastikowego słoiczka, obejrzał ją i odłożył z powrotem. Na słoiczku nie było żadnej nalepki. Odgarnął włosy Kelly do góry i zobaczył, że szrama biegnie prawie do czubka głowy. Była pokryta strupem i brzydka, ale nie wydawała się głęboka. Podciągnął jej koc do brody, ściągnął buty z nóg i postawił je przy łóżku. Wychodząc z mieszkania, sprawdził, czy drzwi dobrze się zatrzasnęły.

Na ulicy wiał porywisty wiatr od Hudson. Sean podniósł kołnierz marynarki i ruszył szybko do swojego domu, gdzie pchnął łokciem frontowe drzwi i wspiął się po schodach do mieszkania. Matka siedziała w kuchni przy stole, oglądając komiksy w „The New York American". Zawsze była kruchą kobietą, ale z wiekiem bardzo zmizerniała i zwłaszcza jej szyja robiła nieprzyjemne wrażenie: sama skóra i ścięgna jak u kurczaka. Jednak kiedy oglądała komiks, na jej ustach pojawił się uśmiech, a w oczach zapłonęły dawne ogniki.

187

Ojciec Seana zaszył się prawdopodobnie gdzieś z butelką whiskey i szklaneczką w ręce.

— Gdzie są chłopcy, mamo? — zapytał Sean.

Pani O'Rourke uniosła wzrok znad gazety.

— Krazy Kat — powiedziała, wyjaśniając, co ją tak bawi. — Chłopcy są na dachu — odparła. — Robią coś z tymi głupimi ptakami. Dobrze się czujesz, Sean? Masz niewyraźną minę.

— Nie. Wszystko jest w porządku — mruknął, po czym wziął ją za ramiona i pocałował w policzek. — Poszedłem odwiedzić Kelly.

— Aha. I jak ona się czuje?

— Za dużo pije.

— Oczywiście — odparła matka i pochyliła się z powrotem nad komiksem, jakby temat uważała za wyczerpany.

Na dachu zastał Williego i Donniego, którzy siedzieli na beli słomy przy gołębniku. Jego dno, pod skleconą z drutu i desek siatką, wypełnione było świeżą słomą. Donnie i Willie siedzieli obok siebie, paląc i lustrując wzrokiem dachy. Wiatr targał im włosy i szarpał kołnierze marynarek. Sean usiadł naprzeciwko nich na krawędzi dachu.

— I co? Załatwiliście go? — zapytał.

— Sukinsyn miał szczęście — powiedział Donnie. — Wrócił z całą swoją cholerną bandą.

— Nafaszerowałem kilku z nich ołowiem — pochwalił się Willie.

— Co się stało? — zapytał Sean. — Użyliście broni?

— Twój brat jest cholernym świrem. — Donnie wskazał podbródkiem Williego.

— Straciłem trochę nad sobą panowanie — mruknął, szczerząc zęby, Willie.

— Schodziliśmy już z dachu, kiedy twój szurnięty brat powiedział, żebym mu dał pistolet. Więc dałem mu go i nim się zorientowałem, zabawił się w pieprzonego kowboja.

— Chciałem zabić tego sukinsyna — stwierdził Willie.

— I trafiłeś go? — zapytał Sean.

Willie pokręcił głową i zaciągnął się głęboko papierosem.

— Widziałem, jak wybiegł za nami na dach. Byłem już na sąsiednim dachu i schodziłem po schodach przeciwpożarowych, ale trudno nie dostrzec takiego dużego faceta. Jestem pewien, że to był on — powiedział do Donniego.

— To fatalnie — mruknął Sean.

— Trafiłem co najmniej dwóch — dodał Willie. — Słyszałem, jak jęczeli i padali na ziemię.

— Myślisz, że ich zabiłeś?

— Mam taką nadzieję. — Willie zgasił papierosa i rozdeptał go czubkiem buta. — Nienawidzę tych makaroniarzy, wszystkich co do jednego.

— I co teraz? — Sean wyjął pistolet z kieszeni marynarki i położył go obok siebie na krawędzi dachu. — Luca dobierze się nam do skóry?

— Nie. Na razie nie — odparł Willie. — Byłem w półmroku i naciągnąłem czapkę na czoło. Luca nie wie, kto go napadł.

— Na razie nie? — powtórzył Sean i pochylił się niżej, chroniąc się przed wiatrem.

Donnie wstał i usiadł obok Seana, naprzeciwko Williego.

— To fatalnie, że go nie trafiliśmy — powiedział. — Teraz wszystko będzie trudniejsze.

— Mam to w dupie — mruknął Willie.

— Spróbujecie znowu go załatwić? — zapytał Sean.

— Albo my, albo on, Sean — odrzekł Donnie, po czym odwrócił i spojrzał na ulicę, na której jakiś samochód trąbił na furgon ze śmieciami. — Są z nami Pete Murray i bracia Donnelly — powiedział, nadal patrząc na ulicę. — Są z nami Mały Stevie i Corr Gibson — dodał, biorąc do ręki pistolet Seana i dokładnie mu się przyglądając. — Makaroniarze przekonają się, że nie mogą nas traktować jak śmieci... i pierwszy przekona się o tym Luca Brasi — zakończył, oddając Seanowi pistolet.

Sean włożył go do kieszeni marynarki.

— Jestem z wami — oznajmił. — Ten sukinsyn Brasi musi zginąć.

Donnie zapalił kolejnego papierosa, odwracając się plecami do wiatru i osłaniając dłonią zapałkę. Willie i Sean też wyciągnęli papierosy i zapalili je od niego, a potem siedzieli obok siebie, każdy zatopiony we własnych myślach, a wiatr świstał i pojękiwał dokoła.

9

Tomasino Cinquemani zjeżdżał windą ze swego mieszkania na środkowym Manhattanie, stojąc na szeroko rozstawionych nogach, z rękoma skrzyżowanymi na piersi,
jakby blokował komuś drogę. Po jego bokach stali naprzeciwko siebie Nicky Crea i Jimmy Grizzeo. Było wcześnie i obaj robili wrażenie zaspanych. Grizz nasunął kapelusz
na czoło i wyglądał, jakby uciął sobie krótką drzemkę. Nicky
prawą rękę trzymał w kieszeni marynarki, a w lewej miał
brązową papierową torbę. Tomasino utkwił oczy w oszklonych drzwiach windy i przesuwających się za nimi ścianach
mijanych przez nich pięter. Czwarty mężczyzna w windzie
siedział na stołku przy tablicy z przyciskami i miał na sobie
uniform z rzędami guzików w kształcie litery V i przymały
cylinder, w którym wyglądał jak małpa kataryniarza. Był
chłopakiem o oczach zmęczonego starca i robił, co mógł, by
sprawiać wrażenie niewidzialnego. Kiedy winda dojechała
na parter, zatrzymał ją i otworzył jedne i drugie drzwi.
Tomasino wyszedł pierwszy, drugi był Grizz. Nicky wcisnął

dwadzieścia pięć centów w dłoń windziarza i chłopak mu podziękował.

Miasto tętniło życiem. Jezdnią pędziły samochody i taksówki, chodnikami walił tłum ludzi. Tomasino mieszkał na środkowym Manhattanie, na dwudziestym ósmym piętrze wysokościowca. Czuł się bezpieczniej pośród ludzi, w mieszkaniu, do którego nikt nie mógł się wspiąć po schodach przeciwpożarowych, żeby wpakować mu kulkę między oczy. Lubił ruch i nie przeszkadzał mu hałas — ale musiał zawsze wysyłać kogoś na dolny Manhattan po porządne kiełbaski albo ciastka i to było uciążliwe. Zaraz po wyjściu na ulicę Grizz pobiegł do pobliskiego baru i teraz wrócił z kawą, którą podał Nicky'emu i Tomasinowi.

— Wrzuciłeś do mojej trzy kostki cukru? — zapytał Tomasino.

— Kazałem to zrobić tej dziwce.

Tomasino pokiwał głową i wziął w obie dłonie filiżankę, która w jego potężnych łapskach wyglądała jak zabawka.

— Daj mi jedno ciastko — powiedział do Nicky'ego.

Ten wyjął z brązowej torby ciastko w kształcie rożka, podał mu je, po czym wszyscy trzej stanęli plecami do ściany i popijając kawę, czekali na kierowcę, Vica Piazzę, który tuż przed ich wyjściem z mieszkania zadzwonił, że ma problemy z samochodem i kilka minut się spóźni.

— Skąd wziąłeś te *sfogliatell'*? — zapytał Tomasino, trzymając ciastko przed sobą i badając warstwy łuszczącego się lukru. — Są rozpaciane. Nie znoszę, kiedy są rozpaciane.

— Kupiłem na Mott Street — odparł Grizz.

— Gdzie dokładnie na Mott Street?

Grizz zsunął kapelusz na tył głowy.

— Nie wiem, kurwa, gdzie dokładnie. W jakiejś cukierni na Mott Street.

— Uważaj, Grizz — mruknął Tomasino, odwracając się do chłopaka. — Wiesz, do kogo mówisz?

Grizz rozłożył w przepraszającym geście ręce.

— Jest wcześnie, Tommy. Rano jestem upierdliwy, wiem. Przepraszam.

Tomasino roześmiał się i poklepał Grizza po ramieniu.

— Lubię cię — powiedział. — Dobry z ciebie chłopak. Następnym razem ty kupisz *sfogliatell'* — zwrócił się do Nicky'ego. — Kupisz je u Patty przy Ainslie Street w Williamsburgu. Najlepsze *sfogliatell'* w mieście. Gdzie, do diabła, jest Vic? — zapytał, wskazując filiżanką ulicę. — Powiedział, że co nawaliło w samochodzie?

— Gaźnik — odparł Grizz. — Powiedział, że to zajmie tylko kilka minut.

— Nie podoba mi się to. — Tomasino zerknął na zegarek. — W takich momentach... — zaczął i nie dokończył myśli. Był jakieś dwadzieścia pięć lat starszy i kilka centymetrów wyższy od Nicky'ego i Grizza. — W takich momentach — podjął, zwracając się do swoich przybocznych — człowiek zaczyna rozglądać się na boki. Rozumiecie, o co mi chodzi?

Nicky pokiwał głową, a Grizz upił łyk kawy. Obaj robili wrażenie znudzonych.

— Powtórzcie, co jest nie tak z samochodem? — zapytał Tomasino.

— Gaźnik.

Tomasino przez minutę się nad tym zastanawiał. Zerknął ponownie na zegarek.

— Ilu mamy tam chłopaków? — zapytał Nicky'ego.

— Czterech na sali. Dwóch przy barze, dwóch w lożach. Carmine i Fio będą na zewnątrz w swoich samochodach, niewidoczni, ale w pobliżu.

— I nie ma szansy, żeby Luca ich rozpoznał?

— Najmniejszej — odparł Nicky. — Carmine ściągnął jakichś zbirów z Jersey. Luca nie może ich znać.

— Wszyscy wiedzą, co mają robić?

— Oczywiście. Zrobiliśmy wszystko tak, jak mówiłeś.

— Ten durny sukinsyn nadal uważa, że to my próbowaliśmy go sprzątnąć. Gdybym chciał ukatrupić Lucę, byłby trupem, powiedziałem temu jego facetowi, Hooksowi.

— I nadal myśli, że to nasza sprawka? — zapytał Grizz.

Tomasino dopił do końca kawę.

— Uwierzyłby nam bardziej, gdybym mógł mu powiedzieć, kto to był — mruknął.

— W dalszym ciągu nie mamy na ten temat cynku? — zapytał Grizz.

— Sukinsyn ma masę wrogów — odparł Tomasino. — To mógł być każdy. Ci ludzie w restauracji mają chyba dość ikry, żeby w razie czego posłać parę kulek? — zapytał, zmieniając temat. — Bo jeśli Brasi nadal myśli, że to my próbowaliśmy go załatwić... — podjął, nie czekając na odpowiedź.

— Tommy, kocham cię jak własnego ojca — mruknął Grizz — ale za bardzo się wszystkim przejmujesz.

Tomasino spiorunował go wzrokiem, po czym uśmiechnął się i roześmiał.

— Gdzie, do diabła, jest Vic? — powtórzył. — Jeśli nie pojawi się w ciągu minuty, wszystko odwołuję.

— Już jest — powiedział Nicky, pokazując czarnego buicka, który właśnie wyjechał zza rogu.

Tomasino stał z rękoma skrzyżowanymi na piersi. Nicky i Grizz wsiedli z tyłu, a Vic wyskoczył na zewnątrz, obiegł samochód i otworzył drzwi przed szefem.

— Pierdolony gaźnik — mruknął. Był chudym przystojnym chłopakiem z zaczesanymi do tyłu blond włosami. Skończył już dwadzieścia lat, ale wciąż wyglądał jak piętnastolatek. — Musiałem go przedmuchać, a potem zgubiłem jedną z tych cholernych śrub... — Nagle umilkł, widząc, że Tomasina nie interesują szczegóły. — Słuchaj, Tommy, przepraszam. Powinienem wstać wcześniej i upewnić się, że nie będzie żadnych kłopotów.

— Zgadza się — potwierdził Tomasino, siadając w fotelu obok kierowcy.

— Przepraszam, Tommy — powtórzył Vic, kiedy już obiegł z powrotem samochód i usiadł za kierownicą.

— Dobry z ciebie chłopak, Vic, ale pamiętaj, żeby to się nie powtórzyło — oświadczył Tomasino. — Daj mi jeszcze jedno ciastko — zwrócił się do Nicky'ego. — Chcesz *sfogliatell*'? — zapytał Vica.

— Nie. Nie jem tak wcześnie. Aż do popołudnia nie ciągnie mnie do żarcia.

— Ja mam tak samo — mruknął z tylnego siedzenia Grizz.

Tomasino zerknął na zegarek.

— Wiesz, dokąd jedziemy? — zapytał Vica.

— Tak, oczywiście — odparł chłopak. — Mam całą trasę wykutą na pamięć. Będziemy tam za dziesięć minut.

— To dobrze. — Tomasino nachylił się do niego tak blisko, że Vic machinalnie się odsunął.

— O co chodzi? — zapytał.

— Pocisz się — powiedział Tomasino. — Dlaczego tak się pocisz, Vic? Nikt inny się nie poci.

— Bał się, że kropniesz go za spóźnienie — rzucił z tylnego siedzenia Nicky.

— Hej, nigdy dotąd się nie spóźniłem, tak? Traktuję swoją pracę profesjonalnie. Kiedy mam się spóźnić, denerwuję się.

— Zapomnij o tym. — Tomasino poklepał go po ramieniu. — Dobry z ciebie chłopak — dodał. — Lubię cię.

Grizz pochylił się do przodu. Chudy, z okrągłą anielską buźką, miał na głowie zsunięty do tyłu szary kapelusz z czarną wstążką.

— Po co jedziesz tą drogą? — zapytał Vica. Jechali powoli cichą boczną uliczką. — Czy nie byłoby szybciej...

Zanim Grizz zdążył zadać do końca pytanie, Vic podjechał do krawężnika i wyskoczył z auta. Z klatki schodowej pobliskiego domu wybiegł Luca Brasi ze swoimi ludźmi i nim ktokolwiek w samochodzie zdał sobie sprawę, co się dzieje, wycelował z pistoletu w głowę Tomasina.

— Bez wygłupów — uprzedził wszystkich. — Nie chcę cię zabić — poinformował Tomasina.

Ten wyjął rękę z kieszeni.

Kiedy Hooks i JoJo usiedli z tyłu i odebrali broń Grizzowi i Nicky'emu, Luca wślizgnął się do przodu, wyciągnął pistolet z kabury pod pachą Tomasina i podał go JoJowi. Vic, który obserwował to wszystko z klatki schodowej, usiadł z powrotem za kierownicą, zawrócił i ruszył na południe.

— Dokąd jedziemy? — zapytał Tomasino.

— Do Chelsea Piers — odparł Luca. — Znajdziemy jakieś spokojne miejsce, gdzie będziemy mogli uciąć sobie tę pogawędkę, na której wam zależało.

— *V'fancul'* — parsknął Tomasino. — Nie możemy porozmawiać jak cywilizowani ludzie przy filiżance kawy?

— Kto jest tutaj cywilizowany? — odparł Luca. — Zawsze traktowałeś mnie jak wielką głupią przebraną małpę, Tommy. Nadal wyrywasz ludziom zęby?

— Kiedy jest taka potrzeba. — Tomasino skrzyżował ręce na brzuchu i obrócił się na siedzeniu, żeby mieć przed sobą przednią szybę. Luca siedział między nim i Vikiem. — Nigdy nie sądziłem, że jesteś taki głupi, Vic — powiedział, wpatrując się prosto przed siebie.

— Nie możesz winić chłopaka — stwierdził Luca, po czym wsunął pistolet do kabury pod pachą i objął ramieniem Vica. — Dwaj moi ludzie związali obu jego braci w domu jego dziewczyny... a mimo to chłopak kazał dać mi słowo, że cię nie ukatrupię.

Tomasino skrzywił się z niesmakiem i nadal wbijał wzrok w przednią szybę.

Po policzkach Vica płynęły łzy.

— No i popatrz — mruknął Luca. — Chłopak się popłakał.

— Przestrzelił kolano mojemu bratu — załkał Vic. — Powiedział, że następną kulę wpakuje mu w głowę.

— Ale zgodziłeś się współpracować, tak czy nie? — odparł Luca.

Tomasino podniósł niedojedzone ciastko, które spadło mu na kolana.

— Nie będzie ci przeszkadzało, jeśli to zjem? — zapytał, pokazując je Luce.

— Proszę bardzo.

— To nie my próbowaliśmy cię sprzątnąć — oznajmił Tomasino z pełnymi ustami. — Jeśli tak właśnie myślisz, to się mylisz.

— Ktoś próbował mnie sprzątnąć? — zdziwił się Luca. — O czym ty mówisz, Tommy? Wydawało mi się, że spotykamy się, żeby podyskutować o tym, że kupuję i sprzedaję gorzałę Joego.

— Wszyscy wiedzą, że ktoś do ciebie strzelał, Luca — mruknął Tomasino. — Powiedziałem to twojemu chłopakowi.

— Ale to nie byliście wy?

— To nie byłem ani ja, ani Joe, ani nikt, z kim mamy cokolwiek wspólnego.

— Ale wiecie, kto to jest?

— Nie — odparł Tomasino. Skończył swoje ciastko i strząsnął okruszki z marynarki. — Nie to miałem na myśli. Nie wiemy, kto to był, i nie dotarły do nas na razie żadne informacje.

Luca spojrzał na tylne siedzenie.

— Siemasz, Grizz! Co u ciebie? — zapytał. — Ty też nie wiesz, kto próbował mnie sprzątnąć, zgadza się? — zapytał, kiedy tamten się nie odezwał.

— Nie mam pojęcia — odparł Grizz. — Tak jak mówił Tommy, wiem tylko, że to nie my.

— Tak, jasne — mruknął Luca, jakby nie wierzył Grizzowi, ale nie miało to dla niego znaczenia. Byli już niedaleko rzeki, przy nabrzeżu Chelsea. — Skręć tam — powiedział Luca, wskazując uliczkę między dwoma magazynami.

Vic dojechał do samego brzegu, zatrzymał samochód przy rzędzie pustych pochylni i spojrzał na Lucę, czekając na dalsze instrukcje.

— No dobrze — mruknął tamten. — Wszycy wysiadają.

— Dlaczego nie możemy pogadać tu, gdzie siedzimy? — zapytał Tomasino.

— Na dworze jest pięknie — odparł Luca. — Pooddychamy świeżym powietrzem. — Wyciągnął pistolet z kabury i wycelował mu w twarz. — Moim zdaniem powinniśmy porozmawiać przy brzegu.

Tomasino potrząsnął z niesmakiem głową i wysiadł z samochodu.

Z tyłu wysiedli Hooks, a w ślad za nim JoJo, trzymając w obu dłoniach pistolety. Ustawili Tomasina i jego ludzi plecami do wody.

— A ty na co czekasz? — powiedział Luca do Vica, który opierał się o przedni błotnik buicka. — Stawaj razem z innymi.

— Oczywiście — odparł chłopak i stanął w rzędzie obok Nicky'ego.

— *Sfaccim!* — zaklął Tomasino. — Zabij mnie, to Joe pogrzebie cię żywcem. Zabije was wszystkich i będzie to robił powoli. I za co, ty głupi sukinsynu? To nie byliśmy my. Nie mamy nic wspólnego z próbą zabicia cię. Powiedziałem twojemu chłopakowi: gdybyśmy chcieli cię ukatrupić, byłbyś trupem.

— Jezu — mruknął Luca. — Odpręż się, Tommy. Nie mam zamiaru cię zabić.

— Więc dlaczego kazałaś nam się tak ustawić?

Luca wzruszył ramionami.

— Chciałeś ze mną porozmawiać. Więc rozmawiaj.

Tomasino był wyraźnie zbity z tropu. Spojrzał na swoich ludzi, a potem na Lucę.

— Nie można rozmawiać w takich warunkach.

— Być może — odparł Luca — ale nie masz innego wyjścia. Więc rozmawiaj.

Tomasino spojrzał ponownie na swoich ludzi, jakby się o nich martwił.

— To nie jest wielki problem — powiedział do Luki. — Joe nie będzie się wściekał o kilka dostaw. Ale to nie w porządku i sam o tym wiesz. Chcemy wiedzieć, kto nas okrada. Nie mamy nic do ciebie. Jesteś biznesmenem. Rozumiemy to. Ale chcemy dorwać sukinsynów, którzy nas okradają, i chcemy, żebyś nam ich ujawnił. W tym momencie nie chodzi o pieniądze. Chodzi o szacunek.

Luca wysłuchał go i zrobił taką minę, jakby zastanawiał się nad jego żądaniem.

— Nie wydam wam ich — oświadczył po chwili. — Tak się z nimi umówiłem. Sprzedaję gorzałę odbiorcom i nie mówię, skąd ją mam.

— Luca — podjął Tommy i ponownie spojrzał na swoich ludzi. — Czy ty wiesz, z kim masz do czynienia? Chcesz zadrzeć z Giuseppem Mariposą, braćmi Barzini, ze mną, z Frankiem Pentangelim, braćmi Rosato i całą resztą? Rozumiesz, że mówimy o dużej organizacji, która staje się jeszcze większa?

— Masz na myśli LaContiego — wtrącił Luca.

— Tak, LaContiego. W ciągu kilku dni przejmiemy całą jego organizację. Rozumiesz, co to znaczy? Rozumiesz, że mówimy o setkach ludzi? A ty co masz? Czterech, pięciu facetów, nie licząc ciebie? Nie bądź głupi, Luca. Przekaż nam tych klaunów, którzy nas okradają, i będziemy kwita. Zapomnę nawet o tym dzisiejszym idiotyzmie. Daję ci słowo, że nie będziemy nastawali na ciebie i na twoich ludzi.

Luca dał krok do tyłu i spojrzał na wodę. Nad nabrzeżem fruwały i skrzeczały mewy. Niebo nad szarą wodą było błękitne z kilkoma białymi chmurkami.

— W porządku — mruknął. — To jest twoja wiadomość? To chciałeś mi powiedzieć?

— Zgadza się — odparł Tomasino. — Właśnie to.

— A to jest moja odpowiedź, którą przekażesz Joemu. — Luca patrzył na chmury i wodę, jakby się nad czymś zastanawiał. — Jeśli tu obecny dentysta się poruszy — zwrócił się do Hooksa — wpakuj mu kulkę w głowę. Ty też uważaj — polecił JoJowi. — Jeśli któryś się poruszy, zastrzel go.

— Jezu Chryste, Luca... — jęknął Tomasino.

Zanim zdążył powiedzieć coś więcej, Luca strzelił Grizzowi prosto w głowę, między oczy. Ręce chłopaka zatrzepotały w powietrzu, jego ciało runęło z nabrzeża. Sekundę później wpadł do wody i natychmiast zatonął. Na powierzchni został tylko jego kapelusz.

Tomasino pobladł. Kierowca Vic zasłonił ręką oczy. Na twarzy Nicky'ego nie malowały się żadne uczucia, ale rzęził przy każdym oddechu.

— Powiedz Giuseppemu Mariposie, że nie jestem człowiekiem, którego można lekceważyć. Powiedz mu, że jeśli odkryję, że to on próbował mnie sprzątnąć, zabiję go. Myślisz, że zdołasz przekazać mu ode mnie tę wiadomość, Tommy?

— Jasne — odparł schrypniętym głosem Tomasino. — Mogę to zrobić.

— To dobrze — stwierdził Luca i wycelował z pistoletu do Vica. Chłopak spojrzał na niego i uśmiechnął się. Nadal się uśmiechając, zdjął kapelusz, przeczesał palcami włosy i w tym samym momencie Luca pociągnął za spust. Strzelił do niego jeszcze trzy razy, zanim Vic zniknął pod wodą.

— Po co to robisz, Luca? — zapytał Tomasino, przerywając ciszę, która zapadła po strzałach. Jego głos był słaby i delikatny jak u dziewczyny. — Co z tobą jest nie tak?

— Grizz stanowił część mojej wiadomości dla Joego — wyjaśnił Luca. — Żeby dobrze zrozumiał, z kim ma do czynienia. A ten dzieciak Vic? Zaoszczędziłem wam po prostu kłopotu. I tak byście go zabili, tak?

— Skończyłeś? — zapytał Tomasino. — Bo jeśli masz zamiar zabić mnie i Nicky'ego, załatwmy to szybko.

— Nie. Powiedziałem chłopakowi, że cię nie zabiję, a ja dotrzymuję słowa.

Rzężenie Nicky'ego stało się coraz głośniejsze.

— Masz astmę czy coś w tym rodzaju, Nicky? — zapytał go Luca.

Nicky pokręcił głową, zakrył dłonią usta, padł na kolana i zwymiotował przez palce.

— Skończyłeś? — zapytał ponownie Tomasino.

— Jeszcze nie — odparł Luca, po czym złapał go za gardło, obrócił i uderzył szybko dwa razy w twarz kolbą pistoletu. Padając, Tomasino uderzył głową o błotnik buicka. Z nosa i z przeciętej skóry pod okiem popłynęła krew. Spojrzał pustym wzrokiem na Lucę, wyciągnął z kieszeni chusteczkę i przycisnął ją do nosa.

— Zastanawiałem się, czy nie wyrwać ci kilku zębów, ale doszedłem do wniosku, że to twoja specjalność — oznajmił

Luca. Rozpiął rozporek, wysikał się do wody na oczach wpatrującego się weń Tomasina, a potem zapiął się i dał znak JoJowi i Hooksowi, żeby wsiedli do samochodu.

— Nie zapomnij przekazać mojej wiadomości — powiedział do Tomasina, ruszając w stronę buicka. — Wiesz co? — mruknął nagle i zatrzymał się, jakby zmienił zdanie.

Podszedł do nadal klęczącego Nicky'ego, uderzył go z całej siły w głowę pistoletem, po czym podniósł nieprzytomnego chłopaka i wrzucił go do bagażnika buicka. Następnie usiadł obok kierowcy i odjechał powoli ze swoimi ludźmi.

10

Vito zredukował bieg i ośmiocylindrowy silnik wielkiego essexa zaprotestował głośno, a potem znowu zaczął równomiernie pracować. Jechali przez Queens i właśnie skręcili z Francis Lewis Boulevard, zmierzając do kompleksu na Long Island, gdzie miał się odbyć rodzinny piknik. Obok Vita siedziała Carmella, trzymając na kolanach Connie i bawiąc się z nią w koci, koci, łapci. Za Carmellą siedział przy oknie Sonny, z rękoma na kolanach, wystukując palcami rytm melodii, którą słyszał tylko on. Michael, Fredo i Tom jechali z tyłu. Fredo przestał w końcu zadawać pytania, za co Vito dziękował losowi. Essex był środkowym pojazdem w konwoju. Jako pierwszy, czarnym packardem, jechał z kilkoma swoimi ludźmi Tessio, jako trzeci Genco starym nashem z wystającymi reflektorami. Gencowi towarzyszył Al Hats i kolejny z ludzi Tessia, Eddie Veltri, który siedział za kierownicą. Vito miał na sobie spodnie khaki i niebieską koszulę z szerokim kołnierzykiem, na którą włożył żółty sweter. Ubiór był odpowiedni na piknik, lecz mimo to czuł się nieswojo, jakby grał rolę bogatego próżniaka.

Wyruszyli wcześnie, przed dziesiątą rano. Dzień był idealny na wypad za miasto, niebo bezchmurne, pogoda przyjemna. Vito nie mógł jednak przestać myśleć o sprawach zawodowych. Luca Brasi sprzątnął dwóch ludzi Cinquemaniego, o trzecim, Nickym Crei, od kilku dni nie było żadnych wiadomości. Vito nie miał pojęcia, jak to się odbije na jego interesach i Rodzinie, podejrzewał jednak, że wkrótce się przekona. Mariposa zażądał, by rozmówił się z Brasim; Vito nie zrobił tego, a teraz taki klops. Nie wiedział, dlaczego Mariposa miałby go za to obwiniać, ale Giuseppe był głupcem, więc Vito nie wykluczał takiej możliwości. Zdawał sobie sprawę, że konfrontacja z Mariposą jest tylko kwestią czasu. Miał pewne pomysły i rozważał pewne możliwości i wszystko to zaprzątało jego umysł, kiedy jechał za Tessiem. Liczył, że przeprowadzi się do kompleksu na Long Island, zanim zaczną się kłopoty, ale budowa trwała wolniej, niż mu obiecano. Na razie miał nadzieję, że Mariposę i jego *capos* przez jakiś czas będzie jeszcze absorbowała sprawa Rosaria LaContiego.

— To tutaj? — zapytał Fredo.

Vito skręcił właśnie w prowadzący do posiadłości długi podjazd. Z rosnących po obu stronach drzew spadały złociste i czerwone liście.

— Popatrz na te drzewa! — zawołał Fredo.

— To właśnie widuje się na wsi, Fredo: drzewa — oznajmił Michael.

— Och, zamknij się, słyszysz, Mikey? — odparł Fredo.

— Uspokójcie się obaj — mruknął Sonny, odwracając się do tyłu.

— Czy to ten mur? — zapytał Fredo, otwierając okno. — Taki mur jak w zamku, o którym mówiłaś, mamo?

— Zgadza się — odparła Carmella. — Widzisz? Taki mur jak w zamku — powiedziała do Connie.

— Tyle że ma luki — stwierdził Michael.

— Bo nie jest jeszcze skończony — wyjaśnił Tom.

Vito zatrzymał samochód za packardem, a Eddie zaparkował za nimi. Przy bramie — a właściwie w miejscu, gdzie miała być brama, kiedy prace dobiegną końca — stał Clemenza. Opierał się o błotnik swojego auta obok Richiego Gatta, który trzymał pod pachą gazetę. Clemenza, sprawiający w sportowym ubraniu wrażenie jeszcze bardziej zwalistego niż zwykle, i w odróżnieniu od Richiego muskularnie zbudowany, popijał kawę z kubka. Sonny i chłopcy wyskoczyli z essexa, kiedy tylko się zatrzymał, ale Vito jeszcze przez dłuższą chwilę podziwiał kunszt, z jakim wzniesiono otaczający całą posiadłość kamienny mur, który miejscami był wysoki nawet na trzy metry. Mur zbudowali bracia Giulianos, z rodziny, która od stuleci pracowała w kamieniu. Skomplikowana konstrukcja zwieńczona była betonowym parapetem ozdobionym szpicami z kutego żelaza. Carmella, która nadal siedziała obok Vita z małą Connie, położyła dłoń na jego dłoni i cmoknęła go szybko w policzek. Vito poklepał ją po ręce.

— Idź — powiedział. — Idź się rozejrzeć.

— Wezmę tylko kosz piknikowy — odparła i podeszła do bagażnika.

Kiedy Vito wysiadł z samochodu, Tessio podszedł do niego i położył mu rękę na ramieniu.

— To będzie coś nadzwyczajnego — powiedział, wskazując bramę i całą posiadłość.

— Pilnuj mojej rodziny, *per favore*, przyjacielu — odparł

Vito i pokazał niedokończony mur. — Takie są nasze interesy — dodał, mając na myśli, że w tym biznesie człowiek nigdy nie może się czuć całkowicie bezpieczny.

— Oczywiście — mruknął Tessio i podążył w ślad za Sonnym i chłopcami.

Clemenza z pewnym wysiłkiem oderwał się od błotnika samochodu.

— Dlaczego nie podoba mi się wyraz twojej twarzy? — zapytał go Vito.

— Ech... mruknął Clemenza, po czym dał znak Richiemu, żeby pokazał gazetę.

— Zaczekajcie — polecił Vito, widząc, że podchodzi do nich Carmella. Ubrana w długą kwiecistą suknię z obszytym falbankami kołnierzykiem, na jednej ręce trzymała Connie, a w drugiej niosła mały koszyk. Opadające jej na ramiona włosy zaczynały już siwieć.

— Zmieściły się tam wiktuały dla nas wszystkich? — zdziwił się Vito.

Carmella uśmiechnęła się i pokazała mu koszyk, w którym przeszmuglowała ich domowego kota, Dolce. Vito wyjął go z koszyka, przycisnął do piersi i pogłaskał po głowie. Uśmiechnąwszy się do żony, pokazał jej największy z pięciu domów, przy którym stali, rozmawiając, ludzie Tessia i Clemenzy. Synów Vita nie było nigdzie widać.

— Znajdź dzieci i pokaż im ich pokoje — powiedział i włożył kota z powrotem do koszyka.

— Dzisiaj żadnych interesów — poprosiła. — Dajcie mu odpocząć choć jeden dzień, dobrze? — zwróciła się do Clemenzy.

— Idź już. Za kilka minut do was dołączę — obiecał Vito.

Carmella zmierzyła surowym spojrzeniem Clemenzę i odeszła w ślad za dziećmi.

— I co piszą dzisiaj w „Daily News"? — zapytał Vito, kiedy nie mogła ich usłyszeć. Richie podał mu gazetę. Vito potrząsnął głową, widząc fotografię na pierwszej stronie. — *Mannagg'* — zaklął, przeczytawszy podpis. — „Niezidentyfikowana ofiara...".

— To Nicky Crea — wyjaśnił Clemenza. — Jeden z chłopaków Tomasina.

Na zdjęciu widać było chłopaka wciśniętego do kufra. Jego twarz była nietknięta, ale tors poprzeszywany kulami. Wyglądało to, jakby ktoś użył go w charakterze tarczy strzelniczej.

— Słyszałem, że Tomasino wpadł w szał — powiedział Clemenza.

Vito przyglądał się jeszcze przez chwilę zdjęciu. Kufer, do którego wsadzono trupa, miał popękane skórzane paski i ozdobny mosiężny zamek. Jakiś facet w marynarce i krawacie, który wyglądał na gapia, ale był prawdopodobnie policjantem, zaglądał do środka, jakby zaciekawiło go ułożenie ciała, to, jak wykręcone były kolana i niezdarnie złożone ręce. Kufer odnaleziono pod fontanną w Central Parku; wydawało się, że ustawiony na jej szczycie anioł pokazuje palcem zwłoki.

— Brasi przesyła wiadomość Mariposie — stwierdził Vito, oddając gazetę Richiemu.

— I cóż to za wiadomość? — obruszył się Clemenza. — Pospiesz się i zabij mnie? Ma pięciu ludzi przeciwko całej organizacji Mariposy. To szaleniec, Vito. Kolejny Coll „Wściekły Pies".

— Więc dlaczego jeszcze żyje? — zapytał Vito.

Clemenza zerknął na Genca, który szedł w ich stronę wraz z Eddiem Veltrim.

— Wczoraj wieczorem złożyli mi wizytę bracia Rosato — poinformował Vita. — Późnym wieczorem.

— Powiedział ci? — zapytał Genco, dołączając do kręgu.

— Richie, może pójdziecie razem z Eddiem i sprawdzicie domy — zaproponował Vito i kiedy Gatto i Veltri odeszli, dał znak Clemenzy, żeby kontynuował.

— Przyszli do mnie do domu, zapukali do frontowych drzwi.

— Do ciebie do domu? — Krew napłynęła do twarzy Vita.

— Przynieśli torbę *cannoli* prosto od Nazorine'a. — Clemenza roześmiał się. — „*V'fancul'!*", powiedziałem im. „Chcecie, żebym zaprosił was na kawę? Jest już po jedenastej!". A oni zaczęli nawijać o dawnych czasach, starych śmieciach, bla bla bla. Jest późno, chłopaki, mówię im. O co wam chodzi, jeśli nie macie zamiaru mnie zabić?

— I co? — zapytał Vito.

— O Lucę Brasiego — mruknął Genco.

— „Luca Brasi to bestia", oświadczył tuż przed wyjściem Tony Rosato" — podjął Clemenza. — „Jego postępowanie niszczy całą naszą społeczność. Ktoś musi się nim szybko zająć, w przeciwnym razie ucierpimy my wszyscy". I na tym koniec. Życzyli mi smacznego i poszli.

— Więc to my mamy zająć się Brasim? — zapytał Vito, zwracając się do Genca.

— LaConti ledwo zipie, ale jeszcze zipie. Z tego co słyszałem, Tomasino uważa teraz, że trzeba zlikwidować Lucę... podobno chce na nim poćwiczyć swoje umiejętności dentystyczne... ale bracia Barzini wolą skoncentrować się na LaContim. Cinquemani zrobi to, co mu każą. Poza tym, między nami mówiąc, uważam, że oni wszyscy boją się tego Brasiego. Na myśl o nim dostają dreszczy.

— Czy LaConti ma jeszcze jakieś szanse? — zapytał Vito. Genco wzruszył ramionami.

— Mam sporo szacunku dla Rosaria. Był w opałach już wcześniej, wszyscy postawili na nim krzyżyk, ale zawsze stawał na nogi.

— Nie — mruknął Clemenza. — Nie tym razem, Genco. Naprawdę. Jego *caporegimes* przeszli do Mariposy. Rosario został sam. Jego najstarszy syn nie żyje. Został mu drugi syn i kilku ludzi. To wszystko.

— Rosario wciąż ma swoje koneksje i powtarzam: dopóki nie gryzie ziemi, nie możemy go skreślać — upierał się Genco.

Clemenza podniósł oczy do nieba, jakby brakowało mu sił, żeby toczyć dalej ten spór.

— Posłuchaj mnie — powiedział do niego Genco. — Może rzeczywiście LaConti jest skończony i może po prostu nie chcę w to uwierzyć... ponieważ kiedy do tego dojdzie, kiedy Mariposa przejmie całą organizację LaContiego, my wszyscy zostaniemy połknięci albo zginiemy. Postąpią z nami tak, jak my teraz postępujemy z Irlandczykami.

— No dobrze — odezwał się Vito, kończąc ich spór. — W tym momencie naszym problemem jest Luca Brasi. Zorganizuj mi spotkanie z tym wściekłym psem — zwrócił się do Genca i podniósł palec, podkreślając wagę tego, co zamierza powiedzieć. — Tylko ja. Przekaż mu, że nikt nie będzie mi towarzyszył. Przekaż, że przyjdę sam, nieuzbrojony.

— *Che cazzo!* — zaklął Clemenza i rozejrzał się, żeby sprawdzić, czy ktoś go nie usłyszał. — Nie możesz iść bezbronny do Luki Brasiego, Vito — dodał, opanowując się. — *Madon'!* Co ty sobie wyobrażasz?

Vito podniósł rękę, uciszając go.

— Chcę się spotkać z tym *demone*, który zasiał lęk w sercu Mariposy — powiedział do Genca.

— W tej sprawie zgadzam się z Clemenzą — oświadczył tamten. — To zły pomysł, Vito. Nie chodzi się samemu i bez broni na spotkanie z człowiekiem pokroju Luki Brasiego.

Vito uśmiechnął się i rozłożył ręce, jakby chciał objąć obu swoich *capos*.

— Wy też boicie się tego *diavolo*? — zapytał.

— Vito... — powtórzył Clemenza i ponownie wzniósł oczy do nieba.

— Jak się nazywa ten sędzia w Westchester, który wcześniej był gliniarzem? — zapytał Vito, zwracając się do Genca.

— Dwyer.

— Poproś go, żeby wyświadczył mi przysługę i dowiedział się wszystkiego, co się da, o Luce Brasim. Zanim do niego pójdę, chcę wiedzieć o nim wszystko, co można wiedzieć.

— Skoro tego chcesz... — mruknął Genco.

— Dobrze. A teraz cieszmy się ładną pogodą. — Vito położył ręce na ramionach swoich *capos* i wprowadził ich przez bramę na teren posiadłości. — Piękna posiadłość, nieprawdaż? — zapytał, wskazując prawie wykończone domy Genca i Clemenzy.

— *Si* — odparł Genco. — *Bella.*

Clemenza roześmiał się i poklepał Vita po plecach.

— Dużo się zmieniło od czasów, kiedy kradliśmy ubrania z ciężarówek i sprzedawaliśmy je, chodząc po domach — powiedział.

Vito wzruszył ramionami.

— Nigdy nie robiłem czegoś takiego.

— Nie — zgodził się Genco. — Jeździłeś tylko ciężarówką.

— Ale ukradłeś kiedyś ze mną dywan, pamiętasz? — zapytał Clemenza.

Słysząc to, Vito roześmiał się. Ukradł z nim kiedyś dywan z domu bogatej rodziny — tyle że Clemenza twierdził, że dywan ma być podarunkiem, odpłatą za wcześniejszą przysługę, którą oddał im Vito, i nie wspomniał, że rodzina nie wie, że daje mu dywan w prezencie.

— Chodź — powiedział Vito do Clemenzy. — Obejrzymy najpierw twój dom.

Stojący przy bramie Richie Gatto zawołał go i odwracając się, Vito zobaczył, że obok niego stoi biała półtonowa furgonetka z wymalowanym na bokach i drzwiach czerwonym napisem *Naprawy pieców od ręki*. Dwaj siedzący w szoferce krzepcy mężczyźni w szarych kombinezonach patrzyli na Vita i sześciu innych mężczyzn kręcących się po posiadłości.

Gatto podbiegł do Vita.

— Ci dwaj twierdzą, że są z miasta — poinformował — i mają przeprowadzić inspekcję pieca w pańskim domu. Mówią, że inspekcja jest darmowa.

— W moim domu? — zapytał Vito.

— Nie umówili się wcześniej? Tak po prostu się pojawili? — zdziwił się Genco.

— To dwaj robole — wyjaśnił Richie. — Sprawdziłem ich. Nie będzie żadnych kłopotów.

Genco spojrzał na Clemenzę, który obmacał marynarkę Richiego, upewniając się, czy jest uzbrojony. Richie roześmiał się.

— Myślałeś, że zapomniałem, za co mi płacisz? — zapytał.

— Tylko sprawdzam — mruknął Clemenza. — A niech tam... — zwrócił się do Vita. — Niech skontrolują ten piec.

— Każ Eddiemu ich przypilnować — polecił Vito Richiemu. — Nie pozwól, żeby choć przez sekundę byli w domu sami, *capisc'*? — dodał, podnosząc palec.

— Jasne — odparł Gatto. — Nie spuszczę ich z oka.

— Dobrze — powiedział Vito, po czym objął Clemenzę i ruszył dalej w stronę jego domu.

Na podwórku za domem Vita, tam, gdzie nie widział ich ojciec, Michael i Fredo ćwiczyli rzucanie i łapanie piłeczki baseballowej. Trochę dalej Tessio rozmawiał z Sonnym, krzycząc co jakiś czas do chłopców i instruując ich, jak rzucać albo łapać piłkę. Przy tylnych drzwiach domu Connie bawiła się z Dolce: trzymała nad jego głową gałązkę, a on próbował zedrzeć z niej liście. W kuchni Tom znalazł się sam na sam z Carmellą, co nie zdarzało się zbyt często. W rodzinie Corleone w ogóle nie zdarzało się zbyt często, by ktoś znalazł się sam na sam z kimś drugim — w pobliżu zawsze przebywali jacyś krewni lub znajomi, pod nogami kręciły się dzieci. W kuchni nie było jeszcze żadnych urządzeń, ale Carmella pokazywała Tomowi, gdzie wszystko zostanie zamontowane.

— Tam — oświadczyła, unosząc brwi — będziemy mieli lodówkę. — Utkwiła oczy w Tomie, nie wiedząc, czy zdaje sobie sprawę z wagi jej słów. — Elektryczną lodówkę — dodała.

— To coś nadzwyczajnego, mamo — odparł, siadając okrakiem na jednym z dwóch rozchybotanych krzeseł, które zostawili robotnicy i które znalazł i przyniósł do kuchni.

Carmella złożyła razem dłonie i przyglądała mu się w milczeniu.

— Spójrz na siebie, Tom — powiedziała w końcu. — Jesteś już całkiem dorosły.

Tom wyprostował się na krześle i przyjrzał się sobie. Miał na sobie koszulę w stonowanym zielonym kolorze i biały sweter zarzucony na plecy i zawiązany z przodu. Na uniwersytecie spotykał młodych mężczyzn, którzy nosili w ten sposób swetry i starał się to robić przy każdej możliwej okazji.

— Ja? — zdziwił się. — Całkiem dorosły?

Carmella pochyliła się i uszczypnęła go w policzek.

— Mój student! — powiedziała, a potem usiadła na drugim krześle, westchnęła i omiotła wzrokiem kuchnię. — Elektryczna lodówka — szepnęła, jakby sama idea czegoś takiego wprawiała ją w osłupienie.

Tom obrócił się na krześle, by spojrzeć na znajdującą się za łukowatym przejściem dużą jadalnię. Na chwilę stanęło mu przed oczyma zagracone, zapuszczone mieszkanie, w którym mieszkał z rodzicami. Zupełnie znikąd pojawiło się wspomnienie jego siostry, małej dziewczynki ze sterczącymi na głowie włosami i brudnymi łydkami, grzebiącej w stosie ubrań na podłodze w poszukiwaniu czegoś czystego, co mogłaby włożyć.

— Co się dzieje? — zapytała Carmella tym swoim leciutko rozdrażnionym tonem, który wynikał wyłącznie z troski: jakby sama możliwość, że coś może być nie tak z którymś z jej dzieci, przyprawiała ją o irytację.

— Jak to?

— O czym myślisz? Masz taką dziwną minę! — Pogroziła mu palcem.

— Myślałem o mojej rodzinie — odparł. — Mojej biologicznej rodzinie — dodał szybko.

Carmella poklepała go po dłoni, dając do zrozumienia, że wie, o co mu chodzi. Nie musiał niczego wyjaśniać.

— Jestem taki wdzięczny tobie i tacie — powiedział.

— *Sta'zitt'!* — Carmella odwróciła wzrok, jakby słowa Toma wprawiały ją w zakłopotanie.

— Moja młodsza siostra nie chce mieć ze mną nic wspólnego — kontynuował Tom, sam zdziwiony tą nagłą wylewnością, jaką okazywał wobec mamy w kuchni nowego domu. — Odnalazłem ją ponad rok temu. Napisałem do niej, opowiedziałem o sobie. — Tom poprawił wiszący na ramionach sweter. — Odpisała, że nie chce o mnie więcej słyszeć.

— Dlaczego coś takiego napisała?

— Te lata, kiedy dorastaliśmy... — zaczął Tom. — Zanim wzięliście mnie do siebie. Ona chce o tym wszystkim zapomnieć, łącznie ze mną.

— Nie zapomni o tobie. Jesteście rodziną — powiedziała Carmella i dotknęła jego ramienia, ponownie dając do zrozumienia, żeby nie drążył tego tematu.

— Może rzeczywiście mnie nie zapomni — odparł Tom i roześmiał się — ale bardzo się stara. — Nie zdradził Carmelli, że jego siostra nie chciała mieć nic wspólnego z rodziną Corleone. To prawda, że pragnęła zapomnieć o przeszłości, ale nie chciała również mieć nic wspólnego z mafią, a tak właśnie nazwała jego rodzinę w swoim jedynym liście. — Jeśli chodzi o mojego tatę — podjął, nie mogąc zamilknąć — jego ojciec, Dieter Hagan, był Niemcem, ale jego matka, Cara Gallagher, Irlandką. Mój tato nienawidził swojego ojca... Nigdy nie spotkałem dziadka, ale często słyszałem, jak tato go przeklinał. Uwielbiał za to matkę, ale jej również nigdy nie spotkałem. Nie powinno więc dziwić, że kiedy się żenił, wybrał sobie za żonę Irlandkę. I kiedy wżenił się w irlandzką rodzinę — dodał z silnym irlandzkim akcentem — zaczął się zachowywać i mówić, jakby był Irlandczykiem od czasów druidów.

— Jakich czasów? — zapytała Carmella.

— Czasów druidów — wyjaśnił Tom. — To było takie starożytne irlandzkie plemię.

— Za dużo studiujesz! — zawołała Carmella i trzepnęła go po ramieniu.

— Taki był mój ojciec — podjął. — Henry Hagen. Gdziekolwiek się szwenda, na pewno jest w dalszym ciągu pijakiem i zdegenerowanym hazardzistą... i spodziewam się, że kiedy tylko dowie się, że wyszedłem na ludzi, pojawi się i zwróci do mnie o zapomogę.

— I co wtedy zrobisz, Tom? — zapytała Carmella. — Kiedy przyjdzie i poprosi cię o zapomogę?

— Henry Hagen? Gdyby się pojawił i poprosił mnie o pieniądze, uściskałbym go i dałbym pewnie ze dwadzieścia dolców. — Tom roześmiał się i poklepał rękawy swetra, jakby ten był żywą istotą, która wymaga pokrzepienia. — Nawet jeśli nie starał się o mnie zadbać, to przecież mnie spłodził — powiedział do Carmelli.

Jego śmiech zwabił Connie, która wbiegła do kuchni przez tylne drzwi, ściskając w chudych rączkach biednego Dolce, który wyglądał jak rozmoczony bochenek chleba.

— Co ty robisz, Connie?! — zawołała Carmella.

Tom odniósł wrażenie, że z ulgą powitała jej wtargnięcie.

— Chodź no tutaj — powiedział do dziewczynki groźnym głosem i kiedy rzuciła kota na podłogę i wybiegła z krzykiem na dwór, pocałował Carmellę w policzek i popędził za Connie.

. . .

Donnie podjechał swoim czarnym plymouthem pod samo skrzyżowanie i zgasił silnik. Trochę dalej, po drugiej stronie ulicy stali przy bielonych drzwiach dwaj mężczyźni. Ubrani w podniszczone skórzane kurtki i wełniane czapki, rozmawiali i palili papierosy, i czuli się chyba jak w domu w tej dzielnicy składów, warsztatów i przemysłowych zabudowań. Za nimi, zza następnego rogu wystawała maska należącego do Corra Gibsona de soto. W plymoucie razem z Donniem siedzieli Sean i Willie. Z Correm byli bracia Donnelly i Pete Murray. Kiedy zgodnie z harmonogramem obok plymoutha przeszedł Mały Stevie, Donnie zerknął na zegarek. Stevie obejrzał się i mrugnął, a potem nucąc *Happy Days Are Here Again*, wytoczył się zza rogu z wystającą z kieszeni marynarki, zawiniętą w brązowy papier butelką piwa Schaeffer.

— Nie wydaje wam się, że ten chłopak jest lekko szurnięty? — mruknął Willie.

— Ma obsesję na punkcie makaroniarzy — rzucił Sean, który siedział na tylnym siedzeniu, obracając bębenek rewolweru i sprawdzając kule.

— Postaraj się z tego nie strzelać, jeśli nie będziesz musiał — poradził mu Willie.

— I celuj — dodał Donnie. — Pamiętaj, co ci powiedziałem. Celuj, zanim strzelisz, i pociągaj za spust gładko i spokojnie.

— Och, na litość boską — parsknął Sean i odłożył broń na bok.

Stojący przy bielonych drzwiach faceci zauważyli Steviego i patrzyli, jak się do nich zbliża, nucąc i gubiąc co chwila krok. Za nimi z de soto wysiedli Pete Murray i Billy Donnelly. Dotelepawszy się do dwóch ubranych w skórzane kurtki facetów, Stevie wyciągnął papierosa i poprosił o ogień. Tamci odepchnęli go i kazali iść dalej. Stevie cofnął się o krok, podwinął rękawy marynarki i z pijackim animuszem zacisnął pięści. W tym samym momencie Pete i Billy podeszli z tyłu do dwóch facetów i ogłuszyli ich skarpetami z piachem. Jeden padł w ramiona Steviego, drugi runął na chodnik. Donnie wyjechał zza rogu i stanął przy krawężniku, a Stevie i Pete wciągnęli dwóch odzianych w skórę facetów do środka budynku. Chwilę później wszyscy stanęli u stóp długich sfatygowanych schodów z powyłamywanymi stopniami. Sprawdzili broń, w skład której wchodziły również dwa automaty i strzelba. Tę ostatnią trzymał Corr Gibson, pistolety maszynowe mieli bracia Donnelly.

— Ty zostań tutaj. — Donnie spojrzał na Seana. — Daj młodemu swoją skarpetę — zwrócił się do Billy'ego. Kiedy Billy wykonał polecenie, Donnie wskazał leżących na podłodze mężczyzn. — Jeśli odzyskają przytomność, trzepnij ich znowu — poinstruował Seana. — To samo, jeśli ktoś podejdzie do drzwi. Otwórz je i walnij go skarpetą.

— Ale lekko — zaznaczył Willie. — Jeśli uderzysz zbyt mocno, zabijesz biednych skurwysynów.

Przez chwilę wydawało się, że Sean ma zamiar zdzielić skarpetą Williego, ale w końcu schował ją do kieszeni.

— Gotowi? — zapytał Donnie pozostałych.

— Załatwmy to — powiedział Stevie i wszyscy mężczyźni wyciągnęli z kieszeni chusty i zakryli twarze. U szczytu schodów Donnie zapukał dwa razy w drzwi ze szczotkowanej stali, zaczekał, zapukał znowu dwa razy, zaczekał i zapukał trzy razy. Kiedy drzwi się otworzyły, pchnął je ramieniem i razem z pozostałymi wskoczył do środka.

— Nie ruszać się, kurwa! — wrzasnął. W obu rękach miał pistolety: z jednego celował w lewo, z drugiego prosto w głowę Hooksa Battaglii. Hooks stał przed czarną tablicą z kawałkiem kredy, którą trzymał delikatnie między kciukiem i palcem wskazującym. Poza Hooksem w pomieszczeniu było czterech mężczyzn: trzej siedzieli za biurkami, czwarty za kontuarem z plikiem banknotów w ręce. Facet za kontuarem miał rękę na temblaku, zabandażowaną po same palce. Hooks zapisywał właśnie na tablicy numer zwycięzcy trzeciej gonitwy na torze Jamaica.

— Patrzcie, patrzcie — powiedział, uśmiechając się i wskazując Donniego kredą. — Mamy tu bandę zamaskowanych irlandzkich bandytów.

Corr Gibson strzelił z dubeltówki w tablicę i roztrzaskał ją na kawałki. Hooks przymknął się i uśmiech spełzł z jego twarzy.

— Co się stało? — zapytał Donnie. — Już cię to nie bawi, ty makaroniarski gnoju?

Skinął na innych, którzy w dzikim pośpiechu zaczęli zgarniać pieniądze z kontuaru, wybijać szyby i wyrzucać na ulicę i podwórko sumatory oraz szuflady biurek. Zajęło im to kilka minut. Kiedy skończyli, pomieszczenie było doszczętnie zdewastowane. Wtedy wycofali się i zbiegli po schodach, wszyscy oprócz Williego i Donniego, którzy zaczekali w progu.

— O co chodzi? — zapytał zaniepokojony Hooks.

Donnie i Willie ściągnęli z twarzy chusty.

— Nie denerwuj się, Hooks. Nie mamy zamiaru nikogo skrzywdzić. Na razie — oświadczył Willie.

— Siemasz, Willie! — powiedział Hooks, jakby spotkali się na ulicy. — Co wy, do cholery, wyprawiacie? — zapytał, pozdrawiając skinieniem głowy Donniego.

— Przekaż Luce, że żałuję, że chybiłem, strzelając do niego tamtej nocy — odezwał się Willie.

— To byłeś ty? — Hooks dał krok do tyłu. Wyglądał, jakby ta wiadomość zupełnie zbiła go z tropu.

— Ale widzę, że nie wszystkie strzały poszły górą — dodał Willie, wskazując faceta za kontuarem.

— To nic poważnego — stwierdził Paulie, podnosząc rękę. — Zagoi się.

— Wydawało mi się, że trafiłem ciebie i jeszcze jednego — mruknął Willie.

— Trafiłeś mojego kumpla Tony'ego w nogę — odparł Paulie. — Leży w szpitalu.

— Będą musieli operować — dodał Hooks.

— To dobrze — powiedział Willie. — Przekaż mu, że mam nadzieję, że straci tę cholerną nogę.

— Nie omieszkam — odparł Hooks.

Donnie dotknął ramienia Williego i pociągnął go w stronę drzwi.

— Powiedz Luce — zwrócił się do Hooksa — żeby nie pokazywał się już więcej w irlandzkiej dzielnicy. Powiedz mu, że to wiadomość od braci O'Rourke. Powiedz, że może robić, co chce, w swojej własnej dzielnicy, ale irlandzką ma zostawić Irlandczykom, bo inaczej będzie miał do czynienia z braćmi O'Rourke.

— To, co irlandzkie Irlandczykom — powiedział Hooks. — Rozumiem.

— To dobrze.

— A co z waszą siostrą? — zapytał Hooks. — Co mam jej przekazać?

— Nie mam siostry, ale możesz powiedzieć tej dziewczynie, o której mówisz, że kto sieje wiatr, ten zbiera burzę — odparł Donnie, po czym wyszedł razem z Williem na korytarz i zbiegł na dół, gdzie czekał na nich Sean.

— Zaczęło się — stwierdził Willie, wypychając go za drzwi i cała trójka pobiegła za róg, gdzie stał z zapalonym silnikiem ich samochód.

. . .

Z krzesła, do którego był przywiązany, Rosario LaConti miał panoramiczny widok na Hudson River. W oddali widział Statuę Wolności połyskującą na zielono i niebiesko w jasnym słońcu. Siedział na prawie pustym poddaszu z oknami od podłogi do sufitu. Przywieziono go tam towarową windą, a potem przywiązano do tego krzesła naprzeciwko wysokich okien. Zostawili mu w ramieniu nóż do krojenia mięsa, bo niewiele krwawił, a Frankie Pentangeli powiedział, że „jeśli nie jest złamany, nie ruszajcie go". Zostawili więc rękojeść noża wystającą spod obojczyka i ku zdziwieniu Rosaria, nie czuł wielkiego bólu. Bolało go, kiedy się ruszał, ale spodziewał się, że będzie cierpiał o wiele bardziej.

Generalnie był zadowolony z tego, jak to wszystko znosi, jak odnajduje się w tej sytuacji — zawsze, przez całe życie wiedział, że jest możliwa i najprawdopodobniej całkiem realna. I teraz znalazł się w niej i przekonał się, że wcale się nie boi, nie cierpi wielkiego bólu i nie zasmuca go nawet specjalnie to, co nieodwołalnie musiało się zdarzyć. Był starym człowiekiem. Za parę miesięcy, gdyby dane mu było przeżyć parę miesięcy, skończyłby siedemdziesiątkę. Jego żona zmarła na raka w wieku pięćdziesięciu kilku lat. Jego najstarszy syn został zamordowany przez tego samego człowieka, który miał zamordować i jego. Jego młodszy syn właśnie go zdradził, sprzedał w zamian za własne życie — i Rosario cieszył się z tego. Dobrze dla chłopaka. Jak wyjaśnił Emilio Barzini, umowa polegała na tym, że zachowa życie, jeśli wyjedzie do innego stanu i wyda własnego ojca. Więc dobrze dla chłopaka, pomyślał Rosario. Pomyślał, że może ułoży sobie lepiej życie — choć raczej w to wątpił. Nigdy nie był zbyt bystry. Mimo to może nie skończy tak jak ja, pomyślał, i to już było coś. Co do niego, co do Rosaria LaContiego, był zmęczony i gotów z tym wszystkim skończyć. Jedyną rzeczą, która go dręczyła — poza lekkim bólem spowodowanym przez nóż w ramieniu, który okazał się jednak nie taki straszny — była jego nagość. To nie było w porządku. Nie rozbiera się człowieka do naga w tego rodzaju sytuacji, zwłaszcza człowieka takiego jak Rosario, prawdziwą ważną szychę. To nie było w porządku.

Za Rosariem, przy stosie okrętowych skrzyń Giuseppe Mariposa rozmawiał cicho z braćmi Barzini i Tommym Cinquemanim. Rosario widział ich odbicia w oknach. Frankie Pentangeli stał osobno przy drzwiach windy towarowej. Bracia Rosato cicho się o coś kłócili. Carmine Rosato uniósł ręce, zostawił brata i podszedł do Rosaria.

— Jak pan się trzyma, panie LaConti? — zapytał.

Rosario odwrócił się, żeby mu się lepiej przyjrzeć. Carmine był młodym, zaledwie dwudziestokilkuletnim chłopakiem. Miał na sobie prążkowany garnitur, jakby wybierał się do restauracji.

— Dobrze się pan czuje? — zapytał.

— Boli mnie trochę bark — przyznał Rosario.

— No tak — mruknął Carmine i spojrzał na rękojeść noża i wystające z ramienia zakrwawione ostrze, jakby to był problem, którego nie da się rozwiązać.

— Joe, na miłość boską — powiedział Rosario, kiedy Giuseppe skończył konferować z Barzinimi i Tommym i podszedł z powrotem do krzesła. — Daj mi się ubrać. Nie upokarzaj mnie w ten sposób.

Giuseppe stanął przed jego krzesłem, złączył razem dłonie i kołysał nimi w tę i z powrotem, żeby dodać sobie powagi. On też był ubrany, jakby wybierał się na przyjęcie, w wykrochmaloną niebieską frakową koszulę i jaskrawożółty krawat, który znikał pod czarną kamizelką.

— Wiesz, ile przysporzyłeś mi kłopotów, Rosario? — spytał.

— To tylko biznes — odparł Rosario, podnosząc głos. — To wszystko biznes. To też — dodał, zerkając na siebie. — To jest biznes.

— To nie tylko biznes — stwierdził Giuseppe. — Czasami to staje się sprawą osobistą.

— To nie w porządku, Joe — powiedział Rosario, wskazując swoje ciało, które było obwisłe i upstrzone plamami wątrobowymi. Skóra na jego piersi była ziemista i blada, a genitalia opadły na siedzenie krzesła. — Wiesz, że to nie jest w porządku, Joe. Daj mi się ubrać.

— Popatrz na to — mruknął Giuseppe, zauważywszy plamę krwi na mankiecie. — Ta koszula kosztowała mnie dziesięć dolców — poskarżył się i łypnął na Rosaria, jakby był na niego wściekły za to, że poplamił mu koszulę. —

223

Nigdy cię nie lubiłem, Rosario — dodał. — Zawsze zadzierałeś nosa i udawałeś ważniaka w tych swoich szytych na miarę garniturach. Zawsze dawałeś mi odczuć, że jesteś lepszy.

LaConti wzruszył ramionami i skrzywił się, ponieważ zabolał go bark.

— Więc teraz utarłeś mi nosa — powiedział. — Nie spieram się z tobą, Joe. Robisz to, co musisz zrobić. Na tym polega nasz biznes. Nastawałem na ciebie więcej razy, niż potrafię zliczyć, ale nigdy nie posłałem na tamten świat człowieka nago. Na litość boską... — LaConti spojrzał na braci Barzini i Tommy'ego Cinquemaniego, jakby prosił, żeby go poparli. — Miej trochę przyzwoitości, Joe — dodał. — Poza tym to źle odbije się na interesach. Będziemy wyglądali jak banda dzikich zwierząt.

Giuseppe milczał, jakby rozważał argumenty Rosaria.

— Co ty na to, Tommy? — zapytał.

— Posłuchaj, Joe... — odezwał się Carmine Rosato.

— Nie mówiłem do ciebie, młody! — warknął Giuseppe i ponownie spojrzał na Tommy'ego.

Cinquemani położył jedną dłoń na oparciu krzesła Rosaria, a drugą dotknął ostrożnie spuchniętej skóry pod okiem.

— Moim zdaniem, kiedy gazety pokażą go rozgogolonego w ten sposób — powiedział — wszyscy dowiedzą się, kto tu teraz rządzi. Moim zdaniem wiadomość będzie jasna. Zauważy to nawet twój przyjaciel w Chicago, pan Capone.

— Tommy ma chyba rację. — Giuseppe podszedł do Carminego Rosata. — I będę z tobą szczery, LaConti — dodał. — Cholernie mi się to podoba. I kto jest teraz od kogo lepszy? — zapytał, mierząc Rosaria surowym spojrzeniem, po czym dał znak Tommy'emu.

— Nie! Nie w ten sposób! — krzyknął LaConti, kiedy Tomasino złapał krzesło, podniósł je i wyrzucił razem z nim przez okno.

Giuseppe podbiegł wraz z innymi, by zobaczyć, jak w ślad za Rosariem na chodnik, o który roztrzaskało się krzesło, spada deszcz szkła i kawałków drewna.

— *Madonna mia!* — zawołał Mariposa. — Widzieliście to?

Odchrząknął, spojrzał na ulicę i krew, która popłynęła z głowy Rosaria na chodnik, a potem gwałtownie się odwrócił i wyszedł z poddasza, jakby problem z LaContim został rozwiązany i miał teraz do załatwienia inne sprawy. Carmine Rosato stał trochę dłużej przy oknie i w końcu jego brat objął go i sprowadził na dół.

. . .

Vito odciągnął Sonny'ego od Tessia i Clemenzy i szli teraz razem przez posiadłość do piwnicy w domu Vita, by sprawdzić, jak idzie inspekcja pieca. Vito zadał już synowi kilka pytań na temat warsztatu Lea i tego, jak mu się tam pracuje, na które Sonny odpowiadał monosylabami. Nastało późne popołudnie i słońce rzucało długie cienie na trawę wokół muru posiadłości. Wielki essex zaparkowany był przy bramie zderzak w zderzak z packardem Tessia i kilku mężczyzn stało przy samochodach, paląc papierosy i rozmawiając.

— Dla kogo to? — zapytał Sonny, wskazując działkę naprzeciwko głównego domu, na której nie było nic poza fundamentami.

— To? — odparł Vito. — To dla jednego z moich synów, kiedy się ożeni. Tam będzie jego dom. Kazałem budowniczym

225

położyć fundamenty i dam im znać, kiedy będę chciał ukończyć dom.

— Nie z Sandrą, tato — powiedział Sonny.

Vito stanął przed synem i położył mu rękę na ramieniu.

— O tym właśnie chciałem z tobą porozmawiać — oświadczył.

— Daj spokój, tato. Sandra ma szesnaście lat.

— Jak myślisz, ile lat miała twoja matka, kiedy ją poślubiłem? Szesnaście.

— Tak, tato, ale ja mam tylko siedemnaście. Ty byłeś starszy.

— To prawda — zgodził się Vito — i nie sugeruję, żebyś zaraz się żenił.

— Więc o czym my w ogóle mówimy?

Vito zmierzył syna surowym wzrokiem, dając mu do zrozumienia, że nie podoba mu się jego ton.

— Pani Columbo rozmawiała z twoją matką — powiedział. — Sandra zakochała się w tobie. Wiedziałeś o tym?

Sonny wzruszył ramionami.

— Odpowiedz. — Vito trzepnął go po ramieniu. — Sandra nie jest dziewczyną, którą można zbałamucić. Nie można igrać z jej uczuciami.

— Nie, tato — mruknął Sonny. — Nie o to chodzi.

— Więc o co chodzi, Santino?

Sonny spojrzał w bok, w stronę samochodów i dwóch ludzi Tessia, Kena Cuisimana i Grubego Jimmy'ego, którzy opierali się o długą maskę essexa i palili cygara. Obaj obserwowali Sonny'ego do chwili, gdy nawiązał kontakt wzrokowy z Grubym Jimmym; wówczas odwrócili się do siebie i zaczęli rozmawiać.

— Sandra jest wyjątkową dziewczyną — powiedział Sonny. — Chodzi po prostu o to, że nie zamierzam się z nikim żenić. Nie teraz.

— Jest też wyjątkowa dla ciebie — odparł Vito. — Niepodobna do wszystkich innych, za którymi się uganiasz.

— Coś ty, tato.

— Nie mów do mnie „Coś ty, tato" — mruknął Vito. — Myślisz, że nie wiem?

— Jestem młody, tato.

— To prawda — zgodził się Vito. — Jesteś młody... i pewnego dnia dorośniesz. — Na chwilę przerwał i podniósł w górę palec. — Sandra nie jest dziewczyną, którą mógłbyś zbałamucić. Jeśli sądzisz, że jest dziewczyną, którą chciałbyś poślubić, spotykaj się z nią nadal. — Vito przysunął się do Sonny'ego, by podkreślić wagę tego, co chce powiedzieć. — Jeśli wiesz w głębi duszy, że to nie jest dziewczyna, którą poślubisz, przestań się z nią spotykać. *Capisc'?* Nie chcę, żebyś złamał jej serce. To coś, co... — Vito przerwał i przez chwilę szukał właściwych słów. — To coś, przez co straciłbyś w moich oczach, Santino. A tego na pewno byś nie chciał.

— Nie, tato — odparł Sonny i w końcu spojrzał ojcu prosto w twarz. — Nie — powtórzył. — Tego bym nie chciał.

— To dobrze — stwierdził Vito i poklepał go po plecach. — Zobaczmy, co się dzieje z naszym piecem.

W piwnicy, u stóp drewnianych schodów, Vito i Sonny zobaczyli piec rozebrany na dziesiątki części poukładanych na betonowej podłodze. Wilgotne zamknięte pomieszczenie oświetlone było przez wąskie okna na poziomie gruntu. Rząd ustawionych pośrodku metalowych okrągłych słupów podtrzymywał drewnianą belkę dwa i pół metra wyżej. Eddie

Veltri siedział na stołku pod jednym z okien, trzymając w ręce gazetę. Widząc Sonny'ego i Vita, trzepnął ją dłonią.

— Hej, Vito — powiedział. — Wiedziałeś, że zdaniem Rutha Senatorowie pokonają Gigantów w rozgrywkach?

Vito nie interesował się baseballem ani żadnym innym sportem, chyba że mogło się to odbić na jego interesach związanych z hazardem.

— No i? — zapytał dwóch robotników, którzy pakowali chyba swoje narzędzia. — Jak przebiegła inspekcja?

— Śpiewająco — odparł ten potężniejszy. Obaj byli osiłkami, barczystymi facetami, którzy bardziej przypominali wykidajłów niż monterów.

— I nie jesteśmy wam nic winni? — zapytał Vito.

— Ani grosza — powiedział ten nieco drobniejszy. Miał na twarzy smar, a spod czapki, którą właśnie naciągnął na głowę, wystawała mu grzywa jasnych włosów.

Vito już zamierzał dać im napiwek, kiedy pierwszy facet też włożył czapkę na głowę i podniósł swoją skrzynkę z narzędziami.

— Robicie sobie przerwę? — zapytał Vito.

Obaj mężczyźni zrobili zdziwione miny.

— Nie — odparł ten większy. — Już skończyliśmy. Macie wykonaną robotę.

— Co to, do diabła, znaczy „mamy wykonaną robotę"? — zapytał Sonny i dał krok w stronę dwóch monterów. Vito położył mu dłoń na piersi.

Eddie Veltri odłożył gazetę.

— Kto złoży piec z powrotem? — zapytał Vito.

— To nie należy do naszych obowiązków — oświadczył blondyn.

Jego kolega spojrzał na leżące na podłodze różne części pieca.

— Każdy w tej okolicy weźmie od was dwieście dolców albo więcej za złożenie tego pieca — oznajmił. — Ale widząc, że nie zdajecie sobie sprawy, ile kosztuje przeprowadzenie inspekcji, ja i tu obecny mój kolega zrobimy to za... — Ponownie przyjrzał się częściom, jakby starał się oszacować koszty. — Możemy to zrobić za, powiedzmy, sto pięćdziesiąt dolców.

— *V'fancul'!* — zaklął Sonny i spojrzał na ojca.

Vito roześmiał się i zerknął na Eddiego, który uśmiechał się od ucha do ucha.

— Sto pięćdziesiąt dolców, powiadasz?

— Z czego się pan śmiejesz? — ten potężniejszy spojrzał na Eddiego, a potem na Sonny'ego, jakby oceniał ich siły. — Dajemy wam okazyjną cenę. — To nie należy do naszych obowiązków. Chcemy wam zrobić uprzejmość.

— Warto by przetrzepać skórę tym obwiesiom, tato — powiedział Sonny.

Olbrzym poczerwieniał na twarzy.

— Chcesz mi przetrzepać skórę, zafajdany makaroniarzu? — zapytał, otwierając skrzynkę z narzędziami i wyjmując długi, ciężki klucz.

Vito poruszył lekko ręką w geście zauważonym tylko przez Eddiego, który wyjął rękę z kieszeni.

— Nie będziemy wam za darmo składali pieca tylko dlatego, że jesteście bandą głupich zafajdanych makaroniarzy. *Capisc'?* — dodał monter.

Sonny chciał się na niego rzucić, ale Vito złapał go za kołnierz i zatrzymał w miejscu.

— Tato! — wrzasnął Sonny, jednocześnie wściekły z powodu poniżenia i zdumiony siłą ojca.

— Zamknij się, Santino — oświadczył chłodno Vito — i stań przy schodach.

— Skurwysyn — mruknął Sonny, ale kiedy ojciec podniósł palec, cofnął się i stanął przy schodach.

— Santino — powtórzył blondyn i roześmiał się, jakby śmieszyło go to imię. — Dobrze, że go pan wziął w karby — powiedział do Vita. — Chcemy wam oddać przysługę, a wy się tak zachowujecie. — Przez chwilę można było odnieść wrażenie, że stara się za wszelką cenę pohamować gniew. — Wy zafajdani makaroniarze — wybuchnął w końcu, nie umiejąc go powstrzymać. — Powinni was wszystkich wysłać z powrotem do waszych zafajdanych Włoch i zafajdanego papieża.

Eddie osłonił dłonią oczy, jakby równocześnie świetnie się bawił i bał się patrzeć na to, co się zaraz wydarzy.

Vito podniósł ręce.

— Nie denerwujcie się, proszę — powiedział. — Wszystko rozumiem. Chcecie nam oddać przysługę, a mój syn Santino zaczyna was obrażać. Musicie mu wybaczyć. Ma strasznie porywczy charakter i dlatego czasem w ogóle nie myśli.

Sonny wspiął się po schodach na górę, mrucząc coś pod nosem. Vito zaczekał, aż zniknie i ponownie zwrócił się do robotników.

— Proszę, złóżcie z powrotem piec. Przyślę tu do was kogoś z pieniędzmi.

— Od takich jak wy musimy dostać pieniądze z góry — rzekł olbrzym.

— W porządku — zgodził się Vito. — Odprężcie się,

zapalcie papierosa, a ja za chwilę przyślę do was kogoś z pieniędzmi.

— Dobrze — odparł mężczyzna i spojrzał nad ramieniem Vita na Eddiego. — Teraz zachowujecie się w cywilizowany sposób — dodał, po czym podszedł do swojej skrzynki z narzędziami, wrzucił do niej klucz, wyciągnął paczkę wingów i poczęstował papierosem kolegę.

Na górze, tuż za drzwiami piwnicy Vito znalazł Sonny'ego i poklepał go łagodnie po policzku.

— Ten twój charakter, Sonny — mruknął. — Kiedy się w końcu nauczysz?

Wziął go pod ramię i wyprowadził na zewnątrz, gdzie cień muru wydłużył się i położył na cały dziedziniec, domy i jeszcze dalej. Zrobiło się chłodniej i Vito podciągnął w górę suwak swetra.

— Przecież to naciągacze, tato — powiedział Sonny. — Chyba nie zamierzasz płacić tym *giamopes*?

Vito objął go ramieniem i zaprowadził na plac za głównym domem, gdzie Clemenza rozmawiał z Richiem Gattem i Alem Hatsem.

— Mam zamiar wysłać do piwnicy Clemenzę — wyjaśnił — i poprosić go, żeby porozmawiał z tymi dwoma dżentelmenami. Sądzę, że kiedy z nimi pogada, nie będą chcieli pobierać od nas opłaty za zmontowanie pieca z powrotem.

Sonny podrapał się po karku i uśmiechnął.

— Nie sądzisz, że mogliby również przeprosić za całą tę gadkę o makaroniarzach? — zapytał.

— Ale po co, Sonny? — odparł ze zdziwieniem Vito. — Obchodzi cię, co mówią o nas tacy ludzie?

Sonny przez chwilę się nad tym zastanawiał.

— Niekoniecznie. Chyba nie.

— To dobrze — stwierdził Vito, po czym zmierzwił włosy. — Musisz się uczyć — dodał, klepiąc go po plecach. — Ujmijmy to w ten sposób: wydaje mi się, że nasi dwaj przyjaciele tam, w piwnicy, pożałują, że wypowiadali się w gniewie.

Sonny odwrócił się i spojrzał na dom, jakby mógł przeniknąć wzrokiem ściany.

— Może to coś, czego ty też powinieneś się nauczyć — dodał Vito.

— To znaczy? — zapytał Sonny.

Vito dał znak Clemenzy, żeby do niego podszedł. Kiedy zwalisty mężczyzna ruszył ku niemu szybkim krokiem, Vito poklepał czule syna po policzku.

— Och, Sonny, Sonny — westchnął.

. . .

Hooks podjechał swoim samochodem pod sam las, gdzie za dwoma dużymi dębami zaparkował w prawie niewidocznym miejscu obserwujący drogę JoJo. Na siedzeniu obok niego leżał automat, na kolanach trzymał gazetę. Porywisty wiatr strącał na ziemię deszcz czerwonych, złotych i żółtych liści. Kiedy Hooks opuścił szybę, do wnętrza wpadło zimne powietrze. Siedzący obok niego Luca postawił kołnierz marynarki. Wiatr podnosił fale na zatoce Little Neck i jego szum łączył się z łoskotem przyboju. W pobliżu ktoś palił liście i chociaż nie widzieli dymu, można to było poznać po zapachu. Było późne popołudnie i przez drzewa przeświecało czerwonawe słońce.

JoJo opuścił szybę i pozdrowił skinieniem głowy Hooksa i Lucę.

— Niedługo przyślę tutaj Pauliego — powiedział Hooks.

— To dobrze — mruknął JoJo. — Tak tu nudno, że chyba się zastrzelę i oszczędzę wszystkim kłopotu.

Hooks roześmiał się i spojrzał na Lucę, który wcale się nie uśmiechnął.

— Przyślę go — powtórzył Hooks i podniósł z powrotem szybę. Na podjeździe przed farmą zgasił silnik i odwrócił się do Luki. — Posłuchaj. Zanim wejdziemy, chciałbym...

— Tak? — Luca skrzywił się i ścisnął nos. — Znowu boli mnie głowa — mruknął.

— Mamy chyba aspirynę — bąknął Hooks.

— Aspiryna w ogóle mi nie pomaga — odparł Luca. — O co chodzi?

— O chłopaków — wyjaśnił Hooks. — Są podenerwowani.

— Dlaczego? Z powodu braci O'Rourke? — Luca wziął kapelusz z siedzenia i włożył go ostrożnie na głowę.

— Z powodu braci O'Rourke. Oczywiście — potwierdził Hooks. — Ale bardziej z powodu Mariposy i Cinquemaniego.

— Co z nimi?

— Co z nimi? — powtórzył Hooks. — Podobno LaConti wypadł nagi ze strychu.

— Słyszałem — odparł Luca. — I co z tego? LaConti był już trupem od miesięcy. Po prostu potwierdziło się to, o czym wszyscy wiedzieli.

— No tak, ale teraz, kiedy LaContiego już nie ma, chłopcy się denerwują. Cinquemani wcale o nas nie zapomniał. Mariposa nie zapomni o gorzale. A teraz mamy jeszcze na karku braci O'Rourke.

Luca się uśmiechnął. Po raz pierwszy, odkąd wsiadł do samochodu w Bronxie, wydawał się rozbawiony.

— Posłuchaj — powiedział. — Przede wszystkim Giuseppe i jego chłopcy będą mieli teraz pełne ręce roboty z organizacją LaContiego. Pomyśl o tym, Hooks. — Zdjął kapelusz i wyrównał denko. — Mamy jeden mały kantor i kilku koników. To chyba nie jest duży problem?

— Jezu Chryste — mruknął Hooks, jakby nie chciał o tym w ogóle myśleć.

— Organizacja LaContiego jest duża — podjął Luca. — Z tego co słyszę, jego ludzie nie są zadowoleni z tego, że będą pracowali dla Giuseppego. A teraz jeszcze Rosario wypadł nagi przez okno... Nie sądzisz, że jacyś chłopcy Rosaria mogą zacząć sprawiać kłopoty? Posłuchaj — powtórzył. — Giuseppe i jego *capos* będą przez dłuższy czas zajęci, będą starali się wszystko na nowo zorganizować. Jeśli chcesz znać moje zdanie, nie bardzo sobie z tym poradzą. Zobaczysz. Giuseppe połknął więcej, niż może strawić. — Luca włożył ponownie kapelusz. — Ale co tam... jeśli Tomasino albo Giuseppe, albo ktokolwiek inny będzie z nami zadzierał, zabiję go. Tak samo jak zabiję Williego O'Rourke'a. Jasne?

— Szefie — mruknął Hooks i spojrzał w bok, na deszcz liści spadających na maskę samochodu. — Nie możesz zabić wszystkich.

— Oczywiście, że mogę — odparł Luca, po czym odsunął się od Hooksa i uważnie mu się przyjrzał. — Nie masz chyba nic przeciwko temu, Luigi?

— Nikt już nie nazywa mnie Luigi — powiedział Hooks.

— Nie masz nic przeciwko temu, Luigi? — powtórzył Luca.

— Jasne, że nie. — Hooks spojrzał Luce prosto w twarz. — Wiesz, że jestem z tobą.

Luca przypatrywał mu się przez chwilę w milczeniu, a potem westchnął, jakby był zmęczony, i ponownie ścisnął nos.

— Posłuchaj — mruknął. — Przyczaimy się tutaj do momentu, kiedy będzie wiadomo, jak chcą to rozegrać Mariposa i Cinquemani. W tym czasie zabiję Williego O'Rourke'a i nauczę moresu tych irlandzkich kutasów. Taki jest plan — powiedział i spojrzał przez okno na las, jakby się zastanawiał. — Nie rozpoznałeś żadnego z pozostałych? — zapytał. — Mówię o tych, którzy rozwalili kantor...

— Micli zakryte twarze — odparł Hooks.

— Nie szkodzi — stwierdził Luca, jakby mówił sam do siebie.

— A co z Kelly? — zapytał Hooks. — Co powie na to, że zabiłeś jej brata?

Luca wzruszył ramionami, jakby w ogóle o tym wcześniej nie myślał.

— Nie jest związana emocjonalnie z braćmi — powiedział.

— A jednak... — mruknął Hooks.

Luca przez chwilę się nad tym zastanawiał.

— Na razie nie musi o niczym wiedzieć — oświadczył i przed wyjściem z samochodu potrząsnął głową, jakby wzmianka o Kelly wyprowadziła go z równowagi.

W domu Vinnie i Paulie grali w blackjacka przy kuchennym stole, a Kelly stała przy kuchence, patrząc na pyrkoczącą w dzbanku kawę. Chłopcy mieli rozpięte kołnierzyki i podwinięte rękawy u koszul. Kelly była nadal w piżamie. Piec w piwnicy dudnił i huczał, a kaloryfery w całym domu syczały i brzęczały, wydzielając ciepło.

— Chryste — mruknął Hooks, wchodząc do środka. — Gorąco tu jak w saunie.

— Albo gorąco jak w saunie, albo zimno jak w psiarni — potwierdziła Kelly, odwracając się od kuchenki. — Luca! — zawołała, kiedy ten wszedł w ślad za Hooksem. — Musisz mnie stąd zabrać. Tracę rozum.

Luca zignorował ją, usiadł przy stole obok Pauliego i rzucił kapelusz na wieszak przy wejściu do salonu, gdzie wisiały już pozostałe.

— W co gracie? — zapytał. — W blackjacka?

Hooks stanął za Pauliem.

— Zmień na warcie JoJa — polecił. — Chłopak grozi, że się zastrzeli.

Paulie złożył karty i położył je na talii pośrodku stołu.

Luca przysunął do siebie talię, a Vinnie rzucił mu swoje karty.

— Zmienię cię za dwie godziny — powiedział Hooks do Pauliego.

Kelly nalała sobie filiżankę kawy i usiadła przy stole obok Luki, który tasował karty. Znalazła w kieszeni czerwoną tabletkę i popiła ją kawą. Hooks zajął miejsce Pauliego.

— Gramy w siedmiokartowego pokera? — zapytał Luca chłopaków. — Stawki ustalone przed rozdaniem, bez ograniczeń?

— W porządku — odparł Hooks, po czym wyjął portfel i przeliczył banknoty. — Może być dwieście? — zapytał, kładąc gotówkę na stole.

— Zgoda — mruknął Vinnie, odliczając plik dwudziestek.

— Dobrze — powiedział Luca.

— Luca... — Kelly odwróciła się na krześle, żeby spojrzeć

mu w twarz. Miała potargane włosy i przekrwione oczy. Obrażenia na twarzy w większości się zagoiły i zeszła opuchlizna, ale pod oczyma nadal miała sine kręgi. — Mówię serio, Luca. Od tygodni nie wychodziłam z tego przeklętego miejsca. Muszę się stąd wyrwać. Musisz zabrać mnie na tańce albo na film, gdziekolwiek.

Luca popatrzył, jak Paulie wychodzi przez kuchenne drzwi, i położył talię pośrodku stołu.

— Chcecie trochę kawy? — zapytał chłopaków. — Zrobiłaś dosyć, żeby dla wszystkich starczyło? — zwrócił się do Kelly.

— Jasne — odparła. — Jest pełny dzbanek.

— Napijcie się kawy — powiedział Luca do swoich ludzi, po czym wstał, wziął Kelly pod ramię i zaprowadził ją na górę, do sypialni.

Kiedy zamknął za nimi drzwi, rzuciła się na łóżko.

— Nie mogę tego znieść, Luca — poskarżyła się i wyjrzała przez okno, którego ramą potrząsnął powiew wiatru. — Od tygodni siedzę tu zamknięta w dzień i w nocy. Dostaję fioła. Od czasu do czasu musisz mnie przynajmniej gdzieś zabrać. Nie możesz trzymać mnie bez przerwy w zamknięciu.

Luca usiadł na łóżku i wyjął z kieszeni słoiczek z tabletkami. Odkręcił nakrętkę i wrzucił dwie do ust. Kelly uklękła na łóżku.

— Które to? — zapytała.

Luca spojrzał na słoiczek.

— Zielone — odparł, po czym zamknął oczy i przycisnął palce do skroni. — Znowu boli mnie głowa.

Kelly przeczesała mu palcami włosy i pomasowała głowę.

— Luca, kochanie — powiedziała — musisz iść do lekarza. Ciągle masz te bóle.

— Mam je od dzieciństwa — mruknął, dając do zrozumienia, że nie ma się czym przejmować.

— Mimo to... — zaczęła i pocałowała go w policzek. — Czy mogę dostać dwie? — zapytała.

— Dwie zielone?

— Tak — odparła. — Po zielonych czuję się świetnie.

— Myślałem, że chcesz wyjść na miasto.

— Chcę! — zawołała i złapała go za ramię. — Wybierzmy się do jakiegoś eleganckiego lokalu, na przykład do Cotton Clubu.

— Do Cotton Clubu... — Luca wytrząsnął dwie tabletki dla Kelly i jeszcze jedną dla siebie.

— Możemy, Luca? — Kelly łyknęła tabletki i uwiesiła się na jego ramieniu. — Możemy się wybrać do Cotton Clubu?

— Jasne — odparł i dał jej trzecią tabletkę.

Kelly przyjrzała się jej nieufnie.

— Na pewno mogę wziąć trzy? — zapytała. — Nie licząc tej czerwonej, którą wzięłam wcześniej?

— Czy ja wyglądam na doktora? Możesz ją wziąć albo nie. — Ruszył w stronę drzwi.

— Nie pójdziemy do Cotton Clubu... — mruknęła Kelly, klęcząc i trzymając w dłoni tabletkę. — Będziesz przez całą noc grał w pokera, prawda?

— Pójdziemy do Cotton Clubu — zapewnił ją. — Przyjdę po ciebie później.

— Jasne — odparła i połknęła trzecią tabletkę. — Każesz mi w dzień i w nocy tkwić w tej szczurzej norze, Luca.

— Nie podoba ci się tu, Kelly?

— Nie, nie podoba mi się — wymamrotała i zasłoniła dłonią oczy. — Kiedy zabijesz Toma Hagena, Luca? —

zapytała, nie odsłaniając ich. Ramiona zrobiły jej się nagle ciężkie. — Nie pozwolisz chyba, żeby uszło mu na sucho to, co zrobił? — chciała dodać, ale nie była pewna, czy te słowa rzeczywiście padły z jej ust. Nie była pewna, czy w ogóle coś powiedziała, czy tylko wybełkotała kilka nieskładnych sylab.

— Jest na mojej liście — zapewnił ją Luca w drodze do drzwi. — Wszystko w swoim czasie.

Kelly osunęła się na bok i zwinęła w kłębek.

— Nie ma drugiego takiego twardziela jak ty, Luca — próbowała powiedzieć, ale w ogóle się nie odezwała. Zamknęła oczy i odpłynęła.

W kuchni Luca zastał chłopaków popijających kawę i zajadających czekoladowe herbatniki, które wyjmowali z białej papierowej torby pośrodku stołu.

— Na czym stanęliśmy? — zapytał, biorąc jeden.

— Stawki ustalone przed rozdaniem, po dwieście dolarów na stole — odparł Hooks, sięgając po karty.

Vinnie, który siedział obok JoJa, trzymał ręce w spodniach i się drapał.

— Co się, kurwa, z tobą dzieje, że zawsze drapiesz się po jajach, Vinnie? — zapytał Luca.

Hooks się roześmiał.

— Ma trypra — powiedział do Luki.

— Boi się iść na zastrzyk — dodał JoJo.

— Umyj ręce — rozkazał Luca, wskazując zlew — i trzymaj je daleko od spodni, kiedy grasz z nami w karty.

— Jasne, jasne — odparł Vinnie, zrywając się z krzesła i biegnąc do zlewu.

— Jezu Chryste — mruknął Luca, nie zwracając się do nikogo w szczególności.

— Dolca za wejście? — zapytał Hooks i kiedy Luca kiwnął głową, rozdał karty.

W piwnicy piec wyłączył się i w domu zapadła nagła cisza. Słychać było tylko poświstywanie wiatru pod okapem i stukot okiennych ram. Luca poprosił Vinniego, żeby włączył radio, i ten zrobił to, a potem usiadł z powrotem przy stole. Luca zobaczył, że ma same blotki, i spasował, kiedy JoJo postawił dolara. W radiu puszczali Binga Crosby'ego. Luca nie znał tej piosenki, ale poznał go po głosie. Tabletki zaczynały działać i ból głowy osłabł. Za chwilę powinien poczuć się lepiej. Nie przeszkadzały mu odgłosy wiatru. Było w nich coś kojącego. Chłopcy rozmawiali, ale nie musiał zwracać na nich uwagi. Przez minutę, zanim Hooks rozdał ponownie karty, mógł posłuchać piosenki w radiu i wiatru, który poświstywał wokół domu.

. . .

Vito wszedł do kuchni tylnymi drzwiami, szukając Carmelli. Na dworze wszyscy pakowali się i szykowali do powrotu do Bronxu. Zapadał zmierzch, za pół godziny powinno zrobić się ciemno. Odnalazł Carmellę samą, po drugiej stronie domu, wyglądającą przez okno w jadalni.

— Ta ciężarówka odjeżdża z dziurawą oponą, Vito — powiedziała, kiedy za nią stanął.

Vito spojrzał nad jej ramieniem na furgonetkę *Napraw piecowów od ręki* jadącą na obręczy tylnego lewego koła, z dziurawą oponą, która furkotała przy każdym obrocie. Pojazd miał stłuczone oba tylne światła i chyba wybitą boczną szybę od strony kierowcy.

— Co się stało? — zapytała Carmella.

240

— Nie przejmuj się tym — odparł. — Nic im nie będzie. Mają trzy dobre opony.

— *Si*, ale co się stało?

Vito wzruszył ramionami i pocałował ją w policzek.

— *Madon'*... — westchnęła Carmella i obserwowała jeszcze przez chwilę furgonetkę.

Vito pogładził ją po włosach i oparł dłoń na jej ramieniu.

— O co chodzi? — zapytał. — Dlaczego stoisz tutaj sama jak palec?

— Lubiłam kiedyś być sama — wyjaśniła, nadal wyglądając przez okno. — Ale z dziećmi... — dodała, dając do zrozumienia, że po ich urodzeniu nigdy nie mogła nacieszyć się samotnością.

— Nie, to nie to — odparł Vito. Wziął ją delikatnie pod ramię i odwrócił, żeby spojrzała mu prosto w oczy. — O co chodzi? — powtórzył.

Carmella oparła głowę na jego ramieniu.

— Martwię się — wyznała. — Wszystko to... — dodała, zataczając ręką krąg obejmujący dom i całą posiadłość. — Wszystko to — powtórzyła i spojrzała na Vita. — Martwię się o ciebie, Vito. Patrzę na to wszystko... i się martwię.

— Zawsze się martwiłaś — odparł — a mimo to dotarliśmy aż tutaj. — Dotknął jej powiek, jakby chciał otrzeć z nich łzy. — Tom studiuje. Niedługo będzie wziętym adwokatem. Wszyscy są zdrowi i cali.

— *Si* — powiedziała. — Mamy szczęście. Czy rozmawiałeś z Sonnym o Sandrinelli? — zapytała, wygładzając suknię.

— Tak — odparł Vito.

— To dobrze. Ten chłopiec... Martwię się o jego duszę.

— To dobry chłopak. — Vito wziął Carmellę za rękę,

mając zamiar wyprowadzić ją na dwór, ale ona stawiła mu opór.

— Naprawdę wierzysz, że nie ma na sumieniu jakichś ciemnych sprawek, Vito? — zapytała.

— Oczywiście, Carmello. — Vito położył jej dłonie na policzkach. — Sonny wyjdzie na ludzi, obiecuję. Zrobi karierę w przemyśle motoryzacyjnym. Pomogę mu. W swoim czasie, jeśli Bóg pozwoli, będzie zarabiał więcej pieniędzy, niż mi się kiedykolwiek śniło. On, Tommy, Michael i Fredo, wszystkie nasze dzieci będą jak Carnegie, Vanderbiltowie i Rockefellerowie. Z moją pomocą będą niezmiernie bogaci i zaopiekują się nami na starość.

Carmella odsunęła jego dłonie od twarzy i cofnęła je za siebie tak, że objął ją w talii.

— Wierzysz w to? — zapytała.

— Gdybym nie wierzył, że to jest możliwe... — Vito cofnął się o krok i wziął ją za rękę. — Gdybym nie wierzył, że to jest możliwe — powtórzył — nadal pracowałbym u Genca. A teraz już chodźmy — dodał, prowadząc ją w stronę kuchni. — Wszyscy czekają.

— Aha — odparła, obejmując go w pasie i ruszając wraz z nim przez pogrążone w półmroku pokoje.

11

Jadąc przez Bronx do magazynu Luki, Clemenza mamrotał coś pod nosem. Vito, siedzący obok niego z zamyśloną miną, trzymał ręce na kolanach. Miał na sobie wygodną wełnianą marynarkę i białą koszulę ze sztywnym kołnierzykiem; kapelusz położył na siedzeniu obok siebie. Ciemne włosy zaczesał do tyłu, a oczy utkwił w przedniej szybie, lecz Clemenza nie sądził, by widział albo słyszał cokolwiek poza tym, co działo się w jego własnej głowie. Vito skończył czterdzieści jeden lat, ale czasami, tak jak teraz, w oczach Clemenzy nie różnił się od chłopaka, którego poznał przed piętnastu laty: miał taką samą muskularną klatkę piersiową i ramiona i takie same ciemne oczy, które — zdawało się — widziały wszystko. Vito widział wszystko: działania ludzi, sens tych działań, zamysły kryjące się za czyimś postępowaniem, które dla kogoś innego mogły się wydawać mało ważne... Wiadomo było, że nic się przed nim nie ukryje. Dlatego Clemenza już wtedy, dawno temu zaczął dla niego pracować i nigdy tego nie żałował.

— Jesteśmy już prawie na miejscu, Vito — powiedział. — Chcę cię po raz kolejny prosić, żebyś tego nie robił.

Vito otrząsnął się z zamyślenia.

— Zaraziłeś się od Tessia? — zapytał. — Odkąd to zamartwiasz się o wszystko jak stara baba, przyjacielu?

— *Sfaccim!* — zaklął pod nosem Clemenza, po czym wziął z leżącego na sąsiednim siedzeniu pudełka drożdżówkę z jagodami i wsadził sobie od razu do ust połowę. Trochę nadzienia spadło mu na brzuch. Clemenza zdjął je z koszuli, przyjrzał się uważnie, jakby zastanawiał się, co z tym zrobić, po czym oblizał palec. — Pozwól mi przynajmniej sobie towarzyszyć — powiedział, wciąż żując drożdżówkę. — Na litość boską, Vito!

— To tutaj? — zapytał Vito.

Clemenza skręcił wielkim essexem z Park Avenue w boczną uliczkę i zatrzymał się przy hydrancie. W głębi ulicy, między składem drzewnym i czymś, co wyglądało na warsztat mechaniczny, widać było niewielki magazyn z opuszczaną stalową bramą.

— Tak, to tu — mruknął, po czym strzepnął okruszki drożdżówki z brzucha i wytarł usta. — Pozwól mi tam wejść ze sobą, Vito. Powiemy, że zmieniłeś zdanie.

— Podjedź do krawężnika i wysadź mnie — polecił Vito, biorąc kapelusz z siedzenia. — Zaczekaj tu, aż zobaczysz, że wychodzę.

— A co mam zrobić, jeśli usłyszę strzały? — zapytał gniewnym tonem Clemenza.

— Jeśli usłyszysz strzały, pojedź do biura pogrzebowego Bonasery i załatw wszystko, co trzeba.

— Ech — mruknął Clemenza i zatrzymał się przy krawężniku. — Bądź pewien, że to zrobię.

Vito wysiadł z samochodu, nałożył na głowę kapelusz i spojrzał na Clemenzę.

— Nie poskąp grosza — powiedział. — Spodziewam się od ciebie dużego wieńca.

Clemenza zacisnął dłonie na kierownicy, jakby miał ochotę kogoś zadusić.

— Bądź ostrożny, Vito. Nie podoba mi się to, co słyszałem o tym facecie.

Kiedy Vito ruszył w stronę magazynu, boczne drzwi otworzyły się i pojawili się w nich dwaj młodzi mężczyźni. Jeden miał na głowie czarny kapelusz z zatkniętym za wstążkę piórkiem, dziecinną twarz, zmrużone oczy i zaciśnięte usta. W jego postawie wyczuwało się jakiś fatalizm, jakby był gotów na wszystko, co przyniesie los: nie czekał na to z niecierpliwością, ale też nie bał się tego. Towarzyszący mu chłopak drapał się po jajach i wyglądał na głupka.

— To zaszczyt pana poznać, panie Corleone — oświadczył ten w kapeluszu i wyciągnął rękę, którą Vito uścisnął. — Jestem Luigi Battaglia. Wszyscy mówią na mnie Hooks — dodał. — A to jest Vinnie Vaccarelli — powiedział, wskazując swojego towarzysza.

Vita zaskoczyło pełne szacunku powitanie.

— Możemy wejść do środka? — zapytał.

Hooks otworzył przed nim drzwi. Gdy Vinnie stanął przed Vitem i zaczął go przeszukiwać, Hooks położył mu rękę na ramieniu.

— Co jest? — burknął Vinnie.

— Do środka — odparł Hooks, jakby zdjęty niesmakiem.

Kiedy zamknęły się za nimi drzwi i znaleźli się w przypominającym garaż wilgotnym pomieszczeniu z betonową podłogą, betonowymi, pozbawionymi okien ścianami i czymś w rodzaju kantoru z tyłu, Vito zdjął marynarkę i kapelusz i stanął na szeroko rozstawionych nogach. Hooks uważnie mu się przyjrzał.

— Luca jest w swoim biurze — oznajmił, wskazując kantor.

Vinnie, któremu nie spodobało się to, że Hooks nie przeszukał Vita, parsknął głośno i zaczął się znowu drapać. Hooks podszedł wraz z Vitem do kantoru, otworzył przed nim drzwi i zamknął je z drugiej strony, zostawiając go sam na sam z opierającym się o palisandrowe biurko wielkoludem.

— Panie Brasi — odezwał się Vito, czekając przy drzwiach ze skrzyżowanymi na piersi rękoma.

— Panie Corleone — odparł Luca, wskazując mu krzesło. Kiedy Vito przyjął zaproszenie, usiadł na biurku i założył nogę na nogę. — Nikt nie mówił panu, że jestem potworem? — zapytał. — Przyszedł pan tu sam jeden. Jest pan chyba bardziej szalony ode mnie — stwierdził, po czym się roześmiał. — To mnie niepokoi.

Vito uśmiechnął się do niego lekko w odpowiedzi. Jego rozmówca był wysoki i umięśniony z wystającymi łukami brwiowymi, które nadawały mu wygląd brutala. Prążkowany garnitur, krawat i kamizelka tylko w niewielkim stopniu niwelowały to wrażenie. W jego oczach Vito zobaczył kryjący się pod pozorami jowialności mrok, coś nieposkromionego i niebezpiecznego, i natychmiast uwierzył we wszystko, co słyszał o Luce Brasim.

— Chciałem pana poznać — powiedział. — Chciałem poznać człowieka, który przyprawia o dreszcze Giuseppego Mariposę.

— Ale nie pana — odparł Luca. — Pan nie drży. — W jego głosie nie było słychać przyjaznego ani rozbawionego tonu. Jeśli już, to zawoalowaną groźbę.

Vito wzruszył ramionami.

— Wiem o panu pewne rzeczy — powiedział.

— Co takiego wiesz, Vito?

Vito zignorował fakt, że Luca niezbyt uprzejmie zwrócił się do niego po imieniu.

— Kiedy byłeś zaledwie dwunastoletnim chłopcem, napadnięto twoją matkę i ocaliłeś jej życie.

— Wiesz o tym — mruknął Luca.

Powiedział to obojętnym tonem, jakby ani go to nie zaskoczyło, ani nie zaniepokoiło, ale w jego oczach Vito zobaczył coś nowego.

— Ktoś taki — podjął — ktoś, kto jako chłopiec miał odwagę walczyć o życie matki, musi mieć odważne serce.

— A co wiesz o człowieku, który napadł moją matkę? — zapytał Luca, następnie zdjął nogę z nogi, pochylił się do przodu i ścisnął grzbiet nosa.

— Wiem, że był twoim ojcem — odparł Vito.

— W takim razie musisz wiedzieć, że go zabiłem.

— Zrobiłeś to, co trzeba było zrobić, żeby ocalić życie matki.

Luca przyjrzał mu się w milczeniu. Na zewnątrz słychać było jadące Park Avenue pojazdy.

— Uderzyłem go w głowę pięciocentymetrową kantówką — powiedział w końcu.

— Dobrze zrobiłeś — stwierdził Vito. — Żaden chłopiec nie powinien być świadkiem tego, jak mordują mu matkę. Mam nadzieję, że rozbiłeś mu głowę na miazgę.

Luca ponownie przez dłuższą chwilę wpatrywał się w milczeniu w Vita.

— Jeśli zastanawiasz się, skąd o tym wszystkim wiem, Luca, powiem ci, że mam znajomych w policji. Rhode Island to nie jest osobny świat. Wszystko jest w kartotece.

— Zatem wiesz to, co wie policja — odparł Luca i mogło się zdawać, że odetchnął z ulgą. — Po co tu przyszedłeś, Vito? — zapytał, chcąc chyba zmienić temat. — Czy jesteś u Narwanego Joego Mariposy chłopcem na posyłki? Czy przyszedłeś mnie postraszyć?

— W żadnym wypadku — powiedział Vito. — Nie lubię Giuseppego Mariposy. Chyba to nas łączy.

— A nawet jeśli? — Luca obszedł biurko i usiadł ciężko na swoim krześle. — O co chodzi? O chłopaków Tomasina?

— To mnie w ogóle nie interesuje — odparł Vito. — Przyszedłem tu w nadziei, że dowiem się od ciebie, kto okrada Mariposę. To go rozwściecza i facet przysparza mi kłopotów. Wbił sobie do głowy, że ja jestem za to odpowiedzialny.

— Ty? — zapytał Luca. — Dlaczego miałby tak uważać?

— Bóg jeden wie, dlaczego Giuseppe myśli to, co myśli — odparł Vito. — Ale w obecnej sytuacji bardzo by mi pomogło, gdybym mógł się dowiedzieć, kto stoi za tymi wszystkimi kłopotami. Gdybym przekazał mu tę informację, to by go na jakiś czas ułagodziło... a czy tego chcemy, czy nie, Giuseppe Mariposa jest potężnym człowiekiem.

— Rozumiem — powiedział Luca. — A dlaczego miałbym ci pomóc?

— Z przyjaźni. Lepiej mieć przyjaciół, Luca, nieprawdaż?

Luca zerknął na sufit, jakby zastanawiał się nad propozycją.

— Nie, nie sądzę — odparł w końcu. — Lubię chłopaka, który kradnie gorzałę Mariposie. I masz rację, Vito, to jest coś, co nas łączy: nie lubię Giuseppego. Właściwie nienawidzę tego *stronz'*.

Tym razem to Vito przez chwilę obserwował w milczeniu Lucę. Brasi od samego początku nie miał zamiaru wydać złodziei i Vito musiał to uszanować.

— Nie niepokoi cię to? — zapytał. — Nie boisz się Mariposy? Zdajesz sobie sprawę, jaki jest potężny? Zwłaszcza teraz, kiedy nie ma już LaContiego? Z tymi wszystkimi cynglami, którzy dla niego pracują? I wszystkimi gliniarzami i sędziami, którzy siedzą u niego w kieszeni?

— To nie ma dla mnie żadnego znaczenia — odparł z zadowoloną miną Luca. — Nigdy nie miało. Mogę zabić każdego. Zabiję i tego grubego neapolitańskiego wieprza, ubiegającego się o urząd burmistrza, jeśli będzie mnie denerwował. Myślisz, że uda im się ochronić przede mną LaGuardię?

— W żadnym wypadku. Wiem, że im się nie uda — odparł Vito i poprawił rondo leżącego na kolanach kapelusza. — A więc nie możesz mi pomóc — powiedział, zamierzając włożyć go na głowę.

— Przykro mi, Vito — oznajmił Luca, rozkładając ręce, jakby nie mógł nic zrobić w tej sytuacji. — Ale posłuchaj. Mamy inny problem, o którym jeszcze nie wiesz.

— O co chodzi? — zapytał Vito.

Luca odsunął krzesło do tyłu i oparł się o biurko.

— Chodzi o tego niemiecko-irlandzkiego durnia, który należy do twojej rodziny. Obawiam się, że będę musiał go zabić. To sprawa honoru.

— Musiano cię wprowadzić w błąd. — W głosie Vita nie pobrzmiewała już serdeczność. — Tom nie ma nic wspólnego z naszymi interesami. Naszymi i kogokolwiek, kogo znamy.

— To nie ma nic wspólnego z interesami — uciął Luca.

Udawał, że z przykrością porusza ten temat, ale Vito widział po jego oczach, że świetnie się bawi.

— W takim razie chodzi ci o innego Toma Hagena — powiedział. — Mój syn jest na studiach i zostanie prawnikiem. Nie ma z tobą nic wspólnego.

— To on — stwierdził Luca. — Studiuje na New York University. Mieszka w akademiku przy Washington Square.

Vito czuł, jak krew odpływa mu z twarzy. Wiedział, że Luca musi to widzieć, i wprawiało go to w gniew. Spojrzał na swój kapelusz i siłą woli zmusił serce, by zaczęło bić wolniej.

— Co takiego mógł zrobić Tom, że musisz go zabić? — zapytał.

— Wyruchał moją dziewczynę. — Luca ponownie rozłożył ręce. — Co można na to poradzić? Ona jest dziwką i nie wiem, dlaczego nie utopiłem jej jeszcze w rzece, ale co można na to poradzić? To sprawa honoru. Muszę go zabić, Vito. Przykro mi.

Vito włożył kapelusz na głowę i odchylił się do tyłu. Popatrzył Luce prosto w oczy, a tamten odpowiedział mu takim samym spojrzeniem, lekko się uśmiechając. Za drzwiami kantoru Vinnie, ten głupi, śmiał się niczym dziewczyna, piskliwym, chichotliwym śmiechem.

— Gdybyś zgodził się, żebym sam załatwił tę sprawę z Tomem jako jego ojciec — powiedział Vito, kiedy śmiech ucichł — uznałbym, że wyświadczyłeś mi wielką przysługę i próbowałbym ci się odwdzięczyć, wstawiając się za tobą u Mariposy i Cinquemaniego.

— Nie chcę, żeby ktoś się za mną wstawiał — odrzucił jego propozycję Luca.

— Rozumiesz chyba, że będą próbowali cię zabić? Ciebie i twoich ludzi?

— Niech próbują. Lubię zmierzyć się z godnym przeciwnikiem.

— W takim razie — podjął Vito, wstając i wygładzając spodnie — może będziesz potrzebował więcej środków, które pomogą ci uporać się z Tommym, kiedy będzie na ciebie nastawał, a także z Mariposą i ich cynglami. Słyszałem, że straciłeś dużo forsy, kiedy bracia O'Rourke rozbili twój kantor. To musiało cię sporo kosztować. Być może przydałoby ci się w tej sytuacji pięć tysięcy dolarów.

Luca obszedł dokoła biurko i zbliżył się do Vita.

— Pięć tysięcy niekoniecznie. — Wydął wargi, zastanawiając się nad jego ofertą — ale przydałoby mi się piętnaście tysięcy.

— Dobrze — odparł natychmiast Vito. — Każę komuś dostarczyć ci te pieniądze w ciągu godziny.

Luca w pierwszej chwili wydawał się zaskoczony, a potem rozbawiony.

— To zdzira — wyjaśnił, mówiąc ponownie o swojej dziewczynie — ale jest piękna. — Skrzyżował ręce na piersi i przez chwilę milczał, jakby zastanawiał się, czy jednak nie odrzucić oferty. — Wiesz co, Vito — odezwał się w końcu. — W ramach uprzejmości zapomnę o głupocie Hagena. — Podszedł do drzwi i położył rękę na klamce. — Nie wiedział, kim jestem. Kelly poderwała go w knajpie w Harlemie. To piękna dziewczyna, ale jak już wspomniałem, straszna z niej dziwka i tak czy inaczej zamierzam z nią skończyć.

— Zawarliśmy zatem umowę — powiedział Vito.

Luca pokiwał głową.

— Jedno mnie ciekawi — oznajmił, opierając się o drzwi i tarasując je. — Ty i Clemenza macie sporo ludzi, którzy dla was pracują. A ja mam tylko mój mały gang, zaledwie paru chłopaków. Dlaczego po prostu mnie nie sprzątniecie?

— Kiedy widzę kogoś, kogo nie można lekceważyć, wiem o tym od razu, panie Brasi. Powiedz mi, gdzie Tom poznał twoją dziewczynę?

— W knajpie u Juke'a. W Harlemie.

Vito podał Luce rękę. Ten spojrzał na nią, jakby zastanawiał się, czy ją uścisnąć, a potem zrobił to i otworzył przed nim drzwi.

Na zewnątrz, w samochodzie Clemenza pochylił się i też otworzył drzwi przed Vitem.

— Jak poszło? — zapytał. Leżące przy jego udzie pudełko z cukierni było puste, a na koszuli miał dwie plamy, żółtą po kremie i czarną po jagodach. — Kiedy jestem zdenerwowany, jem bez opamiętania — wyjaśnił, widząc, że Vito zerka na pudełko. — No więc, jak poszło? — powtórzył, skręcając w Park Avenue.

— Odwieź mnie do domu, a potem wyślij kogoś, żeby znalazł Toma i przywiózł go do mnie — polecił Vito.

— Toma? — powtórzył Clemenza, po czym skrzywił się i spojrzał na Vita. — Toma Hagena?

— Toma Hagena — warknął Vito.

Clemenza zbladł i skulił się, jakby oberwał pięścią.

— I znajdź Hatsa — dodał Vito. — Każ mu zawieźć Luce

piętnaście tysięcy dolarów. Natychmiast. Powiedziałem Brasiemu, że będzie je miał w ciągu godziny.

— Piętnaście tysięcy dolarów? *Mannagg'!* Nie lepiej go po prostu zabić? — zasugerował Clemenza.

— Nic by go bardziej nie uszczęśliwiło. Facet robi wszystko, co w jego mocy, żeby ktoś go sprzątnął.

Clemenza spojrzał z troską na Vita, jakby w magazynie Brasiego zdarzyło się coś, co chwilowo odebrało mu rozum.

— Po prostu każ przywieźć do mnie Toma — powiedział trochę łagodniejszym tonem Vito. — Później ci wszystko wyjaśnię. Teraz muszę się zastanowić.

— Ech — westchnął Clemenza. — Jasne, Vito.

Sięgnął do pudełka z cukierni, zorientował się, że jest puste, i rzucił je na tylne siedzenie.

12

Widząc swoje odbicie w lustrze na ścianie cukierni, Sonny się roześmiał. Stał nieubrany za szklaną gablotą obok kasy, zajadając pączka z cytrynowym nadzieniem. Ciotka Eileen zabrała Caitlin na cały dzień i Eileen zamknęła wcześniej cukiernię i zaprosiła do siebie Sonny'ego. Leżała teraz w łóżku i spała, a Sonny zszedł na dół schodami, które prowadziły bezpośrednio z jej salonu na zaplecze cukierni i zajrzał do sklepu, żeby coś przekąsić. Szyba od frontu była zasłonięta wielką zieloną roletą, a na oszklonych drzwiach opuszczono żaluzje. Było późne popołudnie i światło sączące się zza skrajów rolety i żaluzji rzucało pomarańczowy blask na ściany. Ulicą szli ludzie i Sonny słyszał strzępki rozmów. Dwóch facetów kłóciło się o mecze World Series, rozmawiając o waszyngtońskiej drużynie Senatorów z Goose'em Goslinem i o tym, czy poradzą sobie z Hubbellem. Sonny podobnie jak jego ojciec nie interesował się sportem. Chciało mu się śmiać na myśl o tym, że stoi na golasa, zajadając pączka, podczas gdy trzy metry dalej dwóch jegomości rozprawia o baseballu.

Z pączkiem w ręce zaczął chodzić po cukierni, wszystkiemu się przyglądając. Od dnia, kiedy pojechali na piknik, wciąż wracał myślami do posiadłości i dwóch cwaniaków, którzy chcieli ich wykiwać. Nie dawało mu spokoju coś, co zobaczył w oczach większego faceta, tego, który złapał do ręki klucz. Kiedy już odjechali, powiedział do Clemenzy coś w rodzaju „Widziałeś tych dwóch klaunów?", a tamten odparł „No cóż, Sonny, to jest Ameryka". Sonny nie zapytał, co Clemenza ma na myśli, ale prawdopodobnie chodziło mu o to, jak załatwia się sprawy tu, w Ameryce: każdy kombinuje, jak może. Ludzie tacy jak Clemenza, ojciec Sonny'ego i wielu innych nadal mówili o Ameryce, jakby to był obcy kraj. Tamten potężny gość... nie chodziło o to, co powiedział, chociaż te bzdury o papieżu zalazły Sonny'emu za skórę. Nie wiedział dlaczego, bo nie interesowała go religia i matka już dawno temu przestała go ciągać co niedziela na mszę. „Zupełnie jak twój ojciec", parskała gniewnie, mając na myśli, że Vito też nie chodzi do kościoła w niedzielę — ale Sonny był dumny, że w ogóle porównywała go z ojcem. Papież był dla niego człowiekiem w śmiesznym kapeluszu. Więc nie chodziło o nic, co powiedział tamten olbrzym z kluczem, ale bardziej o to, jak na nich patrzył, w większym stopniu, jak patrzył na Vita niż na niego, Sonny'ego. Nie dawało mu to spokoju i bez przerwy wyobrażał sobie, jak spuszcza temu draniowi manto, żeby już nigdy w ten sposób na nich nie patrzył.

Na zapleczu za właściwą piekarnią trafił na zamknięte drzwi, węższe od innych. Za nimi był mały pokoik z kozetką i dwoma rozchwierutanymi regałami. Na półkach stały ciasno poukładane książki, a na nich leżały kolejne, z ułożonymi w prostej linii tytułami. Przy kozetce, na małej nocnej szafce, pod kloszem starej mosiężnej lampy leżały jedna na drugiej trzy następne. Sonny wziął je do ręki, wyobrażając sobie Eileen odpoczywającą w tym małym wąskim pokoiku z luksferowym oknem wychodzącym na alejkę. Książka, która leżała na dole, była gruba i ciężka, ze złoconymi stronami. Kiedy otworzył ją na stronie tytułowej, okazało się, że to dzieła zebrane Szekspira. Środkową książką była powieść pod tytułem *Słońce też wschodzi*. Ta na górze była cienka i otworzywszy ją, przekonał się, że to zbiór wierszy. Wcisnął go pod pachę i zabrał na górę, gdzie zastał Eileen ubraną i stojącą w kuchni przy piekarniku, który pachniał przyjemnie pieczonym chlebem. Widząc Sonny'ego, wybuchnęła śmiechem.

— Na litość boską, włóż coś na siebie! — zawołała. — Nie masz wstydu!

Sonny spojrzał na siebie, szczerząc zęby w uśmiechu.

— Myślałem, że podoba ci się mój widok, kiedy jestem nagi.

— To widok, którego prędko nie zapomnę — odparła. — Sonny Corleone stojący w mojej kuchni nago, jak go Pan Bóg stworzył, i trzymający pod pachą książkę.

— Znalazłem to w pokoiku na zapleczu — wyjaśnił Sonny, rzucając zbiór wierszy na kuchenny stół.

Eileen zerknęła na tomik i usiadła przy stole.

— To książka twojego kumpla, Bobby'ego Corcorana — powiedziała. — Czasami przychodzi tu na cały dzień, udając, że chce mi pomóc w piekarni, i leży w pokoiku na zapleczu, czytając książki.

— Cork czyta wiersze? — zdziwił się Sonny, siadając na krześle tuż przy Eileen.

— Twój przyjaciel Cork czyta najróżniejsze książki.

— Tak, wiem. Ale wiersze?

Eileen westchnęła, jakby nagle ogarnęło ją zmęczenie.

— Rodzice nauczyli nas oboje czytać wszystko, co wpadnie nam w ręce. Ale to mój ojciec był największym pożeraczem książek. — Eileen na chwilę umilkła, spojrzała czule na Sonny'ego i przeczesała mu palcami włosy. — Bobby był małym chłopcem, kiedy grypa zabrała ich oboje — powiedziała. — Ale zostawili nam swoje książki.

— Więc to są książki waszych rodziców?

— Teraz należą do Bobby'ego. Jest też kilka nowych, które ja albo Bobby dodaliśmy do kolekcji. Do tej pory przeczytał pewnie wszystkie dwa razy. — Eileen pocałowała Sonny'ego w czoło. — Powinieneś już iść. Robi się późno, a ja mam jeszcze robotę.

— Włosi nie czytają książek — oświadczył Sonny, ruszając do sypialni po swoje ubranie. — Żaden z Włochów, których znam, nie czyta książek — dodał, kiedy Eileen wybuchnęła śmiechem.

— To zupełnie coś innego niż stwierdzenie, że Włosi nie czytają książek.

Sonny ubrał się i wrócił do kuchni do Eileen.

— Może tylko Sycylijczycy nie czytają książek — powiedział.

— Nikt, kogo znam w tej dzielnicy, nie czyta książek, Sonny — oświadczyła, zdejmując jego kapelusz z wieszaka przy drzwiach. — Są za bardzo zaabsorbowani tym, żeby mieć co do gęby włożyć.

Sonny wziął od niej kapelusz i pocałował ją.

— Widzimy się w następną środę?

— Hm — mruknęła, przykładając rękę do czoła. — Jeśli

257

o to chodzi, Sonny... nie wydaje mi się — powiedziała. — Moim zdaniem nasza historia dobiegła po prostu końca. Nie sądzisz?

— O czym ty mówisz? Co rozumiesz przez to, że „nasza historia dobiegła końca"?

— Cork mówi, że masz nową pannę, z którą się teraz spotykasz. Widujesz się z nią podczas przerwy na lunch w warsztacie? Tak to wygląda?

— *Mannagg'!* — Sonny wzniósł oczy do sufitu.

— A co będzie z tą Sandrinellą, którą chce ci naraić twój ojciec?

— Cork ma za długi jęzor.

— Ach, Sonny... Dla Bobby'ego jesteś idolem. Nie wiesz o tym? Ty i wszystkie twoje kobiety. — Eileen podeszła do piekarnika, jakby coś sobie przypomniała. Otworzyła jego drzwiczki, zajrzała do środka i zostawiła je uchylone.

— Eileen... — Sonny włożył na głowę kapelusz i z powrotem go zdjął. — Ta historia podczas przerwy na lunch... To nic ważnego. To tylko...

— Wcale się nie gniewam — odparła. — To nie moja sprawa, kogo obracasz w łóżku.

— Skoro się nie gniewasz, to o co ci chodzi?

Eileen westchnęła, usiadła z powrotem przy kuchennym stole i dała znak Sonny'emu, żeby siadł koło niej.

— Powiedz mi coś więcej o Sandrze — poprosiła.

— Co chcesz wiedzieć? — zapytał, odsuwając krzesło.

— Opowiedz mi o niej. Jestem ciekawa.

— Jest piękna tak jak ty. — Sonny włożył jej na głowę swój kapelusz i naciągnął na uszy. — Ma tylko ciemniejszą skórę. Włosi to dzikusy, rozumiesz.

Eileen zdjęła z głowy kapelusz i przycisnęła go do piersi.

— Ciemne oczy, ciemne oczy, sterczące cycki.

— Zgadza się — potwierdził Sonny. — Mniej więcej.

— Już ją posuwałeś?

— Nie — odparł, jakby zaszokowało go to pytanie. — To porządna włoska dziewczyna. Nie zaliczę pierwszej bazy, dopóki nie zobaczy pierścionka zaręczynowego.

Eileen roześmiała się i rzuciła mu kapelusz na kolana.

— Jak to dobrze, że masz irlandzką dziwkę, którą możesz posuwać.

— Daj spokój, Eileen. To nie tak.

— Ależ właśnie tak, Sonny. — Eileen wstała i podeszła do drzwi. — Posłuchaj mnie — powiedziała z ręką na klamce. — Powinieneś ożenić się z twoją Sandrinellą i od razu ją przelecieć, żeby mogła mieć tuzin dzieciaków, dopóki jest jeszcze młoda. Wy, Włosi, lubicie mieć duże rodziny.

— I kto to mówi? — odpalił Sonny, stając obok niej przy drzwiach. — Wy, Irlandczycy, macie czasami tak wielkie rodziny, że mam wrażenie, że wszyscy jesteście ze sobą spokrewnieni.

Eileen uśmiechnęła się, przyznając mu rację.

— Tak czy owak uważam, że powinniśmy się przestać widywać. — Objęła go mocno i pocałowała. — Wcześniej czy później ktoś by się dowiedział, a wtedy mielibyśmy się oboje z pyszna. Lepiej skończyć to teraz, bezproblemowo.

— Nie wierzę ci — mruknął, sięgając nad jej ramieniem i zamykając drzwi.

— Lepiej mi uwierz — odparła stanowczym tonem. — Zawsze powtarzałam, że to tylko przelotna miłostka — dodała, po czym otworzyła drzwi i odsunęła się na bok, przytrzymując je przed Sonnym i czekając, aż wyjdzie.

Ten skoczył ku niej, jakby miał zamiar ją uderzyć, a potem złapał drzwi i zatrzasnął za sobą. Zbiegając po schodach na dół, uderzył nagle pięścią w ścianę, tak mocno, że tynk pękł w tym miejscu pod tapetą. Kiedy zamknęły się za nim frontowe drzwi, nadal słyszał, jak sypie się przez ściany aż do piwnicy.

. . .

Carmella kursowała tam i z powrotem między kuchenką i zlewem, szczękając garnkami i patelniami i przygotowując na obiad bakłażana. Za jej plecami Clemenza bujał Connie na kolanie przy kuchennym stole, a Tessio i Genco siedzieli obok niego, słuchając Michaela, który, co chwila przerywając, opowiadał o przygotowywanym przez siebie szkolnym zadaniu na temat Kongresu. Bliski łez Fredo wyszedł właśnie z domu, mówiąc, że idzie do kolegi. Na górze Tom siedział w gabinecie z Vitem i przez minione pół godziny wszyscy starali się nie zwracać uwagi na rozbrzmiewające co jakiś czas krzyki i łomoty, które dobiegały zza drzwi i docierały aż do kuchni. Vito nie był człowiekiem, który łatwo traciłby nad sobą panowanie. Nie krzyczał na swoje dzieci, a tym bardziej nie używał wobec nich nieprzyzwoitych wyrazów — dlatego wszyscy domownicy w napięciu i z niedowierzaniem słuchali dochodzących z gabinetu krzyków i przekleństw.

— Mamy czterdzieści osiem stanów — oświadczył Michael — i dziewięćdziesiąt sześć osób reprezentuje ich wyborców jako senatorowie.

— Chodzi o to, że reprezentują tych, którzy im płacą — powiedział Clemenza do Connie.

Michael spojrzał w górę, jakby mógł przeniknąć wzrokiem

sufit i zajrzeć do gabinetu, w którym przez ostatnie kilka minut panowała cisza. Przesunął palcami po karku i poprawił kołnierzyk koszuli, który najwyraźniej go uwierał.

— Co masz na myśli? — zapytał, zwracając się do Clemenzy. — Co masz na myśli, mówiąc o „tych, którzy im płacą".

— Nie słuchaj go, Michael — mruknął Genco.

— Clemenza... — rzuciła ostrzegawczo Carmella, trzymając w ręku nóż do mięsa i nie podnosząc wzroku znad deski, na której leżał gruby bakłażan.

— Nie miałem nic złego na myśli — powiedział Clemenza, łaskocząc Connie, która zaczęła się wić i wiercić na jego kolanach, a potem odwróciła się gwałtownie do Michaela.

— Potrafię wymienić stany! — zawołała i zaczęła recytować: — Alabama, Arizona, Arkansas...

— *Sta'zitt'!* Nie teraz, Connie! — przerwała jej Carmella i zaczęła siekać bakłażana, jakby to był kawał mięsa, a jej nóż był tasakiem.

Na górze otworzyły się drzwi gabinetu. Wszyscy w kuchni spojrzeli w stronę schodów, a potem opanowali się i wrócili do tego, co robili wcześniej: Carmella do krojenia bakłażana, Clemenza do łaskotania Connie, a Michael, spojrzawszy na Genca i Tessia, do przedstawiania faktów na temat Izby Reprezentantów.

Wchodząc do kuchni, Tom miał pobladłą twarz i podpuchnięte oczy.

— Tato chce się z tobą widzieć — powiedział, wskazując ręką Genca.

— Tylko z nim? — zdziwił się Tessio.

— Z wami wszystkimi — oświadczył Tom.

Connie, która normalnie, widząc Toma, od razu by do niego podbiegła, postawiona na podłodze przez Clemenzę, obeszła stół i stanęła obok Michaela. Miała na sobie różową sukienkę, białe skarpetki i czarne lśniące buciki. Michael posadził ją sobie na kolanach i oboje spojrzeli w milczeniu na Toma.

— Muszę już iść, mamo — oświadczył.

Carmella wskazała kuchennym nożem stół.

— Zostań na obiedzie — powiedziała. — Robię bakłażana, takiego jak lubisz.

— Nie mogę, mamo.

— Nie możesz zostać? — odparła, podnosząc głos. — Nie możesz zostać i zjeść obiadu ze swoją rodziną?

— Nie mogę — potwierdził głośniej, niż zamierzał. W pierwszym momencie wyglądał, jakby chciał przeprosić albo coś wyjaśnić, ale potem wyszedł z kuchni i ruszył ku frontowym drzwiom.

— Zabierz Connie do swojego pokoju i poczytaj jej książkę — poleciła Carmella Michaelowi. Jej ton dawał jasno do zrozumienia, że ani on, ani Connie nie mają żadnego wyboru w tej kwestii.

W salonie dopadła Toma przy drzwiach, kiedy wkładał marynarkę.

— Przykro mi, mamo — wyszeptał, ocierając mokre od łez oczy.

— Twój ojciec powiedział mi, co się wydarzyło, Tom — oznajmiła.

— Powiedział ci?

— A co? — zapytała Carmella. — Myślisz, że mężczyźni nie rozmawiają ze swoimi żonami? Myślisz, że twój ojciec nic mi nie mówi?

— Mówi ci to, co chce powiedzieć — stwierdził Tom. — Przepraszam, mamo — dodał szybko, widząc gniew na jej twarzy. — Jestem podenerwowany.

— Jesteś podenerwowany — powtórzyła.

— I zawstydzony — dodał.

— Powinno ci być wstyd.

— Źle się zachowałem. To się już nie powtórzy.

— I to z jakąś irlandzką dziewczyną... — powiedziała, potrząsając głową.

— Jestem po części Irlandczykiem, mamo.

— To nie ma znaczenia. Powinieneś mieć dość oleju w głowie.

— *Si* — przyznał Tom, zapinając kurtkę na zamek błyskawiczny. — *Mi dispiace.* Dzieci nic nie wiedzą — dodał, jakby zdawał sobie oczywiście sprawę, że nie powinny wiedzieć, ale i tak prosił o dyskrecję.

Carmella wydęła wargi, dając mu do zrozumienia, że niepotrzebnie o to prosi: dzieci nigdy się nie dowiedzą. Podeszła bliżej i ujęła jego twarz w dłonie.

— Jesteś mężczyzną, Tommy — powiedziała. — Musisz opanować swoje popędy. Chodzisz do kościoła? Odmawiasz modlitwy?

— Oczywiście, mamo. Oczywiście.

— Do jakiego kościoła? — zapytała i kiedy Tom nie odpowiedział, dramatycznie westchnęła. — Mężczyźni... wszyscy jesteście tacy sami.

— Posłuchaj, mamo. Tato powiedział, że jeśli coś takiego ponownie się zdarzy, będę zdany na siebie.

— Więc postaraj się, żeby do tego nie doszło — odparła oschle. — Módl się, Tommy — dodała nieco łagodniej. —

Módl się do Jezusa. Wierz mi, jesteś już mężczyzną. Przyda ci się każda pomoc.

Tom pocałował Carmellę w policzek.

— Przyjdę na obiad w niedzielę — obiecał.

— Oczywiście, że przyjdziesz — powiedziała Carmella, jakby to nigdy nie ulegało wątpliwości. — Bądź dobrym chłopcem — poprosiła, po czym otworzyła drzwi i poklepała go czule po ramieniu, gdy wychodził.

Stojąc w oknie swojego gabinetu i widząc, że Tom wychodzi na ulicę i zmierza w stronę Arthur Avenue i tramwaju, Vito nalał sobie więcej stregi. Genco opierał się o jego biurko i przedstawiał sytuację Giuseppego Mariposy po śmierci Rosaria LaContiego. Część ludzi LaContiego nie chciała się podporządkować Giuseppemu. Nie podobało im się to, jak Giuseppe rozwiązał kwestię Rosaria, upokarzając go i wyrzucając nagiego na ulicę. Ich zdaniem Mariposa zachował się jak bestia. Niektórzy zwracali się do Rodzin Stracciego i Cunea, pragnąc się im podporządkować — szukając każdego wyjścia, byle tylko nie pracować dla Mariposy.

— Anthony Stracci i Ottilio Cuneo nie osiągnęliby tego, co osiągnęli, gdyby byli głupcami — oświadczył typowym dla siebie zgryźliwym tonem Tessio, stojąc ze skrzyżowanymi rękoma przy drzwiach gabinetu. — Nie zaryzykują wojny z Mariposą.

— *Si* — potwierdził Genco, po czym odszedł od biurka i usiadł ciężko w fotelu zwróconym w stronę okna i Vita. — Mając organizację LaContiego po swojej stronie albo pod swoim butem oraz Tattaglię w kieszeni, Mariposa stał się zbyt silny. Stracci i Cuneo odmówią każdemu, kto się do nich zwróci.

Clemenza, siedzący obok Genca z kieliszkiem anisette w ręce, spojrzał na Vita.

— Muszę coś powiedzieć Mariposie na temat Luki Brasiego — stwierdził. — Oczekuje, że się nim zajmiemy.

Vito usiadł na kozetce przy oknie i oparł kieliszek ze stregą o kolano.

— Powiedz Mariposie, że zajmiemy się Brasim, kiedy nadejdzie odpowiedni moment — odparł.

— Mariposie nie spodoba się taka odpowiedź, Vito — mruknął Clemenza. — Tomasino chce usunięcia Brasiego natychmiast, a Mariposa chce go uszczęśliwić.

Kiedy Vito wzruszył ramionami, Clemenza spojrzał na Genca, oczekując od niego wsparcia. Ten odwrócił wzrok, a Clemenza roześmiał się w sposób, który sugerował, że jest zdumiony.

— Najpierw Mariposa mówi nam, żebyśmy ustalili, kto go okrada, a my tego nie robimy — powiedział. — Teraz mówi, żebyśmy zajęli się Brasim, a my odpowiadamy, że zrobimy to, kiedy będzie odpowiedni moment. *Che minchia!* Vito! Sami prosimy się o kłopoty.

Vito upił trochę stregi.

— Dlaczego chciałbym pozbyć się kogoś, kto budzi bojaźń bożą w Mariposie? — zapytał cicho.

— Nie tylko w Mariposie — dodał Tessio.

Clemenza rozłożył ręce.

— A jaki mamy inny wybór? — zapytał.

— Powiedz Joemu, że zajmiemy się Lucą Brasim. Powiedz mu, że nad tym pracujemy. Po prostu to zrób. Nie chcę, żeby on albo Cinquemani sami próbowali załatwić Brasiego. Chcę, żeby myśleli, że my się tym zajmiemy.

Clemenza odchylił się do tyłu w fotelu, jakby uznał się za pokonanego, i spojrzał na Tessia, który podszedł do biurka.

— Wybacz mi, Vito — powiedział — ale w tej sprawie muszę poprzeć Clemenzę. Jeśli Mariposa obróci się przeciwko nam, nie mamy żadnych szans. Zetrze nas na proch.

Vito westchnął, złożył przed sobą ręce, po czym spojrzał na Genca i skinął głową.

— Posłuchajcie — odezwał się tamten i zawahał się, szukając odpowiednich słów. — Zamierzaliśmy z Vitem zachować to w sekrecie, bo nie chcieliśmy ryzykować, że ktoś chlapnie jęzorem i narazi na niebezpieczeństwo Frankiego Pentangelego.

Clemenza klasnął w dłonie, natychmiast wszystkiego się domyślając.

— Frankie jest z nami! Zawsze kochałem tego sukinsyna! Jest za porządny, żeby trzymać sztamę z takimi szumowinami jak Mariposa.

— Clemenza — mruknął Vito. — Bóg mi świadkiem, że powierzyłbym ci życie moich dzieci, ale... — w tym momencie przerwał i podniósł palec — wiem, że za dużo gadasz, a tu wystarczy, że powiesz o jedno słowo za dużo i nasz przyjaciel będzie miał kłopoty.

— Klnę się na Boga, Vito — odparł Clemenza. — Nie masz się czym przejmować.

— To dobrze — stwierdził Vito i ponownie spojrzał na Genca.

— Mariposa chce nas zniszczyć — powiedział Genco. — Wiemy o tym od Frankiego. To tylko kwestia czasu...

— To dopiero sukinsyn! — wybuchł Clemenza. — Więc decyzja została już podjęta?

— *Sì* — odparł Genco. — Póki Mariposa i jego chłopcy są zajęci LaContim, mamy chwilę wytchnienia... ale jesteśmy na jego celowniku. Chce przejąć nasz handel oliwą, chce przejąć nasze koneksje; chce nam zabrać wszystko. Wie, że kiedy prohibicja zostanie zniesiona, będzie musiał zacząć działać w innych branżach, i ma nas na celowniku.

— *Bastardo!* — zaklął Tessio. — A Emilio i inni? Też biorą w tym udział?

Genco pokiwał głową.

— Uważają, że masz oddzielną organizację — zwrócił się do Tessia — ale ciebie też chcą zniszczyć. Prawdopodobnie najpierw chcą się uporać z Corleonem, a potem z tobą.

— Dlaczego nie zwrócimy się po prostu do Frankiego, żeby odstrzelił Mariposie łeb? — zapytał Clemenza.

— A co by nam to dało? — odparł Vito. — Wtedy Emilio Barzini łatwiej dobierze nam się do skóry i będą go popierały inne Rodziny.

— Tak czy owak chętnie odstrzeliłbym mu łeb — mruknął Clemenza.

— Giuseppe na razie się nie spieszy — powiedział Genco — ale Frankie twierdzi, że planuje coś z Rodziną Barzinich. Nie mówią mu wszystkiego, więc nie ma pojęcia, co to będzie... jednak wie, że coś się szykuje, i kiedy się dowie, da nam znać. Jednak na razie, po tej aferze z LaContim, nie są jeszcze gotowi, żeby się z nami policzyć.

— Więc co mamy robić? — zapytał Clemenza. — Siedzieć na tyłku i czekać, aż to zrobią?

— Zyskaliśmy pewną przewagę — powiedział Vito, po czym z kieliszkiem w ręce wstał i obszedł biurko, żeby za nim usiąść. — Mając Frankiego po drugiej stronie, będziemy wiedzieli, co planuje Joe. — Wyjął z szuflady cygaro i zaczął je rozwijać. — Mariposa myśli o przyszłości — podjął — ale ja też o niej myślę. Po zniesieniu prohibicji będę szukał nowych dróg prowadzenia interesów. Ludzie pokroju Dutcha Schultza i Legsa Diamonda... — mruknął ze zdegustowaną miną. — Ci ludzie, o których codziennie piszą w gazetach, ci narwańcy... wszyscy muszą odejść. Wiem o tym i Giuseppe też o tym wie. Wszyscy o tym wiemy. Za dużo jest klaunów, którzy uważają, że mogą robić, co im się żywnie podoba. Co dwie przecznice mamy kolejną grubą szychę. To się musi skończyć. Giuseppe uważa, że da radę wszystkim rządzić. Nie zrozumcie mnie źle — dodał Vito i przyciął cygaro. — Joe lubi tego idiotę Adolfa Hitlera z Niemiec. Nie zatrzyma się, póki nie będzie miał wszystkiego.

Vito zapalił cygaro i zaciągnął się.

— Mamy pewne plany — podjął. — Nie wiem jeszcze jak, ale może okazać się w nich pomocny Luca Brasi. Każdy, kogo boi się Mariposa, może się okazać pomocny, więc starajmy się za wszelką cenę zachować go przy życiu. A ci durnie, którzy okradają Mariposę? W naszym interesie jest ustalenie, co to za jedni, i przekazanie ich Joemu... więc będziemy dalej starali się to zrobić. Jeśli zdołamy wydać mu tych gamoni i powstrzymać go przed rozprawieniem się z Brasim i jeśli Frankie zachowa życie i nadal będzie dla nas pracował... — Vito ponownie przerwał i omiótł spojrzeniem swoich przyjaciół. — Wtedy z Bożą pomocą, kiedy nadejdzie pora, będziemy gotowi — podsumował. — A teraz — dodał, wskazując drzwi gabinetu — wybaczcie mi, ale miałem ciężki dzień.

Clemenza dał krok w jego stronę, jakby miał coś więcej

do powiedzenia, lecz Vito podniósł rękę i podszedł do okna. Odwrócił się plecami do Clemenzy i innych i kiedy wychodzili z gabinetu, stał, obserwując ulicę. Potem usiadł na kanapce przy oknie i spojrzał na stojące po drugiej stronie Hughes Avenue dwurodzinne domy z czerwonej cegły. Patrzył na nie, lecz wzrok miał zwrócony do wewnątrz. Poprzedniej nocy, dzień przed złożeniem wizyty Luce Brasiemu, śniło mu się, że jest w Central Parku, przy fontannie, i patrzy na umieszczone w kufrze okaleczone ciało. Nie potrafił go zidentyfikować, ale serce waliło mu w piersi, bo bał się zobaczyć, kto to jest. Pochylał się nad kufrem i zaglądał coraz głębiej, lecz nadal nie poznawał twarzy straszliwie poharatanego i upchniętego w ciasnej przestrzeni trupa. A potem w jego śnie wydarzyły się nagle dwie rzeczy. Podniósł wzrok i ujrzał nad fontanną kamiennego anioła, który wyciągał do niego rękę. A potem zerknął w dół i trup w kufrze uniósł się i złapał go za rękę, jakby o coś błagał — i Vito obudził się z bijącym szybko sercem. Choć zawsze miał zdrowy sen, przeleżał w łóżku pół nocy, nie mogąc zebrać myśli — i czytając nazajutrz gazetę przy porannej kawie, trafił na fotografię tego chłopaka, Nicky'ego Crei, wciśniętego do kufra w Central Parku i wskazującego nań znad fontanny anioła. Zdjęcie zamieszczone było gdzieś pośrodku gazety przy artykule na temat morderstwa. Żadnych podejrzanych. Żadnych świadków. Żadnych tropów. Tylko zwłoki tego chłopaka wciśnięte do kufra i zaglądający do środka niezidentyfikowany facet w cywilnym ubraniu. To zdjęcie przypomniało mu z wielką wyrazistością sen i odsunął gazetę na bok — lecz zarówno ono, jak i sen obudziły w nim złe przeczucia. Później, kiedy Luca Brasi opowiedział mu o Tomie, znowu zaczął myśleć o tym, co mu się przyśniło, jakby między jednym i drugim istniał jakiś związek — i nawet teraz, gdy dzień dobiegał końca, nie mógł zapomnieć o tym śnie, wyrazistym niczym świeże wspomnienie, i nie mógł się pozbyć przykrego przeczucia, że wydarzy się coś złego.

Siedział przy oknie w gabinecie z cygarem i kieliszkiem do chwili, kiedy Carmella zapukała do drzwi, a potem je otworzyła. Kiedy zobaczyła go na kanapce, usiadła obok niego. Nic nie powiedziała. Spojrzała mu w twarz, po czym wzięła w obie ręce jego dłoń i zaczęła ją masować tak, jak lubił, ściskając jeden po drugim kłykcie i stawy. Za oknem zapadał zmierzch.

· · ·

Donnie O'Rourke skręcił na rogu w Dziewiątą Aleję i zatrzymał się, by zawiązać sznurowadło. Opierając but o podstawę latarni i niespiesznie go sznurując, spojrzał w górę i w dół ulicy. Nie zobaczył nic podejrzanego: chodnikiem szło dwóch śmiejących się, wyelegantowanych bubków z atrakcyjną babką, a trochę dalej starsza pani z papierową torbą w ręce i dzieckiem przy boku. Ulicą przejeżdżały co chwila samochody i popychał swój pusty wózek domokrążca, nucąc melodię, którą pewnie tylko on umiał rozpoznać. Było późne popołudnie niezwykle ciepłego jak na tę porę roku dnia, który wszyscy starali się spędzić na dworze, pod błękitnym niebem i w jasnym słońcu. Upewniwszy się, że nie jest śledzony ani obserwowany, Donnie ruszył w stronę kamienicy, w której wynajmował mieszkanie wraz z Seanem i Williem. Mieszkali na pierwszym piętrze i kiedy tylko wszedł do małego holu z posadzką w biało-czarną szachownicę, drzwi do piwnicy otworzyły się na oścież i stanął w nich jeden z chłopaków Luki, celując z pistoletu w jego głowę.

Donnie chciał sięgnąć po broń, lecz w tej samej chwili kolejny członek gangu Luki, ten z zabandażowaną ręką, wyszedł z piwnicy zza pleców pierwszego, trzymając na wysokości bioder obrzyna. Celował z niego Donniemu w jaja.

— Nie bądź głupi. Luca chce z tobą tylko pogadać — powiedział, wskazując obrzynem zejście do piwnicy.

Pierwszy facet obszukał Donniego i znalazł zarówno pistolet w kaburze pod pachą, jak i rewolwer z krótką lufą w kaburze na kostce.

Luca siedział w piwnicy obok pieca, na zdezelowanym fotelu z nóżkami w kształcie lwich łap. Z rozdartej na siedzeniu i oparciu sztucznej skóry wystawały kępki białej waty, a lwia łapa u tylnej prawej nóżki oderwała się i fotel stał przekrzywiony w bok. Luca odchylił się do tyłu, założył nogę na nogę i splótł ręce na karku. Był ubrany w spodnie od garnituru i podkoszulek. Jego koszula, marynarka i krawat wisiały na oparciu drugiego podobnie zdezelowanego fotela z nóżkami w kształcie lwich łap, który stał po jego prawej stronie. Za Lucą stał ze znudzoną miną i rękoma w kieszeniach Hooks Battaglia, a za nim kolejny facet, który trzymał rękę w spodniach i się drapał. Donnie skinął głową Hooksowi.

— Wy, Irlandczycy, zaczynacie ze mną wojnę — powiedział Luca, kiedy Paulie i JoJo pchnęli Donniego w jego stronę — a potem chodzicie sobie bez żadnej ochrony, jakby nigdy nic. Co z wami jest nie tak? Nie pomyśleliście, że znajdę to miejsce?

— Pierdol się, Luca — odparł Donnie.

Luca spojrzał na Hooksa.

— Widzisz? Widzisz, dlaczego lubię tego faceta? — dodał, wskazując Donniego. — Nie boi się mnie i wcale nie boi się, że umrze. Jak można nie lubić kogoś takiego?

— Wolę zginąć, niż lizać tyłek ludziom jego pokroju — powiedział Donnie do Hooksa, który pokręcił lekko głową, jakby chciał ostrzec Donniego, żeby nie przesadzał z tą wojowniczością.

— Więc komu chcesz lizać tyłek, Donnie? Wszyscy musimy lizać komuś tyłek — stwierdził Luca. — Oczywiście z wyjątkiem mnie — dodał ze śmiechem.

— Czego chcesz, Luca? — zapytał Donnie. — Zabijesz mnie od razu?

— Raczej cię nie zabiję. — Luca spojrzał na piec, a potem na biegnące pod sufitem dwie wielkie rury. — Lubię cię — dodał, skupiając z powrotem uwagę na swoim rozmówcy. — Współczuję ci. Żyło wam się całkiem nieźle, tobie i innym Irlandczykom, a potem ja i ci wszyscy spageciarze... tak nas czasami nazywacie, prawda?... ja i inni spageciarze pojawiliśmy się i zatruliśmy wam życie. Wy, Irlandczycy, trzęśliście kiedyś całą okolicą. Rozumiem, jak musi was wkurzać to, że przyszliśmy i skopaliśmy wam żałosne dupy. Współczuję wam.

— Jakie to wielkoduszne z twojej strony — stwierdził Donnie. — Masz złote serce, Luca.

— To prawda — zgodził się Brasi i usiadł prosto na zdezelowanym fotelu. — Nie chcę cię zabić, mimo że na to solennie zasłużyłeś. Muszę przecież myśleć o Kelly. To odgrywa pewną rolę, to, że jestem z twoją siostrą.

— Nie krępuj się — mruknął Donnie. — Należy do ciebie.

— To dziwka — powiedział Luca i uśmiechnął się, kiedy

twarz Donniego pociemniała, jakby chciał wyrwać mu serce. — Ale tak czy inaczej to moja dziwka.

— Będziesz się smażył w piekle — odparł Donny. — Ty i wszyscy twoi.

— Niewykluczone. — Luca wzruszył ramionami. — Wiesz, ile kosztował mnie ten skok na kantor? — zapytał i w jego głosie po raz pierwszy zabrzmiał gniew. — A mimo to naprawdę nie chcę cię zabić, Donnie, ponieważ, jak już powiedziałem, współczuję ci. — Luca umilkł teatralnie i podniósł w górę ręce. — Ale muszę zabić Williego — oznajmił. — Próbował mnie sprzątnąć, postrzelił dwóch moich chłopaków, trąbił wszem wobec, że mnie załatwi... Willie musi umrzeć.

— Więc co w takim razie zrobisz ze mną? — zapytał Donnie.

Luca obrócił się do Hooksa.

— Widzisz? Widzisz, jaki z niego spryciarz? Rozumie, że wiemy, gdzie się ukrywają. Rozumie, że mogliśmy po prostu zgarnąć Williego i mieć to z głowy. I rzeczywiście — dodał, zwracając się ponownie do Donniego — wiemy dokładnie, gdzie jest w tej chwili Willie. Jest na górze, w twoim mieszkaniu na pierwszym piętrze, numer osiemnaście. Widzieliśmy, jak tam wszedł mniej więcej godzinę temu.

Donnie podszedł krok bliżej do Luki.

— Przejdź do rzeczy — powiedział. — Nudzi mnie to.

— Jasne — odparł Luca, po czym ziewnął i znowu się przeciągnął, jakby wylegiwał się gdzieś na słońcu, a nie siedział w wilgotnej i ciemnej piwnicy. — Wszystko, o co cię proszę... i daję słowo, że ani jeden włos nie spadnie z twojej irlandzkiej głowy... to żebyś wrócił na parter, zawołał

Williego i poprosił, żeby zszedł do piwnicy. To wszystko, Donnie. Wszystko, o co cię proszę.

Donnie roześmiał się.

— Chcesz, żebym wydał ci własnego brata w zamian za darowanie życia.

— Zgadza się — potwierdził Luca, ponownie się prostując. — Taka jest umowa.

— Oczywiście — odparł Donnie. — I wiesz, co ci na to powiem? Może byś tak wrócił do domu i wyjebał tę starą kurwę, twoją matkę.

Vinnie i JoJo stali obok siebie, opierając się o piec. Luca dał im znak i JoJo pochylił się i sięgnął po leżący przy jego stopach sznur. Paulie dołączył do nich i razem skrępowali Donniemu ręce w nadgarstkach i przymocowali sznur do biegnących pod sufitem rur, tak że musiał stanąć na palcach, by nie zawisnąć w powietrzu. Przez cały czas patrzył na Hooksa, który stał nieruchomy jak posąg obok swojego szefa.

— Miałem nadzieję, że tego unikniemy — powiedział Luca, wstając z przekrzywionego fotela, który głośno zaskrzypiał.

— Oczywiście — mruknął Donnie. — Jaka to hańba, że świat każe ci robić te podłe rzeczy, prawda, Luca?

Luca pokiwał głową, jakby zrobiła na nim wrażenie ta uwaga. Zatańczył chwilę niczym rozgrzewający się bokser, wyprowadzając prawe i lewe w powietrze, po czym zbliżył się do Donniego.

— Jesteś pewien? — zapytał.

— Kończ już. Jestem znudzony — odparł z szyderczym uśmiechem Donnie.

Pierwszy cios Luki był paskudny i trafił go prosto w żołądek. Donnie zawisł na sznurze, starając się kurczowo złapać powietrze. Luca obserwował go w milczeniu do chwili, gdy mógł normalnie oddychać, pozwalając mu przemyśleć na nowo decyzję. Kiedy Donnie się nie odezwał, uderzył go ponownie, tym razem w twarz, rozkrwawiając mu nos i usta. I znowu chwilę zaczekał, i kiedy Donnie się nie odezwał, zaatakował go, tańcząc wokół niego i zasypując ciosami w żebra i brzuch, ramiona i plecy, niczym bokser walący w ciężki worek treningowy. Kiedy w końcu przestał, Donnie krztusił się i pluł krwią. Luca potrząsnął rękoma i roześmiał się.

— *Cazzo!* — powiedział do Hooksa. — Nie zrobi tego.

Hooks pokręcił głową, zgadzając się z nim.

— Nie zawołasz swojego brata, tak? — zapytał Luca Donniego.

Ten próbował się odezwać, ale z jego ust nie wydobyło się ani jedno składne słowo. Wargi i podbródek miał czerwone od krwi.

— Że co? — zapytał Luca, podchodząc do niego bliżej.

— Pierdol się, Brasi — zdołał wybełkotać Donnie.

— Tak też myślałem — odparł Luca. — No dobrze. Wiesz co w takim razie? — Luca podszedł do krzesła, na którym wisiało jego ubranie, wytarł ręce szmatką i założył koszulę. — Zostawię cię tu i będziesz wisiał przywiązany, aż ktoś cię znajdzie. — Włożył krawat i marynarkę i ponownie podszedł do Donniego. — Jesteś pewien, że tego chcesz? — zapytał. — Bo, sam rozumiesz, może wyłącznie dla jaj dorwiemy Williego i poprosimy, żeby cię wydał... a on nie będzie taki lojalny.

Donniemu udało się wykrzywić w uśmiechu zakrwawione usta.

— Jeśli naprawdę tego chcesz... — podjął Luca, zawiązując krawat. — Zostawimy cię tu, a potem za parę dni albo parę tygodni, w każdym razie niedługo, znajdę ciebie lub Williego i pogadamy sobie ponownie. — Poklepał go kilka razy po żebrach i Donnie odrzucił do tyłu głowę, tak zabolały go te lekkie szturchnięcia. — Wiesz, dlaczego załatwiam to w ten sposób? — zapytał Luca. — Bo to lubię. To mnie bawi. Chodźmy — zwrócił się do Hooksa i nagle zauważył Vinniego, który trzymał rękę w spodniach i się drapał. — Nie zrobiłeś jeszcze z tym porządku, Vinnie? — zapytał. — Chłopak ma trypra — poinformował Donniego.

— Chodźmy — powiedział Hooks, dając znak pozostałym chłopakom.

— Zaczekaj — powstrzymał go Luca, patrząc na Vinniego. — Daj Vinniemu swoją chusteczkę — zwrócił się do Pauliego.

— Jest brudna.

Kiedy Luca spojrzał na niego jak na głupka, wyciągnął chusteczkę z kieszeni i dał ją Vinniemu.

— Wsadź ją w spodnie i dobrze utytłaj w tym świństwie, które kapie ci z kutasa — rozkazał Luca.

— Że co? — zdziwił się Vinnie.

Luca przewrócił oczyma, jakby zmęczyło go zadawanie się z idiotami.

— Damy ci coś jeszcze, żebyś pamiętał o nas, kiedy będziesz tu wisiał — powiedział do Donniego. — Kiedy zrobisz to, co kazałem ci zrobić, zawiąż mu tę chustkę na oczach — polecił Vinniemu.

— Och, na litość boską, Luca — mruknął Hooks.

Luca się roześmiał.

276

— O co ci chodzi? Moim zdaniem to zabawne — odparł i wspiąwszy się po pogrążonych w mroku schodach, wyszedł z piwnicy.

. . .

Sandra roześmiała się z historyjki Sonny'ego, a potem zasłoniła oczy, jakby zawstydził ją własny śmiech, który był głośny i serdeczny, zupełnie niepodobny do tego, czego należałoby się spodziewać po młodej dziewczynie. Sonny'emu spodobało się jego brzmienie i śmiał się razem z nią do chwili, gdy podniósł wzrok i zobaczył panią Columbo, która spoglądała na nich gniewnie z okna, jakby oboje nie mieli wstydu. Trącił Sandrę, która również podniosła wzrok i pomachała babci. W jej geście było coś buntowniczego i widząc to, Sonny uśmiechnął się od ucha do ucha. Na porytej zmarszczkami, okrągłej twarzy ubranej jak zawsze na czarno pani Columbo zauważył ciemne włoski nad górną wargą. Uderzało go, jak bardzo różniła się od wnuczki, która miała na sobie jasnożółtą sukienkę, jakby chciała uczcić niezwykle ciepły dzień. Kiedy Sandra się śmiała, w jej oczach migotały iskierki, postanowił więc, że będzie starał się ją częściej rozśmieszać.

— Za chwilę zabierze mnie stąd Cork — oznajmił, zerknąwszy na zegarek, a potem spojrzał na górę i nie widząc w oknie pani Columbo, dotknął włosów Sandry. Chciał to zrobić, odkąd przyszedł do niej z wizytą i usiadł na ganku.

Sandra uśmiechnęła się, posłała nerwowe spojrzenie na górę, po czym ścisnęła jego rękę i odsunęła od siebie.

— Porozmawiaj z babcią — powiedział. — Może pozwoli mi zabrać cię na kolację.

— Nie pozwoli mi wsiąść razem z tobą do samochodu, Sonny — odparła. — Nie pozwoliłaby mi wsiąść do samochodu z żadnym chłopcem, ale ty... — dodała, grożąc mu palcem — cieszysz się szczególną reputacją.

— Szczególną reputacją? — zdziwił się. — Jestem aniołem, naprawdę. Zapytaj moją matkę!

— To ona właśnie mnie przed tobą ostrzegała!

— Nie! Naprawdę?

— Naprawdę.

— *Madon'!* Moja własna matka.

Sandra ponownie się roześmiała i w oknie pojawiła się pani Columbo.

— Sandra! — zawołała z góry. — *Basta!*

— Co?! — odkrzyknęła dziewczyna.

— I tak muszę już iść — powiedział Sonny, zaskoczony tym, że usłyszał nutkę gniewu w jej głosie. — Już idę, pani Columbo — dodał, wstając i zerkając na górę. — Dziękuję, że pozwoliła mi pani zobaczyć się z Sandrą. *Grazie.* Popracuj nad nią — zwrócił się do Sandry, kiedy pani Columbo skinęła mu głową. — Powiedz jej, że pojedziemy z inną parą i odwiozę cię z powrotem przed dziesiątą.

— Babcia złości się tylko dlatego, że rozmawiam z tobą na schodach — odparła. — Nie pozwoli mi wsiąść do twojego samochodu i pojechać z tobą na kolację.

— Popracuj nad nią — powtórzył.

Sandra pokazała mu sklepik na rogu, w którym sprzedawali zimne napoje i słodycze. Przy oknie stał tam stolik i krzesła, gdzie ludzie mogli usiąść i wypić oranżadę.

— Może zdołam ją namówić, żeby ci pozwoliła mnie tam zabrać. Pod warunkiem że będzie nas widziała z okna.

— Tam? — zapytał, patrząc na sklep na rogu.

— Zobaczę — odparła. — Już idę! — zawołała grzecznie po włosku do babci, po czym posłała Sonny'emu pożegnalny uśmiech i zniknęła w budynku.

Sonny pomachał pani Columbo, po czym przeszedł trochę dalej ulicą i usiadł na kolejnym ganku, żeby zaczekać na Corka. W oknie nad nim mała dziewczynka opierała się o parapet i śpiewała *Body and Soul*, jakby miała dwadzieścia lat i występowała na scenie El Morocco. Po drugiej stronie ulicy znacznie od niego starsza atrakcyjna kobieta wieszała pranie na sznurze rozciągniętym na schodach przeciwpożarowych. Sonny próbował przyciągnąć jej wzrok — wiedział, że go dostrzegła — ale ona robiła swoje, ani razu nie zerknąwszy na ulicę, a potem zniknęła w środku mieszkania. Wygładził marynarkę, oparł łokcie o kolana i ponownie zaczął myśleć o poprzednim wieczorze, kiedy Vito zapytał go o Toma. Ojcu chodziło o to, czy Sonny wiedział, że Tom się łajdaczy, chodzi do klubów i podrywa dziwki. Sonny skłamał, powiedział, że nie miał o tym pojęcia, a Vito spojrzał na niego z mieszaniną troski i gniewu. To spojrzenie wryło mu się w pamięć i rozmyślał o nim, czekając na Corka, z którym umówił się na następną robotę. Sonny widział już wcześniej troskę i gniew w oczach Vita, ale tym razem zobaczył coś więcej, coś, co wyglądało na lęk — i to najbardziej go zaniepokoiło, ten lęk, który ujrzał w oczach ojca. Zastanawiał się, co się stanie, kiedy Vito dowie się o nim. On sam też bał się chyba tego momentu — i uświadamiając to sobie, wpadł w złość. Jego ojciec był gangsterem! Wiedział o tym cały świat i co? Sonny miał za kilka nędznych dolarów tyrać przez cały dzień razem z innymi *giamopes*? Jak długo jeszcze? Całe lata?

— *Che cazzo!* — powiedział na głos i podnosząc wzrok, zobaczył Corka, który zaparkował przy krawężniku i szczerzył do niego zęby.

— Sam jesteś *cazzo* — odparł, pochylając się nad siedzeniem i otwierając przed nim drzwi.

Sonny wsiadł do samochodu ubawiony tym, jak zabrzmiało włoskie przekleństwo w ustach Corka.

— Co słychać? Co powiesz? — Cork otworzył schowek na rękawiczki, w którym leżały dwa rewolwery kaliber trzydzieści osiem z krótkimi lufami. Wziął jeden z nich, wsunął go do kieszeni marynarki i ruszył z miejsca.

Sonny wziął drugi i uważnie mu się przyjrzał.

— Nico dostał je od Vinniego? — zapytał.

— Tak jak mówiłeś — odparł Cork. — Nie ufasz mu?

— Ufam. Tak tylko pytam.

— Jezu! — zawołał Cork i odchylił się do tyłu, jakby doznał nagłego olśnienia. — Cieszę się, że wyrwałem się z tej piekarni! Eileen od kilku dni jest zła jak osa.

— Tak? — zainteresował się Sonny. — Z jakiego powodu?

— A skąd ja mogę wiedzieć? Wścieka się o byle co. Zjadłem bez pytania babeczkę... co robię, odkąd sięgam pamięcią... a ona wydarła się na mnie, jakbym miała przeze mnie trafić do przytułku. Matko Boska, Sonny! Wezmę sobie jedną z tych drogich butelek wina. Zasłużyłem sobie.

— Takiego wała — odparł Sonny. — Nie za sto dolców za butelkę.

Cork uśmiechnął się.

— Niektórzy to mają życie, nie? I mówisz, że ten samochód przejedzie przez tunel bez żadnej obstawy? Jesteś pewien?

— Tak słyszałem — odparł Sonny. — Dwudrzwiowy essex-terraplane, nowy, czarny, z białymi oponami.

— Niektórzy to mają życie, nie? — powtórzył Cork, po czym wyciągnął z kieszeni wełnianą czapkę i położył ją obok siebie na siedzeniu.

— Chciałem cię o coś zapytać, Cork. Uważasz, że powinienem pójść do ojca i powiedzieć mu, co robimy?

Cork wyciągnął paczkę papierosów z kieszeni koszuli i udał, że nie może utrzymać jej w ręce, tak jest zszokowany.

— Straciłeś zmysły, Sonny? Przecież on wyrwie ci serce z piersi!

— Mówię serio — oświadczył Sonny. — Słuchaj: muszę albo z tym skończyć, albo mu powiedzieć. Zwłaszcza jeśli chcemy zająć się czymś poważniejszym niż okazjonalne napady i zasadzki. Jeśli chcemy zdobyć duże pieniądze.

— Widzę, że pytasz serio... więc powiem ci, co myślę — odparł Cork, zmieniając ton. — Moim zdaniem twój tato nie chce, żebyś miał coś wspólnego z tym biznesem. I mówiąc mu, narazisz nas wszystkich na niebezpieczeństwo.

Sonny popatrzył na Corka, jakby ten postradał zmysły.

— Naprawdę tak myślisz? — zapytał. — Za kogo ty uważasz mojego ojca?

— Za twardego faceta — odparł Cork.

Sonny podrapał się w głowę i spojrzał przez boczną szybę na Hudson River i płynący nią holownik.

— Myślisz, że mój ojciec jest człowiekiem, który zabiłby moich przyjaciół? Naprawdę? — zapytał, odwracając się z powrotem do Corka. — Tak właśnie myślisz?

— Chciałeś znać moje zdanie.

— No więc nie masz racji. — Sonny pochylił się do

przodu, jakby zamierzał go uderzyć, a potem opadł z powrotem na siedzenie. — Jestem zmęczony — oświadczył i spojrzał na zegarek. — Na wszelki wypadek podjedźmy tam wcześniej. Będziemy musieli poczekać. — Wyjrzał przez okno i uznał, że trochę jeszcze potrwa, nim dojadą do tunelu. — Zaparkuj tam, skąd będziesz widział wszystkich wyjeżdżających. Reszta chłopaków dotrze do nas mniej więcej za pół godziny.

— Jasne — odparł Cork. — Słuchaj, Sonny...

— Zapomnij o tym — przerwał mu Sonny. — Ale mówię ci: zupełnie nie rozumiesz mojego starego.

Powiedziawszy to, wyciągnął nogi, odchylił do tyłu głowę i zamknął oczy. Kiedy zatrzymali się dziesięć minut później, wyprostował się na siedzeniu i rozejrzał. Pierwszą rzeczą, którą zobaczył, był wyjeżdżający z tunelu czarny essex z białymi oponami.

— Sukinsyn! — zawołał i pokazał samochód Corkowi. — To on!

— Chłopaków jeszcze nie ma — zauważył Cork i obrócił się w fotelu, lustrując ulicę i wypatrując pozostałych członków bandy.

— I prędko się nie pojawią. — Sonny podrapał się po głowie i przeczesał palcami włosy. — A niech tam — mruknął. — Zrobimy to sami.

— My? — zdziwił się Cork. — Miałeś się nie pokazywać.

Sonny wyciągnął z kieszeni wełnianą czapkę i nasunął ją nisko na czoło.

— No świetnie — stwierdził zgryźliwie Cork. — Nikt cię nie rozpozna.

Sonny poprawił czapkę, próbując wsunąć pod nią włosy.

— Zaryzykujemy — powiedział. — Zgadzasz się?

Cork włączył się do ruchu i ruszył w stronę tunelu i czarnego essexa.

— Jedź za nim — polecił Sonny.

— Kapitalny plan — odparł Cork i roześmiał się, dając do zrozumienia, że nie pozostało im przecież nic innego.

— Nie bądź takim mądralą — burknął Sonny, szturchając go.

Wyjechawszy z tunelu, essex skręcił w Canal Street i ruszył w poprzek Manhattanu. Cork podążał za nim, pozwalając, by dzieliły ich jeden albo dwa samochody. Za kierownicą essexa siedział zwalisty facet z siwymi włosami, który wyglądał jak bankier. Towarzysząca mu kobieta mogła sprawiać wrażenie żony bankiera. Miała włosy związane w kok i biały szal zarzucony na niemodną szarą suknię.

— To na pewno ten samochód? — zapytał Cork.

— Nowy czarny essex-terraplane, dwudrzwiowy, białe opony. — Sonny wsunął rękę pod czapkę i ponownie podrapał się w głowę. — Nie widujc się essexa na każdej ulicy.

— Jezus — jęknął Cork. — Masz jakiś plan, geniuszu?

Sonny wyciągnął rewolwer z kieszeni, sprawdził bębenek i przesunął palcami po napisie Smith & Wesson wygrawerowanym na krótkiej lufie.

— Zaczekaj, aż skręcą w boczną uliczkę — powiedział. — Wtedy wyprzedź go i zajedź mu drogę.

— A jeśli w okolicy będą ludzie?

— Wtedy zrobimy to po cichu.

— Po cichu — powtórzył Cork i po kilku sekundach wybuchnął śmiechem, reagując z opóźnieniem.

— Gdzie oni jadą? Do Greenwich Village? — zapytał Sonny, kiedy essex skręcił w Wooster Street.

— Jezu, spójrz na tych dwoje. Wyglądają, jakby wybierali się na kolację w klubie rotariańskim.

— Jasne — potwierdził z uśmiechem na ustach Sonny. — Kto by ich zatrzymał, prawda?

— No tak, słuszna uwaga — zauważył Cork. — Chyba że się mylisz.

Jechał powoli brukowanym odcinkiem Wooster Street, bezpośrednio za essexem. Ulica była pusta, jeśli nie liczyć paru osób idących chodnikiem i kilku samochodów jadących z naprzeciwka. Sonny obejrzał się i nikogo nie zobaczył.

— Wiesz co? Wyprzedź ich i zablokuj.

Cork skrzywił się, jakby nie był pewien, czy to dobry plan, ale potem dodał gazu, wyprzedził essexa i zajechał mu drogę.

Sonny wyskoczył z samochodu, zanim się na dobre zatrzymali, podbiegł do drzwi kierowcy i otworzył je na oścież.

— O co chodzi? — zapytał facet. — Co się dzieje?

Sonny jedną rękę trzymał na schowanym w kieszeni rewolwerze, drugą położył na kierownicy. Cork podniósł maskę essexa.

— Co on robi? — zapytała kobieta.

— Niech mnie diabli, jeśli wiem — odparł Sonny.

— Co tu się dzieje, młody człowieku? — dopytywał się kierowca.

— Wydaje mi się, że chcą nam ukraść samochód, Albercie — powiedziała kobieta.

Sonny zerknął na Corka, który stanął tuż za nim.

— Chyba zatrzymaliśmy nie ten samochód — mruknął.

Cork wyciągnął z kieszeni sprężynowy nóż, otworzył go i przeciął bok fotela kierowcy. Wsadził rękę do środka i wyciągnął butelkę wina.

— Château Lafite Rothschild — przeczytał etykietę.

Sonny trzepnął lekko starszego pana po głowie.

— O mało mnie nie nabraliście — powiedział. — Wysiadajcie z samochodu.

— Domyślam się, że wiecie, co robicie — oświadczył kierowca — ale...

— Tak między nami — przerwała mu kobieta, w której tonie nie słychać już było poprzedniej wyniosłości — powinniście wiedzieć, że kradniecie towar należący do Giuseppego Mariposy.

Sonny złapał mężczyznę za ramię, szybko go obszukał i wyciągnął z samochodu.

— Jak powiedział ten gość... — zaczął, po czym mrugnął do kobiety, usiadł za kierownicą i dał jej znak, żeby wysiadła — ...wiemy, co robimy.

— Zakładacie sobie stryczek na szyję — stwierdziła kobieta, wysiadając z samochodu.

Sonny patrzył, jak facet dołącza do niej na chodniku. Kiedy Cork opuścił maskę, pomachał do nich, zatrąbił dwa razy i odjechał.

· · ·

Sean O'Rourke obejmował i gładził po plecach swoją matkę, która płakała z twarzą przytuloną do jego piersi. Stali przy drzwiach do sypialni Donniego i wszyscy dokoła mówili półgłosem. W wypełnionym przyjaciółmi i krewnymi mieszkaniu unosił się zapach świeżego chleba, który bracia Rick i Billy Donnelly przynieśli i zostawili na kuchennym stole pośród podarków i kwiatów. Po Hell's Kitchen rozeszła się wiadomość o zamordowaniu Donniego O'Rourke'a — jednak

Donnie wcale nie zginął. Ciężko pobity, miał połamane żebra i krwotok wewnętrzny, ale żył. Leżał w tym momencie w łóżku i zajmował się nim doktor Flaherty, który poinformował już wcześniej, że nic, na co uskarża się Donnie, nie zagraża jego życiu. Nie było jednak szans na ocalenie jego wzroku. Donnie miał pozostać niewidomy do końca życia.

— To przez infekcję bakteryjną — powiedział Flaherty Williemu. — Gdybyście znaleźli go wcześniej, mógłbym mu uratować wzrok, ale w tej sytuacji... nie mogę nic poradzić.

Willie wyruszył na poszukiwanie Donniego, kiedy ten nie zjawił się tamtego wieczoru. Szukał go we wszystkich miejscach, które przyszły mu na myśl, wszędzie z wyjątkiem piwnicy, gdzie Donnie spędził całą noc i ranek, tracąc i odzyskując przytomność, z oczyma zawiązanymi zakażoną szmatą. Willie znalazł go dopiero, kiedy do ich drzwi zapukał dozorca.

Siedział teraz na skraju dachu nad zatłoczonym mieszkaniem, patrząc na swoje gołębie, które gruchały i dziobały mieszankę pestek i ziaren, którymi je przed chwilą nakarmił. Po jego jednej stronie siedział Pete Murray, po drugiej Corr Gibson. Ulicą przejeżdżały ostatnie wagony przetaczanego na bocznicę pociągu towarowego. Świeciło jasne słońce i wszyscy mężczyźni zdjęli marynarki. Rozmawiając, trzymali je złożone na kolanach. Willie przysiągł właśnie, że zabije Lucę Brasiego i członków jego gangu, wszystkich co do jednego. Corr i Pete wymienili ze sobą spojrzenia.

Corr uniósł pałkę i postukał nią z gniewem i smutkiem w kryty papą dach.

— A co z Kelly? — zapytał. — Dlaczego jej tutaj nie ma?

— Nikt nie widział Kelly od kilku tygodni — odparł

Willie, po czym splunął na dach, zamykając ten temat. — W tym momencie chcę widzieć wyłącznie martwego Lucę Brasiego.

— Och, Willie — westchnął Pete Murray i złapał się oburącz skraju dachu, jakby tracił równowagę. Pod rękawami jego koszuli prężyły się mięśnie — pamiątka po długich latach przepracowanych w porcie i na bocznicy przy rozładunku towarów. Jego ogorzała twarz była rumiana i pokryta plamami, policzki, podbródek i kark porastała szczecina czarnych i siwych włosów. — Willu O'Rourke'u — zaczął i umilkł, szukając właściwych słów. — Dorwiemy ich, mogę ci to obiecać... ale zrobimy to w odpowiedni sposób.

— Cóż może być odpowiedniego lub nieodpowiedniego w zabiciu kogoś? — zapytał Willie i spojrzał najpierw na Corra, a potem na Pete'a. — Znajdziemy ich i załatwimy.

— Pomyśl, Willie — powiedział Corr — czym się skończyło, kiedy próbowałeś to poprzednio zrobić?

— Tym razem nie chybię — odparł Willie i zerwał się na nogi.

— Siadaj. — Pete złapał go za rękę i zmusił, żeby usiadł. — Posłuchaj mnie, Willu O'Rourke'u — rzekł, nie puszczając jego dłoni. — Napadliśmy na Brasiego bez zastanowienia, w typowy dla Irlandczyków sposób i widzisz, do czego nas to doprowadziło.

Corr oparł się o swoją pałkę.

— Musimy się czegoś nauczyć od Włochów — stwierdził, jakby mówił sam do siebie.

— To znaczy? — zapytał Willie.

— To znaczy — odparł Pete — że musimy być cierpliwi i planować z wyprzedzeniem, a kiedy wejdziemy do akcji, zrobić to w odpowiedni sposób.

— Jezu... — Willie oswobodził dłoń z uścisku Murraya. — Musimy to zrobić teraz — gorączkował się — kiedy jesteśmy tu razem, zanim, jak to się zawsze dzieje, każdy pójdzie swoją drogą i o wszystkim zapomni.

— Nie zapomnimy o tym, co Luca zrobił Donniemu — oznajmił Pete i ponownie, tym razem delikatniej, wziął za rękę Williego. — To, co zrobił, jest odrażające i będzie musiał za to zapłacić. Za to i za sto innych rzeczy. Ale będziemy cierpliwi. Poczekamy na odpowiedni moment.

— To znaczy do kiedy? — zapytał Willie. — Kiedy waszym zdaniem nadejdzie odpowiedni moment, żeby dopaść Lucę Brasiego i resztę makaroniarzy?

— Włosi się stąd nie wyniosą — powiedział Corr. — Musimy się z tym pogodzić. Są zbyt liczni.

— Więc kiedy nadejdzie odpowiedni moment? — powtórzył pytanie Willie.

— Skontaktowałem się na własną rękę z chłopakami z mafii, Willie — wyjaśnił Pete. — W tym momencie Mariposa i Cinquemani mają na pieńku z Lucą Brasim. Doszło też do nieporozumień między Mariposą i Corleonem, a także resztkami organizacji LaContiego...

— Co to wszystko ma wspólnego z nami i sprzątnięciem tego sukinsyna, Luki Brasiego? — przerwał mu Willie.

— Widzisz? — mruknął Pete. — Dlatego właśnie musimy zachować cierpliwość. Zaczekamy i zobaczymy. Zobaczymy, kto weźmie górę w tym sporze, i wtedy sami wejdziemy do akcji. Musimy zaczekać. — Pete potrząsnął Williego za ramię. — Musimy czekać, trzymać rękę na pulsie i kiedy nadejdzie odpowiedni moment, rozegrać to po naszemu.

— Ech — westchnął Willie i popatrzył najpierw na swoje

gołębie, a potem na niebo i jasne słońce, w którego promieniach grzało się miasto. — Ech — powtórzył. — No nie wiem, Pete.

— Jasne, że wiesz — powiedział Corr. — Czy Pete i ja nie przyrzekliśmy ci, że zajmiemy się tą sprawą? Mówimy również w imieniu innych. Braci Donnelly i nawet tego małego smarkacza, Steviego Dwyera.

— Luca jest już martwy — dodał Pete — ale musimy teraz poczekać.

ZIMA 1934

13

Przy skraju wody piętrzyły się podobne do wydm, wysokie na metr zaspy. W księżycowej poświacie śnieg padał na piasek i pomarszczoną czarną skórę zatoki Little Neck. Myśli ulatywały Luce z głowy i domyślał się, że to połączony efekt koki i tabletek. W jednej minucie myślał o swojej matce, w następnej o Kelly. Matka nadal groziła, że się zabije. Kelly była prawie w siódmym miesiącu ciąży. Normalnie nie mieszał koki i tabletek i miał teraz wrażenie, że idzie we śnie — była to głównie wina tabletek, ale swój udział miała prawdopodobnie i koka. Miał nadzieję, że kiedy przespaceruje się wychodzącą na zatokę piaszczystą łachą, mróz i śnieg sprawią, że rozjaśni mu się w głowie, ale szybko zmarzł i nadal nie potrafił zebrać myśli. Nie wiadomo skąd przypomniały mu się słowa piosenki *Minnie the Moocher*: „Kręciła z gościem imieniem Smoky/Kochała go, choć brał dużo koki". Roześmiał się i umilkł, słysząc wydobywający się z jego ust wariacki piskliwy chichot, zupełnie jakby zarechotał jakiś szaleniec. Objął się mocniej ramionami, jakby miał się za chwilę rozpaść na kawałki, i podszedł do wody, która była ciemna, wzburzona i w jakiś sposób niepokojąca: nacierająca na brzeg czarna masa.

W domu za jego plecami plamiła Kelly. Chciała, żeby zawiózł ją do szpitala. Brali przez cały dzień kokę i tabletki, a teraz chciała, żeby zawiózł ją w środku śnieżycy do szpitala, bo plamiła. Luca popatrzył na wodę. Miał na sobie podbite futrem palto i kalosze założone na wizytowe półbuty. Zza chmur wyjrzał księżyc w pełni. Kapelusz mu przemókł i Luca przystanął, by strząsnąć z niego śnieg. Giganci wygrali World Series, miasto oszalało, a potem nadeszła sroga zima. Temperatura spadła poniżej zera; czuł to, wdychając przez nos mroźne powietrze. Zarobił na World Series kupę szmalu, stawiając na Gigantów odpowiednio wcześniej, kiedy faworytami rozgrywek byli jeszcze Senatorowic. Miał teraz sporo pieniędzy. Więcej niż sądzili jego chłopcy i ktokolwiek inny, i próbował powiedzieć o tym matce, lecz ona nie przestawała powtarzać, że to wszystko jej wina. Kelly też bez przerwy marudziła. Marudziła, a on karmił ją tabletkami. Nie utopił jej w oceanie i była teraz w siódmym miesiącu ciąży.

Oczyma wyobraźni ujrzał okrągły biały brzuch swojej matki. Z początku bardzo podniecała ojca. Zanim wszystko się zmieniło, przychodził do domu wcześnie, z kwiatami. Luca nie miał nawet pewności, czy dziecko, które Kelly nosi w łonie, jest jego, ale dlaczego miałoby go to obchodzić? Była dziwką, ona i całe jej plemię, plemię dziwek. Coś w jej twarzy, w jej ciele sprawiało, że miał ochotę położyć się i ją objąć. W jednej minucie chciał ją uderzyć, w następnej przytulić. Kiedy byli ze sobą, naćpani tabletkami i ostatnio koką, odchodzili od zmysłów: rzeczy, które robili sobie i ze sobą...

Luca spojrzał na niebo i śnieg spadł mu na twarz i do ust. Pomasował skronie. Woda syczała na piasku, płatki śniegu wyłaniały się z ciemności i znikały w niej, białe i duże tylko w tej krótkiej chwili, nim połknęła je wzburzona woda, na której kładło się złotą smugą światło księżyca. Luca zastygł w bezruchu i głęboko odetchnął. Odgłosy wiatru i wody przyniosły mu pewną ulgę, sprowadziły na ziemię. Wody zatoki nie wprawiały go już w niepokój, przeciwnie, miały w sobie coś kuszącego. Był zmęczony. Był zmęczony tym wszystkim. Nie utopił Kelly w oceanie, bo chciał dalej przytulać się do niej w nocy, podczas gdy leżała przy nim cicho, pogrążona we śnie. Właściwie nie wiedział, dlaczego tego nie zrobił, poza tym że jej pragnął i gdyby tylko się przymknęła i nie była w siódmym miesiącu, wszystko mogłoby się lepiej skończyć, nawet biorąc pod uwagę matkę i jej biadolenie, bóle głowy, które nie ustępowały, i cały ten syf, który trwał i trwał, i nie chciał się skończyć. Luca zdjął kapelusz, strzepnął z niego śnieg, wyrównał denko i ponieważ nie miał tu już nic więcej do roboty, ruszył w stronę drogi i domu.

Kiedy szedł do swojego białego oszalowanego domu, znowu zaczęła go boleć głowa. Z rynien zwisały długie, mierzące miejscami blisko metr sople lodu. Niektóre sięgały do samej ziemi. Z wąskich okien piwnicy padał na śnieg czerwony blask i kiedy Luca przykucnął, by zajrzeć przez jedno z nich do środka, zobaczył Vinniego krzątającego się w podkoszulku przy piecu. Wiatr świstał pod okapami i między konarami potężnego starego drzewa, które pochylało się nad domem, jakby go pilnowało, ale on wyraźnie słyszał, jak piec huczy i stęka, gdy Vinnie sypał łopatą węgiel przez drzwiczki.

Kiedy wszedł do środka, tupiąc i strząsając śnieg z butów, ściągając z siebie warstwy garderoby i ciskając je na przeładowany wieszak, siedzący przy kuchennym stole chłopcy przywitali go, wołając po imieniu. W kuchni pachniało bekonem i kawą. Wysoki nieznajomy smażył na kuchence jajecznicę, na tylnym palniku parzyła się kawa. Facet był już starszy, może pięćdziesięcioletni, i miał na sobie gruby oliwkowozielony trzyczęściowy garnitur z oliwkowozielonym krawatem i czerwonym goździkiem w butonierce. Luca uważnie mu się przyjrzał.

— To Gorski — wyjaśnił Hooks. — Przyjaciel Eddiego.

Eddie Jaworski, siedzący przy kuchennym stole pomiędzy JoJo i Pauliem, potwierdził to mruknięciem. Pośrodku stołu piętrzył się niewielki stos monet i banknotów. Eddie przyglądał się pięciu kartom, które ściskał w lewej ręce. W prawej trzymał dziesięć dolarów, które miał zamiar dorzucić do puli.

— Przebijam — powiedział w końcu, pociągając łyk ze srebrnej flaszki, która stała przy nim obok równego stosu gotówki.

Z piwnicy wyszedł Vinnie, zapinając koszulę.

— Hej, szefie — przywitał się, po czym usiadł obok Hooksa. Gorski, trzymając w jednej ręce widelec, a w drugiej talerz z jajecznicą na bekonie, podszedł do stołu i stanął za Eddiem.

Hooks i Eddie szli łeb w łeb. Hooks sprawdził i podniósł stawkę do dwudziestu, a Eddie mruknął coś po polsku.

Luca pociągnął długi łyk szkockiej ze stojącej przed Hooksem butelki.

— Mróz jak wszyscy diabli — powiedział, nie zwracając się do nikogo w szczególności, po czym zostawił zerkającego nerwowo na swoje karty Eddiego i poszedł na górę do sypialni. Po drodze zerknął na zegarek. Było parę minut po dziesiątej. Na schodach zatrzymał się i wyjrzał przez okno. Wiszące za szybą sople zasłaniały częściowo widok na podjazd, drzewa i zaspy na drodze i miał wrażenie, jakby patrzył na zmarznięty świat przez lodowe zęby, jakby oglądał film. To było dziwne uczucie i nie lubił, gdy go nachodziło, a działo się to chyba coraz częściej. Tak jakby wszystko poza nim rozgrywało się na kinowym ekranie, a on siedział gdzieś w ciemnym miejscu razem z innymi widzami, którzy to oglądali. Stał przez chwilę przy oknie, czując, jak łupie mu w głowie, i próbując pozbyć się tego uczucia, wrażenia, że ogląda film, a kiedy mu się to nie udało, pokonał ostatnie stopnie schodów i wszedł do sypialni. Zastał Kelly bladą i rozmamłaną, leżącą w mokrej, pobrudzonej krwią, skotłowanej pościeli.

— Odeszły mi wody, Luca. Rodzę — wystękała.

Trudno było ją zrozumieć. Powiedziała jeszcze kilka słów, przerwała, odetchnęła i znowu coś powiedziała. Luca nasunął na nią prześcieradło, zakrywając sterczący brzuch.

— Jesteś pewna? — zapytał. — Jest jeszcze za wcześnie.

Kelly pokiwała głową.

— Muszę jechać do szpitala — powiedziała.

Słoiczek z tabletkami, który zostawił jej na nocnej szafce, był pusty.

— Ile ich wzięłaś? — zapytał.

— Nie wiem — odparła i odwróciła wzrok.

Luca wyjął z kieszeni marynarki kolejny słoiczek i wysypał na dłoń dwie tabletki.

— Masz — powiedział, pokazując jej. — Weź jeszcze dwie.

Kelly odsunęła jego rękę.

— Luca — wyjąkała z trudem. — Zaczynam rodzić. Musisz mnie zabrać do szpitala.

Luca usiadł obok niej na łóżku i dotknął jej ramienia.

— Luca — powtórzyła.

— Zamknij się, Kelly — odezwał się cicho, jakby mówił sam do siebie. — Jesteś dziwką, ale się tobą zaopiekuję.

Kelly poruszyła wargami, ale nie wydobył się z nich żaden dźwięk. Zamknęła oczy i mogło się zdawać, że zasnęła. Luca zaczął wstawać z łóżka, ale kiedy tylko uniósł się z matraca, Kelly skoczyła na niego, złapała za ramię i pociągnęła z powrotem.

— Musisz mnie zawieźć do szpitala! — wrzasnęła. — Rodzę dziecko!

Zaskoczony Luca wyrwał się i pchnął Kelly na materac.

— Szurnięta jebana cipo — mruknął. — Powiedziałem już, że się tobą zaopiekuję.

Wziął telefon z nocnej szafki, chcąc cisnąć aparatem w jej twarz, a potem odstawił go i wyszedł z sypialni. Kelly wołała za nim słabo, powtarzając bez końca jego imię.

Z radia w kuchni płynął ochrypły czarny głos śpiewający *Goodnight, Irene*. Mężczyźni przy stole — jego chłopcy i dwaj Polacy — milczeli, wpatrując się w swoje karty albo w stół. W piwnicy huczał piec, a w całym domu syczały i bulgotały kaloryfery. Luca zdjął swoje palto z wieszaka.

— Jedziemy, Vinnie — polecił.

Vinnie podniósł wzrok znad kart. Ubranie, w którym siedział, wydawało się jak zawsze o jeden numer za duże.

— Drogi są prawie nieprzejezdne, szefie — zauważył.

Luca włożył kapelusz, wyszedł na podjazd i czekał. Chmury

połknęły księżyc i wszędzie wokół było ciemno, wiał wiatr i padał śnieg widoczny w padającym z kuchni świetle. Luca ścisnął grzbiet nosa, zdjął kapelusz i pozwolił, by wiatr owiał mu czoło i potargał włosy. Miał nadzieję, że mróz zagłuszy bolesne pulsowanie. Oczyma wyobraźni widział biały brzuch Kelly na tle zakrwawionej pościeli. Przeszła go fala gorąca i pomyślał, że będzie musiał uklęknąć i zwymiotować, lecz stał dalej na wietrze i zły moment minął. Za jego plecami otworzyły się drzwi kuchni i z domu wyszedł Vinnie, zacierając ręce i odwracając się bokiem do wiatru.

— Dokąd jedziemy, szefie? — zapytał.

— Jest taka akuszerka, która mieszka przy Dziesiątej Alei. Wiesz, o kim mówię?

— Tak, oczywiście — odparł Vinnie. — Filomena. Odebrała połowę włoskich dzieciaków w mieście.

— Więc to do niej jedziemy — powiedział Luca i ruszył po ciemku w stronę samochodów.

. . .

Spod skraju koca, który Michael naciągnął na głowę, sączyło się światło. Leżał pod nim skulony, czytając przy latarce. Po drugiej stronie pokoju, na takim samym wąskim łóżku leżał Fredo, opierając głowę o dłoń i obserwując płatki śniegu padające za oknem w świetle ulicznej latarni. W radiu na dole skończyła się reklama i słychać było Jacka Benny'ego pokrzykującego na Rochestera. Fredo natężał słuch, by usłyszeć coś więcej, ale docierały do niego tylko pojedyncze słowa.

— Hej, Michael. Co robisz? — zapytał cicho, bo obaj powinni już dawno spać.

— Czytam — odparł po chwili Michael.

— *Cetriol* — mruknął Fredo. — Po co ty ciągle czytasz? Wyrośniesz na jakiegoś cholernego jajogłowego.

— Śpij, Fredo.

— Ty śpij — odparł Fredo. — Jest taka zamieć, że może jutro nie będziemy musieli iść do szkoły.

Michael zgasił latarkę, zsunął koc z głowy i położył się na boku, twarzą do Freda.

— Dlaczego w ogóle nie zależy ci na szkole? — zapytał. — Nie chcesz w życiu niczego osiągnąć?

— Och, zamknij się — mruknął Fredo. — Już jesteś jajogłowy.

Michael położył podręcznik historii i latarkę na podłodze przy łóżku.

— Tato zabiera mnie do ratusza na spotkanie z radnym Fischerem — powiedział i położył się na plecach, szykując się do snu. — Radny oprowadzi mnie po ratuszu — dodał.

— Wiem o tym — stwierdził Fredo. — Tato pytał mnie, czy też chcę jechać.

— I co? — zapytał Michael, znowu odwracając się do brata. — Nie chciałeś?

— Po co miałbym zwiedzać ratusz? — zdziwił się Fredo. — Nie jestem jajogłowym.

— Nie trzeba być jajogłowym, żeby interesować się, jak działają nasze władze.

— Owszem, trzeba — obruszył się Fredo. — Kiedy skończę szkołę, będę pracował u taty. Na początek będę chyba sprzedawcą albo kimś w tym rodzaju. A potem tato wciągnie mnie do interesów i będę zarabiał kupę szmalu.

Z radia na dole popłynęły głośne śmiechy. Obaj, Fredo

i Michael, spojrzeli na drzwi, jakby ciekawiło ich, co śmieszy ludzi w studiu.

— Dlaczego chcesz pracować u taty, Fredo? — zapytał Michael. — Nie chcesz robić czegoś na własny rachunek?

— Będę robił coś na własny rachunek — odparł Fredo — ale równocześnie będę pracował u taty. Dlaczego? A ty co chcesz robić, mądralo?

Michael wsunął dłonie pod głowę i w tym samym momencie wiatr uderzył w dom i zabrzęczały szyby w oknie.

— Nie wiem — odparł, odpowiadając na pytanie Freda. — Interesuję się polityką. Mógłbym chyba zostać kongresmenem. Może nawet senatorem.

— *V'fancul'* — szepnął Fredo. — Dlaczego nie prezydentem?

— Pewnie. Dlaczego nie?

— Bo jesteś Włochem — odpalił Fredo. — Nie wiesz, w jakim świecie żyjesz?

— A co to ma wspólnego, że jestem Włochem?

— Posłuchaj, chłopie: żaden Włoch nie został jeszcze prezydentem i nigdy nie zostanie. Nigdy.

— A to dlaczego? — zdziwił się Michael. — Dlaczego Włoch nigdy nie zostanie prezydentem, Fredo?

— *Madon'!* — jęknął Fredo. — Coś ci powiem. Jesteśmy makaroniarzami, spageciarzami, *capisc'*? Żaden makaroniarz nie będzie nigdy prezydentem.

— Dlaczego nie? — powtórzył Michael. — Mamy już makaroniarskiego burmistrza. Ludzie go kochają.

— Po pierwsze — oznajmił Fredo, wychylając się z łóżka do Michaela — LaGuardia jest neapolitańczykiem. Nie jest Sycylijczykiem jak my. A po drugie, nigdy nie zostanie prezydentem.

Michael umilkł. Po jakimś czasie ucichło też radio na dole, a rodzice pogasili światła i weszli na górę, żeby położyć się spać. Mama jak zwykle zajrzała do ich pokoju, mrucząc chyba pod nosem słowa modlitwy, a potem zamknęła za sobą drzwi. Minęło jeszcze trochę czasu. Michael wsłuchiwał się w odgłosy wiatru, który dobijał się do okien.

— Może masz rację, Fredo — powiedział, choć wydawało mu się, że jego brat już zasnął. — Może Włoch nigdy nie zostanie prezydentem.

— Hej, Michael — rozległ się chwilę później w ciemności zaspany głos Freda. — To ty jesteś ten mądry. Skoro marzysz o tym, żeby zostać prezydentem, proszę bardzo. A jeśli to nie wypali — dodał po chwili — zawsze możesz pójść i popracować dla ojca.

— Dzięki — odparł Michael, po czym obrócił się na brzuch, zamknął oczy i czekał, aż nadejdzie sen.

. . .

Hooks mył ręce w misce ciepłej wody, a Filomena, która siedziała w nogach łóżka Kelly, zawijała nowo narodzonego syna Luki w długie paski cienkiego białego materiału. Chłopcy nadal zasuwali w kuchni w pokera i ciche jęki Kelly oraz syk pary w kaloryferach zagłuszane były co jakiś czas dobiegającymi z dołu wybuchami śmiechu i okrzykami gniewu lub radości. Przedpotopowy żelazny piec w piwnicy huczał i łoskotał, usiłując ogrzać dom. Na dworze ciągle szumiał wiatr, ale śnieg przestał już padać jakiś czas temu. Odnalezienie Filomeny w mieście i przywiezienie jej na Long Island zajęło Vinniemu i Luce kilka godzin, a potem minęło jeszcze kilka, gdy zajmowała się matką i zanim urodziło się dziecko. Był teraz środek nocy. Filomena wpadła w złość, kiedy zobaczyła leżącą w wielkim łóżku półżywą Kelly, jej zasnute mgłą oczy, nabrzmiały brzuch i sponiewierane kruche ciało. Zbadała Kelly i spiorunowała wzrokiem Lucę, który zdawał się tego w ogóle nie zauważać. Zostawił jej do pomocy Hooksa i poszedł na dół grać w pokera i gdy tylko zamknęły się za nim drzwi, Filomena przeklęła go po włosku. Skończywszy obrzucać przekleństwami zamknięte drzwi, odwróciła się do Hooksa i zaczęła mu wydawać zwięzłe polecenia. Była przysadzistą kobietą, która nie przekroczyła chyba trzydziestki, ale miała w sobie coś prastarego, jakby żyła na tej ziemi od początku świata.

Skończywszy zawijać niemowlaka, przytuliła go do piersi i przykryła dobrze kołdrą Kelly.

— Oboje muszą pojechać do szpitala — oświadczyła Hooksowi — albo oboje umrą. — Powiedziała to spokojnie, a potem podeszła do niego bliżej i powtórzyła to jeszcze raz.

Hooks dotknął jej ramienia i kazał zaczekać. Zszedł na dół do kuchni, gdzie zastał Lucę siedzącego przy stole z butelką whiskey na kolanach i obserwującego, jak grają inni. Wszyscy byli pijani. Przed Lucą obok stłuczonej szklanki piętrzył się stos wilgotnych banknotów. Vinnie i Paulie głośno się z czegoś śmieli, a dwaj Polacy i JoJo wpatrywali się w swoje karty.

— Luca — powiedział Hooks i ton jego głosu sprawił, że Brasi wstał od stołu, żeby porozmawiać z nim na osobności.

— Co jest? — zapytał, patrząc na stłuczoną szklankę i stos wilgotnych banknotów. Kiedy Hooks nie odpowiedział, spojrzał mu prosto w twarz.

— Urodziło się dziecko. Filomena chce z tobą mówić.

— Każ jej znieść to na dół.

— Nie, słuchaj, Luca... — przerwał mu Hooks.

— Filomena! — wrzasnął Luca w górę schodów. — Znieś tutaj to cholerstwo!

Złapał butelkę whiskey za szyjkę i rozbił ją o krawędź stołu, obsypując graczy okruchami szkła i oblewając ich jej zawartością. Dwaj Polacy zerwali się, klnąc, na czym świat stoi. JoJo, Vinnie i Paulie odsunęli się od stołu, ale nie wstali. Zdezorientowani Polacy popatrywali to na Lucę, to na swoje pieniądze, teraz mokre od whiskey.

Za ich plecami pojawiła się na dole schodów Filomena, trzymając noworodka przy piersi.

Luca kazał Polakom zabrać swoje pieniądze i się wynosić.

— Zanieś to do piwnicy i wrzuć do pieca — zwrócił się do Filomeny — albo przynieś tutaj, żebym mógł poderżnąć mu gardło — dodał, podnosząc rozbitą butelkę.

— Chwileczkę — odezwał się Gorski, wyższy i starszy z dwóch Polaków. Dał krok w stronę Luki i zatrzymał się w miejscu.

— Tchórze — rzucił Luca, obserwując Gorskiego i zwracając się do wszystkich i do nikogo.

Gorski roześmiał się, jakby zrozumiał wreszcie puentę żartu.

— Tak naprawdę nie skrzywdzisz tego dziecka — stwierdził.

— Zabierajcie swoje pieniądze i wynoście się — powtórzył Luca.

— Oczywiście — mruknął drugi Polak, Eddie Jaworski, i zaczął wpychać szybko banknoty do kieszeni. Gorski dołączył do niego po sekundzie.

— Tak naprawdę nie skrzywdzi nowo narodzonego dziecka — powiedział do Eddiego.

— Wy też — polecił Luca swoim chłopakom. — Wszyscy. Wynoście się.

Trzymająca noworodka Filomena stała oparta o ścianę i patrzyła, jak wszyscy z wyjątkiem Luki i Hooksa zabierają swoje pieniądze, ubierają się w grube palta i wychodzą. Za każdym razem, kiedy otwierali drzwi, lodowaty podmuch wpadał aż do kuchni. Filomena owinęła dziecko swoim szalem i przytulała je do siebie, starając się ochronić przed zimnem.

— Szefie. Daj mi zawieźć ich do szpitala — poprosił Hooks, kiedy wszyscy wyszli.

Luca siedział dalej, trzymając za szyjkę rozbitą butelkę. Spojrzał na Hooksa, jakby starał się go zlokalizować, a potem zamrugał i otarł pot z czoła.

— Nie słyszałaś, co powiedziałem? — zwrócił się do Filomeny. — Zabierz na dół to cholerstwo i wrzuć do pieca albo przynieś tutaj, żebym poderżnął mu gardło.

— Dziecko urodziło się za wcześnie. Musisz je zawieźć do szpitala — oświadczyła Filomena, jakby nie dotarło do niej nic z tego, co powiedział Luca. — I matkę. Musisz ich zawieźć oboje.

Luca wstał z krzesła, trzymając w ręce rozbitą butelkę.

— To twoje dziecko! — zawołała szybko Filomena, obejmując mocniej noworodka i przysuwając się do ściany. — Urodziło się za wcześnie. Zabierz do szpitala dziecko i jego matkę.

Luca podszedł do niej bliżej. Stając nad nią, po raz pierwszy spojrzał na zakutane maleństwo, które trzymała w ramionach. Kiedy zbliżył butelkę whiskey do podbródka dziecka, Hooks stanął między nim i Filomeną i położył mu rękę na piersi.

— Szefie... — zaczął.

Luca wyprowadził szybki lewy prosty, którym ogłuszył Hooksa i sprawił, że ramiona obwisły mu po bokach niczym dwa odważniki. Następnie przełożył butelkę do lewej ręki, odchylił się do tyłu i z całej siły uderzył go w głowę prawym.

Hooks padł na podłogę jak nieżywy, lądując na plecach z rozrzuconymi po bokach rękoma.

— Madre di Dio — szepnęła Filomena.

— Powtórzę to, co powiedziałem, i jeśli nie zrobisz tego, co każę, poderżnę ci gardło od ucha do ucha — oświadczył Luca. — Zabierz to do piwnicy i wrzuć do pieca.

Filomena, trzęsąc się cała, odwinęła noworodka z powijaków, odsłaniając jego malutką pomarszczoną twarzyczkę.

— Masz. — Pokazała go Luce. — Jeśli jesteś ojcem, weź je. To twoje dziecko.

Luca spojrzał obojętnie na maleństwo.

— Może i jestem ojcem — mruknął — ale to nie ma znaczenia. Nie chcę, by żył ktokolwiek z tego rodu.

Filomenę zbiło to nieco z tropu.

— Masz — powtórzyła, ponownie podając Luce noworodka. — Weź je.

Luca uniósł w górę rozbitą butelkę, a potem ją opuścił.

— Nie chcę tego brać — oznajmił, po czym złapał Filomenę za kark i powlókł ją brutalnie przez kuchnię i w dół po schodach aż do pieca, który huczał w kręgu gorącego powietrza.

W piwnicy było ciemno. Luca puścił Filomenę i otworzył drzwiczki pieca. Z płonących węgli buchnął żar i czerwone światło.

— Wrzucaj — rozkazał.

— Nie — odparła Filomena. — *Mostro!* — Kiedy Luca przystawił jej do szyi rozbitą butelkę, znowu podała mu noworodka. — To twoje dziecko — powiedziała. — Rób z nim, co chcesz.

Luca spojrzał na piec, a potem znowu na Filomenę. Zamrugał i dał krok do tyłu. W padającym z węgli czerwonym świetle nie wyglądała wcale jak Filomena. Nie wyglądała jak kobieta, którą przed kilkoma godzinami zabrał z Dziesiątej Alei. Nie poznawał jej.

— Ty musisz to zrobić — oświadczył.

Filomena pokręciła głową, a potem po raz pierwszy tej nocy stanęły jej w oczach łzy.

— Rzuć to do pieca, to ci wybaczę. Jeśli tego nie zrobisz, poderżnę ci gardło i wrzucę do środka was oboje.

— O czym ty mówisz? — zapytała, łkając. — Jesteś szalony. — Wyglądała, jakby zdała sobie sprawę z czegoś strasznego. — O *Madre di Dio*, jesteś obłąkany.

— Nie jestem obłąkany — odparł Luca, po czym przystawił jej do szyi ostre szkło rozbitej butelki i powtórzył to, co powiedział już wcześniej. — Nie chcę, by żył ktokolwiek z tego rodu. Wiem, co robię.

— Nie, nie zrobię tego — odparła, a on złapał ją za włosy i przyciągnął do otwartych drzwiczek pieca, przez które buchało na zewnątrz gorąco. — Nie! — wrzasnęła, wijąc się w jego uścisku i starając się odwrócić od żaru, a potem poczuła szkło butelki przy szyi i sekundę później nie trzymała już noworodka w ramionach. Dziecko zniknęło i była tylko ona, Luca, czerwony blask pieca i ciemność wszędzie dokoła.

. . .

Hooks oparł się o kuchenny zlew i spryskał wodą obolałą skórę policzka i szczęki. Odzyskał przytomność kilka sekund wcześniej i dowlókł się do zlewu, a teraz usłyszał na schodach do piwnicy kroki i szloch kobiety, którą, jak przypuszczał, była Filomena. Spryskał wodą twarz, przeczesał mokrymi palcami włosy i odwróciwszy się, zobaczył za sobą Lucę, który trzymał Filomenę za kark, zupełnie jakby była kukłą i wiedział, że jeśli ją puści, kobieta osunie się na ziemię.

— Na litość boską — szepnął Hooks. — Luca.

Luca rzucił Filomenę na krzesło, na którym zgięła się wpół, szlochając i ściskając czoło.

— Odwieź ją do domu — polecił Hooksowi i ruszył na górę po schodach, lecz po chwili odwrócił się w jego stronę. — Luigi... — zaczął i odgarnął włosy z czoła. Chciał coś powiedzieć, lecz nie umiał znaleźć słów. — Zapłać jej pięć tysięcy — mruknął, wskazując Filomenę. — Wiesz, gdzie są pieniądze — dodał i ruszył dalej po schodach.

Kelly leżała na łóżku z zamkniętymi oczyma i rękoma po bokach.

— Kelly — wyszeptał i usiadł przy niej na materacu. Na dole otworzyły się i zamknęły kuchenne drzwi i chwilę później zawarczał silnik samochodu. — Kelly — powtórzył głośniej, a kiedy się nie poruszyła, położył się obok niej i dotknął jej twarzy.

Domyślił się, że jest martwa, kiedy tylko dotknął palcami jej skóry, lecz mimo to przystawił ucho do piersi i nasłuchiwał bicia serca. Nic nie usłyszał i w tej ciszy wezbrało w nim dziwne uczucie. Przez chwilę miał wrażenie, że się rozpłacze. Luca nie płakał od czasów, kiedy był małym chłopcem. Płakał po każdym laniu, które spuścił mu ojciec, a potem któregoś dnia nie rozpłakał się i nie płakał już nigdy więcej — dlatego to uczucie zaniepokoiło go i zdusił je w sobie, leżąc sztywno wyprostowany do momentu, gdy minęło. Z kieszeni wyciągnął słoiczek pełen tabletek, wysypał je na dłoń i połknął, popijając whiskey z butelki, która stała na nocnej szafce. Po chwili usiadł i połknął resztę proszków, ponownie popijając je whiskey. Przypomniał sobie, że ma ich chyba więcej w szafie. Znalazł kolejny słoiczek w kieszeni marynarki razem ze zwiniętymi banknotami. Było w nim tylko dziesięć czy dwanaście tabletek, ale i tak je wziął, a potem położył się z powrotem przy Kelly. Wsunął pod nią rękę i podciągnął w górę tak, że jej głowa była oparta na jego piersi.

— Śpij, laleczko — powiedział. — Wszystko to jeden wielki syf, od ściany do ściany.

14

Richie Gatto prowadził powoli należącego do Vita essexa, zmierzając do ratusza. Na dworze było zimno i jasno. Między jezdnią i chodnikiem piętrzyły się barykady poczerniałych od brudu zasp po niedawnej śnieżycy. Michael, siedzący z tyłu między Vitem i Genkiem, rozprawiał z ożywieniem o ratuszu.

— Wiedziałeś, że zwłoki Abrahama Lincolna i Ulyssesa S. Granta zostały przed pogrzebem wystawione w naszym ratuszu, tato? — powiedział.

— Kim był Ulysses S. Grant? — zapytał Genco, który siedział sztywno przy oknie, przyciskając jedną rękę do brzucha, jakby coś go tam bolało, a drugą przytrzymując czarny melonik, który leżał na jego kolanach.

— Osiemnastym prezydentem Stanów Zjednoczonych — odparł Michael. — Rządził od tysiąc osiemset sześćdziesiątego dziewiątego do tysiąc osiemset siedemdziesiątego siódmego. Lee poddał się Grantowi w Appomattox, co zakończyło wojnę secesyjną.

— Aha — mruknął Genco i spojrzał na Michaela, jakby był z Marsa.

Vito położył rękę na kolanie syna.

— Jesteśmy na miejscu — powiedział, wskazując przez okno lśniącą marmurową fasadę ratusza.

— Kurczę — mruknął Michael. — Popatrzcie na te schody.

— Jest radny Fischer — zauważył Vito.

Richie, który też zobaczył radnego, podjechał do krawężnika przed centralnym portykiem.

Michael był ubrany w granatowy garnitur i białą koszulę. Vito pochylił się, żeby poprawić mu czerwony krawat i podciągnąć węzeł do kołnierzyka.

— Kiedy radny oprowadzi cię po ratuszu, jeden z jego asystentów odwiezie cię do domu — powiedział, po czym wyjął z wewnętrznej kieszeni marynarki klips na pieniądze, wysunął z niego pięciodolarowy banknot i wręczył go Michaelowi. — Nie będziesz tego potrzebował — oświadczył — ale zawsze powinieneś mieć przy sobie kilka dolarów, kiedy jesteś poza domem. *Capisc'?*

— *Si* — odparł Michael. — Dziękuję, tato.

Radny Fischer, przysadzisty mężczyzna w średnim wieku, czekał na nich u stóp schodów z rękoma na biodrach i szerokim uśmiechem na twarzy. Miał na sobie elegancki garnitur w brązową kratkę z żółtym goździkiem w butonierce, koszulę z wysokim kołnierzykiem i jasnożółty krawat. Palto, choć było zimno nawet w słońcu, trzymał przerzucone przez rękę. Spod kapelusza wystawały mu kosmyki jasnych włosów.

Michael włożył palto, wysiadł w ślad za ojcem z samochodu i podszedł do radnego, który ruszył ku nim z wyciągniętą ręką.

— To mój najmłodszy syn, Michael — oświadczył Vito,

kiedy już przywitał się z Fischerem i wymienił z nim uścisk dłoni. — Jest panu bardzo wdzięczny za okazaną wielkoduszność — dodał, obejmując syna ramieniem.

Radny również objął Michaela i uważnie mu się przyjrzał.

— Ma pan wspaniałego syna, panie Corleone — powiedział. — Twój ojciec mówił, że interesujesz się tym, jak funkcjonują organy władzy — zwrócił się do Michaela. — Czy to prawda, młody człowieku?

— Tak, proszę pana.

Radny roześmiał się i poklepał Michaela po plecach.

— Dobrze się nim zaopiekujemy — zapewnił Vita. — Niech pan posłucha, Vito — dodał. — Pan i pańska rodzina powinniście wziąć udział w wielkiej obywatelskiej paradzie odpowiedzialności, którą planujemy na wiosnę. Będzie w niej uczestniczył burmistrz, wszyscy radni i najznakomitsze nowojorskie rodziny. Chciałbyś pewnie maszerować w takiej paradzie, młody człowieku? — zwrócił się do Michaela.

— Chciałbym — odparł chłopiec i spojrzał na ojca, czekając na jego zgodę.

Vito położył mu rękę na karku.

— Chętnie weźmiemy udział w takiej paradzie — oświadczył.

— Każę wam natychmiast wysłać zaproszenia — obiecał Fischer. — Moje dziewczęta uwijają się jak w ukropie, wszystko to organizując.

— Czy każdy może wziąć udział w tej paradzie? — zapytał Michael. — Cała rodzina?

— Oczywiście — zapewnił go radny. — Na tym polega cały pomysł. Pokażemy wszystkim wywrotowym elementom, anarchistom i komu tam jeszcze, że jesteśmy porządnym amerykańskim miastem i popieramy nasz rząd.

Vito uśmiechnął się, jakby coś, co powiedział radny, szczególnie go rozbawiło.

— Muszę już jechać — powiedział, podając mu dłoń. — Opowiesz nam o wszystkim wieczorem przy kolacji — zwrócił się do Michaela.

— Tak, tato — odparł Michael, po czym ruszył w ślad za radnym po schodach ratusza.

Vito wrócił do samochodu i usiadł na tylnym siedzeniu.

— Z Michaela zrobił się przystojny chłopak — zauważył Genco. — Wygląda całkiem szykownie w tym ubraniu.

— Jest przystojny — przyznał Vito, patrząc, jak syn wchodzi po stopniach ratusza. Kiedy Richie ruszył z miejsca i chłopiec zniknął z pola widzenia, odchylił się do tyłu i rozluźnił lekko krawat. — Dowiedziałeś się czegoś więcej od Frankiego Pentangelego? — zapytał.

— Nie — odparł Genco, wsuwając palce pod kamizelkę i masując brzuch. — Ktoś napadł na jeden z klubów Mariposy. Z tego co słyszeliśmy, Giuseppe stracił sporo szmalu.

— Nie wiemy, kto to był?

— Nikt ich na razie nie rozpoznał. Nie wydają pieniędzy na hazard ani na kobiety. To chyba Irlandczycy.

— Dlaczego tak sądzisz?

— Jeden z nich mówił z irlandzkim akcentem i to jest logiczne. Gdyby to byli Włosi, wiedzielibyśmy, co to za jedni.

— Twoim zdaniem to ten sam gang, który kradł jego whiskey?

— Tak uważa Mariposa. — Genco przekręcił kapelusz, który leżał na jego kolanach, po czym poklepał fotel obok

310

siebie i roześmiał się. — Podobają mi się ci *bastardi*. Doprowadzają Giuseppego do szału — powiedział.

Vito opuścił szybę o parę centymetrów.

— A co z Lucą Brasim? — zapytał. — Wiemy o nim coś więcej?

— *Si* — odparł Genco. — Doktor mówi, że doszło do uszkodzenia mózgu. Może mówić i w ogóle, ale wolniej, jakby był opóźniony.

— Naprawdę? — odezwał się zza kierownicy Richie. — A wcześniej był takim geniuszem?

— Nie był głupi — stwierdził Vito.

— Połknął tyle tabletek, że zabiłyby goryla — powiedział Genco.

— Ale nie dość, żeby zabić Lucę Brasiego — zauważył Vito.

— Zdaniem doktora z biegiem czasu może mu się pogorszyć — odparł Genco. — Zapomniałem, jakiego użył słowa. Mówił, że jego mózg może ulec de czemuś tam...

— Deterioracji — podpowiedział Vito.

— Zgadza się   potwierdził Genco. — Z biegiem czasu może ulec deterioracji.

— Mówił, w jak dużym stopniu? — zapytał Vito.

— Chodzi o mózg — odparł Genco. — Doktor mówi, że z mózgiem nigdy nic nie wiadomo.

— Ale w tym momencie — próbował się upewnić Vito — jest powolny, ale nadal mówi i zachowuje się normalnie?

— Tak mi powiedziano — odparł Genco. — Robi po prostu wrażenie lekko opóźnionego.

— Można to powiedzieć o połowie ludzi, z którymi mamy do czynienia — wtrącił Richie.

Vito spojrzał na sufit samochodu i pogładził się po karku. Robił wrażenie zatopionego w myślach.

— Co mówią nasi adwokaci o sprawie wytoczonej Brasiemu? — zapytał.

Genco westchnął, jakby zirytowało go to pytanie.

— Znaleźli w piecu kości noworodka — odpowiedział.

Na wzmiankę o kościach noworodka Vito odwrócił wzrok, położył rękę na brzuchu i wziął głęboki oddech.

— Mogą dowodzić, że to ta dziewczyna wrzuciła dziecko do pieca, zanim zmarła — powiedział. — I że Brasi próbował się zabić, kiedy zorientował się, co zrobiła.

— Jego własny człowiek wezwał policję — oświadczył Genco, podnosząc głos. — Luigi Battaglia, który, jak mi powiedziano, był z Lucą od maleńkości. I ma zamiar zeznać, że widział, jak Luca zabrał Filomenę i noworodka do piwnicy, a wcześniej oznajmił wszystkim, że spali swoje własne dziecko. I że widział, jak Luca wychodzi z piwnicy bez dziecka i z rozhisteryzowaną Filomeną. Vito! — zawołał Genco. — Dlaczego tracimy czas na tego *bastardo*? *Che cazzo!* Powinniśmy sami zabić tego sukinsyna!

Vito położył dłoń na kolanie przyjaciela i trzymał ją tam do chwili, kiedy Genco się uspokoił. Jechali Canal Street. W ciszy, która zapadła w samochodzie, słychać było jeszcze wyraźniej dobiegające z zewnątrz hałasy. Vito zamknął szybę.

— Czy możemy znaleźć tego Battaglię? — zapytał.

Genco wzruszył ramionami, dając do zrozumienia, że nie wie, czy uda się znaleźć Luigiego.

— Znajdź go — powiedział Vito. — Mam wrażenie, że to człowiek, któremu można przemówić do rozsądku. A co z Filomeną?

— Filomena nie mówi nic policji — odparł Genco, odwracając wzrok od Vita i przyglądając się tłumom na chodniku. — Jest śmiertelnie przerażona — dodał po chwili, spoglądając ponownie na Vita, jakby wziął się w garść i wrócił do swojej roli *consigliere*.

— Może nadeszła pora, żeby wróciła z rodziną na Sycylię... — zauważył Vito.

— Vito... Wiesz, że nie kwestionuję twoich... — Genco obrócił się na siedzeniu, żeby popatrzeć przyjacielowi prosto w twarz. — Dlaczego tak się przejmujesz tym *animale*? Powiadają, że to diabeł wcielony, i mają rację. Powinien smażyć się w piekle, Vito. Jego matka, kiedy dowiedziała się, co zrobił, odebrała sobie życie. Matka i syn, *suicidi*... To rodzina, która... — Genco ścisnął czoło, jakby słowo, którego szukał, tkwiło gdzieś w jego umyśle i usiłował je stamtąd wyciągnąć. — *Pazzo* — mruknął w końcu.

— Robimy to, co musimy. Wiesz o tym, Genco — wyszeptał Vito, jakby frustrowała go, a nawet wprawiała w gniew konieczność wypowiedzenia tych słów.

— Ale Luca Brasi? — nie dawał za wygraną Genco. — Czy gra jest warta świeczki? Bo boi się go Mariposa? Powiem ci prawdę, Vito: ja też się go boję. Ten człowiek budzi we mnie odrazę. To bestia. Zasłużył na to, żeby smażyć się w piekle.

Vito przysunął się do przyjaciela.

— Nie podważam tego, co mówisz, Genco — powiedział cicho, żeby nie usłyszał go siedzący na przednim siedzeniu Richie. — Ale człowiek taki jak Luca Brasi, człowiek o tak strasznej reputacji, że boją się go nawet najsilniejsi... gdyby udało się kontrolować kogoś takiego, byłby potężną bronią.

A my będziemy potrzebowali potężnej broni — dodał — jeśli chcemy wygrać z Mariposą.

Genco złapał się za brzuch, jakby nagle go rozbolał.

— *Agita* — stwierdził i westchnął, jakby przytłaczało go brzemię całego świata. — I wydaje ci się, że zdołasz go kontrolować?

— Zobaczymy — odparł Vito i odsunął się od Genca. — Znajdź Luigiego i przyprowadź do mnie Filomenę — polecił. — I daj w tym miesiącu trochę więcej Fischerowi — dodał po namyśle.

Opuścił ponownie szybę i poszukał w kieszeni marynarki cygara. Na zewnątrz miasto tętniło życiem. Teraz, kiedy byli blisko Hester Street i magazynu oraz biur firmy Genco Pura, Vito rozpoznał na chodniku kilka znajomych osób, rozmawiających przed sklepami i stojących w bramach albo na gankach. Kiedy mijali cukiernię Nazorine'a, kazał Richiemu się zatrzymać.

— Kupimy trochę *cannoli*, Genco — powiedział, wysiadając z samochodu.

Genco dotknął brzucha, przez chwilę się wahał, a potem wzruszył ramionami.

— Jasne, *cannoli* — mruknął.

15

Cork wygłupiał się, kręcąc kapeluszem na czubku palca, stawiając pod dziwnym kątem solniczkę na stole i generalnie starając się rozbawić Sonny'ego, Sandrę oraz jej młodszą kuzynkę, dwunastoletnią Lucille, która z miejsca się w nim zadurzyła, co przejawiało się w nieustannym chichotaniu i trzepotaniu rzęsami. Cała czwórka siedziała w cukierni i pijalni oranżady Nicoli, przy witrynie, która wychodziła na Arthur Avenue, pół przecznicy od bloku, gdzie mieszkała Sandra ze swoją babcią i gdzie (o czym świetnie wiedzieli, rozmawiając, popijając oranżadę i patrząc na popisującego się przed nimi Corka) przez cały czas siedziała w oknie pani Columbo, śledząc ich poczynania wzrokiem, którego zdaniem Sandry nie powstydziłby się sam orzeł.

— To ona? — zapytał Cork, po czym wstał, nachylił się nad stołem do okna i pomachał w kierunku domu Sandry.

Lucille pisnęła i zakryła dłonią usta, a Sonny, śmiejąc się, pchnął Corka z powrotem na krzesło. Sonny i Sandra siedzieli po jednej stronie stołu, Cork i Lucille naprzeciwko nich. Sonny i Sandra spletli po kryjomu palce pod stołem.

— Przestań — powiedział Sonny do Corka. — Wpędzisz ją w kłopoty.

— Jak to?! — zawołał z niedowierzaniem Cork. — Zachowuję się po prostu jak grzeczny kawaler i uprzejmie macham ręką!

Sandra, odkąd Cork i Sonny spotkali się z nią i Lucille na frontowej werandzie, zaprowadzili do cukierni Nicoli i kupili każdej po oranżadzie, nie odezwała się ani jednym słowem w trakcie całego starannie zaaranżowanego spotkania. Teraz otworzyła torebkę i spojrzała na srebrny zegarek.

— Musimy już iść, Sonny — powiedziała cicho. — Obiecałam babci, że pomogę jej przy praniu.

— Ojejku! — zmartwiła się Lucille. — Naprawdę musimy już iść?

— Hej! Johnny! Nino! — zawołał Sonny do Johnny'ego Fontanego i Nina Valentiego, którzy właśnie weszli do cukierni. — Chodźcie do nas.

Johnny i Nino byli przystojnymi chłopcami, kilka lat starszymi od Sonny'ego i Corka. W porównaniu z bardziej muskularnym Ninem Johnny sprawiał wrażenie szczupłego i eterycznego.

— Chcę wam przedstawić Sandrę i jej małą kuzynkę Lucille — oświadczył Sonny, kiedy podeszli do stolika.

Na słowo „mała" Lucille spiorunowała Sonny'ego wzrokiem.

— Bardzo nam miło was poznać — odezwał się Johnny w imieniu swoim i Nina.

— Naturalnie — potwierdził Nino, zezując gniewnie na Corka, którego znał równie długo jak Sonny'ego i jego rodzinę. — A to co za łobuz?

Cork szturchnął go żartobliwie w bok, a dziewczęta roześmiały się, uświadamiając sobie, że Nino nie mówi serio.

— Posłuchaj, Sandro — powiedział Johnny. — Jesteś zbyt piękna, by tracić czas na takiego nicponia jak Sonny.

— Ple-ple-ple — mruknął Sonny.

— Nie zwracaj uwagi na Johnny'ego — poradził mu Nino. — Uważa się za drugiego Rudolpha Valentino. Powtarzam mu stale, że jest za chudy — dodał, szturchając Johnny'ego w żebra.

Ten trzepnął go po dłoni.

— Weź ze sobą Sandrę, żeby obejrzała nas w Breslinie, Sonny — zaproponował. — To fajny mały klub. Spodoba wam się.

— To straszna speluna — stwierdził Nino — ale płacą nam porządne pieniądze.

— Nie słuchajcie go — zaprotestował Johnny. — Nino to czubek, choć całkiem nieźle gra na mandolinie.

— Pod warunkiem że ten tutaj nie zepsuje wszystkiego, próbując śpiewać — powiedział Nino, obejmując Johnny'ego ramieniem.

— Znam Breslin — oświadczył Cork. — To hotel na rogu Broadwayu i Dwudziestej Dziewiątej Ulicy.

— Zgadza się — potwierdził Nino. — Gramy tam w barze.

— Gramy w klubie — sprostował autentycznie sfrustrowany Johnny. — Nie wierzcie ani jednemu słowu, które mówi ten facet.

Sandra ścisnęła pod stołem dłoń Sonny'ego.

— Naprawdę musimy już iść — powiedziała. — Nie chcę denerwować babci.

— No dobrze — odparł Sonny, po czym wstał od stołu i założył żartem Johnny'emu nelsona.

— Skoro mój stary jest twoim ojcem chrzestnym, można mnie chyba uznać za twojego brata chrzestnego? — zapytał.

— Można cię uznać za wariata — odparł Johnny, wyzwalając się z jego uścisku.

— Powiedz swojemu ojcu, żeby wpadł nas obejrzeć w Breslinie! — zawołał Nino, który podszedł tymczasem do saturatora. — Mają tam całkiem dobrą pizzę primavera.

— Mój tato chodzi do restauracji wyłącznie w interesach — wyjaśnił Sonny. — Poza tym woli stołować się w domu.

Cork podszedł do drzwi i położył dłoń na klamce.

— Chodź, Sonny — powiedział. — Ja też muszę już zmykać.

Kiedy wyszli na ulicę, zaczął dalej flirtować z zachwyconą tym Lucille. Sonny i Sandra szli obok siebie w milczeniu. Mijali ich szybkim krokiem ludzie uciekający przed przejmującym mrozem. Potencjalnie zabójcze sople zwisały z dachów i schodów przeciwpożarowych i chodniki ozdobione były tu i tam okruchami tych, które się urwały. Sonny wciskał głęboko gołe dłonie w kieszenie palta. Idąc, nachylał się do Sandry i muskał ją ramieniem.

— Co twoim zdaniem powinienem zrobić, żeby babcia pozwoliła mi cię zabrać na kolację? — zapytał, kiedy podeszli do jej domu.

— Przykro mi, ale ona nigdy się na to nie zgodzi, Sonny — odparła.

Przysunęła się do niego, jakby miała zamiar dać się pocałować, i nagle w ostatniej chwili złapała za rękę Lucille i wbiegła z nią po schodach. Dziewczęta pomachały im na pożegnanie i zniknęły wewnątrz ceglanego budynku.

— Prawdziwa z niej ślicznotka — stwierdził Cork, idąc razem z Sonnym do swojego samochodu. — Ożenisz się z nią?

— To uszczęśliwiłoby moją rodzinę — odparł Sonny. — Jezu! — zawołał, podnosząc kołnierz i naciągając czapkę. — Zrobiło się zimno jak w psiarni.

— Zimno jak w dupie eskimoskiej wiedźmy — potwierdził Cork.

— Chcesz wejść ze mną do domu? Mama ucieszy się na twój widok.

— Nie — mruknął Cork. — Wieki już u ciebie nie byłem. Ale powinieneś odwiedzić Eileen i Caitlin. Caitlin wciąż o ciebie pyta.

— Eileen jest pewnie zajęta w cukierni — wykręcił się Sonny.

— Bez przerwy się na mnie wścieka — powiedział Cork. — Boję się już do niej chodzić.

— Dlaczego? Co takiego zbroiłeś?

Cork westchnął i objął się mocniej rękoma, jakby mróz przenikał go do szpiku kości.

— Przeczytała w gazecie o napadzie. Pisali tam, że jeden ze sprawców miał irlandzki akcent. A potem tego samego dnia zjawiłem się z pieniędzmi dla niej i dla Caitlin. Rzuciła mi je w twarz i zaczęła wrzeszczeć. Jezu... — westchnął ponownie. — Jest teraz pewna, że któregoś dnia wyląduję martwy w rynsztoku.

— Przecież nic jej nie powiedziałeś?

— Nie jest głupia, Sonny. Wie, że nigdzie nie pracuję,

i nagle zjawiam się i daję jej kilka setek. Potrafi wyciągać wnioski.

— Ale nic o mnie nie wie i w ogóle?

— Oczywiście, że nie — odparł Cork. — To znaczy wie, że jesteś cholernym złodziejem, ale nie zna żadnych szczegółów.

Cork zaparkował swojego nasha przy hydrancie na rogu Sto Osiemdziesiątej Dziewiątej Ulicy, wjeżdżając przednim prawym kołem na krawężnik.

— Nie masz żadnego poszanowania dla prawa? — zapytał Sonny, wskazując hydrant.

— Posłuchaj, Sonny — powiedział Cork, ignorując jego docinki. — Myślałem nad czymś, co mówiłeś jakiś czas temu, i doszedłem do wniosku, że masz rację. Musimy się zdecydować: wóz czy przewóz.

— O co ci chodzi? — Sonny wsiadł do samochodu i zatrzasnął za sobą drzwi. Miał wrażenie, że wchodzi do lodówki. — V'fancul'! — prychnął. — Włącz ogrzewanie!

Cork uruchomił silnik i zwiększył obroty.

— Nie twierdzę, że nie odpowiada mi forsa, którą zarabiamy — powiedział, patrząc na wskaźnik temperatury — ale w porównaniu z tym, co wyciągają ludzie pokroju twojego ojca, to grosze.

— I co z tego? Mój ojciec ma organizację, którą budował, nim którykolwiek z nas się urodził. Nie można tego porównywać. — Sonny spojrzał na Corka z ukosa, jakby zastanawiał się, do czego, u diabła, zmierza przyjaciel.

— Oczywiście — przyznał Cork. — Chodzi o to, że jeśli, jak mówiłeś, pójdziesz do ojca i powiesz, że chcesz wejść do jego organizacji, wtedy może uda się wciągnąć tam nas wszystkich.

— Jezu Chryste — jęknął Sonny. — Cork... Z tego co wiem, jeśli powiem ojcu, co robimy, będę pierwszym facetem, którego zabije.

— No tak — mruknął Cork, podkręcając ogrzewanie. — Chyba masz rację. On chce, żebyś zrobił karierę w motoryzacji. Sonny Corleone, potentat przemysłowy.

— Owszem, ale tylko w tym tygodniu dwa razy nie było mnie w robocie.

— Nie przejmuj się — powiedział Cork, włączając się do ruchu. — Mogę ci obiecać, że Leo cię nie wywali.

Sonny zastanowił się nad tym i uśmiechnął od ucha do ucha.

— Nie — odparł. — Nie sądzę.

. . .

Umieszczona w projektorze w zaciemnionym hotelowym pokoju taśma zadygotała, gdy mechanizm puścił ją w ruch, i na ekranie ukazał się porysowany czarno-biały obraz przedstawiający niską pulchną kobietę z długimi czarnymi włosami, która obciągała fiuta mężczyźnie bez głowy. Facet na filmie stał na rozstawionych szeroko nogach, podpierając się pod boki, i choć kadr nie obejmował jego głowy, widać było, że jest młody. Pod gładką białą skórą prężyły się mięśnie. Na sofie obok projektora, na kolanach Giuseppego Mariposy, siedziała jedna z aktorek Chez Hollywood. Giuseppe jedną ręką gładził ją po piersiach, w drugiej trzymał grube cygaro. Unoszący się z niego dym wpadał w snop światła z projektora. Obok niego i aktorki siedział Phillip Tattaglia, trzymając rękę w majtkach jednej ze swoich dziwek, podczas gdy inna klęczała na podłodze z głową między jego udami. Wszyscy byli w bieliźnie, z wyjątkiem piosenkarki z Chez Hollywood z platynową blond fryzurą oraz dwóch facetów, którzy siedzieli przy drzwiach w typowych dla cyngli prążkowanych niebieskich garniturach. Giuseppe zabrał piosenkarkę do hotelu na szybki numerek i czekała teraz spięta i podenerwowana w fotelu naprzeciwko sofy, zerkając co chwila ciemnymi oczyma na drzwi, jakby chciała stamtąd uciec.

— Popatrz tylko — powiedział Tattaglia, kiedy filmowa scena zmierzała do finału. — Spuścił się na nią całą! — zawołał i potrząsnął za ramię Mariposę. — Co o tym myślisz? — zapytał dziewczynę trzymającą głowę między jego udami, po czym odepchnął ją i zapytał o to samo tę, którą obejmował ramieniem. — Co o tym myślisz? Jest dobra? — Chodziło mu o dziewczynę występującą w filmie.

— Nie powiem ci — odparła ochrypłym głosem. — Moim zdaniem powinieneś o to zapytać faceta.

Giuseppe roześmiał się i uszczypnął dziewczynę w policzek.

— Sprytna z niej sztuka — powiedział do Tattaglii.

Na ekranie pojawili się dwaj kolejni faceci i zaczęli rozbierać dziewczynę; jej twarz była ponownie czysta i świeżo umalowana.

— Takie filmy jak ten mają przed sobą przyszłość, Joe — stwierdził Tattaglia. — Mogę je kręcić praktycznie za grosze i sprzedawać za grubą forsę do klubów rotariańskich w całym kraju.

— Myślisz, że buraki będą kupować tego rodzaju rzeczy? — zapytał Mariposa, nie odrywając oczu od ekranu i przez cały czas gmerając palcami pod stanikiem aktorki.

— Ludzie kupują tego rodzaju rzeczy od stworzenia świata — odparł Tattaglia. — Zarobiliśmy już sporo forsy na zdjęciach. Mówię ci, Joe, takie filmy jak ten mają przed sobą przyszłość.

— Jak miałbym w to wejść?

— Zająłbyś się finansowaniem. Dystrybucją. Tego rodzaju sprawami — odparł Tattaglia.

Zastanawiając się nad propozycją, Giuseppe zaciągnął się cygarem. Ktoś zapukał do drzwi hotelowego pokoju i dwaj cyngle zerwali się równocześnie z miejsca.

— No dalej, na co czekacie — mruknął Mariposa, odpychając od siebie dziewczynę.

Jeden z młodzieńców uchylił drzwi, a potem otworzył je na oścież. Do środka wszedł, trzymając w rękach kapelusz, Emilio Barzini i połowę pokoju zalało jasne światło.

— Zamknijcie drzwi — warknął Mariposa i chłopak szybko wykonał jego polecenie.

— Joe — powiedział Emilio. Dał kilka kroków w głąb ciemnego pokoju i zerknął na film, a potem z powrotem na kanapę. — Chciałeś się ze mną widzieć?

Giuseppe podciągnął spodnie, zapiął pasek i zgasił cygaro w stojącej na stoliku kryształowej popielniczce.

— Zaraz wracam — poinformował pozostałych, po czym okrążył kanapę i wszedł przez częściowo uchylone drzwi do sąsiedniego pokoju.

Emilio osłonił oczy przed migoczącym światłem projektora i ruszył za Giuseppem, który zapalił górne światło w drugim pokoju i zamknął za nimi drzwi. Jego gość zerknął na szerokie podwójne łóżko i stojące po jego obu stronach mahoniowe nocne szafki z wazonami pełnymi świeżo ściętych kwiatów. Przy długiej komodzie naprzeciwko łóżka stała utrzymana w tym samym stylu mahoniowa toaletka z ruchomym lustrem i wyścielanym kwiecistą tkaniną taboretem. Giuseppe wysunął go stopą, usiadł i skrzyżował ręce na piersi. W podkoszulku, który uwypuklał mięśnie barków i ramion, wyglądał niemal młodzieńczo mimo siwych włosów i porytej zmarszczkami twarzy.

— Posłuchaj, Emilio — powiedział spokojnie, choć widać było, że z trudem nad sobą panuje. — Podczas tego ostatniego napadu straciliśmy ponad sześć tysięcy. — Rozłożył ręce i na jego twarzy odmalowało się niedowierzanie. — I nadal nie wiemy, kim są ci dranie! Okradają mnie, znikają na kilka miesięcy i znowu mnie okradają. *Basta!* — zawołał. — Koniec z tym. Chcę ich dorwać i chcę ich ukatrupić.

— Joe... — Emilio rzucił kapelusz na komodę i usiadł na skraju łóżka. — Uważamy teraz, że to Irlandczycy. Wszystkich wypytujemy.

— A Irlandcy oczywiście nic nie wiedzą? — zapytał Giuseppe. — Nikt nic nie wie?

— Joe...

— Nie powtarzaj bez końca „Joe" i „Joe"! Nikt, kurwa, nic nie wie! — wrzasnął Giuseppe i przewrócił toaletkę, która uderzyła w ścianę. Lustro pękło i jego odłamki posypały się na pluszowy dywan.

— Joe... — odezwał się po raz kolejny Emilio. — To nie jest Rodzina Corleone i to nie jest Tessio. Obserwujemy ich. A jeden ze sprawców napadu miał irlandzki akcent.

— Nie chcę dłużej słuchać tych bzdur — stwierdził Giuseppe, podnosząc wywróconą toaletkę. — Popatrz na ten bałagan — dodał, pokazując okruchy szkła na dywanie i piorunując Emilia wzrokiem, jakby to on stłukł lustro. — Wezwałem cię, bo mam dla ciebie zadanie. Chcę, żebyś spotkał się z tym pierdolonym handlarzem oliwy, z tym gadającym farmazony nadętym bufonem i powiedział mu, że albo zajmie się tymi, którzy przysparzają mi bólu głowy, albo uznam, że jest za wszystko osobiście odpowiedzialny. Rozumiesz? Mam dosyć tego zadzierającego nos sukinsyna. — Giuseppe pochylił się, podniósł jeden z odłamków lustra i spojrzał na swoje odbicie, siwe włosy i zmarszczki wokół oczu. — Powiedz Vitowi Corleone — podjął — że od dzisiaj, dokładnie od tej minuty, będzie mi winien każdego centa, którego stracę przez tych drani. Pokryje moje straty z własnej kieszeni. Daj mu to jasno do zrozumienia, Emilio. *Capisc'?* Albo położy temu kres, albo będzie płacił. Taki jest układ. Poprosiłem go grzecznie, żeby się tym zajął, a on się na mnie wypiął. Teraz tak to będzie wyglądało. Wóz albo przewóz. Albo się tym zajmie, albo nie. Rozumiesz, co mówię, Emilio?

Emilio wziął kapelusz z komody.

— Ty jesteś szefem, Giuseppe — powiedział. — Chcesz, żebym to zrobił, więc ruszam w drogę.

— Zgadza się — odparł Giuseppe. — Jestem szefem. Przekaż mu po prostu moją wiadomość.

Emilio włożył kapelusz i ruszył ku drzwiom.

— Zaczekaj chwilę — powiedział Giuseppe, który wyrzuciwszy to, co miał na wątrobie, trochę się odprężył. — Nie musisz tak gnać. Masz ochotę na tę piosenkarkę? — zapytał. — Już mi się znudziła. Zachowuje się, jakby połknęła szczotkę.

— Lepiej zajmę się załatwieniem twojej sprawy — odparł Emilio, po czym dotknął palcami kapelusza i wyszedł.

Giuseppe ze zmarszczonym czołem spojrzał na pobojowisko i spozierające na niego własne pokawałkowane odbicie. Patrzył na siebie, na podobny do układanki popękany obraz i czuł, że coś go w nim niepokoi, nie potrafił jednak określić co. Zgasił światło i wrócił do ciemnego pokoju, gdzie siedzieli inni. Długowłosa dziewczyna na ekranie leżała teraz w łóżku z trzema facetami. Przez chwilę oglądał ją, stojąc, a potem zerknął na piosenkarkę, która siedziała sztywno wyprostowana z rękoma na kolanach, i dołączył do Tattaglii i siedzących na kanapie dziewczyn.

16

Vito szedł krytą kładką, która łączyła gmach sądów kryminalnych z budynkiem aresztu. Na zewnątrz, za wychodzącymi na Franklin Street wysokimi oknami widać było tłum ubranych w grube palta nowojorczyków, którzy jak się domyślał, mieli do załatwienia coś w sądzie bądź też odwiedzali przyjaciół lub krewnych siedzących w areszcie. Vito nigdy nie widział wnętrza celi ani nie był oskarżony w żadnej sprawie kryminalnej, zdawał sobie jednak świetnie sprawę, że grozi mu jedno i drugie. Przemierzając przed chwilą wysokie korytarze sądów, patrzył prosto w oczy policjantom i prawnikom paradującym z eleganckimi skórzanymi teczkami *pezzonovante* w prążkowanych garniturach, podczas gdy gliniarz, który go prowadził i który został sowicie opłacony, szedł ze wzrokiem utkwionym w podłodze. Minęli szybko wahadłowe drzwi do dużej sali sądowej, w której Vito zdążył dostrzec siedzącego na lśniącym drewnianym tronie sędziego w czarnej todze. Sala sądowa zawsze przypominała mu kościół, a sędzia księdza. Coś w widoku tego człowieka wzbudziło w nim gniew, a może więcej niż gniew, może nawet furię — jakby sędzia był odpowiedzialny za całe okrucieństwo i zło tego świata, za mordowanie kobiet i dzieci wszędzie od Sycylii po Manhattan. Vito nie potrafił ująć tego w słowa, nie wiedział, dlaczego poczuł tę falę gniewu, to pragnienie, by kopnąć wahadłowe drzwi i ściągnąć sędziego z jego fotela — jednak gdyby ktoś go obserwował, dostrzegłby tylko, że na chwilę zamknął i otworzył oczy, jakby potrzebował chwili wytchnienia, mijając salę sądową i zmierzając w stronę szerokich podwójnych drzwi, za którymi zaczynała się kładka.

Kiedy opuścili budynek sądu i znaleźli się bliżej aresztu, prowadzący Vita gliniarz wyraźnie się odprężył. Wygładził kurtkę munduru, zdjął okrągłą czapkę, przetarł przyczepioną do niej odznakę i włożył ją z powrotem na głowę. Sprawiał wrażenie kogoś, kto cudem wyszedł z opresji i musiał się teraz wziąć w garść, by dalej wypełniać swoje obowiązki.

— Zimno dzisiaj — powiedział, wskazując ulicę.

— Poniżej zera — odparł Vito, mając nadzieję, że na tym zakończy się rozmowa.

Choć ostatnio nie padało, na ulicach piętrzyły się zaspy brudnego śniegu i lodu. Na rogu Franklin Street tłum przechodniów mijał kobietę, która stała z pochyloną głową i twarzą skrytą w okrytych rękawiczkami dłoniach. Vito zauważył ją, kiedy tylko wszedł na kładkę. Mijając kolejne okna, widział, jak pojawia się i znika. Kiedy przechodził obok ostatniego, stała tam nadal w niezmienionej pozie — a potem wszedł do budynku aresztu i stracił ją z oczu.

— Trzymamy go w piwnicy — powiedział gliniarz, kiedy skręcili w długi korytarz z zamkniętymi drzwiami po lewej i po prawej stronie. — Przenieśliśmy go tu z oddziału szpitalnego.

Vito nie uznał za stosowne odpowiedzieć. Gdzieś w głębi ktoś wydzierał się, przeklinając kogoś innego. Jego wrzaski odbijały się echem od ścian korytarza.

— Jestem Walter — oznajmił gliniarz, który pchnąwszy ramieniem drzwi na klatkę schodową, postanowił się nagle przedstawić. — Pilnuje go mój partner, Sasha. Możemy panu dać najwyżej pół godziny — dodał, zerkając na zegarek.

— Nie potrzebuję więcej niż pół godziny.

— I rozumie pan... — dodał gliniarz, mierząc uważnym wzrokiem Vita, kontury jego marynarki i fałdy płaszcza, który trzymał na ręce — ...rozumie pan, że nic mu się nie może stać, kiedy jest pod naszą opieką.

Walter był tego samego wzrostu co Vito, ale o kilka lat młodszy i co najmniej dwadzieścia kilogramów cięższy. Jego brzuch wypychał mosiężne guziki munduru, uda ledwie mieściły się w nogawkach niebieskich spodni.

— Nic mu się nie stanie — zapewnił go Vito.

Gliniarz pokiwał głową i zaprowadził go dwa piętra w dół. W korytarzu bez okien unosił się nieprzyjemny zapach. Vito zakrył nos rondem kapelusza.

— Co to takiego?

— Kiedy łobuzowi trzeba przetrzepać skórę, zabieramy go właśnie tutaj — wyjaśnił Walter. Idąc, rozejrzał się, jakby chciał zlokalizować źródło zapachu. — Śmierdzi, jakby ktoś wyrzygał lunch.

Za rogiem, przy końcu korytarza czekał na nich ze skrzyżowanymi na piersi rękoma Sasha, oparty plecami o zielone drzwi. Kiedy Vito podszedł bliżej, otworzył je i odsunął się na bok.

— Pół godziny — powiedział. — Walt wszystko panu wyjaśnił?

Przez otwarte drzwi Vito zobaczył siedzącego na szpitalnym wózku Lucę. Fizycznie tak bardzo się zmienił, że w pierwszej chwili Corleone uznał, że sprowadzono mu kogoś innego. Prawa strona twarzy lekko mu opadała, jakby pociągnięto ją o pół centymetra w dół. Miał spuchnięte wargi i oddychał głośno przez usta. Mrużąc zmętniałe oczy, spojrzał w stronę drzwi. Wydawało się, że usiłuje jednocześnie skupić wzrok i zrozumieć to, co widzi.

— Wygląda gorzej, niż się czuje — wyjaśnił Sasha, widząc, że Vito zawahał się w progu.

— Dajcie nam porozmawiać w cztery oczy — poprosił Vito. — Możecie poczekać za rogiem.

Sasha zerknął na Waltera, jakby nie wiedział, czy roztropnie jest zostawić Lucę sam na sam z Vitem.

— W porządku, panie Corleone — mruknął Walter i zasunął za nimi drzwi.

— Luca... — powiedział Vito, kiedy zostali sami. Jego głos przesycony był takim smutkiem i konsternacją, że samego go to zaskoczyło. Cela śmierdziała środkami dezynfekcyjnymi i była pusta, z wyjątkiem szpitalnego wózka i paru prostych krzeseł. Nie było w niej żadnych okien; jedyne światło dawała pojedyncza żarówka zwisająca z sufitu pośrodku celi. Vito wziął stojące pod ścianą krzesło i przysunął je do wózka.

— Co ty... tu robisz... Vito? — zapytał Luca.

Miał na sobie szpitalną koszulę z krótkimi rękawami, o wiele na niego za małą, niesięgającą nawet kolan. Miało się wrażenie, że po wypowiedzeniu kilku słów musi przełknąć ślinę albo poprawić coś w gardle. Mówił, zacinając się, ale wyraźnie, starając się wyartykułować każde słowo. Kiedy się odezwał, Vito po raz pierwszy ujrzał w nim ślad dawnego Luki, tak jakby tamten czaił się gdzieś pod uszkodzoną twarzą i zmętniałymi oczyma.

— Jak się czujesz? — zapytał.

— A jak... wyglądam? — odparł po sekundzie Luca i na jego twarzy pojawiło się coś, co mogło ujść za uśmiech.

Vito zauważył krótką przerwę między zadaniem pytania i udzieleniem odpowiedzi i zaczął mówić powoli, dając Luce czas na przeanalizowanie tego, o co go pytał.

— Nie wyglądasz zbyt dobrze — powiedział.

Luca zsunął się z wózka i przeszedł przez celę po drugie krzesło. Pod szpitalną koszulą był nagi i ponieważ nie mógł jej porządnie związać, z tyłu widać było jego szerokie gołe plecy. Wziąwszy krzesło, ustawił je tak, by usiąść naprzeciwko Vita.

— Wiesz, o czym... bez przerwy myślę? — zapytał. Jego słowa ponownie przedzielone były pauzą, w trakcie której zastanawiał się jakby nad ich doborem i ustawiał sobie coś w krtani i ustach. Ich znaczenie i artykulacja były jednak jasne i wyraźne. — O Willu O'Rourke'u.

— A to dlaczego?

— Nienawidzę go — wyjaśnił Luca. — Chcę, żeby umarł.

Po kilku sekundach wydał z siebie dźwięk, który Vito zinterpretował jako śmiech.

— Mogę ci pomóc, Luca — powiedział. — Mogę cię z tego wyciągnąć.

Tym razem Luca wyraźnie się uśmiechnął.

— Czyżbyś był Bogiem?

— Nie jestem Bogiem — odparł Vito. Wziął do ręki

kapelusz, przyjrzał mu się, a potem położył z powrotem na leżącym na kolanach płaszczu. — Posłuchaj mnie, Luca. Chcę, żebyś mi zaufał. Wiem wszystko. Wiem, przez co przeszedłeś. Wiem...

— Co ty takiego... wiesz, Vito? — Luca pochylił się do przodu i w tym jego geście było coś groźnego. — Domyślam się, o czym... mówisz — powiedział. — Wiesz, że... zabiłem mojego ojca. I myślisz, że... wiesz wszystko. Ale nie wiesz... niczego.

— Owszem, wiem — odparł Vito. — Wiem o twojej matce. I wiem o twoim sąsiedzie, tym nauczycielu, niejakim Lowrym.

Luca odchylił się z powrotem do tyłu i położył ręce na kolanach.

— Co takiego wiesz?

— Policja podejrzewała, że to ty zrobiłeś, Luca, ale nie mieli dowodów.

— Co zrobiłem?

— Nie tak trudno złożyć kawałki tej układanki, Luca — oznajmił Vito. — Dlaczego twój ojciec... Sycylijczyk!... miałby próbować wykroić własne dziecko z łona matki? Nigdy nie zrobiłby czegoś takiego. Nigdy. I dlaczego zaraz po tym, jak wypisali cię ze szpitala, zepchnąłeś z dachu tego Lowry'ego, waszego najbliższego sąsiada? To jest tragedia, Luca, nie żadna zagadka. Zabiłeś ojca, żeby uratować matkę, a potem zabiłeś mężczyznę, który przyprawił rogi twojemu ojcu. W całej tej historii zachowałeś się moim zdaniem z honorem.

Wydawało się, że Luca słucha Vita długo po tym, jak ten przestał mówić. Pochylił się na krześle i przesunął dłonią po czole, jakby chciał otrzeć z niego pot, choć w celi panował chłód.

— Kto jeszcze wie... o tym wszystkim? — zapytał.

— Policja z Rhode Island, która prowadziła śledztwo — odparł Vito. — Domyślili się tego, ale nie mieli żadnych dowodów i specjalnie im nie zależało. Zapomnieli o tobie już dawno temu.

— Skąd wiesz... co wie policja... z Rhode Island?

Vito wzruszył ramionami.

— A w twojej organizacji? — zapytał Luca. — Który z twoich ludzi wie?

Na korytarzu było cicho. Vito nie wiedział, czy w pobliżu nie ma gliniarzy.

— Nie wie o tym nikt oprócz mnie — powiedział.

Luca zerknął na drzwi, a potem z powrotem na Vita.

— Nie chcę, by... ktokolwiek wiedział... o grzechach mojej matki — oznajmił.

— I nikt się nigdy nie dowie — odparł Vito. — Kiedy daję komuś słowo, można mi wierzyć, a ja daję ci moje słowo.

— Nie jestem człowiekiem... który wierzy ludziom.

— Czasami trzeba wierzyć. Musisz komuś zaufać — stwierdził Vito. Luca obserwował go i Vito miał wrażenie, że widzi kogoś innego, kto patrzy nań oczyma Luki. — Zaufaj mi teraz. Uwierz, kiedy mówię, że możesz się uratować. — Vito nachylił się do niego bliżej. — Wiem, co to jest cierpienie. Mój ojciec i brat zostali zamordowani. Widziałem, jak morderca celuje ze strzelby do matki i jak wystrzelona z niej kula odrzuca ją do tyłu, jakby była źdźbłem słomy. Moją matkę, którą kochałem, Luca. Kiedy nadeszła odpowiednia pora, kiedy dorosłem i stanąłem na nogi, wróciłem i zabiłem tego człowieka.

— Próbowałem już... zabić człowieka, który zabił mojego

ojca... i matkę — powiedział Luca. Zakrył palcami oczy i pomasował delikatnie powieki. — Dlaczego chcesz... mi pomóc? — zapytał z zamkniętymi oczyma.

— Chcę, żebyś zaczął dla mnie pracować — odparł Vito. — Nie jestem z natury człowiekiem gwałtownym. Nie chcę uciekać się do przemocy. Ale żyję w tym samym świecie co ty i obaj wiemy, że jest w nim wiele zła. Potrzebny jest ktoś, kto będzie je bezwzględnie tępił. Brutalnie tępił. Ktoś taki jak ty, człowiek, którego wszyscy się boją, może mi oddać wielkie usługi.

— Chcesz, żebym... dla ciebie pracował?

— Zaopiekuję się tobą, Luca. Troszczę się o wszystkich swoich ludzi. Wniesione przeciwko tobie zarzuty zostaną wycofane.

— A co będzie... ze świadkiem? — zapytał. — Co będzie... z Luigim Battaglią?

— Odwoła zeznania albo zniknie. Filomena, akuszerka, jest już pod moją opieką. Wróci na Sycylię razem z rodziną. Cały ten incydent zostanie zatuszowany — zapewnił go Vito.

— I za to wszystko... będę musiał tylko zacząć dla ciebie pracować... być twoim żołnierzem? — Luca patrzył z zaciekawieniem na Vita, jakby naprawdę nie pojmował, dlaczego składa mu taką propozycję. — Nie wiesz... że jestem *il diavolo*? — zapytał. — Morduję matki, ojców... i małe dzieci. Zamordowałem mojego własnego ojca... i mojego własnego syna. Kto sprzymierzy się z diabłem? Czy zgodzi się na to Clemenza? I Tessio?

— Clemenza i Tessio zrobią to, co im każę. Ale ja nie potrzebuję kolejnego żołnierza — odparł Vito. — Mam dość cyngli, Luca. Mam dość żołnierzy.

— Więc czego... czego ode mnie chcesz?

— Chcę, żebyś został kimś o wiele ważniejszym od żołnierza, Luca. Chcę, żebyś nadal był *il diavolo...* ale *il mio diavolo.*

Twarz Luki, kiedy patrzył na Vita, pozostała nieprzenikniona. Po chwili odwrócił wzrok i spojrzał gdzieś w dal. W końcu najwyraźniej zrozumiał i pokiwał głową.

— Mam do załatwienia... jedną zaległą sprawę... zanim zacznę dla ciebie pracować — powiedział. — Muszę zabić... Willa O'Rourke'a.

— To może poczekać — oświadczył Vito.

Luca pokręcił głową.

— Nie mogę o niczym innym myśleć. Chcę, żeby umarł.

Vito westchnął.

— Po załatwieniu tej zaległej sprawy, będziesz wykonywał wyłącznie moje rozkazy — oświadczył.

— Dobrze — odparł Luca. — Zgoda.

— I jeszcze jedno. Chodzi mi o tę historię między tobą i Tomem Hagenem — dodał Vito. — Jest zakończona. I zapomniana.

Luca wbił wzrok w gołą ścianę, jakby ją studiował. Po chwili spojrzał z powrotem na Vita i pokiwał głową.

Po omówieniu tych najważniejszych spraw obaj mężczyźni umilkli. Mimo to Vito był zdumiony siłą emocji, które ogarnęły go, gdy obserwował Lucę, patrzył na jego zdeformowaną twarz i zmętniałe oczy. Ten człowiek wyglądał, jakby zapadł się w sobie, jakby umarł i pochowano go w jego własnym zwalistym ciele. Bez względu na to, kim był naprawdę, tkwił we własnym wnętrzu niczym mały chłopiec w mrocznym budynku. Ku swojemu zaskoczeniu Vito wyciągnął rękę

i dotknął jego dłoni, z początku niepewnie, a potem łapiąc
ją w obie ręce. Chciał coś powiedzieć, wyjaśnić Luce, że czasami człowiek musi o pewnych rzeczach zapomnieć, że
czasami zdarzają się rzeczy, których nikt, nawet Bóg nie
może wybaczyć — i wówczas nie wolno o nich po prostu
myśleć. Z jego ust nie padło jednak żadne słowo. Trzymał
rękę Luki i w ogóle się nie odzywał.

Luca wydał z siebie dźwięk, który przypominał westchnienie, i jego oczy rozbłysły jaśniej, tak że wyglądały przez
chwilę jak oczy młodego chłopaka.

— Moja matka nie żyje — powiedział, jakby dopiero
przed chwilą się o tym dowiedział i był w szoku. — Kelly
nie żyje — dodał, jakby to też dopiero do niego dotarło.

— *Si* — odparł Vito. — I musisz to jakoś przetrwać.

W oczach Luki stały łzy. Otarł je szybko przedramieniem.

— Nie mów nikomu, że...

— Nie powiem — przyrzekł Vito, wiedząc, o co chodzi
Luce, wiedząc, że nie chce, by ktoś dowiedział się, że płakał. — Możesz mi wierzyć.

Luca, który patrzył wcześniej na własne kolana, podniósł
wzrok.

— Nigdy we mnie nie zwątp — powiedział. — Don
Corleone — dodał. — Nigdy we mnie nie zwątp, don Corleone.

— Dobrze — zapewnił Vito i puścił jego rękę. — I jeszcze
jedno. Muszę znać nazwiska chłopaków, którzy tak bardzo
zaleźli za skórę Mariposie.

— Poznasz je — odparł Luca i wyjawił mu wszystko, co
wiedział.

17

Jadąc do magazynu ojca, Sonny patrzył przez boczne okno packarda na ulice, którymi walił tłum podążających w swoich sprawach mężczyzn i kobiet. Samochód prowadził Clemenza, obok niego siedział z przodu Vito. Sonny koncentrował się na tym, by nie otwierać ust, nie skoczyć na przednie siedzenie i nie skląć Clemenzy, który traktował go jak śmiecia od momentu, gdy wpadł do warsztatu Lea i wyciągnął go z roboty. Ojciec nie powiedział dotąd ani słowa. Trzymając mocno za ramię Sonny'ego, Clemenza cisnął go na tylne siedzenie, a chłopak był zbyt zaskoczony siłą i determinacją grubasa i zbyt zszokowany tym, jak jest traktowany, by zareagować. Znalazłszy się w środku samochodu, zobaczył na przednim siedzeniu ojca. Kiedy zapytał wściekłym tonem, co jest grane, Clemenza kazał mu się przymknąć, a kiedy Sonny nie posłuchał jego rady, pokazał mu kolbę pistoletu i zagroził, że rozbije mu łeb. W trakcie całej tej wymiany zdań Vito zachowywał milczenie. Teraz, gdy Clemenza zaparkował przed magazynem, Sonny trzymał ręce na kolanach i w ogóle się nie odzywał.

Grubas otworzył tylne drzwi.

— Lepiej się nie odzywaj, młody — powiedział, nachylając się do wysiadającego Sonny'ego. — Wpadłeś po same uszy w gówno — dodał szeptem.

Vito czekał na chodniku, otuliwszy się szczelnie połami palta.

— Co takiego zrobiłem? — zapytał Sonny. Miał na sobie poplamiony smarem kombinezon, który nosił w pracy, i mróz szczypał go w nos i uszy.

— Po prostu idź za mną — odparł Clemenza. — Niedługo będziesz miał okazję się wygadać.

Na chodniku przy drzwiach magazynu Vito odezwał się po raz pierwszy. To, o co zapytał, nie miało jednak nic wspólnego z Sonnym.

— Czy Luca wyszedł? — zapytał Clemenzę.

— Wczoraj wieczorem. Jest ze swoimi chłopakami.

Na wzmiankę o Luce Brasim serce Sonny'ego wykonało szybki taniec, lecz nim zdążył zdać sobie sprawę z implikacji, znaleźli się w magazynie i zobaczył ustawione jedne na drugich skrzynie z oliwą, a przed nimi pięć stojących w półkolu krzeseł. Miejsce, do którego weszli, było chłodne i wilgotne, z szarą betonową podłogą i wysokim sufitem z gołych metalowych belek. Drewniane skrzynie wznosiły się na wysokość trzech metrów i można było odnieść wrażenie, że odgrodzona nimi przestrzeń jest oddzielnym pomieszczeniem. Do krzeseł przywiązani byli zakneblowani chłopcy Sonny'ego: Cork pośrodku, Nico i Mały Stevie po prawej, bracia Romero po lewej. Pilnowali ich z jednej strony Richie Gatto i Jimmy Mancini, a z drugiej Eddie Veltri i Ken Cusimano. Wszyscy ludzie Vita byli w eleganckich trzyczęściowych garniturach i wyglansowanych butach i chłopcy wyglądali przy nich jak ulicznicy; ich wierzchnie okrycia zostały rzucone na stos na podłodze. W przejściu między skrzyniami pojawił się z opuszczoną głową Tessio, majstrując przy zamku błyskawicznym kurtki, który najwyraźniej się zaciął. Wchodząc do małego pomieszczenia, zdołał go wreszcie otworzyć.

— Hej, Sonny! Zobacz, kogo tutaj mamy! — zawołał, podnosząc wzrok i wskazując krzesła. — Hardy Boys, którzy zeszli na złą drogę!

Jego komentarz rozśmieszył wszystkich oprócz Vita i Sonny'ego oraz jego chłopców, którzy ręce mieli związane za oparciami krzeseł.

— *Basta!* — rzucił Vito, stając pośrodku półkola i spoglądając na Sonny'ego. — Ci *mortadell'* okradali Giuseppego Mariposę, przysparzając mu kłopotów i pozbawiając pieniędzy, a ponieważ łączą mnie z panem Mariposą więzi biznesowe, przysparzali kłopotów również mnie i mogli sprawić, że i ja stracę pieniądze.

— Tato — powiedział Sonny, dając krok do przodu.

— *Sta'zitt'!* — Otwarta dłoń Vita podniosła się w ostrzegawczym geście i Sonny się cofnął. — Zauważyłem, że tu obecny młody pan Corcoran — podjął Vito, podchodząc do Bobby'ego — w ciągu minionych lat często bywał w naszym domu. Tak się składa, że pamiętam go w krótkich spodenkach, bawiącego się zabawkami w twoim pokoju. — Vito wyciągnął knebel z ust Bobby'ego i przyglądał mu się, oczekując, że coś powie. Kiedy Cork się nie odezwał, podszedł do braci Romero. — Ci dwaj — oświadczył, odkneblowując ich — mieszkają niedaleko nas. Tu obecny Nico — dodał, jego

339

również uwalniając od knebla — mieszka za rogiem. Jego rodzina przyjaźni się z naszą rodziną. — Vito podszedł do Małego Steviego i zmierzył go pogardliwym spojrzeniem. — Tego tutaj nie znam — stwierdził, odkneblowując go jako ostatniego.

— Mówiłem ci! — krzyknął Stevie. — Nie zadaję się już z tymi łobuzami!

Richie Gatto wyciągnął z kabury pod pachą pistolet i odbezpieczył go.

— Jeśli się nie przymkniesz, możesz doznać uszczerbku na zdrowiu — ostrzegł Steviego.

Vito stanął ponownie pośrodku.

— Wszyscy chłopcy z wyjątkiem tego — powiedział, wskazując Steviego — twierdzą, że nie masz nic wspólnego z żadnym ze skoków, których dokonali. Ten młody człowiek — dodał, ponownie spoglądając na Małego Steviego — utrzymuje jednak, że wszyscy są członkami twojego gangu i że ty to wszystko zorganizowałeś. — Vito podszedł do Sonny'ego. — Inni cię bronią. Ich zdaniem tamten młody człowiek jest do ciebie uprzedzony. Mam już dość tej dziecinady — oświadczył, wpatrując się w Sonny'ego. — Zapytam cię tylko raz. Czy masz coś wspólnego z tymi skokami, tymi napadami i rabunkami?

— Tak — odparł Sonny. — To mój gang. Ja to wszystko zaplanowałem. To wszystko moja robota, tato.

Vito cofnął się o krok, wbił wzrok w betonową podłogę i przeczesał palcami włosy, a potem wymierzył synowi siarczysty policzek, rozcinając mu wargę. Sonny zatoczył się do tyłu, a ojciec sklął go po włosku i złapał za gardło.

— Narażałeś własne życie? Narażałeś życie swoich przyjaciół? Bawiliście się w kowbojów? Mój syn? Czy tego cię uczyłem? Tego się ode mnie nauczyłeś?

— Panie Corleone — odezwał się Cork. — Sonny nie...

Sonny podniósł rękę i Cork nagle umilkł. Gest tak dokładnie przypominał ten, z którego słynął Vito, a reakcja była tak podobna, że żaden z mężczyzn nie mógł tego nie zauważyć.

— Czy możemy porozmawiać na osobności, tato? — poprosił Sonny.

Vito gwałtownie go puścił, jakby odrzucał od siebie coś brudnego, i Sonny musiał dać kilka kroków do tyłu, żeby nie upaść. Vito poprosił po włosku Clemenzę, żeby dał im kilka minut.

Sonny ruszył za ojcem przez magazyn, mijając pick-upa z płaską skrzynią, otwartą maską i leżącymi na podłodze częściami silnika, a potem kolejne skrzynki z oliwą stojące na poplamionej smarem betonowej podłodze. Po chwili wyszli na szeroką brukowaną alejkę, na której pod czarnymi kratownicami schodów przeciwpożarowych stały w rzędzie dostawcze ciężarówki. Zimny wiatr wzbijał w górę tumany kurzu i łopotał plandekami na skrzyniach. Vito stanął odwrócony plecami do Sonny'ego, patrząc w głąb alejki, która biegła do Baxter Street. Zostawił swoje palto w magazynie i teraz opatulił się marynarką, zgarbił ramiona i skrzyżował ręce na piersi. Sonny oparł się o drzwi magazynu i wpatrywał się w jego plecy. Nagle ogarnęło go zmęczenie. Odchylił głowę do tyłu i uderzył nią o metalowe drzwi. Na schodach przeciwpożarowych zauważył sfatygowaną dziecinną zabawkę, pluszowego tygrysa z rozdartą szyją, z której wystawały kępki białej waty.

— Tato — zaczął i nagle zdał sobie sprawę, że nie wie, co chciał powiedzieć. Widząc, jak wiatr rozwiewa włosy ojca, odczuł nagle absurdalną potrzebę uporządkowania ich, przyczesania palcami.

Vito odwrócił się do niego i zmierzył bezlitosnym spojrzeniem. Przez chwilę patrzył w milczeniu na syna, a potem wyciągnął z kieszeni chusteczkę i wytarł krew z jego wargi i podbródka.

Sonny nie wiedział, że krwawi, dopóki nie zobaczył krwi na chusteczce. Dotknąwszy wargi, skrzywił się z bólu.

— Tato — powtórzył i zawahał się. Nie potrafił znaleźć słów, które wykraczałyby poza bezpieczne rodzinne relacje. — Tato.

— Jak mogłeś nam to zrobić? — zapytał Vito. — Swojej matce i ojcu, swojej rodzinie?

— Tato — zaczął znowu Sonny. — Wiem, kim jesteś, tato. Znam cię od lat. Do diabła, tato, przecież wszyscy wiedzą, kim jesteś.

— To znaczy kim? Kim, twoim zdaniem, jestem?

— Nie chcę być zwykłym robolem — powiedział Sonny. — Frajerem brudzącym sobie ręce za parę dolarów dziennie. Chcę, żeby ludzie szanowali mnie tak jak ciebie. Chcę, żeby bali się mnie tak jak ciebie.

— Pytam cię jeszcze raz. — Vito dał krok w stronę Sonny'ego. Z rozwianymi przez wiatr włosami wyglądał jak dziki człowiek. — Kim, twoim zdaniem, jestem?

— Jesteś gangsterem — odparł Sonny. — Przed zniesieniem prohibicji twoje ciężarówki rozwoziły nielegalny alkohol. Jesteś zaangażowany w hazard i lichwę i masz silną pozycję w związkach zawodowych. — Mówiąc to, zwarł obie dłonie i potrząsnął nimi, by podkreślić oczywistość swoich słów. — Wiem to samo co wszyscy, tato.

— Wiesz to samo co wszyscy — powtórzył Vito, po czym zwrócił twarz ku niebu i przeczesał palcami włosy, próbując na przekór wiatrowi zrobić z nimi porządek.

— Tato — po raz któryś z rzędu mruknął Sonny. Widział, że uraził ojca i żałował, że nie może cofnąć tego, co powiedział, lub uświadomić mu, że szanuje go za to, kim jest. Nie przychodziły mu jednak do głowy żadne słowa; nie wiedział, co mógłby zrobić lub powiedzieć, by wybrnąć z tej sytuacji.

— Jeśli uważasz mnie za zwykłego gangstera, jesteś w błędzie — oznajmił Vito, nadal spoglądając w niebo. Przez chwilę milczał, a potem wreszcie popatrzył na syna. — Jestem biznesmenem. Przyznaję, czasem brudzę sobie ręce, pracując z ludźmi takimi jak Giuseppe Mariposa, ale nie jestem człowiekiem jego pokroju i mylisz się, jeśli tak sądzisz.

— Ach, tato — mruknął Sonny, po czym obszedł ojca dokoła i ponownie stanął zwrócony do niego twarzą. — Mam już dosyć tego udawania przez ciebie kogoś, kim w rzeczywistości nie jesteś. Wiem, że robisz to ze względu na nas, ale przykro mi... ja wiem, czym się zajmujesz. Wiem, kim jesteś. Podlegają ci loterie i hazard prawie w całym Bronxie. Masz silną pozycję w związkach zawodowych, zajmujesz się ochroną i jesteś właścicielem firmy handlującej oliwą. — Sonny złożył przed ojcem dłonie, jakby się modlił. — Przykro mi, tato, ale wiem, kim jesteś i czym się zajmujesz.

— Wydaje ci się, że wiesz — odparł Vito, po czym schronił się między dwiema ciężarówkami, gdzie mniej wiało, i zaczekał, aż Sonny znowu stanie naprzeciwko niego. — Nie jest tajemnicą, że nie wszystkie moje interesy są czyste. Ale nie jestem gangsterem, za jakiego chciałbyś mnie uważać. Nie jestem Alem Capone. Nie jestem Giuseppem Mariposą z jego narkotykami, prostytucją i mordami. Ktoś taki jak ja nie mógłby osiągnąć pozycji, jaką osiągnąłem, nie brudząc sobie rąk, Sonny. Tak to wygląda i godzę się z konsekwencjami. Ale w twoim przypadku wcale nie musi to tak wyglądać. I nie będzie. — Vito położył rękę na karku syna. — Wybij to sobie z głowy, wszystkie te rojenia o gangach i mafii. Nie po to tak ciężko pracowałem, żeby mój syn został gangsterem. Nie pozwolę na to, Sonny.

Sonny opuścił podbródek na pierś i zamknął oczy. Po jego bokach unosiły się i trzepotały na wietrze czarne plandeki na ciężarówkach. W wąskiej luce między pojazdami, gdzie stał razem z ojcem, ziąb sączył się spod podwozi i marzły mu stopy i łydki. Ulicą płynął nieprzerwany strumień samochodów i ciężarówek, ich silniki dławiły się, kiedy kierowcy zmieniali biegi. Sonny położył dłoń na ręce Vita, która spoczywała na jego karku.

— Widziałem, jak Tessio i Clemenza zabili ojca Toma, tato — powiedział. — Widziałem cię tam razem z nimi.

Vito puścił nagle jego kark i złapał mocno za podbródek, zmuszając do podniesienia głowy.

— O czym ty mówisz? — zapytał i kiedy Sonny zwlekał z odpowiedzią, ścisnął go tak mocno, że znowu zaczęła mu krwawić warga. — O czym ty mówisz?

— Widziałem cię — powtórzył Sonny, nadal nie patrząc ojcu w oczy, spoglądając gdzieś obok niego i poza nim. — Poszedłem za tobą. Schowałem się na schodach przeciwpożarowych po drugiej stronie alejki i widziałem wnętrze pakamery w barze Murphy'ego. Widziałem, jak Clemenza założył poszwę od poduszki na głowę Henry'ego Hagena, i widziałem, jak Tessio okłada go łomem.

— Przyśniło ci się — odparł Vito, jakby chciał narzucić to wytłumaczenie synowi. — Przyśniło ci się to, synu.

— Nie — zaprotestował Sonny i kiedy w końcu spojrzał na ojca, zobaczył, że Vito pobladł na twarzy. — Nie — powtórzył. — Nie przyśniło mi się, a ty, tato, nie jesteś wybitnym obywatelem. Jesteś mafiosem. Zabijasz ludzi, kiedy musisz, i dlatego się ciebie boją. Posłuchaj mnie. Nie będę tyrającym za grosze robolem i nie będę motoryzacyjnym potentatem. Chcę dla ciebie pracować. Chcę należeć do twojej organizacji.

Vito zastygł w bezruchu, wpatrując się w syna. Jego twarz powoli nabrała koloru i zelżał uścisk zaciśniętych na szczęce Sonny'ego palców. Kiedy go puścił, ręce zwisły mu po bokach. Po chwili wsadził je głęboko do kieszeni spodni.

— Wejdź do środka i każ tu przyjść Clemenzy — powiedział jakby nigdy nic.

— Tato...

Vito podniósł rękę.

— Rób, co mówię. Przyślij do mnie Clemenzę.

Sonny usiłował bezskutecznie wyczytać coś z twarzy ojca.

— Dobrze, tato. Co mam powiedzieć Clemenzy?

Vito zrobił zdziwioną minę.

— Czy to jest dla ciebie za trudne? — zapytał. — Wejdź do środka. Znajdź Clemenzę. Przyślij go do mnie. Zaczekaj w budynku razem z innymi.

— Jasne — odparł Sonny, po czym otworzył metalowe drzwi i zniknął wewnątrz magazynu.

Vito został sam. Po chwili podszedł do pierwszej w rzędzie ciężarówki i wsiadł do szoferki. Uruchomił silnik, sprawdził wskaźnik temperatury i obrócił do siebie tylne lusterko.

Zamierzał tylko przeczesać włosy, lecz zamiast tego wbił wzrok w swoje odbicie. W głowie miał pustkę. Jego oczy wyglądały jak oczy starego człowieka, załzawione i przekrwione od wiatru, z kurzymi łapkami biegnącymi do skroni. Obserwował je, obserwował te drugie oczy i miał wrażenie, że jest ich w szoferce dwóch i każdy przygląda się drugiemu, jakby tamten był dla niego tajemnicą. Kiedy Clemenza walnął w drzwi, Vito wzdrygnął się i opuścił szybę.

— Odeślij Tessia do domu — powiedział. — Niech zabierze ze sobą Eddiego i Kena.

— Co się stało z Sonnym? — zapytał Clemenza.

Vito zignorował to pytanie.

— Zwiąż go razem z innymi — polecił — i nie traktuj łagodnie, *capisc'*? Chcę ich nastraszyć. Niech myślą, że być może nie mamy innego wyboru i musimy ich zabić. Ze względu na Giuseppego. Powiedz mi, który z nich pierwszy zeszcza się w portki.

— Chcesz, żebym tak samo potraktował Sonny'ego?

— Nie każ mi się powtarzać — odparł Vito i widząc, że wskaźnik temperatury drgnął, włączył ogrzewanie i wrzucił bieg.

— Dokąd jedziesz? — zapytał Clemenza.

— Wrócę za pół godziny — odparł Vito, po czym zasunął szybę i wyjechał na Baxter Street.

. . .

Willie O'Rourke trzymał w lewej dłoni szarego gołębia wywrotka, sprawdzając jego pióra i delikatnie je przeczesując. Klęcząc przy gołębniku, za sobą miał krawędź dachu, a po

346

prawej, za drucianą siatką, prowadzące nań drzwi. Stał przy nich plażowy leżak, na którym przed kilkoma minutami siedział na mrozie, obserwując, jak holownik ciągnie frachtowiec w górę rzeki. Wywrotek, szary, z czarną jak węgiel maską, był jednym z jego ulubionych gołębi. W locie odłączał się nagle od stada i spadał, a potem podrywał się ponownie do lotu i dołączał do innych. Kiedy gołębie fruwały, Willie obserwował je i czekał na wywrotkę, która dała nazwę tej rasie — i za każdym razem, gdy do niej dochodziło, rosło mu serce. Po chwili skończył inspekcję i wsadził ptaka z powrotem do klatki, a potem dosypał wszystkim świeżego siana, żeby nie marzły na mrozie. Zrobiwszy to, usiadł w palcie na parapecie, kuląc się przed przenikliwym wiatrem, który wiał ulicą i nad dachami domów.

Słysząc w uszach jego świst, pogrążył się w zadumie. Leżący na dole w sypialni Donnie umarł dla świata, pokonany przez swoją ślepotę i śmierć Kelly. Doktor Flaherty stwierdził, że cierpi na depresję i z czasem mu to przejdzie, ale Willie raczej w to wątpił. Donnie prawie do nikogo się nie odzywał i gasł w oczach. Wszyscy uważali, że to ślepota złamała w nim ducha, lecz Willie był innego zdania. Po utracie wzroku Donnie był wściekły, a potem wpadł w apatię — ale dopiero wiadomość o śmierci Kelly, a dokładniej, o tym, jak umarła, zupełnie podcięła mu skrzydła. Leżał tam we dnie i w nocy, milcząc w półmroku swojej sypialni. Zdaniem Williego różnił się od nieboszczyka tylko tym, że oddychał.

Wstając z parapetu i rozglądając się dokoła, zobaczył Lucę Brasiego, siedzącego tyłem do niego na plażowym leżaku oraz jednego z jego ludzi, który pilnował z wyciągniętym pistoletem drzwi na dach. Z początku zaskoczył go ten widok, bo przecież niczego nie słyszał, lecz potem zdał sobie sprawę, że to wiatr zagłuszył wszelkie odgłosy. Widział tylko plecy Luki, jego kapelusz i biały szalik, ale nie miał wątpliwości, że to Brasi. Facet był tak wielki, że leżak wyglądał pod nim jak zabawka... no i stał tam jego chłopak, ten, którego Willie postrzelił w rękę. Poznał go z napadu na kantor.

Willie zerknął na czarne obręcze drabiny prowadzącej na schody przeciwpożarowe po drugiej stronie dachu, a potem ponownie na mężczyznę przy drzwiach, który stał ze złączonymi przed sobą dłońmi w rękawiczkach, trzymając w jednej z nich srebrny rewolwer, wyglądający jak rekwizyt z westernu z Tomem Mixem.

— Czego chcesz?! — zawołał do Luki, przekrzykując wiatr.

Luca podniósł się z leżaka i odwrócił, przytrzymując jedną ręką kołnierz palta, a drugą trzymając w kieszeni.

Willie nie zdawał sobie sprawy, że się cofa, póki nie zderzył się z krawędzią dachu. Twarz Luki była trupio szara i z jednej strony wyraźnie opuszczona, jak u kogoś, kto miał udar.

— Jezu Chryste — powiedział Willie i roześmiał się. — Wyglądasz jak pierdolony Boris Karloff we *Frankensteinie*. Zwłaszcza z tymi brwiami jak u małpoluda — dodał, dotykając własnych brwi.

Luca przesunął palcami po opadającej stronie twarzy, zupełnie jakby zastanawiał się, czy Willie ma rację.

— Czego chcesz? — powtórzył Willie. — Nie masz już dosyć? Oślepiłeś już Donniego i zabiłeś Kelly, ty zafajdany śmieciu.

— Ale to ty... do mnie strzelałeś — odparł Luca i wsadził ręce do kieszeni. — To ty powiedziałeś... że następnym razem nie chybisz. — Luca zerknął szybko na stojącego przy drzwiach Pauliego, jakby właśnie przypomniał sobie o jego obecności. — Nie mogę nie zauważyć — dodał, odwracając się z powrotem do Williego — że następnego razu... nie było. Co się stało? Czy strach... was obleciał?

— Pierdolę cię — powiedział Willie i podszedł do Luki. — Pierdolę ciebie i twoją martwą matkę, i twoje spalone dziecko, i wszystkich twoich chorych zdegenerowanych włoskich kumpli. I pierdolę Kelly za to, że w ogóle chciała mieć z tobą coś wspólnego.

Luca wyciągnął ręce z kieszeni, złapał go za szyję i podniósł w górę jak lalkę. Willie zaczął wierzgać i wymachiwać rękoma, próbując kopnąć i uderzyć Lucę, ale jego ciosy i kopniaki były słabe i nieudolne jak u dziecka. Luca zacisnął mocniej palce na jego szyi i w momencie, gdy Willie zaczynał tracić przytomność, puścił go. O'Rourke wylądował na czworakach na dachu, dławiąc się i próbując złapać powietrze.

— Są piękne — stwierdził Luca, spoglądając na gołębnik. — Ptaki. To, jak fruwają — dodał. — Są piękne. — Wicsz, dlaczego... zamierzam cię zabić, Willie? — zapytał, klękając obok niego. — Bo marny z ciebie strzelec.

Patrzył przez chwilę, jak Willie rozpina palto i próbuje je z siebie ściągnąć, jakby mogło mu to pomóc w zaczerpnięciu oddechu, a potem złapał go za kołnierz koszuli i spodnie przy pasku, podszedł z nim do skraju dachu i cisnął w powietrze nad Dziesiątą Aleją. Zataczając łuk, z rozpostartymi ramionami i trzepoczącym nad nim na tle błękitnego nieba czarnym paltem, Willie wyglądał przez ułamek sekundy, jakby mógł wzbić się w chmury i odlecieć. Ale potem opadł i zniknął, a Luca zasłonił twarz rękoma, odwrócił się i spojrzał na Pauliego, który otworzył przed nim drzwi.

. . .

Vito wjechał w alejkę na tyłach magazynu, zaparkował ciężarówkę w rzędzie na samym końcu i zgasił silnik. Dzień był zimny i wietrzny, niebo upstrzone strzępkami białych chmur. Wrócił właśnie z krótkiej przejażdżki nad East River, gdzie zatrzymał się w ustronnym miejscu pod Williamsburg Bridge i przez dwadzieścia minut patrzył na promienie słońca odbijające się od szaroniebieskiej powierzchni wody. Siedząc tam, odtwarzał w pamięci rozmowę z Sonnym, kilka zdań, które bez przerwy brzęczały mu w głowie — „jesteś gang-sterem, jesteś mafiosem, zabijasz ludzi" — i czuł, jak ogarnia go potężna fala niepokoju. Pod jej wpływem drżały mu palce, przechodził go dreszcz i trzepotały powieki. Czekał i patrzył na wodę, aż w końcu spokojny, przemyślany gniew stłumił to, co groziło w jego wnętrzu wybuchem. Obserwując fale, miał w pewnym momencie wrażenie, że w oczach stają mu łzy, ale od wyjazdu z Sycylii nigdy nie płakał z gniewu, bólu ani strachu i teraz, patrząc na rzekę, też tego nie zrobił. Uspokajało go coś w samej wodzie, coś, co odziedziczył po przodkach, którzy od setek lat żyli z morza. W trakcie swojej podróży do Ameryki, płynąc pośród obcych ludzi oceanicznym liniowcem, w dzień i w nocy obserwował ocean. Nie mogąc pogrzebać swojej rodziny w ziemi, pochował ich w umyśle. Patrzył jako mały chłopiec na ocean i ze spokojem czekał, co jeszcze będzie musiał zrobić. Siedząc w kabinie ciężarówki tuż przy rzece, pod Williamsburg Bridge, którym bez przerwy jechały samochody, czekał ponownie. Sonny był chłopcem. Nic nie wiedział. Owszem, w jego żyłach płynęła krew Vita, ale był zbyt głupi, by zrozumieć, jaki podejmuje wybór, zbyt młody i zbyt mało bystry.

— Tak czy inaczej — powiedział w końcu na głos Vito, wymawiając z gniewem i rezygnacją każde słowo — każdy człowiek ma swoje przeznaczenie.

Następnie uruchomił silnik i pojechał z powrotem na Hester Street.

Idąc do swojego gabinetu, zawołał głośno Clemenzę i nazwisko jego *caporegime* odbiło się echem od wysokiego sufitu, kiedy zamknął za sobą drzwi i usiadł za biurkiem. Z jednej z szuflad wyciągnął butelkę stregi i kieliszek i nalał sobie drinka. Gabinet urządzony był w spartański sposób: cienkie drewniane ściany pomalowane na stonowany zielony kolor, zarzucone papierami i ołówkami, oklejone sztucznym fornirem biurko, kilka krzeseł pod ścianami, metalowy wieszak za biurkiem, tania szafka na akta przy wieszaku. Vito pracował głównie w domu i prawie nigdy tu nie zachodził. Kiedy rozejrzał się dokoła, wnętrze napełniło go niesmakiem. Po chwili do środka wszedł Clemenza.

— Który z nich zeszczał się w portki? — zapytał Vito, nim tamten zdążył usiąść.

— Eee... — mruknął Clemenza i podsunął sobie krzesło do biurka.

— Nie siadaj — powiedział Vito.

Clemenza odsunął krzesło.

— Żaden nie zeszczał się w portki, Vito — oświadczył. — Twarde z nich sztuki.

— To dobrze — mruknął Vito. — Przynajmniej to trzeba

im przyznać. — Podniósł do ust kieliszek stregi i przez chwilę trzymał go nieruchomo, jakby zapomniał o tym, co robi. Wzrok miał utkwiony gdzieś za kieliszkiem i za Clemenzą.

— Vito... — odezwał się Clemenza tonem, który sugerował, że chce mu dodać otuchy, chce porozmawiać z nim o Sonnym.

Vito powstrzymał go gestem dłoni.

— Znajdź coś dla nich wszystkich z wyjątkiem Irlandczyków — powiedział. — Niech Tessio weźmie braci Romero. Ty weź Nica i Sonny'ego.

— A Irlandczycy? — zapytał Clemenza.

— Niech zostaną gliniarzami, politykami i związkowymi bonzami, których będziemy opłacali. — Vito odsunął od siebie kieliszek, wylewając żółty likier na arkusz papieru.

— W porządku — odparł Clemenza. — Postaram się, żeby zrozumieli.

— Dobrze — mruknął Vito. — I trzymaj Sonny'ego blisko siebie, Peter — dodał innym tonem. — Naucz go wszystkiego, co powinien wiedzieć. Naucz go wszystkich zasad, na których opiera się nasz biznes, żeby potrafił robić to, co musi robić... ale trzymaj go blisko siebie. Przez cały czas trzymaj go blisko siebie.

— Vito... — zaczął Clemenza. Ponownie sprawiał wrażenie, jakby chciał mu dodać otuchy. — Wiem, że nie tak to sobie zaplanowałeś.

Vito podniósł znowu kieliszek ze stregą i tym razem nie zapomniał upić łyka.

— Ma zbyt porywczy charakter. To nie jest dla niego dobre — powiedział i stuknął dwa razy w biurko. — Dla nas też nie jest dobre — dodał.

— Wyprowadzę go na ludzi — stwierdził Clemenza. — Ma dobre serce, jest silny i ma twoją krew.

Vito wskazał mu drzwi i kazał przysłać do siebie Sonny'ego. Wychodząc, Clemenza położył rękę na sercu.

— Będę go trzymał przy sobie. Nauczę go wszystkiego, czego trzeba — przyrzekł.

— Ten jego charakter... — przypomniał mu Vito.

— Wyprowadzę go na ludzi — powtórzył Clemenza, jakby składał szefowi obietnicę.

Wchodząc do gabinetu, Sonny masował nadgarstki obolałc od sznurów, którymi skrępowano mu ręce na plecach. Zerknął na ojca i szybko odwrócił wzrok.

Vito wstał, obszedł biurko, wziął dwa stojące przy ścianie krzesła i przysunął je do Sonny'ego.

— Siadaj — polecił i kiedy jego syn to zrobił, usiadł naprzeciwko niego. — Siedź cicho i słuchaj. Jest kilka rzeczy, które chciałbym ci powiedzieć. — Vito splótł ręce na kolanach i zebrał myśli. — To nie jest to, czego dla ciebie chciałem — oznajmił — ale widzę, że nie zdołam cię powstrzymać. Jedyne, co mogę zrobić, to nie pozwolić ci na dalsze głupoty, nie pozwolić, żebyście ty i twoi przyjaciele dali się za kilka dolarów zabić szaleńcom pokroju Giuseppego Mariposy.

— Nikomu nie spadł włos... — zaczął Sonny i umilkł, widząc wyraz twarzy ojca.

— Porozmawiamy o tym tylko raz i nie będziemy do tego nigdy wracać — powiedział Vito, podnosząc palec. Poprawił kamizelkę, skrzyżował ręce na brzuchu i odkaszlnął. — Przykro mi, że widziałeś to, co widziałeś. Ojciec Toma był zdegenerowanym hazardzistą i pijakiem. W tamtym czasie moja pozycja nie była tak silna jak dziś. Henry Hagen obraził nas tak dotkliwie, że gdybym nie pozwolił Clemenzy i Tessiowi zrobić tego, co zrobili, straciłbym ich szacunek. W tym biznesie tak jak w życiu szacunek jest najważniejszy. Na tym świecie, Sonny, nie można domagać się szacunku; trzeba go zdobyć. Słuchasz mnie? — Sonny kiwnął głową. — Nie jestem jednak człowiekiem, który lubiłby tego rodzaju rzeczy. I nie jestem człowiekiem, który chce, żeby do nich dochodziło. Ale jestem mężczyzną... i robię to, co trzeba robić, dla mojej rodziny. Dla mojej rodziny, Sonny. — Vito spojrzał na stojący na biurku kieliszek stregi, jakby zastanawiał się, czy się jeszcze nie napić, a potem znowu popatrzył na syna. — Chciałbym ci zadać jedno pytanie i proszę, żebyś udzielił mi prostej odpowiedzi. Kiedy przyprowadziłeś przed wielu laty Toma do naszego domu, kiedy postawiłeś wtedy przede mną krzesło, na którym siedział, czy wiedziałeś, że to ja ponoszę odpowiedzialność za to, że jest sierotą? Czy w ten sposób mnie oskarżałeś?

— Nie, tato. — Sonny chciał wziąć ojca za rękę, ale cofnął szybko dłoń. — Byłem dzieckiem. Przyznaję — dodał, masując skronie palcami — że po tym, co zobaczyłem, chodziło mi po głowie wiele rzeczy, ale... pamiętam tylko, że chciałem, żebyś rozwiązał ten problem. Chciałem, żebyś rozwiązał problem z Tomem.

— O to ci chodziło — powiedział Vito. — Chciałeś, żebym rozwiązał jego problemy?

— Tyle pamiętam — przyznał Sonny. — To było dawno temu.

Vito przyjrzał się uważnie twarzy syna, a potem dotknął jego kolana.

— Tom nie może się o tym nigdy dowiedzieć — oświadczył. — Nigdy.

— Daję ci moje słowo — odparł Sonny i położył dłoń na dłoni ojca. — To sekret, który zabiorę ze sobą do grobu.

Vito poklepał go po dłoni i odsunął się wraz z krzesłem do tyłu.

— Posłuchaj mnie uważnie, Sonny. W tej branży, jeśli nie nauczysz się nad sobą panować, trafisz na cmentarz szybciej, niż ci się wydaje.

— Rozumiem, tato. Nauczę się. Zobaczysz.

— Powtórzę to jeszcze raz. Nie chciałem tego dla ciebie. — Vito złożył ręce, jakby odmawiał ostatnią modlitwę. — W świecie legalnego biznesu jest więcej pieniędzy i więcej władzy, i nikt nie czyha, żeby cię zabić, tak jak to zawsze było w moim wypadku. Kiedy byłem chłopcem, ludzie przyszli i zabili mojego ojca. Kiedy mój brat zaprzysiągł zemstę, zabili i jego. Kiedy moja matka błagała, by darowali mi życie, zabili i ją. I zaczęli mnie szukać. Uciekłem i urządziłem się tutaj, w Ameryce. Ale w tej branży zawsze są ludzie, którzy chcą cię zabić. Przed tym nigdy nie uciekłem. Nie, nie mówiłem ci nigdy o tych sprawach — dodał, widząc zszokowaną minę syna. — Dlaczego miałbym to robić? Myślałem, że cię przed tym uchronię. — Vito ponownie spojrzał na Sonny'ego, jakby nie stracił jeszcze nadziei, że zmieni zdanie. — To nie jest życie, jakie dla ciebie wymarzyłem.

— Będę kimś, komu zawsze będziesz mógł ufać, tato — odparł Sonny, głuchy na jego prośby. — Będę twoją prawą ręką.

Vito obserwował go jeszcze przez chwilę, a potem prawie niedostrzegalnie potrząsnął głową, jakby w końcu dał za wygraną.

— Będąc moją prawą ręką — odezwał się, wstając i odsuwając swoje krzesło pod ścianę — szybko uczyniłbyś wdowę z twojej matki, a z siebie sierotę. — Sonny zrobił

taką minę, jakby zastanawiał się nad słowami ojca, jakby nie
do końca rozumiał, o co mu chodzi. Zanim zdążył odpowiedzieć, Vito obszedł dokoła biurko. — Clemenza nauczy cię
zasad tego biznesu — dodał oddzielony od syna meblem. —
Zaczniesz od samego dołu jak wszyscy.

— Oczywiście, tato. Jasne.

Chociaż Sonny bardzo starał się ukryć podniecenie i zachowywać jak profesjonalista, nie bardzo mu się to udawało.

Vito zmarszczył brwi, widząc jego bezowocne próby.

— A Michael i Fredo? — zapytał. — I Tom? Oni też
uważają mnie za gangstera?

— Tom wie o hazardzie i o związkach zawodowych —
odparł Sonny. — Ale jak już wspomniałem, to żaden sekret.

— Nie o to pytałem — mruknął Vito, pociągając się za
ucho. — Naucz się słuchać! Zapytałem, czy uważa mnie
za gangstera.

— Wiem, że nie jesteś kimś w rodzaju Mariposy, tato.
Nigdy nie miałem czegoś takiego na myśli. Wiem, że nie
jesteś jakimś szaleńcem pokroju Ala Capone.

Vito pokiwał głową, dziękując losowi i za to.

— A Fredo i Michael?

— Nie — odparł Sonny. — Dzieciaki świata poza tobą
nie widzą. O niczym nie wiedzą.

— Ale dowiedzą się — mruknął Vito, siadając za biurkiem — podobnie jak ty i Tom. Clemenza i Tessio zaopiekują
się twoimi ludźmi. Ty będziesz pracował dla Clemenzy.

— Siedzą tam, myśląc, że padną ofiarą śmiertelnego za-
trucia ołowiem — stwierdził, szczerząc zęby, Sonny.

— A ty? — zapytał Vito. — Ty też myślałeś, że każę cię
zabić?

— Nie, nie przyszło mi to na myśl, tato. — Sonny roześmiał się, jakby rzeczywiście nie mieściło mu się to w głowie.

Vito nie roześmiał się. Miał ponurą minę.

— Irlandczycy będą musieli sobie radzić sami — oświadczył. — Nie mają u nas czego szukać.

— Ale Cork to porządny facet — zaprotestował Sonny. — Jest sprytniejszy od...

— *Sta'zitt'!* — Vito rąbnął pięścią w biurko tak mocno, że ołówek spadł na podłogę. — Nie waż się kwestionować tego, co mówię. Teraz jestem twoim ojcem i jestem twoim donem. Robisz to, co każę ci ja albo Clemenza i Tessio.

— Jasne — odparł Sonny, przygryzając wargę. — Wytłumaczę to Corkowi — dodał. — Nie będzie zadowolony, ale mu wytłumaczę. Co do Małego Steviego, chętnie nafaszerowałbym go ołowiem.

— Chętnie nafaszerowałbyś go ołowiem? — powtórzył Vito. — Co się z tobą dzieje, Sonny?

— *Madon'*, tato — jęknął Sonny, podnosząc ręce. — Tak się tylko mówi.

Vito wskazał mu drzwi.

— Idź — powiedział. — Pogadaj ze swoimi chłopakami.

Dopiero po wyjściu Sonny'ego zauważył, że jego palto, szalik i kapelusz wiszą na wieszaku przy drzwiach. Włożył palto, znalazł w kieszeni rękawiczki i zawiązał szalik na szyi. Wychodząc z gabinetu z kapeluszem w dłoni, dał kilka kroków w stronę głównego wejścia, a potem zmienił zdanie i wyszedł tylnymi drzwiami. Na dworze zrobiło się jeszcze zimniej. Nad miastem sunęły niskie szare chmury. Vito nosił się z zamiarem powrotu do domu, ale wyobraził sobie Carmellę przygotowującą kolację przy kuchence i zdał sobie sprawę, że w którymś momencie będzie jej musiał powiedzieć o Sonnym. Ta myśl zasmuciła go i postanowił pojechać znowu nad rzekę, gdzie mógł przez chwilę zastanowić się nad tym, kiedy i jak przekazać jej tę wiadomość. Bał się wzroku, którym zmierzy go Carmella, wzroku, w którym z pewnością zobaczy nieme oskarżenie. Nie wiedział, co gorsze: złe przeczucia, które ogarnęły go, gdy uprzytomnił sobie, że nie uda mu się uchronić Sonny'ego od tego, czym sam się zajmował, czy lęk przed tym, co niechybnie zobaczy na twarzy żony.

Siedział już w samochodzie i zdążył uruchomić silnik, kiedy z magazynu wybiegł ubrany w samą marynarkę Clemenza.

— Jak mamy załatwić sprawę z Mariposą, Vito? — zapytał nachylając się do okna, kiedy Vito opuścił szybę. — Nie może się dowiedzieć, że to był przez cały czas Sonny.

Vito zabębnił palcami po kierownicy.

— Niech któryś z twoich chłopaków zaniesie mu pięć martwych makreli zawiniętych w gazetę — powiedział. — Każ mu przekazać, że Vito Corleone ręczy, iż znalazł remedium na jego biznesowe problemy.

— Reme... co? — zapytał Clemenza.

— Znalazł rozwiązanie — odparł Vito i odjechał w stronę East River, zostawiając Clemenzę, który patrzył za nim, stojąc na chodniku.

KSIĘGA DRUGA

Guerra

WIOSNA 1934

18

We śnie jakiś mężczyzna odpływa od Sonny'ego na tratwie. Sonny jest w tunelu albo jaskini, skąpany w dziwnym migotliwym świetle, takim jakie widuje się tuż przed burzą. Zanurzony po kolana w wodzie, brodzi przez rzekę. Tak, to na pewno jaskinia, krople wody kapią niczym deszcz z ciemności nad jego głową, po skalnych ścianach do rzeki toczą się małe wodospady. Sonny widzi w oddali sylwetkę mężczyzny siedzącego na tratwie, która niesiona szybkim prądem znika za zakolem rzeki. Jaskinia znajduje się gdzieś w dżungli; dokoła słychać krzyki małp, skrzeczenie ptaków, odgłosy bębnów i rytmiczny śpiew tubylców kryjących się między drzewami. Jeszcze sekundę wcześniej usiłował dogonić tratwę, brnąc przez wodę w eleganckich skórzanych półbutach i trzyczęściowym garniturze, a teraz patrzy w oczy Eileen, która pochyla się nad nim i dotyka otwartą dłonią jego policzka. Leżą w łóżku Eileen. Ulicami przetacza się i potężnieje grzmot, od którego drżą szyby i po którym zrywa się nagły wiatr. Poruszone podmuchem żaluzje głośno grzechocą, a dwie białe firanki unoszą się prostopadle do ściany.

Eileen zamknęła okno, usiadła obok Sonny'ego i odgarnęła mu włosy z czoła.

— Co ci się śniło? — zapytała. — Jęczałeś i rzucałeś się po całym łóżku.

Sonny podsunął sobie drugą poduszkę pod głowę i otrząsnął się z resztek snu.

— *Tarzan — człowiek małpa* — odparł, parskając śmiechem. — Widziałem go w zeszłą sobotę w kinie Rialto.

Eileen położyła się obok niego pod spłowiałym zielonym kocem. Trzymając w rękach srebrną zapalniczkę i paczkę wingów, wyciągnęła szyję i wyjrzała przez okno. Nagła ulewa zabębniła o szybę i sypialnię wypełniły odgłosy deszczu i wiatru.

— Jak fajnie — mruknęła, wysuwając z paczki dwa papierosy i podając mu jeden.

Sonny wziął od niej zapalniczkę i obrócił ją w palcach. Musiał przy niej trochę pomajstrować, nim odkrył, jak działa. W końcu ścisnął ją kciukiem i palcem wskazującym i spod uniesionego wieczka wyskoczył niebieski płomyk. Sonny zapalił papierosa Eileen, a potem sobie.

Eileen wzięła popielniczkę z nocnej szafki przy łóżku i położyła ją na osłoniętych kocem kolanach.

— Kim byłeś w tym śnie? — zapytała. — Johnnym Weissmullerem?

Sen zacierał się już w pamięci Sonny'ego.

— Byłem chyba w dżungli — powiedział.

— Na pewno z Maureen O'Sullivan. Prawdziwa z niej irlandzka piękność, nie uważasz?

Sonny wciągnął dym w płuca, zastanawiając się nad odpowiedzią. Podobał mu się złocistobrązowy kolor oczu Eileen, które wydawały się jakby podświetlone na tle jej jasnej cery i wianuszka lekko potarganych włosów nadających jej wygląd dziecka.

— Moim zdaniem to ty jesteś prawdziwą irlandzką pięknością — powiedział, po czym znalazł jej dłoń pod kocem i splótł palce z jej palcami.

Eileen roześmiała się.

— Ale z ciebie casanova, Sonny Corleone.

Sonny puścił jej dłoń i usiadł prosto.

— Powiedziałam coś złego?

— Nie — odparł. — Ale nie podobała mi się ta uwaga o casanowie.

— A to dlaczego? — Eileen wzięła z powrotem jego dłoń. — Nie miałam na myśli nic złego.

— Wiem... — Sonny przez chwilę milczał, zbierając myśli. — Mój ojciec tak właśnie o mnie myśli — powiedział w końcu. — Uważa mnie za *sciupafemmine*, za playboya. Możesz mi wierzyć: w jego ustach to nie jest komplement.

— Ach, Sonny... — Ton głosu Eileen sugerował, że ojciec Sonny'ego ma sporo racji.

— Jestem młody — oświadczył Sonny. — Żyjemy w Ameryce, a nie w jakiejś zabitej deskami wiosce na Sycylii.

— To prawda — przyznała. — Swoją drogą słyszałam, że Włosi są uważani za wspaniałych kochanków.

— Dlaczego? Z powodu Rudolfa Valentino? — Sonny zgasił swojego papierosa. — Dla wielu Włochów uganianie się za kobietami nie jest oznaką męskości. To oznaka słabego charakteru.

— I taką ma właśnie o tobie opinię twój ojciec? Że masz słaby charakter?

— Jezu Chryste. — Sfrustrowany Sonny podniósł dłonie. — Nie wiem, co myśli o mnie ojciec. Nie pochwala niczego, co robię. Traktuje mnie, jakbym był jakimś *giamope*. Clemenza tak samo. Obaj mnie tak traktują.

— *Giamope*?

— Głupek.

— Bo uganiasz się za kobietami?

— Między innymi.

— I to ma dla ciebie znaczenie, Sonny? — zapytała, kładąc rękę na jego udzie. — To dla ciebie ważne, co myśli twój ojciec?

— Jezu — mruknął w odpowiedzi. — Jasne. Jasne, że to dla mnie ważne.

Eileen odsunęła się od niego, znalazła na podłodze halkę i włożyła ją.

— Wybacz mi, Sonny... — zaczęła, nie patrząc na niego. Przez chwilę słychać było tylko bębnienie deszczu o szybę. — Ale, Sonny... — westchnęła. — Przecież twój ojciec jest gangsterem?

Sonny odpowiedział wzruszeniem ramion, po czym spuścił nogi z łóżka i zaczął się rozglądać za swoją bielizną.

— Co trzeba zrobić, żeby zdobyć uznanie gangstera? — zapytała i w jej głosie zabrzmiał nagły gniew. — Zabić kogoś?

— Nie zaszkodziłoby, jeśli to byłaby właściwa osoba.

— Jezu Chryste. — Przez chwilę Eileen wydawała się autentycznie wściekła, a potem roześmiała się, jakby przypomniała sobie, że to przecież nie jej sprawa. — Sonny Corleone — powiedziała, wpatrując się w jego plecy, kiedy wciągał spodnie. — Wszystko to przysporzy ci bólu głowy.

— Co takiego przysporzy mi bólu głowy?

Eileen podpełzła do niego po łóżku, objęła z tyłu ramionami i pocałowała w kark.

— Piękny z ciebie chłopiec — wymruczała.

Sonny poklepał ją po nodze.

— Nie jestem już chłopcem.

— Zapomniałam — przyznała. — Skończyłeś już osiemnaście lat.

— Nie śmiej się ze mnie — mruknął i z uwieszoną na plecach Eileen zaczął wkładać buty.

— Jeśli nie chcesz, żeby twój ojciec uważał cię za *sciupafemmine* — powiedziała, naśladując dokładnie jego wymowę — ożeń się ze swoją szesnastoletnią pięknością.

— Ma już siedemnaście lat — stwierdził, zawiązując sznurowadło w elegancką kokardkę.

— Więc ożeń się z nią — powtórzyła — lub się z nią zaręcz i trzymaj w spodniach tę swoją pytę albo przynajmniej bądź dyskretny.

— To znaczy?

— Nie daj się złapać.

Sonny przestał robić to, co robił, i nie wyzwalając się z jej ramion, odwrócił się do niej twarzą.

— Skąd wiadomo, że jest się w kimś zakochanym? — zapytał.

— Jeśli chcesz wiedzieć — odparła, całując go w czoło — ty nie jesteś.

Ujęła jego twarz w dłonie, pocałowała ponownie, po czym wstała z łóżka i wyszła z pokoju.

Kiedy Sonny skończył się ubierać, zastał ją przy zlewie zmywającą naczynia. W padającym przez kuchenne okno świetle widział kontur jej ciała pod luźną, białą bawełnianą halką. Mogła być od niego dziesięć lat starsza i mogła być matką Caitlin — ale patrząc na nią, nigdy by się tego nie domyślił. Wystarczyło kilka sekund wpatrywania się w jej ciało, by wiedział, że jedyne, czego chce, to wrócić z nią do sypialni.

— Na co się gapisz? — zapytała, nie podnosząc wzroku znad szorowanego garnka. Kiedy nie odpowiedział, odwróciła się, zobaczyła uśmiech na jego twarzy i zerknęła na okno i na swoją halkę. — Darmowe przedstawienie, tak? — mruknęła, po czym opłukała garnek i wsadziła go do wanienki przy zlewie.

Sonny podszedł bliżej i pocałował ją w kark.

— A co, jeśli się w tobie zakochałem? — zapytał.

— Nie zakochałeś się — odparła, po czym objęła go ramionami w pasie i pocałowała. — Jestem zdzirą, którą od czasu do czasu zapylasz. Nie poślubia się kobiety takiej jak ja. Ma się z nią po prostu trochę przyjemności.

— Nie jesteś zdzirą — stwierdził, biorąc jej ręce w swoje.

— Skoro nie jestem zdzirą, to co robię, sypiając z najlepszym kumplem mojego młodszego braciszka... a właściwie byłym najlepszym kumplem. Co się dzieje między wami? — dodała, jakby od jakiegoś czasu miała zamiar zadać mu to pytanie.

— Dla ścisłości, od dawna już nie sypiałaś z najlepszym kumplem swojego braciszka — odparł Sonny. — A ja i Cork... właśnie dlatego tu przyszedłem, żeby wyjaśnić pewne sprawy między nami.

— Nie możesz tu już więcej sam przychodzić, Sonny. — Eileen przecisnęła się obok niego i zdjęła jego kapelusz z półki przy frontowych drzwiach. — To było słodkie —

dodała — ale jeśli nie jesteś z Corkiem, nie przychodź tu więcej.

— *Che cazzo!* — zaklął Sonny. — Przyszedłem tylko dlatego, że byłem wcześniej w jego mieszkaniu i go nie zastałem!

— Niech ci będzie — odparła, trzymając na piersiach jego kapelusz. — Ale nie wolno ci już tu więcej przychodzić, Sonny Corleone. To nie przejdzie.

— To ty zaciągnęłaś mnie do łóżka, laleczko — sprostował, podchodząc do niej. — Ja chciałem tylko znaleźć Corka.

— Nie przypominam sobie, żebym musiała cię ciągnąć — zauważyła, podając mu kapelusz.

— No dobrze, przyznaję — odparł, wkładając go na głowę. — Nie musiałaś mnie ciągnąć. Ale tak czy owak przyszedłem tu, szukając Corka. Mimo to cieszę się, że sprawy przybrały taki obrót — dodał, całując ją w czoło.

— Nie mam co do tego wątpliwości — powiedziała, a potem, jakby właśnie sobie przypomniała, wróciła do poprzedniego pytania. — Co się dzieje między tobą i Corkiem? On nie chce mi nic powiedzieć, ale widzę, że snuje się z miejsca na miejsce, jakby nie wiedział, co ze sobą zrobić.

— Rozstaliśmy się — odparł Sonny — z przyczyn biznesowych. Jest na mnie z tego powodu wściekły.

Eileen zadarła głowę.

— Chcesz powiedzieć, że w ogóle już się z tobą nie zadaje?

— Już nie. Rozstaliśmy się.

— Jak to możliwe?

— To długa historia. — Sonny poprawił na głowie kapelusz. — Ale powiedz Corkowi, że chcę się z nim widzieć.

To, że ze sobą nie rozmawiamy, jest... Powinniśmy ze sobą pogadać, on i ja. Przekaż mu, że przyszedłem tu, szukając go.

Eileen uważnie go obserwowała.

— Chcesz powiedzieć, że Cork nie działa już w tej samej branży co ty? — zapytała.

— Nie wiem, w jakiej teraz działa branży — odparł, naciskając klamkę. — Ale bez względu na to w jakiej, nie działamy w niej razem. Każdy z nas poszedł swoją drogą.

— Spotykają mnie dzisiaj same niespodzianki. — Eileen objęła go w pasie, stanęła na palcach i pocałowała na pożegnanie. — To było słodkie, ale już więcej się nie zdarzy, Sonny. Żebyś wiedział.

— Szkoda — odparł i nachylił się, chcąc ją pocałować. Eileen cofnęła się o krok. — No dobrze, nie zapomnij powiedzieć Corkowi — poprosił i zamknął za sobą delikatnie drzwi.

Na dworze skończyła się burza i chodniki były czyste, obmyte z brudu i śmieci. Tory kolejowe lśniły w słońcu. Sonny zerknął na zegarek, zastanawiając się, co robić — i nagle, zupełnie jakby w jego pustej głowie zapaliła się żarówka, przypomniał sobie, że za parę minut ma wziąć udział w spotkaniu w magazynie przy Hester Street.

— *V'fancul'* — zaklął głośno, obliczając odległość, biorąc poprawkę na korki i dochodząc do wniosku, że przy odrobinie szczęścia spóźni się tylko dziesięć minut. Pacnąwszy się w czoło, pobiegł do swojego stojącego za rogiem samochodu.

. . .

Kiedy Sonny wpadł do gabinetu, gęsto się tłumacząc, Vito wstał od biurka i odwrócił się do niego plecami. Patrząc na swój kapelusz i marynarkę, które wisiały na metalowym wieszaku, czekał, aż jego syn się przymknie, co nastąpiło dopiero, gdy Clemenza kazał mu usiąść i się nie odzywać. Odwróciwszy się z powrotem i spojrzawszy na Sonny'ego, Vito westchnął, w oczywisty sposób dając wyraz swemu niezadowoleniu. Sonny usiadł okrakiem na krześle, objął ramionami oparcie i wpatrywał się żarliwie w ojca nad głowami Genca i Tessia. Clemenza siedział na szafce na akta. Spotykając wzrok Vita, wzruszył ramionami, jakby wolał nie komentować spóźnienia Sonny'ego. I cóż możemy na to poradzić? — mówiło jego spojrzenie. Na dworze błysnęło i zaraz potem uderzył piorun. Nad miastem przechodziła kolejna wiosenna burza.

— Mariposa chce się spotkać ze wszystkimi Rodzinami z Nowego Jorku i New Jersey — powiedział Vito, wyjmując spinki z mankietów, podwijając rękawy koszuli i surowym wzrokiem dając Sonny'emu do zrozumienia, że powtarza wszystko od początku tylko ze względu na niego. — Żeby udowodnić, że ma czyste intencje, zwołał zebranie w niedzielę po południu w parafii Świętego Franciszka. To z jego strony sprytne posunięcie, zaproszenie nas w niedzielę do kościoła — dodał, rozluźniając krawat. — Świadczy o tym, że nie planuje żadnych numerów. Z drugiej strony ludzie ginęli już w kościele — podjął, patrząc na Tessia i Clemenzę — więc chcę, żeby wasi chłopcy byli w pobliżu, na ulicach i w restauracjach, wszędzie tam, gdzie w razie potrzeby będzie można do nich szybko dotrzeć.

— Jasne — mruknął Tessio tonem, który był tak samo ponury i posępny jak zawsze.

— To da się zrobić — powiedział Clemenza. — Nie będzie żadnych problemów, Vito.

— Na to spotkanie zabieram ze sobą Lucę Brasiego jako mojego ochroniarza — podjął Vito. — Chcę, żebyś pełnił funkcję ochroniarza Genca — dodał, zwracając się do Sonny'ego.

— Jasne, tato — odparł Sonny, przechylając do przodu swoje krzesło. — Jasna sprawa.

Clemenza poczerwieniał, słysząc jego odpowiedź.

— Masz po prostu za nim stać i nic nie mówić — polecił Vito, wymawiając wyraźnie każde słowo, jakby Sonny był trochę opóźniony i trzeba było w związku z tym mówić do niego wolniej. — Rozumiesz? — zapytał. — Wiedzą już, że wszedłeś do interesu. Teraz chcę, żeby wiedzieli, że jesteś blisko mnie. Dlatego weźmiesz udział w tym spotkaniu.

— Rozumiem, tato. Jasne — potwierdził Sonny.

— *V'fancul!* — zawołał Clemenza, grożąc mu pięścią. — Ile razy mam powtarzać, żebyś nie zwracał się do ojca „tato", kiedy załatwiamy interesy? Kiedy załatwiamy interesy, kiwasz tylko głową, tak jak cię uczyłem. *Capisc'?*

— Clemenza i Tessio, będziecie tuż obok kościoła na wypadek, gdybyście byli potrzebni — ciągnął Vito, nie dając Sonny'emu szansy się odezwać. — Sądzę, że te środki ostrożności nie są potrzebne, ale jestem ostrożny z natury — dodał i odwrócił się do Sonny'ego, jakby chciał mu jeszcze coś powiedzieć. Ostatecznie jednak spojrzał na Genca. — Masz jakieś uwagi na temat tego spotkania, *consigliere?* — zapytał. — Domyślasz się, czego może chcieć Mariposa?

Genco obrócił ręce na kolanach, jakby żonglował pomysłami.

— Jak wiecie — zaczął, przesuwając się lekko na krześle, by mieć ich wszystkich przed sobą — na temat tego spotkania nie otrzymaliśmy wcześniej żadnych informacji od nikogo, nawet od naszego przyjaciela, który dowiedział się o nim równocześnie z nami. Nasz przyjaciel nie wie również, w jakim celu zostało zwołane. — Genco przerwał i przez chwilę się zastanawiał. — Mariposa rozwiązał ostatnie problemy, jakie miał z organizacją LaContiego, i teraz wszystko to, co do niej należało, należy do niego. To daje zdecydowaną przewagę jego Rodzinie. — Genco rozłożył ręce, jakby trzymał w nich piłkę do koszykówki. — Moim zdaniem zwołuje nas, żebyśmy wiedzieli, kto będzie odtąd wysuwał żądania. Biorąc pod uwagę jego siłę, to całkiem rozsądne. To, czy zgodzimy się na jego warunki, czy nie, zależy od tego, jakie to będą żądania.

— I sądzisz, że dowiemy się tego na tym zebraniu? — zapytał Tessio.

— Wiele za tym przemawia — odparł Genco.

Vito odsunął na bok plik papierów i oparł się o biurko.

— Giuseppe jest chciwy — powiedział. — Teraz, kiedy zniesiono prohibicję, będzie się skarżył, jaki jest biedny... i będzie chciał od nas w ten czy inny sposób wyciągnąć pieniądze. Może w charakterze podatku, nie wiem. Ale to będzie jakiś procent naszych dochodów. Wszyscy się tego spodziewaliśmy, kiedy wypowiedział wojnę LaContiemu. Teraz nadeszła odpowiednia pora i tego będzie dotyczyło to zebranie.

— Dzisiaj jest silny — stwierdził Tessio. — Nie będziemy mieli innego wyboru, jak się zgodzić, nawet jeżeli zażąda więcej, niż chcielibyśmy dać.

— Tato — odezwał się Sonny. — Don — poprawił się natychmiast, ale to słowo najwyraźniej mu nie leżało i wstał zniecierpliwiony. — Słuchajcie. Wszyscy wiedzą, że Mariposa chce nas zniszczyć. Dlaczego nie rozwalimy go tam, w kościele, kiedy nie będzie się tego spodziewał? Bada bum, bada bang! — zawołał i klasnął w dłonie. — Mariposa będzie wyeliminowany i wszyscy się dowiedzą, co się dzieje, kiedy ktoś zadziera z Rodziną Corleone.

Vito zmierzył syna nieprzeniknionym spojrzeniem. W ciszy, jaka zapadła, słychać było kapiące na dach magazynu krople deszczu i szum wiatru za oknami. Wszyscy *capos* Vita wbili wzrok w podłogę. Clemenza zacisnął dłonie na skroniach, jakby za chwilę miała mu pęknąć głowa.

— Panowie, czy mógłbym zostać na chwilę sam z moim synem, *per favore*? — poprosił Vito. Kiedy wszyscy wyszli, popatrzył w milczeniu na Sonny'ego, jakby ten autentycznie go zadziwił. — Chcesz, żebyśmy zabili Giuseppego Mariposę — powiedział w końcu — w kościele, w niedzielę, w trakcie takiego jak to zebrania, w obecności wszystkich Rodzin?

Wijąc się pod wzrokiem ojca, Sonny usiadł z powrotem na krześle.

— Wydaje mi się... — zaczął cicho.

— Wydaje ci się! — przerwał mu Vito. — Wydaje ci się... — powtórzył. — To, co ci się wydaje, zupełnie mnie nie interesuje, Sonny. Jesteś *bambino*. W przyszłości nie chcę słyszeć, co ci się wydaje, Santino. Rozumiesz?

— Jasne, tato — odparł onieśmielony Sonny.

— Nie jesteśmy zwierzętami. To po pierwsze. Po drugie — dodał Vito, podnosząc palec — to, co proponujesz, sprawiłoby, że zwróciłyby się przeciwko nam wszystkie Rodziny, a to z pewnością doprowadziłoby nas do zguby.

— Tato...

— *Sta'zitt'!* — Vito przysunął krzesło do Sonny'ego. — Posłuchaj mnie — powiedział, kładąc dłoń na jego kolanie. — Czekają nas kłopoty. Poważne kłopoty, nie jakieś dziecinne igraszki. Poleje się krew. Rozumiesz, Sonny?

— Jasne, tato. Rozumiem.

— Nie sądzę — odparł Vito, uciekając w bok wzrokiem i przesuwając kłykciami po podbródku. — Muszę o wszystkich myśleć, Santino. O Tessiu i Clemenzy, o ich ludziach i ich Rodzinach. Jestem odpowiedzialny... — dodał i umilkł, szukając odpowiednich słów. — Jestem odpowiedzialny za wszystkich, za całą naszą organizację.

— Jasne — mruknął Sonny i podrapał się w głowę. Żałował, iż nie potrafi przekonać ojca, że to wszystko jest dla niego oczywiste.

— Chodzi mi o to — powiedział Vito — że musisz rozumieć nie tylko, co ktoś mówi, ale co to może oznaczać. Mówię ci, że jestem odpowiedzialny za wszystkich, Santino. Za wszystkich.

Sonny pokiwał głową i po raz pierwszy uświadomił sobie, że chyba nie wie, co próbuje mu wbić do głowy ojciec.

— Chcę, żebyś robił, co ci każą — oświadczył Vito, ponownie wymawiając powoli każde słowo, jakby mówił do dziecka. — Żebyś robił, co ci każą, i tylko to, co ci każą. Nie mogę się bezustannie martwić, jaką nieprzemyślaną rzecz zrobisz albo powiesz, Sonny. Jesteś teraz z nami... wszedłeś do mojej organizacji i powtarzam ci, Santino, masz nic nie robić ani nic nie mówić, chyba że otrzymasz takie polecenie ode mnie, od Tessia lub od Clemenzy. Czy to jest dla ciebie jasne?

— Tak, chyba tak — potwierdził Sonny i przez sekundę

się nad tym zastanawiał. — Nie chcesz, żebym wchodził ci w drogę. Masz ważne sprawy, na których musisz się skoncentrować i nie możesz się obawiać, że zrobię coś głupiego.

— No właśnie! — Vito udał, że klaszcze w dłonie.

— Ale, tato — zaczął Sonny i nachylił się do ojca. — Przecież mógłbym...

Vito złapał go mocno za podbródek.

— Jesteś *bambino* — powiedział. — Na niczym się nie znasz. Dopiero kiedy zrozumiesz, jak mało wiesz, zaczniesz mnie być może słuchać. — Vito puścił syna i pociągnął się za własne ucho. — Naucz się słuchać — powtórzył. — To na początek.

Sonny wstał i odwrócił się plecami do ojca. Krew napłynęła mu do twarzy i gdyby ktoś teraz przed nim stał, złamałby mu pewnie szczękę.

— Pójdę już — mruknął, nie patrząc na ojca.

Vito skinął mu głową, a Sonny, zupełnie jakby widział ten gest, odpowiedział takim samym skinieniem i wyszedł z pokoju.

. . .

Na rogu, przed uliczną latarnią przy barze Paddy'ego Pete Murray złożył uniżony ukłon krępej starszej kobiecie, zamaszyście wywijając lewą ręką. Ta wzięła się pod boki, odrzuciła do tyłu głowę i chichocząc głośno, odmaszerowała kilka kroków, po czym obejrzała się i powiedziała coś, na co zareagował wybuchem śmiechu. Cork obserwował całą scenę, parkując po drugiej stronie ulicy za wozem ostrzyciela noży, na którym zamontowane było wielkie szlifierskie koło. W całym mieście ludzie wyciągali z szaf lekkie marynarki i chowali

374

zimowe stroje. Cork wysiadł z samochodu i idąc w stronę skrzyżowania, pozdrowił głośno Pete'a.

Ten przywitał go z uśmiechem.

— Cieszę się, że postanowiłeś do nas wpaść — powiedział i objął go muskularnym ramieniem.

— Kiedy Pete Murray zaprasza mnie na piwo, w ogóle się nie zastanawiam — odparł Cork.

— Zuch chłopak! Jak się miewa Eileen i jej córeczka?

— Nieźle. Piekarnia kwitnie.

— Ludzie zawsze wysupłają parę groszy na coś słodkiego. Nawet w czasie kryzysu. To straszne, co się stało z Jimmym. — Murray popatrzył ze współczuciem na Corka. — Był z niego porządny chłopak. I niegłupi. Ale to samo można powiedzieć o całej waszej rodzinie, prawda? — dodał, jakby nie chciał się długo rozwodzić nad tą smutną sprawą. Żartobliwie ścisnął Corka za ramię. — Słyniesz z tęgiej głowy w całej okolicy.

— Nic mi o tym nie wiadomo. — Byli kilkadziesiąt metrów od baru Paddy'ego. Cork dotknął ramienia Pete'a. Jadący ulicą zielono-biały policyjny samochód zwolnił i gliniarz wyjrzał przez okno, wpatrując się w Corka, jakby chciał zapamiętać jego twarz. Pete uchylił przed nim kapelusza, gliniarz skinął do niego głową i samochód potoczył się dalej. — Możesz mi powiedzieć, Pete, co jest grane? — zapytał Cork. — Nie codziennie zaprasza mnie na piwo Pete Murray... i to o jedenastej rano. Przyznaję, że mnie to zaintrygowało.

— Naprawdę? — zdziwił się Pete, kładąc rękę na jego plecach i prowadząc go do Paddy'ego. — Powiedzmy, że chciałbym cię gdzieś wprowadzić.

— Gdzie?

— Zaraz się dowiesz. Nie zadajesz się już z Sonnym Corleone i jego chłopakami, prawda? — zapytał Pete, zatrzymując się przed wejściem do baru. — Słyszałem, że wyrzucili cię jak śmiecia — dodał, kiedy Cork nie zaprzeczył — podczas gdy pozostali koszą szmal w Rodzinie Corleone.

— A co to ma wspólnego z czymkolwiek?

— Zaraz się dowiesz — powtórzył Pete i pchnął drzwi do Paddy'ego.

Z wyjątkiem siedzących przy barze pięciu mężczyzn lokal świecił pustkami. Wszystkie krzesła ustawione były do góry nogami na stolikach, podłogi pozamiatane. Jedyne światło wpadało przez wychodzące na boczną uliczkę luksfery i zza zielonych zasuniętych zasłon. W środku było nadal zimno po chłodnej nocy i jak zawsze unosił się zapach piwa. Mężczyźni odwrócili się i spojrzeli na wchodzącego Corka, lecz żaden nie pozdrowił go po imieniu. Cork natychmiast ich wszystkich poznał: siedzących obok siebie braci Donnelly, Corra Gibsona i Seana O'Rourke'a oraz sterczącego samotnie w rogu Steviego Dwyera.

— Wszyscy znacie Bobby'ego Corcorana — powiedział odwrócony do nich plecami Pete, zamykając drzwi. Następnie objął ramieniem Corka, zaprowadził go do stołka przy barze i usiadł obok niego. Na oczach wszystkich sięgnął po dwa kufle i nalał piwa sobie i Corkowi. Jasnozielona koszula opinała ciasno jego klatkę piersiową i muskularne barki i luźno układała się na brzuchu. — Pozwólcie, że przejdę od razu do rzeczy — oznajmił, kładąc dłonie na kontuarze i lustrując wzrokiem wszystkich, by skupić na sobie ich uwagę. — Bracia Rosato złożyli nam propozycję...

— Bracia Rosato! — zawołał Stevie Dwyer, który podpierał się rękoma o bar, żeby dodać sobie wzrostu. — Jezu Chryste — mruknął i umilkł, kiedy Pete i pozostali spiorunowali go wzrokiem.

— Bracia Rosato złożyli nam propozycję — powtórzył Pete. — Chcą, żebyśmy dla nich pracowali...

— O Jezu... — mruknął Stevie.

— Dasz mi, na litość boską, mówić, Stevie? — zapytał Pete.

Dwyer podniósł do ust kufel i zamilkł.

Pete rozpiął kołnierzyk koszuli i spojrzał na swoje piwo, jakby musiał ponownie zebrać myśli po tym, jak mu przerwano.

— Będziemy mogli przejąć z powrotem wszystkie biznesy, jakie prowadziliśmy kiedyś w naszej dzielnicy, choć oczywiście, co łatwe do przewidzenia, musimy im odpalać jakiś procent z zysków.

— A jak bracia Rosato zamierzają nam wyświadczyć tę łaskę — wtrącił Billy Donnelly, zanim Pete zdążył powiedzieć coś więcej — skoro rządzi tu teraz Rodzina Corleone?

— No cóż... — mruknął Pete. — Tak naprawdę chyba po to się tu zebraliśmy, prawda?

— Więc o to chodzi — stwierdził Corr, zaciskając palce na gałce swojej pałki. — Bracia Rosato chcą się dobrać do skóry Rodzinie Corleone.

— Bracia Rosato nie robią nic na własną rękę — oznajmił Rick Donnelly. — Jeśli zwracają się do nas, robią to w imieniu Mariposy.

— Oczywiście — odrzekł podniesionym głosem Pete, dając do zrozumienia, że uwaga Ricka jest tak oczywista, że szkoda na nią czasu.

— Och, na miłość boską... — Sean O'Rourke odsunął od siebie piwo. W jego głosie brzmiały niesmak i zniechęcenie. W ciszy, która zapadła po jego słowach, Cork zauważył, jak bardzo Sean zmienił się, odkąd go ostatnio widział. Ulotniła się gdzieś cała jego młodzieńcza uroda; robił teraz wrażenie o wiele starszego i bardziej zgorzkniałego, z pociągłą twarzą, zmrużonymi oczyma i zaciśniętą szczęką. — Mój brat Willie leży w grobie — powiedział do siedzących w barze mężczyzn. — Moja siostra Kelly... — Tu potrząsnął głową, jakby zabrakło mu słów. — Donnie leży ślepy, zupełnie jakby nie żył. A ty namawiasz nas, żebyśmy pracowali dla tych zasranych makaroniarskich zabójców — dodał, po raz pierwszy patrząc prosto w oczy Pete'owi.

— Sean...

— Żeby nie wiem co, na mnie możesz nie liczyć! — wrzasnął Stevie, trzymając w ręku kufel. — Nienawidzę makaroniarzy i nie będę dla nich pracował.

— A czego spodziewają się w zamian za tę uprzejmość? — zapytał Corr Gibson.

— Panowie — podjął Pete, unosząc w górę oczy, jakby modlił się o cierpliwość. — Na rany Chrystusa, pozwólcie mi skończyć. — Na chwilę zapadła cisza. — Sean — powiedział Pete, wyciągając do niego rękę. — Corr i ja przyrzekliśmy Williemu, że zajmiemy się Lucą Brasim. Prosiliśmy, żeby zaczekał, aż nadejdzie odpowiednia pora.

— Dla Williego nigdy już nie nadejdzie odpowiednia pora — odparł Sean, przysuwając do siebie z powrotem piwo.

— I to ciąży kamieniem na naszych sercach — przyznał Pete.

Corr stuknął pałką w podłogę na znak, że się zgadza.

— Ale teraz — podjął Pete — ta chwila nadeszła.

— Nie twierdzisz chyba, że chcą, żebyśmy wystąpili przeciwko Rodzinie Corleone? — Rick Donnelly odsunął swój stołek od baru i spojrzał na Pete'a, jakby ten był niespełna rozumu. — To byłoby dla nas czyste samobójstwo.

— Jeszcze o nic nas nie poprosili, Rick. — Pete przechylił swój kufel i wypił duszkiem połowę, jakby musiał się czegoś napić, żeby nie stracić nad sobą panowania. — Złożyli nam propozycję. Jeśli zaczniemy dla nich pracować, odzyskamy naszą dzielnicę. Jesteśmy według nich dość sprytni, żeby zdawać sobie sprawę, że to oznacza konieczność wyrugowania stąd Rodziny Corleone i Brasiego i że weźmiemy udział w tym, co trzeba będzie w tym celu zrobić.

— A to oznacza krwawą wojnę — dopowiedział Rick.

— Nie wiemy, co to oznacza — odparł Pete. — Ale powiedziałem braciom Rosato, że nigdy nie będziemy współpracowali z ludźmi pokroju Luki Brasiego. Właściwie dałem im jasno do zrozumienia, że naszym zdaniem Luca Brasi powinien smażyć się w piekle.

— I co? — zapytał Sean, który nagle się tym zainteresował.

— A Rosato odparł, cytuję: „Jeśli nienawidzicie Luki Brasiego, tym bardziej powinniście do nas przystać".

— Co to, do diabła, znaczy? — zapytał Cork, po raz pierwszy się odzywając. Wszyscy spojrzeli na niego, jakby zapomnieli, że do nich dołączył. — Luca należy teraz do Rodziny Corleone. Nie możecie wystąpić przeciwko Luce, jeśli nie chcecie wystąpić przeciwko niej, więc wracamy do punktu wyjścia. Wojna z Rodziną Corleone byłaby, jak powiedział Rick, czystym samobójstwem.

— Jeśli miałaby wybuchnąć wojna, wtedy Rick i młody

Bobby mają rację — oznajmił Corr Gibson. — Corleone są dla nas za silni. A jeśli chcą ich załatwić ludzie Mariposy, w takim razie do czego jesteśmy im potrzebni? Mają dość oprychów, żeby poradzić sobie z tym sami.

— Panowie. — Pete roześmiał się w sposób, który dawał do zrozumienia, że jest w równym stopniu rozbawiony, co sfrustrowany. — Nieznane są mi knowania braci Rosato, Narwanego Joego Mariposy i innych makaroniarzy. Przyszedłem tutaj, żeby przekazać wam propozycję tak, jak została mi przedstawiona. Jeśli zgodzimy się dla nich pracować, odzyskamy naszą dzielnicę. Integralną częścią umowy jest jej tajność. Jeśli będą od nas czegoś potrzebowali, dadzą nam znać. Taki jest układ. Możemy go przyjąć albo odrzucić. — Pete dopił do końca piwo i postawił kufel na kontuarze.

— Na pewno będą od nas czegoś potrzebowali — mruknął Corr, jakby mówił sam do siebie, choć bacznie się wszystkim przyglądał. — Moim zdaniem — zwrócił się do Pete'a — jeśli Luca Brasi ma gryźć ziemię, a my przejmiemy z powrotem rządy w dzielnicy, to jest to propozycja, której nie wolno nam odrzucić.

— Zgadzam się — oświadczył Pete. — Nie musimy lubić makaroniarzy, żeby z nimi współpracować.

— Jeśli to znaczy, że będę mógł nafaszerować ołowiem Lucę Brasiego, jestem z wami — powiedział Sean, nie podnosząc wzroku znad swojego piwa.

— Jezu — mruknął Cork. — Bez względu na to, jak to ujmiecie, mówicie o wojnie z Rodziną Corleone.

— Masz z tym jakiś problem? — zapytał Pete Murray.

— Mam. Znam Sonny'ego i jego rodzinę od małego.

Stevie Dwyer pochylił się nad barem w jego stronę.

— Właściwie niczym nie różnisz się od makaroniarza, Corcoran! — wrzasnął. — Mówiłem wam, że on na to nie pójdzie — zwrócił się do innych. — Obciąga Sonny'emu Corleone fiuta, odkąd...

Dwyer nie zdążył wypowiedzieć ostatniego słowa, kiedy ciśnięty przez Corka kufel trafił go prosto w czoło i pękł równo wzdłuż spojenia szkła. Stevie odchylił się do tyłu i o mało nie spadł ze stołka, łapiąc się ręką za głowę. Z szerokiej rany trysnęła mu między palcami krew. Zanim odzyskał równowagę, Cork rzucił się na niego, zadając ciosy, z których jeden, wredny hak w podbródek, kompletnie go zamroczył. Dwyer osunął się na miękkich nogach na podłogę i oparł o ścianę baru, z głową zwieszoną na piersi i krwią lejącą się na spodnie. W barze zapadła cisza. Cork odsunął się od Steviego, rozejrzał dokoła i stwierdził, że inni nie ruszyli się z miejsca.

— Ach, ci Irlandczycy — mruknął Corr Gibson. — Jesteśmy beznadziejni.

— Ktoś musiał kiedyś rozbić głowę temu idiocie — skomentował Pctc, wstając ze stołka. Podszedł do Bobby'ego, położył mu rękę na plecach i wyprowadził na zewnątrz. Na ulicy, stojąc w promieniach słońca na tle jasnozielonych zasłon w oknach baru, wyjął paczkę cameli, przez chwilę patrzył na widniejący na niej obrazek wielbłąda na pustyni, a potem zapalił papierosa i spojrzał na Bobby'ego. Zaciągnął się, wypuścił dym z ust i opuścił rękę.

— Czy możemy ufać, że nikomu nie piśniesz ani słowa, Bobby? — zapytał w końcu.

— Jasne — odparł Cork i zerknął na swoje kłykcie, które rozbolały go nagle jak wszyscy diabli. Były zakrwawione i spuchnięte. — Nie chcę się w to w ogóle mieszać — dodał, po czym wyjął z kieszeni chusteczkę i obwiązał nią palce prawej dłoni. — Sonny i ja rozstaliśmy się, ale nie wezmę udziału w wojnie przeciwko niemu i jego rodzinie.

— W porządku. — Pete położył swoje wielkie łapsko na jego karku i przyjaźnie nim potrząsnął. — W takim razie zjeżdżaj stąd i znajdź sobie jakiś inny sposób na życie, coś, co nie będzie kolidowało z naszymi interesami. Nie wchodź nam w drogę, to nic ci się nie stanie. Rozumiesz mnie, Bobby?

— Jasne — powtórzył Cork i podał mu rękę. — Rozumiem — dodał, kiedy wymienili uścisk dłoni.

Pete Murray uśmiechnął się, jakby był z niego zadowolony.

— A teraz muszę załatwić sprawę z tymi tępakami — powiedział i wrócił do baru Paddy'ego.

19

Vito czekał na tylnym siedzeniu essexa ze złożonym na kolanach płaszczem przeciwdeszczowym i leżącym na nim kapeluszem, przed którym splótł ręce. Siedzący obok niego Luca Brasi obserwował przez przednią szybę Szóstą Aleję, gdzie dwie młode kobiety, każda z dzieckiem i otwartą parasolką, starały się uciec przed deszczem. Parasolki były jaskrawoczerwone, dzień szary i deszczowy. Mężczyźni w samochodzie milczeli: siedzący obok kierowcy Sonny z kapeluszem zsuniętym na oczy, Luca z tyłu z nieprzeniknioną i pozbawioną wyrazu skrzywioną twarzą. Vito wysłał kierowcę, Richiego Gatta, żeby przeszedł się po okolicy. Genco, żeby ukoić stargane nerwy, postanowił wybrać się razem z nim. Znajdowali się w dzielnicy odzieżowej, na rogu Szóstej Alei i Trzynastej Ulicy. Cała boczna ściana budynku nad zamkniętym kioskiem przekształcona była w wielki billboard przedstawiający dwójkę niewidomych dzieci spoglądających na napis „Dzięki twoim pieniądzom bezradni ślepcy mogą sobie poradzić". Za niewidomymi dziećmi, nad dachami domów wznosiła się wieża kościoła Świętego Franciszka z jasnym krzyżem sięgającym niskiej pokrywy chmur.

Sonny zerknął na zegarek, zsunął kapelusz z czoła i lekko się obrócił, jakby chciał powiedzieć ojcu, która jest godzina. Zamiast tego skulił się w fotelu i ponownie nasunął kapelusz na oczy.

— Dobrze jest w takich sytuacjach trochę się spóźnić — powiedział Vito i w tym samym momencie zza rogu Siódmej Alei wyszli Richie i Genco i ruszyli w ich stronę. Richie nasunął kapelusz na czoło i podniósł kołnierz płaszcza, Genco szedł pod czarnym parasolem. Idąc, obaj mężczyźni sprawdzali każdą bramę i odchodzącą od ulicy alejkę. Przy zwalistym Richiem Genco wydawał się jeszcze chudszy.

— Nie ma się czym przejmować — oznajmił Richie, wsuwając się za kierownicę i uruchamiając silnik.

— Co z Clemenzą i Tessiem? — zapytał Vito.

— Są w wyznaczonych miejscach — odparł Genco, siadając z tyłu. Vito przysunął się bliżej do Luki. — Jeśli dojdzie do jakiejś awantury... — Genco pokręcił głową w sposób, który sugerował, że Clemenza i Tessio mogą to zauważyć, ale nie wiadomo, czy zdążą skutecznie zareagować.

— Są z nimi ich chłopcy — rozwiał jego obawy Richie. — Jeśli wyłonią się problemy, jesteśmy w pełnej gotowości.

— Nie będzie żadnych problemów. To tylko środki ostrożności — stwierdził Vito, spoglądając na Lucę, który sprawiał wrażenie wycofanego i nieobecnego, zatopionego w myślach, jeśli jakieś myśli kołatały się jeszcze w jego głowie. Siedzący z przodu Sonny poprawił krawat. Na jego twarzy malowało się coś pomiędzy złością i zniecierpliwieniem. Od rana powiedział może dwa słowa na krzyż.

— Idziesz za Genkiem, Sonny — powiedział Vito — i masz oczy szeroko otwarte. Wszyscy będą uważnie obserwowali wszystkich na tym zebraniu. To, co mówimy, co robimy, jak wyglądamy... to wszystko jest ważne. Rozumiesz?

— Jasne — odparł Sonny. — Chcesz, żebym trzymał gębę na kłódkę, tato. Rozumiem.

— Gęba zamknięta, oczy otwarte — odezwał się Luca Brasi, nie zmieniając w ogóle wyrazu twarzy.

Sonny odwrócił się i zerknął na Lucę. Obok nich na Szóstej Alei sznur samochodów i ciężarówek zatrzymał się na czerwonych światłach. Deszcz przeszedł w mżawkę. Kiedy światła zmieniły się na zielone i pojazdy ruszyły z miejsca, Richie poczekał, aż przejadą, i włączył się do ruchu. Minutę później zatrzymał się za czarnym buickiem w uliczce prowadzącej na dziedziniec parafii Świętego Franciszka. Za kierownicą buicka siedział, wystawiając łokieć przez okno, wysoki gruby facet w trzyczęściowym jasnoniebieskim garniturze. W ogrodzie na dziedzińcu Carmine Rosato i Ettore Barzini gawędzili z dwoma stójkowymi. Jeden z policjantów powiedział coś, z czego wszyscy się roześmiali, a potem Carmine wyprowadził gliniarzy z dziedzińca, biorąc ich obu pod łokcie. Richie obszedł dokoła samochód, otworzył tylne drzwi, pomachał do Carminego i zawołał do niego po imieniu. Gliniarze, którzy przystanęli, żeby zobaczyć, jak Genco i Vito wysiadają z essexa, ruszyli dalej i zatrzymali się nagle ponownie na widok wyłaniającego się z auta Luki Brasiego. Ettore, który szedł za Carminem, klepnął po ramieniu jednego z gliniarzy i to wyrwało ich z letargu. Carmine podszedł do stojących na chodniku Vita, Genca i Richiego. Na dziedzińcu dwaj ludzie Emilia Barziniego podeszli do bramy i patrzyli, jak

Luca i Sonny dołączają do grupki mężczyzn stojących obok essexa. Ludzie Barziniego spojrzeli na siebie i skręcili w alejkę prowadzącą do kościoła.

Carmine nachylił się do Richiego.

— Chcecie, żeby Luca Brasi wziął udział w spotkaniu? — zapytał, jakby Luca nie stał tuż za nim.

— Oczywiście — odparł Richie, cały w uśmiechach. — A po co, waszym zdaniem, tu przyjechał?

— V'fancul'! — Carmine przyłożył rękę do czoła i wbił oczy w chodnik.

Sonny dał krok do przodu, jakby chciał mu powiedzieć coś do słuchu, ale potem opanował się, cofnął i poprawił rondo kapelusza.

— Zmokniemy — powiedział Vito i Genco szybko otworzył nad nim parasol.

Carmine Rosato spojrzał na Vita.

— W kościele? — zapytał, dając do zrozumienia, że dla Luki nie ma miejsca w domu bożym.

Vito ruszył w kierunku dziedzińca.

— Richie, mi amico — usłyszał za sobą głos Carminego. — Jest tam Tomasino. Wścieknie się.

Twarz Luki idącego obok Vita pozostała nieprzenikniona, niewzruszona niczym szare niebo.

Po wejściu na dziedziniec Vito podziwiał przez chwilę piękne ogrody urządzone po obu stronach prowadzącej do kościoła betonowej kładki. Potem zatrzymał się przy fontannie i posągu Niepokalanej Panienki, stojącej w tradycyjnej pozie, ze smutnymi, lecz mimo to kochającymi oczyma i wyciągniętymi rękoma, jakby witała wszystkich, którzy do niej przychodzili. Kiedy zrównał się z nim Genco, Vito ruszył w stronę kościoła, mając u boku swego *consigliere*. Luca i Sonny szli dwa kroki za nimi.

W małym holu za oszklonymi drzwami czekał na nich Emilio Barzini ze splecionymi przed sobą rękoma. Uścisnął dłonie Vita i Genca i zignorował Lucę i Sonny'ego.

— Tędy. — Sierował ich w stronę drugich drzwi, za którymi zaczynał się szeroki korytarz. — To kaplica świętego Antoniego — dodał, jakby miał za zadanie oprowadzić ich po kościele. Vito i jego świta zajrzeli przez centralny portal do długiej niskiej sali z marmurowym ołtarzem i stojącymi po obu stronach przejścia wypolerowanymi ławkami. Mijając ołtarz, przeżegnali się, a potem ruszyli dalej korytarzem, w ślad za Emiliem.

— Czekają na was — powiedział, odsuwając się na bok i otwierając ciężkie drewniane drzwi, za którymi pięciu mężczyzn siedziało przy długim konferencyjnym stole. U jego szczytu, na ozdobnym fotelu, którego pluszowe oparcie i poręcze przypominały w komiczny sposób tron, siedział Giuseppe Mariposa, wpatrując się przed siebie i nie kryjąc, jak bardzo irytuje go spóźnienie Vita. Ubrany w idealnie dopasowany do szczupłego ciała, szyty na miarę garnitur, siwe włosy miał uczesane z przedziałkiem pośrodku głowy. Po jego lewej stronie, twarzą do Vita, siedzieli Anthony Stracci ze Staten Island oraz Ottilio Cuneo, który działał na północy stanu. Po prawej stronie Giuseppego, obok przeznaczonego, jak można mniemać, dla Vita pustego krzesła, wiercił się na swoim miejscu, obracając tułów to w jedną, to w drugą stronę, jakby było mu niewygodnie, Mike DiMeo, łysiejący, potężnie zbudowany szef działającej w New Jersey Rodziny DiMea. Siedzący naprzeciwko Mariposy Phillip Tattaglia popatrzył na Vita i Genca, strzepując popiół z papierosa. Za każdym z mężczyzn stał przy ścianie jego ochroniarz. Czerwony na twarzy i oddychający z trudem Tomasino Cinquemani, który pełnił funkcję ochroniarza Giuseppego, stał odwrócony bokiem do stołu i plecami do Vita.

— Wybaczcie — powiedział Vito, rozglądając się dokoła, jakby chciał upewnić się, co widzi. Ściany ozdobione były portretami świętych i księży, o boazerię opierało się pięć pustych krzeseł. W głębi pokoju znajdowały się drugie drzwi. — Zrozumiałem, że w spotkaniu mają wziąć udział nasi *consiglieri*.

— Musiałeś coś źle zrozumieć — odparł Giuseppe, odwracając się w końcu, by na niego spojrzeć. — I źle zrozumiałeś, o której się spotykamy — dodał, zerkając na zegarek.

Genco podszedł do Vita i zaczął szybko mówić po włosku, starając się wyjaśnić, że nie zaszła żadna pomyłka. Zauważył pięć pustych krzeseł i domyślił się, że Mariposa wolał odesłać pozostałych *consiglieri*, niż przebywać z Genkiem i Lucą w jednym pomieszczeniu.

— Luca Brasi! — warknął Giuseppe i wypowiedziane przez niego nazwisko zabrzmiało jak przekleństwo. — Wyprowadź Genca do pokoju na zapleczu — polecił, wskazując drugie drzwi. — Możecie tam zaczekać z innymi.

Luca Brasi, stojący bezpośrednio za Vitem, nie dał po sobie w ogóle poznać, że usłyszał Mariposę. Stał odprężony, z rękoma zwisającymi po bokach i wzrokiem utkwionym w stojącej pośrodku długiego stołu paterze z owocami.

Tomasino odwrócił się i spojrzał na Lucę. Pod okiem, tam gdzie Luca uderzył go pistoletem, miał dwa nierówne przebar-

wienia skóry, jaskrawo czerwone w porównaniu z otaczającą
je oliwkową cerą.

Luca oderwał wzrok od patery z owocami, spojrzał Tomasinowi prosto w oczy i jego twarz po raz pierwszy ożywił
ślad uśmiechu.

Vito ujął pod łokieć Lucę i Genca.

— *Andate* — powiedział szeptem, który słychać było
wyraźnie w całej sali. — Idźcie. Będę miał ze sobą Santina.

Sonny, który stał, opierając się plecami o drzwi z zaczerwienioną, lecz poza tym obojętną twarzą, podszedł bliżej
do ojca.

Vito usiadł obok Mike'a DiMea.

Kiedy za Lucą i Genkiem zamknęły się drzwi, Giuseppe
poprawił mankiety koszuli, odsunął swój fotel do tyłu i wstał.

— Panowie — oświadczył. — Poprosiłem was wszystkich
o udział w tym spotkaniu, żebyśmy mogli uniknąć kłopotów
w przyszłości. — Jego słowa zabrzmiały sztywno, jakby
nauczył się ich na pamięć. Odkaszlnąwszy, zaczął mówić
dalej, teraz już bardziej naturalnie. — Słuchajcie, możemy
zarobić sporo pieniędzy, jeśli wszyscy zachowamy rozsądek
i będziemy ze sobą współpracowali jak biznesmeni. Nie jak
zwierzęta — dodał, spoglądając na tylne drzwi, za którymi
właśnie zniknął Luca. — Wszyscy macie swoje terytoria
i wszyscy jesteście szefami. Wspólnie kontrolujemy Nowy
Jork i New Jersey... jeśli nie liczyć kilku Żydów i kilku
Irlandczyków, bandy wściekłych psów, którym wydaje się,
że mogą chodzić, gdzie chcą, i robić, co im się podoba. Ale
z nimi uporamy się później — dodał. Szefowie Rodzin
i ochroniarze w ogóle się nie odzywali. Wszyscy robili
wrażenie znudzonych, z wyjątkiem Phillipa Tattaglii, który

niemal spijał każde słowo z ust Mariposy. — Za dużo było ostatnio zabijania — podjął Giuseppe. — Niektórych zdarzeń nie dało się uniknąć, ale inne były niepotrzebne — dodał, spoglądając na Vita. — Ten młody Nicky Crea w Central Parku... — Giuseppe potrząsnął głową. — To denerwuje gliniarzy i polityków i mamy potem przez to kłopoty. Powiem tak: wszyscy jesteście szefami waszych Rodzin. To wy podejmujecie decyzje. Ale kiedy zapada wyrok śmierci na jednego z naszych ludzi, moim zdaniem powinien to zatwierdzić sąd szefów. To jeden z powodów, dla których was tutaj wezwałem. Żeby wiedzieć, czy wszyscy się na to zgadzacie.

Giuseppe cofnął się od stołu i skrzyżował ręce na piersi, dając do zrozumienia, że czeka na odpowiedź. Kiedy jego słowa nie spotkały się z bezpośrednią reakcją i wszyscy siedzący przy stole mężczyźni nadal bez słowa się w niego wpatrywali, spojrzał na stojącego za nim Tomasina i ponownie na szefów Rodzin.

— Wiecie co? — podjął. — Prawdę mówiąc, nie oczekuję od was odpowiedzi. Postanowiłem, że to będzie bardzo krótkie spotkanie i że uraczę was potem dobrym jedzeniem, które czeka w sąsiednim pokoju. Oczywiście, jeśli wasi *consiglieri* nie zjedzą wszystkiego, zanim do nich dołączymy — dodał z pogodną miną. Tattaglia głośno się roześmiał, a Stracci i Cuneo lekko się uśmiechnęli. — No dobrze — stwierdził Giuseppe. — Więc tak to teraz będzie wyglądało. Zanim kogoś sprzątniemy, będą musieli to zaaprobować wszyscy szefowie. A jeśli ktoś się z tym nie zgadza i ma inne stanowisko, powinien je teraz przedstawić.

Mariposa usiadł i przysunął swój fotel bliżej stołu. Jego nogi zaskrzypiały, szorując po kamiennej podłodze.

Mike DiMeo, masywny i z trudem mieszczący się na krześle, przeczesał palcami rzadkie włosy, które miał jeszcze na czubku głowy. Kiedy się odezwał, jego łagodny głos dziwnie kontrastował ze zwalistą sylwetką.

— Don Mariposa — powiedział, wstając od stołu. — Uznaję twoją mocną pozycję w Nowym Jorku, zwłaszcza teraz, kiedy przejąłeś interesy Rodziny LaContiego. Ale Nowy Jork... Nowy Jork to oczywiście nie New Jersey — dodał, patrząc Mariposie prosto w oczy — Mimo to popieram wszystko, co powstrzyma nas przed zabijaniem się jak dzikie zwierzęta. — Mike przerwał i zabębnił palcami po stole. — A jeśli ja to popieram, możecie być pewni, że popiera to całe New Jersey — podsumował i usiadł, nagrodzony grzecznymi brawami przez wszystkich, z wyjątkiem Vita, na którym mowa szefa New Jersey zrobiła chyba jednak dobre wrażenie.

— W takim razie sprawa załatwiona — stwierdził Giuseppe, jakby brawa oznaczały przyjęcie propozycji przez aklamację. — Mam jeszcze jedną kwestię, a potem możemy iść i wrzucić coś na ząb — powiedział. — Po zniesieniu prohibicji straciłem dużo pieniędzy. Moja Rodzina straciła dużo pieniędzy... i ludzie się skarżą. — Mariposa rozejrzał się dokoła. — Nie będę owijał w bawełnę i powiem wam szczerą prawdę. Moi ludzie prą do wojny. Chcą rozszerzyć swoje biznesy na wasze terytoria. Moi ludzie mówią, że tak bardzo urośliśmy w siłę, że wygramy tę wojnę. Mówią, że to tylko kwestia czasu, kiedy będziemy rządzili w całym Nowym Jorku, na południu i północy stanu, a także... — dodał, patrząc na Mike'a DiMea — ...w New Jersey. I w ten sposób odzyskamy pieniądze, które straciliśmy po zniesieniu prohibicji. — Mariposa ponownie przerwał i przysunął swój fotel do stołu. —

W mojej Rodzinie jest wiele głosów za tym rozwiązaniem... ale ja mówię nie. Nie chcę tej wojny. Miałbym na rękach krew zbyt wielu osób, krew moich przyjaciół, ludzi, których darzę wielkim szacunkiem i których kocham. Nie chcę tej wojny, ale wszyscy jesteście szefami i wiecie, jak to jest. Jeśli będę sprzeciwiał się stanowisku większości moich ludzi, wkrótce przestanę być szefem. I również dlatego was tu zaprosiłem. — Mariposa rozłożył ręce nad stołem. — Moim zdaniem lepiej jest uniknąć rozlewu krwi i dojść do porozumienia. Jesteście wszyscy niezależnymi szefami, ale biorąc pod uwagę moje siły... których nie chcę użyć... powinienem zostać uznany za szefa wszystkich szefów. A to oznacza, że będę tym, który osądza wszystkie wasze spory i rozstrzyga je, jeśli będzie trzeba, siłą. — Mówiąc to, wpatrywał się w Vita. — I za to wszystko powinienem dostawać pieniądze. Będę pobierał małe co nieco od wszystkich waszych przedsięwzięć — dodał tak, jakby mówił wyłącznie do Vita. — Spodziewam się jakiegoś procentu od wszystkich waszych dochodów. — W tym momencie oderwał wzrok od Vita i omiótł nim pozostałych. — Bardzo małego procentu, ale od was wszystkich. Dzięki temu moi ludzie będą zadowoleni i unikniemy rozlewu krwi.

Zakończywszy swoją mowę, Giuseppe odchylił się do tyłu i ponownie skrzyżował ręce na piersi. Kiedy przez kilka chwil nikt się nie odezwał, skinął na Tattaglię.

— Może ty zabierzesz głos pierwszy, Phillipie.

Tattaglia oparł dłonie na blacie stołu i wstał.

— Chętnie oddam się pod kuratelę don Mariposy — powiedział. — To całkiem sensowne z punktu widzenia naszych interesów. Zapłacimy mały procent i nie będziemy musieli ponosić kosztów związanych z wojną... a któż może być lepszym sędzią w naszych sporach od don Mariposy? — Ubrany w krzykliwy jasnoniebieski garnitur z żółtym krawatem, Tattaglia wygładził marynarkę. — Moim zdaniem to rozsądna propozycja — oświadczył, siadając. — Uważam, że powinniśmy się cieszyć, że unikniemy tej wojny — dodał — wojny, w której wielu z nas, niech Bóg broni, mogłoby stracić życie.

Siedzący przy stole szefowie zerkali jeden na drugiego, wypatrując reakcji. Z żadnej twarzy nie sposób było nic wyczytać, chociaż Anthony Stracci ze Staten Island nie wyglądał na szczęśliwego, a Ottileo Cuneo miał zbolałą minę, jakby dokuczała mu jakaś fizyczna dolegliwość.

Prowadzący zebranie Mariposa spojrzał na Vita.

— Co ty na to, Corleone? — zagadnął.

— Ile ma wynosić ten procent? — zapytał Vito.

— Mam mały dzióbek — stwierdził Mariposa. — Chcę go tylko lekko umoczyć.

— Wybaczy pan, *signor* Mariposa — odparł Vito — ale chciałbym usłyszeć bardziej konkretną odpowiedź. Jaki dokładnie procent będzie pan pobierał od wszystkich szefów siedzących przy tym stole?

— Piętnaście procent — poinformował go Giuseppe. — Proszę was jako człowiek honoru i biznesmen — zwrócił się do innych — żebyście płacili mi piętnaście procent od wszystkich waszych operacji. Będę brał piętnaście procent od twoich zysków z hazardu — zwrócił się ponownie do Vita — od twojego monopolu w handlu oliwą i wszystkich twoich interesów ze związkami zawodowymi. Tyle samo będę brał od Tattaglii — tu spojrzał na innych — który zgodził się płacić piętnaście procent od tego, co zarabia na kobietach, i od swoich pralni. Czy to jest dla ciebie wystarczająco jasne, Vito?

— *Si* — odparł Vito, kładąc ręce na stole i nachylając się do Giuseppego. — Tak — powtórzył. — Dziękuję, don Mariposa. To było bardzo jasne i moim zdaniem bardzo rozsądne. Wszyscy skorzystamy na tym — zwrócił się do pozostałych — że nie dojdzie do wojny, nie będzie rozlewu krwi. To, co zaoszczędzimy w gotówce i na ludzkim życiu — dodał, patrząc na Giuseppego — będzie z pewnością warte piętnastu procent, które ci zaoferujemy. Moim zdaniem powinniśmy się na to wszyscy zgodzić i podziękować don Mariposie, że rozwiązał nasze problemy tak niskim kosztem. — Mężczyźni przy stole popatrywali na niego i na siebie wzajemnie. Vito usłyszał za sobą, jak Sonny zanosi się kaszlem i chrząka.

— W takim razie sprawa jest załatwiona — stwierdził Giuseppe, który sprawiał wrażenie bardziej zaskoczonego niż zadowolonego. Po chwili odzyskał pewność siebie i wziął się w garść. — Chyba że ktoś ma jakieś zastrzeżenia? — warknął do innych złowróżbnym tonem.

Kiedy nikt się nie odezwał, Vito wstał od stołu.

— Musicie nam wszystkim wybaczyć, że nie weźmiemy udziału w uczcie, na którą zaprosił nas don Mariposa, ale jeden z moich synów — powiedział, kładąc rękę na sercu — musi skończyć duże wypracowanie na temat naszego wielkiego neapolitańskiego burmistrza, człowieka, który oczyści Nowy Jork z grzechu i korupcji. — Te ostatnie słowa wzbudziły śmiech wszystkich z wyjątkiem Mariposy. — Obiecałem, że pomogę mu je napisać — dodał Vito, po czym odwrócił się do Sonny'ego i skinął w stronę tylnych drzwi. Kiedy

Sonny je przed nim otworzył, Vito podszedł do Mariposy i podał mu rękę.

Giuseppe przyjrzał się jej podejrzliwie i po chwili uścisnął.

— Dziękuję, don Mariposa — rzekł Vito. — Razem wszyscy się wzbogacimy — dodał, omiatając wzrokiem obecnych przy stole.

Kiedy skończył mówić, wszyscy szefowie wstali z krzeseł i dołączyli do Vita i Mariposy, żeby wymienić z nimi uścisk dłoni. Vito zerknął na Sonny'ego trzymającego przed nim otwarte drzwi, a potem na Genca, który wraz z kilkunastoma innymi mężczyznami stał w sąsiednim pokoju wokół bankietowego stołu zastawionego jedzeniem i piciem. Genco, który wyczytał coś z twarzy Vita, odwrócił się do Luki, sygnalizując skinieniem głowy, że wychodzą. Razem z Sonnym utworzyli mały krąg przy drzwiach i czekali, aż Vito przestanie ściskać dłonie i wymieniać grzeczności z pozostałymi szefami. Tomasino Cinquemani, który jak wszyscy ochroniarze stał przy ścianie ze splecionymi przed sobą rękoma, wpatrywał się w Lucę i jego twarz i szramy pod oczyma robiły się coraz czerwieńsze. W końcu odwrócił wzrok i trochę się uspokoił, patrząc na jeden z zawieszonych na ścianie portretów świętych.

. . .

Siedząc na tylnym siedzeniu essexa, którym Richie Gatto jechał w deszczu przez Manhattan, Vito położył kapelusz na tylnej półce i rozpiął kołnierzyk koszuli. W samochodzie panowała pełna napięcia cisza. Wszyscy mężczyźni, Sonny i Richie z przodu oraz Vito, Genco i Luca z tyłu czekali, kto odezwie się pierwszy. Vito pogładził się po szyi i zamknął oczy. Robił wrażenie zatroskanego. Otworzywszy z powrotem oczy, odwrócił się do Luki, który w tym samym momencie odwrócił się ku niemu. Choć między nimi siedział Genco, równie dobrze mogłoby go nie być. Obaj mężczyźni spoglądali na siebie, porozumiewając się bez słów.

Sonny, który gapił się przez okno na padający deszcz, odezwał się pierwszy.

— Och, na litość boską! — zawołał nagle, zaskakując wszystkich z wyjątkiem Luki, który nawet nie mrugnął. — Tato! Nie mogę uwierzyć, że Mariposa wcisnął nam ten kit! — dodał, odwracając się i klękając na przednim siedzeniu. — Ten pierdolony *ciucc'*! Mamy mu płacić piętnaście procent?

— Santino — mruknął Vito i cicho się roześmiał. Nagły wybuch Sonny'ego spowodował, że otrząsnęli się z przygnębienia. — Siedź cicho i się nie odzywaj — rozkazał Vito. — Niepytany nie masz tutaj prawa głosu.

Sonny opuścił dramatycznie głowę na pierś i zacisnął dłonie na karku.

— Nie znasz się jeszcze na tych sprawach — powiedział do niego Genco i Sonny pokiwał głową, nie podnosząc wzroku. — Joe chce piętnaście procent? — zapytał Genco, zwracając się do Vita.

— Ma zamiar brać piętnaście procent od dochodów wszystkich Rodzin. W zamian za to obiecuje, że nie będzie wojny.

Genco zacisnął mocno dłonie.

— Jakie mieli miny, kiedy Joe powiedział im, ile mają płacić? — zapytał.

— Wcale im się to nie spodobało — odparł Vito, jakby reakcja szefów była łatwa do przewidzenia — ale wiedzą, że to tańsze od wojny.

— Boją się — zauważył Luca, wyraźnie zniesmaczony postawą szefów, którzy zgromadzili się w tamtej sali.

— Ale im się to nie spodobało — mruknął Genco — i to dobrze dla nas.

Vito trzepnął lekko po głowie Sonny'ego, dając mu sygnał, żeby się wyprostował i słuchał. Sonny podniósł głowę, obejrzał się do tyłu i skrzyżował w milczeniu ręce na piersi, naśladując Lucę.

— Mariposa jest chciwy — powiedział Vito. — O tym wiedzą wszyscy szefowie. Kiedy nas zaatakuje, uświadomią sobie, że wcześniej czy później dobierze się i do nich.

— Zgadzam się — oświadczył Genco. — I to też przemawia na naszą korzyść.

— Na razie będziemy mu płacili piętnaście procent — podjął Vito, patrząc przez przednią szybę nad głową Sonny'ego. — Tymczasem zaczniemy się przygotowywać. Możemy wciągnąć na naszą listę płac jeszcze więcej polityków i gliniarzy.

— *Mannagg'!* — zaklął Genco. — Vito. Już teraz opłacamy za dużo ludzi. Jakiś stanowy senator poprosił mnie w zeszłym tygodniu o trzy kafle. Odmówiłem mu. Trzy kafle! *V'fancul!*

— Oddzwoń do niego — polecił cicho Vito, jakby nagle ogarnęło go zmęczenie — i powiedz, że dostanie swoje trzy kafle. Powiedz, że Vito Corleone nalegał, byśmy okazali mu naszą przyjaźń.

— Ale Vito... — zaczął Genco i umilkł, gdy Vito uniósł dłoń, kończąc dyskusję.

— Im więcej gliniarzy i sędziów mamy na liście płac, tym jesteśmy silniejsi. A ja chcę przede wszystkim okazywać przyjaźń.

— *Madon'!* — westchnął Genco, dając za wygraną. — Wydajemy na nich połowę tego, co zarabiamy.

— Wierz mi, Genco, na dłuższą metę to będzie stanowiło o naszej sile. — Kiedy Genco ponownie westchnął i umilkł, Vito odwrócił się do Sonny'ego. — Zgodziliśmy się zapłacić piętnaście procent — oświadczył, wracając do pierwotnego zastrzeżenia syna — bo to nie ma znaczenia, Santino. Mariposa zwołał to zebranie w nadziei, że zaprotestuję. Chciał, żebym odmówił. Żeby potem, kiedy nas zaatakuje, inne Rodziny zrozumiały jego przesłanie. — W tym momencie Vito zaczął naśladować piskliwy głos Mariposy. — Nie miałem wyboru. Corleone nie chciał się zgodzić!

— Płaćcie piętnaście procent albo zetrę was z powierzchni ziemi, tak jak to zrobiłem z Rodziną Corleone — dodał Genco, również wcielając się w Mariposę przemawiającego do innych szefów.

— Jednego nie rozumiem — stwierdził Sonny. — Dlaczego nie ma znaczenia, czy będziemy, czy nie będziemy płacili?

— Ponieważ bez względu na to, czy będziemy, czy nie będziemy płacili — wyjaśnił Genco — Joe i tak nas zaatakuje. Nasza Rodzina zarabia teraz dużo pieniędzy. Nigdy nie opieraliśmy naszego biznesu na nielegalnym alkoholu. Mariposa widzi w nas łakomy kąsek, Sonny.

— Nadal tego nie rozumiem — powiedział Sonny, rozkładając ręce.

— Don Corleone jest... mądrym człowiekiem, Santino — odezwał się Luca Brasi, w ogóle nie patrząc na Sonny'ego. — Powinieneś go... uważniej słuchać.

Sonny'ego speszył nieco ton Luki, w którym było coś

złowrogiego. Spojrzał mu prosto w oczy, ale Brasi ponownie popadł w zamyślenie.

— Gramy na zwłokę, Santino — wyjaśnił Vito. — Potrzebujemy więcej czasu, żeby się przygotować.

— A poza tym — dodał Genco — teraz, kiedy twój ojciec zgodził się zapłacić haracz, Mariposa, atakując nas po tym, jak zawarliśmy porozumienie, straci szacunek. Okaże się człowiekiem, którego słowu nie można ufać. Te rzeczy są ważne, Sonny. Przekonasz się.

Sonny odwrócił się twarzą do przedniej szyby.

— Czy mogę zadać jeszcze jedno pytanie, *consigliere*? — zapytał, wpatrując się w deszcz. Genco nic na to nie odpowiedział. — Skąd wiemy — podjął Sonny tonem, w którym słychać było frustrację — że Mariposa dobierze nam się do skóry bez względu na to, czy mu zapłacimy, czy nie?

Z tyłu, poza polem widzenia Sonny'ego, Genco spojrzał na Vita i potrząsnął głową.

— Oto lekcja, której powinieneś się nauczyć, Sonny — powiedział Vito. — Nie pisz, jeśli możesz coś powiedzieć, nie mów, jeśli możesz kiwnąć głową, nie kiwaj głową, jeśli nie musisz.

Na tylnym siedzeniu Genco spojrzał na Vita z uśmiechem.

Siedzący z przodu Sonny wzruszył ramionami i już się nie odezwał.

· · ·

Cork leżał na plecach w gasnącym świetle deszczowego wiosennego dnia, z wyciągniętą na nim śpiącą Caitlin, która wcisnęła mu główkę pod brodę i oparła stopy o biodra. Jedną rękę wsunął pod kark, drugą trzymał na ramieniu dziewczynki, którą ukołysał do snu, przeczytawszy jej po raz setny z rzędu historię o Connli i Nadobnej Dziewicy zamieszczoną w jednej ze starych książek ojca, oprawnym w skórę zbiorze opowiadań ze złoconymi stronami, który leżał teraz obok niego na wąskim łóżku Caitlin. Po kilku chwilach obrócił się ostrożnie na bok i zsunął z siebie Caitlin na prześcieradło. Jej otoczona aureolą jasnych włosów głowa spoczęła na powybrzuszanej poduszce. Na korytarzu klucz obrócił się w zamku i dokładnie w tym samym momencie, kiedy Cork przykrył ramiona Caitlin pikowaną kołdrą w gospodarskie zwierzęta, otworzyły się drzwi do kuchni. Leżąc w zapadającym zmierzchu koło śpiącej siostrzenicy, przez całą minutę słuchał, jak Eileen krząta się w kuchni.

Sporą część dzieciństwa spędził w tym mieszkaniu. Gdy grypa zabrała oboje rodziców, był tak mały, że zachował o nich tylko kilka wspomnień — pamiętał jednak, jaki był podekscytowany, wprowadzając się z Eileeen do tych trzech pokojów. W tej kuchni obchodził swoje siódme urodziny. Eileen, która miała wtedy tyle lat, ile on teraz, rozwiesiła pod sufitem czerwone i żółte girlandy z krepiny i zaprosiła wszystkie dzieciaki z bloku. Zaczęła właśnie pracować w piekarni razem z panią McConaughey, która już wtedy wydawała mu się zgrzybiałą staruszką. Pamiętał Eileen krzyczącą „Trzy sypialnie z salonem i kuchnią!" i swoje wrażenie, że wprowadzają się do pałacu — którym rzeczywiście było to mieszkanie w porównaniu z ciasnymi pokoikami zajmowanymi przez nich w domach dalekich krewnych, kiedy Eileen, ku niezadowoleniu niektórych z nich, kończyła szkołę średnią. Dorastał w tym mieszkaniu i wyprowadził się dopiero, gdy sam skończył szkołę średnią i zaczął chodzić na robotę z Sonnym. Teraz to się skończyło, a Murray kazał mu się trzymać z daleka od Irlandczyków. Cork rozejrzał się po swojej dawnej sypialni i poczuł, że robi mu się lekko na sercu. Miło było usłyszeć dochodzące z ulicy znajome hałasy, kroki przechodzącej z pokoju do pokoju Eileen. Podniósł z podłogi przy łóżku biedną sponiewieraną żyrafę, Boo, i położył ją w ramionach Caitlin.

Zastał Eileen przy zlewie, kończącą zmywać naczynia.

— Myślałem właśnie o starej pani McConaughey — powiedział, siadając przy stole. — Jeszcze się trzyma?

— Czy jeszcze żyje? — Eileen zdziwiło chyba to pytanie. Odwróciła się do niego, wycierając ręce w jasnozieloną ścierkę. — Jasne — odparła — przecież wysyła mi dwa razy do roku kartki, na Wielkanoc i Boże Narodzenie. Ta kobieta to prawdziwa święta.

— Była zabawna — stwierdził Cork i przez chwilę wspominał staruszkę. — Zawsze miała dla mnie jakąś zagadkę. Myślisz, że mógłbym dostać filiżankę kawy w nagrodę za niańczenie małej?

— Owszem, mógłbyś — odparła Eileen i zabrała się do parzenia kawy.

— Pamiętam wielkie przyjęcie, jakie jej wyprawiliśmy — wrócił do tematu pani McConaughey.

— Dopadła cię nostalgia? — zapytała Eileen, odwrócona do niego plecami. — Nie pamiętam, żebyś wcześniej o niej mówił.

— Chyba rzeczywiście mnie dopadła — zgodził się. Spojrzał na sufit, wspominając zawieszone na jego siódme urodziny girlandy z jaskrawej krepiny. Przyjęcie dla pani McConaughey wyprawili z okazji jej przejścia na emeryturę i zbliżającego się wyjazdu do Irlandii. Eileen i Jimmy właśnie kupili od niej piekarnię. — Pomyślałem sobie — dodał — że ostatnio tak często zajmuję się Caitlin, że równie dobrze mógłbym tu z powrotem zamieszkać.

— Chcesz powiedzieć, że tu nie mieszkasz? — odparła, biorąc się pod boki. — Więc jak to jest, że widzę cię za każdym razem, kiedy się obrócę, rano i w nocy? Z wyjątkiem godzin, kiedy jestem w sklepie i haruję jak niewolnica, żebyśmy mieli co do garnka włożyć. Bóg jeden wie, gdzie się wtedy podziewasz i czym się zajmujesz.

— Niczym szczególnym — powiedział. — W każdym razie ostatnio.

Cork uciekł spojrzeniem w bok, a potem zerknął na leżącą na stole własną rękę.

— Coś się stało, Bobby? — zapytała, siadając i kładąc dłoń na jego dłoni.

Przez chwilę słychać było tylko perkotanie kawy gotującej się w dzbanku.

— Co byś powiedziała, gdybym wprowadził się tu z powrotem i zaczął pracować z tobą w piekarni? — mruknął w końcu Cork.

Wiedział, że to coś, o czym Eileen od dawna marzy, coś, do czego namawiała go, odkąd skończył szkołę średnią, ale zadał to pytanie, jakby to był nowy pomysł, możliwość, która dopiero teraz przyszła mu do głowy.

— Mówisz serio? — zapytała i gwałtownie cofnęła rękę, jakby przestraszyło ją coś w jego pytaniu.

— Owszem — odparł. — Mam trochę zaoszczędzonych pieniędzy. Mógłbym ci pomóc.

Eileen wstała i zajęła się kawą, która właśnie się zaparzyła.

— Więc mówisz serio — powiedziała, jakby trudno jej było w to uwierzyć. — Co cię do tego skłoniło?

Cork nie odpowiedział. Zamiast tego wstał i stanął za nią przy kuchence.

— Więc nie masz nic przeciwko? — zapytał. — Mogę przywieźć tu swoje rzeczy i zająć pokój na zapleczu? Nie jest tego zbyt wiele.

— Skończyłeś z tymi innymi sprawami? — Zabrzmiało to jednocześnie jak pytanie i żądanie.

— Skończyłem — potwierdził. — Więc mogę się z powrotcm wprowadzić?

— Jasne — odparła, stojąc nad dzbankiem, odwrócona plecami do brata. — Och, Boże — westchnęła w końcu, przesuwając przedramieniem po oczach, bo oczywiście się popłakała i nie próbowała już tego ukryć.

— Przestań — powiedział, kładąc dłonie na jej ramionach.

— Sam przestań — odparła, a potem odwróciła się, zarzuciła mu ręce na szyję i przytuliła twarz do jego piersi.

— Daj spokój, przestań — powtórzył łagodnie Cork i trzymając Eileen w ramionach, pozwolił jej się wypłakać.

20

Sonny i Sandra szli Arthur Avenue, mijając znajdujące się przy niej cukiernie i delikatesy. Ciepły wiosenny dzień wywabił na dwór starszych i młodszych. Na ulicy samochody i ciężarówki lawirowały między wózkami domokrążców, dzieciaki w spodenkach i koszulkach z krótkimi rękawami śmigały odważnie po chodnikach i jezdni. Sonny zaparkował swój samochód przed domem Sandry i wybrał się z nią na przechadzkę do sklepu mięsnego Coluccia. Wracali teraz z kiełbaskami zapakowanymi w gruby biały papier i obwiązanymi sznurkiem, który Sonny trzymał w palcach. Sandra miała na głowie zielony kapelusz z białą wstążką i niskim rondem, spod którego opadały jej na ramiona ciemne włosy. Kapelusz był nowy i niezbyt pasował do prostej białej sukienki, lecz w trakcie krótkiego spaceru po kiełbaski dla pani Columbo Sonny zdążył już obsypać dziewczynę dziesiątkami komplementów.

— Wiesz, do kogo jesteś podobna? — zapytał z szerokim uśmiechem, wyprzedzając ją, odwracając się do niej i idąc tyłem. — Do Kay Francis z *Kłopotów w raju.*

— Nieprawda — odparła, szturchając go otwartą dłonią w ramię.

— Oczywiście jesteś od niej o wiele ładniejsza — uściślił. — Kay Francis nawet się do ciebie nie umywa.

Sandra skrzyżowała ręce na piersiach, zadarła głowę i przyjrzała mu się od stóp do głów. Miał na sobie szare prążkowane spodnie, ciemną koszulę i czarno-szary krawat w paski.

— Nikt nie jest taki elegancki jak ty — stwierdziła i zaczerwieniła się. — Jesteś przystojniejszy od wszystkich tych facetów w filmach.

Sonny odrzucił głowę do tyłu i wybuchnął śmiechem, a potem odwrócił się, by iść dalej przy jej boku. Na rogu szykował się do występu kataryniarz, którego już teraz otaczał wianuszek dzieci. Krępy i niski, w cylindrze, z gęstymi wąsami i chustką na szyi, wyglądał, jakby dopiero co wylądował w Ameryce. Spod kapelusza wystawały mu kosmyki rozwianych siwych włosów. Stara i poobijana katarynka obwiązana była postrzępionymi paskami. Na niebieskim dywaniku przycupnęła na niej, pobrzękując srebrnym dzwoneczkiem, mała małpka w spodenkach i skórzanej kurtce. Z szyi zwisał jej cienki jasny łańcuszek, którego drugi koniec kataryniarz zawiązał sobie na nadgarstku.

— Chcesz się na chwilę zatrzymać? — zapytał Sonny.

Sandra pokręciła głową i wbiła wzrok w stopy.

— Obawiasz się, co powie babcia — domyślił się. — Posłuchaj... — dodał i umilkł, gdy wielkie stado wróbli przeleciało nisko nad ziemią, a potem wzbiło się nad dachy i śmignęło wzdłuż alei. — Posłuchaj — powtórzył głośniej, jakby był podenerwowany. — Johnny i Nico grają dziś w nocy w modnym klubie. Chciałbym zabrać cię tam na kolację.

A potem poszlibyśmy na tańce. Może uda mi się przekonać twoją babcię?

— Wiesz, że się nie zgodzi.

— A jeśli ją przekonam?

— To byłoby święto — odparła Sandra. — Ale i tak nie mam odpowiedniego stroju — dodała. — Wstydziłbyś się mnie.

— To niemożliwe — oświadczył — ale tak czy inaczej wziąłem to już pod uwagę.

— Co takiego wziąłeś pod uwagę? — zapytała. Skręcili w bok z Arthur Avenue i szli teraz w stronę jej domu.

— Że potrzebujesz modnych strojów.

Sandra spojrzała na niego zdezorientowana.

— Hej! — zawołał nagle Sonny. — Popatrz na to cacko.

Wyprzedził ją i wybiegł na jezdnię, na której stał otoczony tłumem gapiów jasnoniebieski kabriolet marki Cord z długą maską i białymi oponami.

— Niesamowity samochód — powiedziała Sandra, doganiając go.

— Ma napęd na przednie koła.

— Aha — odparła, najwyraźniej nie mając pojęcia, co to takiego.

— Chciałabyś mieć takie auto? — zapytał.

— Śmieszny jesteś — mruknęła, pociągając go za ramię z powrotem na chodnik.

— Nie chciałem być śmieszny, Sandro. — Byli już niedaleko jej domu, przed którym stał zaparkowany na ulicy jego packard. — Moim zdaniem powinniśmy zjeść razem kolację tam, gdzie grają Johnny i Nino, a potem pójść na tańce.

— Ej! Dlaczego to trwało tak długo?! — zawołała pani Columbo, wychylając się z okna.

Sonny pomachał jej, oddał kiełbaski Sandrze, po czym sięgnął przez otwartą szybę do packarda i wyciągnął pokaźną brązową paczkę związaną białym sznurkiem.

— Co to takiego? — zapytała Sandra.

— Modna sukienka, buty i inne rzeczy dla ciebie — odparł, wręczając jej paczkę.

Sandra zerknęła na swoją babcię, która przyglądała się jej i Sonny'emu, podpicrając dłońmi podbródek.

— Otwórz to — powiedział Sonny.

Sandra usiadła na ganku, położyła sobie paczkę na kolanach, rozwiązała sznurek i odwinęła brązowy papier. Widząc lśniący jedwab wieczorowej sukni, zakryła ją szybko z powrotem i ponownie spojrzała na babcię.

— Sandro! — zawołała pani Columbo z zafrasowaną miną. — Natychmiast chodź na górę!

— Już idziemy! — odkrzyknęła Sandra. — Zwariowałeś, Santino? — szepnęła do Sonny'ego, wstając i oddając mu paczkę. — To jest strasznie drogie. Babcia zemdleje, kiedy to zobaczy.

— Nie wydaje mi się — odparł.

— Co ci się nie wydaje?

— Chodź. — Sonny położył jej rękę na plecach i pchnął w stronę wejścia.

— To jest strasznie drogie, Sonny — powtórzyła przy drzwiach Sandra.

— Dużo teraz zarabiam — odparł.

— Jako mechanik? — Sandra otworzyła drzwi i stając w pogrążonym w półmroku holu, czekała, aż jej odpowie.

— Nie pracuję już w warsztacie — wyjaśnił. — Pracuję teraz u mojego ojca. W dziale sprzedaży. Chodzę do wszystkich sklepów i przekonuję ich, że Genco Pura jest jedyną oliwą z oliwek, którą powinni trzymać na stanie.

— Jak ci się to udaje? — Sandra weszła do środka i przytrzymała drzwi przed Sonnym.

— Składam im ofertę, którą zaakceptowałby każdy rozsądny człowiek — odparł, wchodząc za nią do holu i zamykając za sobą drzwi.

— I zarabiasz teraz dość pieniędzy — szepnęła — żeby stać cię było na takie prezenty?

— Daj spokój — powiedział, ruszając w stronę schodów. — Pokażę ci, jakim jestem świetnym sprzedawcą. Przekonam twoją babcię, żeby pozwoliła mi zabrać cię dzisiaj na tańce.

Sandra najpierw na chwilę oniemiała, a potem wybuchnęła śmiechem.

— Dobrze — odparła. — Jeśli to zrobisz, będziesz najlepszym sprzedawcą na świecie.

Sonny zatrzymał się u stóp schodów.

— Powiedz mi tylko jedno — poprosił. — Kochasz mnie, Sandro?

— Tak, kocham — odparła bez wahania.

Sonny przyciągnął ją do siebie i pocałował.

— Jak długo może trwać wejście po kilku schodach? — dobiegł z góry poirytowany głos pani Columbo. — Ej! Sandro!

— Już idziemy, babciu! — odkrzyknęła i ruszyła po schodach, trzymając za rękę Sonny'ego.

. . .

Giuseppe Mariposa wyjrzał przez narożne okno apartamentu na najwyższym piętrze budynku przy Dwudziestej Piątej Ulicy na Manhattanie. Zobaczył najpierw swoje odbicie, a potem skąpany w popołudniowym słońcu trójkątny wieżowiec Flatiron na skrzyżowaniu Broadwayu i Piątej Alei. Na tle ciemnego nieba obłożone białym piaskowcem najwyższe piętra wyglądały niczym strzała unosząca się nad samochodami, tramwajami i piętrowymi autobusami przeciskającymi się przez Madison Square. Pogoda była tego dnia zmienna, z krótkimi i gwałtownymi burzami, po których raptownie się przejaśniało, i mokre ulice lśniły w słońcu. Teraz znowu zaczęło się chmurzyć i naelektryzowane powietrze zwiastowało kolejną burzę. Za plecami Giuseppego, w składającym się z pięciu sypialni apartamencie ze świeżo pomalowanymi ścianami i świeżo położoną podłogą z jasnej klepki, kręcili się, oglądając wnętrza, bracia Rosato, bracia Barzini, Frankie Pentangeli oraz kilku ich ludzi. Odgłosy ich rozmów i skrzypienie butów odbijały się echem w korytarzach i pustych pokojach.

Widząc w szybie odbicie Frankiego, Giuseppe odwrócił się na pięcie.

— Gdzie są, do cholery, jakieś meble, Frankie? — zapytał. — Jeśli będziemy musieli się tu zaszyć, to mieszkanie jest do bani. Co ty sobie wyobrażałeś?

Frankie zmrużył oczy, jakby nie widział dobrze swojego szefa.

— Że co? — zapytał.

W progu pokoju stanął Emilio Barzini ze swoim podwładnym, niejakim Cycatkiem. Cycatek nie skończył jeszcze dwudziestu jeden lat i był trochę pulchny, z okrągłą buźką i wystającymi piersiami, od których wzięło się jego przezwisko. Paradował w takich samych trzyczęściowych garniturach jak Emilio, dla którego pracował w tym czy innym charakterze, odkąd skończył dwanaście lat, ale ubrania, które na Emiliu leżały jak ulał, na Cycatku sprawiały wrażenie workowatych i wymiętych. Mimo nieszczególnego wyglądu chłopak był poważny i niegłupi i Emilio trzymał go blisko siebie.

— Ej, Giuseppe — powiedział Frankie, kiedy Mariposa przez chwilę się nie odzywał, wpatrując się w niego i podpierając pod boki. — Poleciłeś, żebym wynajął mieszkanie na najwyższym piętrze. I to właśnie zrobiłem.

— Po co, twoim zdaniem, wynajmuję taki lokal, Frankie?

— A skąd mam wiedzieć, Joe? Nie mówiłeś nic, że chcesz się tu zaszyć. Masz na myśli, że idziemy na wojnę?

— Czy wspomniałem coś o wyruszaniu na wojnę?

— Ej, Joe. — Frankie wsunął kciuki pod pasek, nie zamierzając wcale ustąpić. — Nie traktuj mnie jak głupka.

Emilio podszedł do nich obu, zanim Giuseppe zdążył się odezwać.

— Nie miej do nas pretensji, Frankie — odezwał się, stając między Mariposą i Pentangelim, którzy patrzyli na siebie spode łba. — Czasami im mniej ludzi wie, tym lepiej. Po prostu. Prawda, Joe?

Mariposa pokiwał głową.

— No i dobrze — mruknął Frankie. — Nie muszę wcale wiedzieć o wszystkim — rzekł do Emilia. — Chcesz, żebym wyposażył to miejsce, jakbyśmy szykowali się do wojny? — zwrócił się do Giuseppego. — Żebym dostarczył tu prowiant, jakieś meble, kilka materaców i tak dalej? Po prostu mi powiedz. Każę moim chłopcom się tym zająć — oświadczył

Frankie. — Ale bądź rozsądny — dodał po chwili. — Musisz mnie poinformować. Nie potrafię czytać w myślach.

Giuseppe spojrzał najpierw na Cycatka i Emilia, a potem na Frankiego. W innych pokojach zapadła cisza i domyślał się, że słuchają ich bracia Rosato i pozostali chłopcy.

— Każ swoim ludziom wyposażyć to mieszkanie, jakbyśmy szykowali się do wojny — powiedział do Frankiego.

— Jasne — odparł tamten, podnosząc nieco głos. — Zaraz się tym zajmę.

— Dobrze — mruknął Giuseppe. — Chcę, żeby to było zrobionc dzisiaj. Do północy mają się tu znaleźć przynajmniej materace i coś do żarcia.

Powiedziawszy to, odwrócił się ponownie do narożnego okna, za którym niebo pociemniało, zmieniając szybę w lustro. Widział za sobą, jak Frankie wychodzi z pokoju. Zobaczył, jak skinął głową Emiliowi i jak Cycatek odwraca wzrok, jakby bał się spojrzeć mu prosto w oczy. W innych pokojach znów zaczęto rozmawiać, a potem Emilio i Cycatek wyszli do holu, zostawiając Giuseppego samego. Zaczął ponownie padać deszcz. Biała strzała Flatiron Building unosiła się na tle szarego nieba.

. . .

Pani Columbo popijała czarną kawę z filiżanki, mierząc ostrożnym wzrokiem Sonny'ego, który skończył właśnie kolejne z jej słodkich ciasteczek i opowiadał o dwóch chłopakach z sąsiedztwa, Johnnym Fontanem i Ninie Valentim, rozwodząc się nad tym, jakim to wspaniałym śpiewakiem jest Johnny i jak Nino gra na mandolinie niczym anioł. Co jakiś czas kiwała głową lub chrząkała, przeważnie jednak robiła wrażenie znudzonej i jednocześnie nieufnej, sącząc kawę i wyglądając przez zalane deszczem okno w kuchni swojego mieszkania, które było małe, zagracone i przepojone cukrowo-słodkawym zapachem pieczonych ciastek. Sandra, siedząca przy kuchennym stole ze szklanką wody w obu rękach, przez całe pół godziny prawie nie otworzyła ust, podczas gdy Sonny przemawiał do jej babci, która wtrącała co parę minut kilka zdań.

— Pani Columbo — oświadczył w pewnym momencie, odstawiając filiżankę na stół i krzyżując ręce na piersi, co miało sygnalizować, że zamierza powiedzieć coś ważnego. — Jak to możliwe, że nie ufa pani porządnemu włoskiemu chłopakowi takiemu jak ja?

— Że co? — Panią Columbo najwyraźniej zbił z tropu ten nagły zwrot w rozmowie. Spojrzała na stojący na stole półmisek z ciasteczkami, jakby to jej wypieki sprowokowały Sonny'ego do zadania tego pytania.

— Chciałbym dziś zabrać pani wnuczkę na kolację do lokalu, w którym występują Johnny i Nino. Sandra uważa, że to wykluczone, że nigdy nie pozwoli mi pani zaprosić ją na kolację... i dlatego pytam panią z całym szacunkiem, dlaczego nie ufa pani takiemu porządnemu włoskiemu chłopakowi jak ja, komuś, kogo rodzinę pani zna i zalicza do swoich przyjaciół?

— Ach! — Pani Columbo odstawiła filiżankę tak gwałtownie, że trochę kawy wylało się na stół. Najwyraźniej nie mogła się doczekać, żeby wyłożyć swoje racje. — Pytasz mnie, dlaczego nie ufam takiemu porządnemu włoskiemu chłopakowi jak ty? Bo znam dobrze wszystkich mężczyzn, Santino Corleone! — wyrzuciła z siebie, wymachując palcem przed jego nosem i pochylając się nad stołem. — Wiem, czego chcą mężczyźni, a zwłaszcza młodzi mężczyźni. Jesteście wszyscy tacy sami... a Sandra i ja nie mamy ojca rodziny, który by nas bronił.

— Pani Columbo... — Sonny przekrzywił głowę, dając do zrozumienia, że przyjął do wiadomości jej stanowisko i rozumie jej obawy. — Chcę tylko — powiedział, biorąc jedno z przepysznych złocistych ciastek i kładąc je na talerzyku przy swojej filiżance — zabrać Sandrę do klubu, żeby mogła posłuchać Johnny'ego i Nina. To chłopcy z sąsiedztwa! Zna ich pani — dodał, apelując do jej rozsądku. — To bardzo modne miejsce, pani Columbo.

— Dlaczego chcesz zjeść z nią kolację na mieście? — nie dawała za wygraną pani Columbo. — Nasz dom jest dla ciebie nieodpowiedni? Dostaniesz tutaj lepsze jedzenie niż w jakiejś modnej restauracji i nie będziesz musiał wydawać ciężko zarobionych pieniędzy.

— Nie można temu zaprzeczyć — odparł Sonny. — Żadna restauracja nie może się równać z pani kuchnią.

— No więc? — Pani Columbo odwróciła się i po raz pierwszy spojrzała na Sandrę, jakby uświadomiła sobie, że jest obecna, i zwracała się do niej o wsparcie.

— Dlaczego on chce wydawać pieniądze w jakiejś restauracji? — zapytała wnuczkę.

Sandra spojrzała na Sonny'ego.

— Niech pani posłucha, pani Columbo. — Sonny pobladł nieco, po czym sięgnął do kieszeni spodni i wyciągnął z niej coś w zaciśniętej pięści. — To dla ciebie, Sandro — powiedział, otwierając dłoń, w której było małe czarne pudełeczko. — Miałem zamiar zrobić jej niespodziankę przy kolacji, ale ponieważ bez pani zgody nie mogę jej zaprosić na tę kolację... — Nie patrząc na Sandrę, która zakryła usta dłonią, Sonny pokazał pudełeczko jej babci.

— Co to za wygłupy? — Pani Columbo wyrwała mu z ręki pudełeczko i otworzyła je. W środku był pierścionek z brylantem.

— To nasz pierścionek zaręczynowy. — Sonny spojrzał na siedzącą po drugiej stronie stołu Sandrę. — Sandra i ja bierzemy ślub. — Kiedy Sandra pokiwała ochoczo głową, na jego twarzy pojawił się uśmiech. — Ale tylko jeśli pozwoli mi pani zabrać ją do klubu, gdzie posłucha Johnny'ego i Nina i gdzie będę mógł się jej porządnie oświadczyć! — dodał dramatycznym tonem, spoglądając na panią Columbo.

— Jeśli to jakiś podstęp — oświadczyła, grożąc mu ponownie palcem — pójdę do twojego ojca.

Sonny przyłożył rękę do serca.

— Kiedy ożenię się z panią Sandrinellą, będzie pani miała w swojej rodzinie mężczyznę, który was obroni — powiedział, wstając z krzesła, po czym złapał ją za ramiona i pocałował w policzek.

Pani Columbo ujęła go za podbródek i spojrzała mu prosto w oczy.

— Ejże! To chyba ją powinieneś całować — mruknęła, udając gniew i wskazując wnuczkę. — Masz ją odwieźć do domu przed dziesiątą albo pójdę to twojego ojca! — dodała, ruszając do drzwi. Przed wyjściem z pokoju odwróciła się i podniosła palec, jakby miała im coś jeszcze do powiedzenia, lecz zamiast tego skinęła tylko głową i zostawiła Sonny'ego i Sandrę samych.

.   .   .

414

Ettore Barzini szedł za lustrującym dach Giuseppem, trzymając parasol nad jego głową. Cycatek w ten sam sposób chronił przed deszczem Emilia. Reszta chłopaków była wciąż na dole, w pustym apartamencie, gdzie ktoś dowiózł sandwicze i skrzynkę coca-coli. Giuseppe podszedł do skraju dachu i spojrzał na ulicę. Idący ulicami ludzie trzymali nad głowami różnobarwne czasze parasoli. Deszcz nie był ulewny, ale nie ustawał ani na chwilę i co jakiś czas chmury rozświetlała odległa błyskawica, po której odzywał się niski łoskot gromu. Giuseppe wskazał czarne obręcze schodów przeciwpożarowych.

— Niech twoi chłopcy obluzują śruby, żeby nikt nie wdrapał się tu z ulicy — polecił.

— Oczywiście — odparł Emilio. Podmuch wiatru zmierzwił mu włosy i musiał odgarnąć dłonią kilka luźnych kosmyków, które spadły mu na czoło. — Szczerze mówiąc, Joe, jeśli zajmiemy się dziś w nocy Clemenzą i Genkiem, Vito przybiegnie do nas jutro z podkulonym ogonem.

Giuseppe wygładził marynarkę i obrócił twarz do wiatru. Z każdego rogu dachu lustrował ulice miasta zgarbiony gargulec. Giuseppe przez chwilę milczał i się zastanawiał.

— Chciałbym to widzieć — powiedział w końcu. — Vita Corleone przychodzącego do mnie z podkulonym ogonem. Wiesz, co bym zrobił? — zapytał, nakręcając się. — I tak bym go zabił... ale najpierw posłuchałbym przez chwilę tej jego napuszonej gadki. — Mariposa uśmiechnął się i zabłysły mu oczy. — Ach, tak? — podjął, udając, że mówi do Vita. — Naprawdę? To ciekawe, Vito. — Nagle podniósł dłoń, jakby trzymał w niej pistolet, i wycelował w głowę Emilia. — Pif-paf! Tak, żeby jego mózg zachlapał całą ścianę. Tak właśnie rozmawiam z ludźmi, Vito. I co ty na to?

Giuseppe spojrzał na Cycatka i Ettorego, jakby dopiero teraz uświadomił sobie, że tam są, i chciał poznać ich reakcję. Obaj mężczyźni uśmiechnęli się, dając do zrozumienia, że spodobało im się to, co usłyszeli.

Emilio się nie uśmiechał.

— To sprytny facet, ten Vito Corleone — mruknął. — Ja też go nie lubię, Joe, ale to nie jest jakiś farmazoniarz. Chodzi mi o to, że jeśli załatwimy Clemenzę i Genca, będzie osłabiony i pierwszy zda sobie z tego sprawę. — Emilio na chwilę przerwał, i pociągnął Cycatka za rękę, chcąc, żeby lepiej osłonił go parasolem. — Pierwszy zda sobie sprawę, że jest osłabiony — powtórzył — i wtedy moim zdaniem da nam to, czego chcemy. W przeciwnym razie czeka go wojna, a on wie, że przegra... a Vito nie jest w gorącej wodzie kąpany. Nie jest szalony. Możemy być pewni, że zrobi to, co jest najlepsze dla niego i jego Rodziny.

Błyskawica jaśniejsza od innych rozświetliła na chwilę ciemne chmury. Giuseppe zaczekał na odgłos gromu, który zabrzmiał kilka sekund później, stłumiony i daleki.

— Więc chcesz powiedzieć, żebym nie przypierał go do muru? — zapytał.

— Nie sądzę, żeby dał ci taką sposobność. — Deszcz zaczął padać mocniej. Emilio położył Mariposie rękę na ramieniu i poprowadził go ku drzwiom na dach. — Vito nie jest głupi — podjął — ale już wkrótce... — Wyciągnął przed siebie otwartą dłoń w geście sugerującym, że pokazuje Mariposie przyszłość. — Będziemy go stopniowo osłabiali i w końcu... w końcu się nim zajmiemy.

— Jedyne, co mnie martwi — stwierdził Giuseppe — to Luca Brasi. Nie podoba mi się to.

Cycatek otworzył drzwi prowadzące z dachu na dół i odsunął się na bok.

— Mnie też się nie podoba — powiedział Emilio, stając obok Cycatka. — Ale co możesz na to poradzić? Jeśli będziemy musieli zająć się Lucą, zajmiemy się nim.

— Tommy chce mu wydrzeć serce z piersi — mruknął Giuseppe, wchodząc do jasno oświetlonego wnętrza budynku. — A co z synem Vita, Sonnym? — zapytał. — Będą z nim jakieś problemy?

— Z Sonnym? To *bambino*. Ale kiedy załatwimy Vita, będziemy musieli zająć się i nim.

— Za wielu jest synów w tej branży — stwierdził Joe, myśląc o LaContich. Stojąc u szczytu schodów, patrzył, jak Cycatek zatrzaskuje drzwi na dach i zamyka je kluczem, który dał mu Emilio. — Uprzedziłeś facetów z prasy? — zapytał Emilia.

— Będą przy klubie razem z fotografami.

— To świetnie. Zawsze dobrze jest mieć alibi. — Giuseppe zaczął schodzić po schodach, a potem znowu się odwrócił. — Zarezerwowałeś stolik przy samej scenie?

— Wszystkim się zajęliśmy, Joe. — Emilio wziął go pod ramię i poprowadził w dół. — A Frankie? — zapytał. — Powinien tam być razem z nami.

Giuseppe pokręcił głową.

— Nie ufam mu. Nie chcę, żeby wiedział więcej, niż musi wiedzieć — oświadczył.

— Powiedz, Joe. Frankie jest z nami czy nie? — zapytał Emilio.

— Nie wiem — odparł Giuseppe. — Zobaczymy, jak ułoży się sytuacja. — Piętro niżej czekał na nich Carmine

Rosato. — Ufasz tym facetom, tym dwóm Anthonym? — zapytał Giuseppe, zwracając się do Emilia.

— Są dobrzy. Korzystałem już z ich usług.

— No nie wiem. — Giuseppe zatrzymał się na dole i stanął obok Carminego. — Ci faceci z Cleveland, Forlenza i cała reszta, to bufoni — stwierdził.

— Wykonali już dla mnie wcześniej zlecenie — powiedział Emilio. — Można na nich polegać.

— Czy Clemenza i Genco na pewno tam będą? — zapytał Joe. — Nigdy nie słyszałem o tej knajpie Angela.

Emilio popatrzył na Carminego.

— To mała rodzinna restauracja — wyjaśnił tamten. — Speluna na East Side. Chłopak, który tam pracuje, jest synem jednego z naszych ludzi. Tak się składa, że Clemenza i Abbandando stołują się tam przez cały czas. Rezerwują stolik pod fałszywymi nazwiskami, ale ten Angelo słyszał, jak zwracają się do siebie, używając prawdziwych imion, więc kiedy znowu zadzwonili, powiedział naszemu chłopakowi: „stolik dla Pete'a i Genca". Chłopaka olśniło: Pete Clemenza i Genco Abbandando. Powiedział swojemu tacie.

— Mieliśmy farta — ocenił Emilio.

Mariposa uśmiechnął się, słysząc, że dopisało im szczęście.

— Dopilnujcie, żeby ci obwiesie z Cleveland mieli wszystko, czego potrzebują — mruknął. — Wiesz, gdzie się zatrzymają? — zapytał Cycatka. Kiedy ten odparł, że wie, Giuseppe wyjął z kieszeni zwitek banknotów i wyciągnął dwudziestaka. — Kup im dwa świeże goździki — powiedział. — Chcę, żeby ładnie się prezentowali, kiedy sprzątną tych dwóch kutasów.

— Jasna sprawa — odparł Cycatek, biorąc banknot. — Kiedy? Już teraz?

— Nie, wczoraj — rzucił Giuseppe, po czym roześmiał się, trzepnął go żartobliwie po głowie i popchnął w stronę schodów. — No już. Zmykaj.

— Weź mój samochód — dodał Emilio, dając chłopakowi kluczyki. — I zaraz wracaj.

— Tak jest — odparł Cycatek, po czym zerknął na Emilia i zbiegł szybko po schodach, wyprzedzając innych. Kiedy zniknęli mu z widoku, usłyszał, że podjęli przerwaną rozmowę.

Po wyjściu z budynku przyjrzał się zaparkowanym samochodom. Zauważył auto Emilia, ale nie wsiadł do niego. Minąwszy je, doszedł do rogu Dwudziestej Czwartej Ulicy i ponownie zlustrował wzrokiem obie strony ulicy. Patrząc w stronę Szóstej Alei, dostrzegł należącego do Frankiego czarnego de soto i ruszył w tamtą stronę, oglądając się co chwila przez ramię. Stanąwszy przy samochodzie, nachylił się do otwartego okna.

— Wsiadaj — powiedział Frankie. — Sprawdziłem ulicę. Jest w porządku.

Cycatek usiadł w fotelu obok kierowcy i zsunął się w dół tak, że jego kolana dotknęły tablicy rozdzielczej, a głowa znalazła się poniżej oparcia.

Frankie Pentangeli spojrzał na niego i wybuchnął śmiechem.

— Mówiłem ci, że nikogo tam nie ma — mruknął.

— Nie chcę nikomu tłumaczyć, co robiłem w twoim samochodzie.

— A co robisz w moim samochodzie? — zapytał Frankie, rozbawiony widokiem skulonego Cycatka. — Co dla mnie masz?

— To wydarzy się dzisiaj — odparł chłopak. — Emilio sprowadził z Cleveland dwóch Anthonych.

— Anthony'go Bocatellego i Anthony'ego Firenzę — powiedział Frankie, nagle poważniejąc. — Na pewno nie będzie nikogo więcej?

— Tylko Fio Inzana. Kierowca. Cała reszta pojedzie do klubu Stork, gdzie zrobią im zdjęcia reporterzy.

— Cała reszta oprócz mnie — mruknął Frankie, po czym wyjął z kieszeni marynarki kopertę i podał ją Cycatkowi.

Ten odsunął jego rękę.

— Nie chcę pieniędzy. Czułbym się jak Judasz.

— Dzieciaku... — zaczął Frankie, chcąc go przekonać, żeby wziął swoją dolę.

— Jeśli wyjdziesz cało z tej całej zawieruchy, po prostu o mnie nie zapomnij — przerwał mu Cycatek. — Nienawidzę Narwanego Joego, tego *bastardo* — dodał.

— Ty i wszyscy — stwierdził Frankie i schował kopertę z powrotem do kieszeni. — Nie zapomnę — obiecał. — A tymczasem trzymaj gębę na kłódkę, żebyś nie oberwał rykoszetem, jeśli nie wyjdę z tego cało. Rozumiesz? Ani słowa nikomu.

— Tak jest — odparł Cycatek — i daj mi znać, gdybyś mnie znowu potrzebował. — Wychylił głowę znad oparcia i spojrzał w górę i w dół ulicy. — W porządku, Frankie. Do zobaczenia w lepszych czasach — powiedział, wysiadając z samochodu.

Frankie patrzył, jak Cycatek wraca w stronę Broadwayu. Kiedy chłopak skręcił za róg i zniknął, uruchomił silnik.

— *V'fancul'* — mruknął pod nosem i włączył się do ruchu.

. . .

Na scenie, którą stanowiło zwyczajne podium w końcu przypominającej wagon kolejowy długiej sali, Johnny nachylił się do trzymanego w lewej ręce mikrofonu i zaśpiewał wyjątkowo nastrojową wersję *I Cover the Waterfront*. Otwartą prawą dłoń wyciągnął do ludzi, jakby zachęcał ich do słuchania. Kilkudziesięciu gości przeważnie go ignorowało, objadając się przy stolikach ustawionych tak ciasno, że kelnerzy musieli przeciskać się między krzesłami, trzymając tace wysoko nad głowami. Część kobiet była jednak zasłuchana i siedząc z rozmarzonym wyrazem twarzy, nie odrywała wzroku od szczupłego piosenkarza w muszce, podczas gdy ich przyjaciele lub mężowie opychali się jedzeniem i popijali wino lub inny alkohol. Nie było miejsca, żeby tańczyć. Nawet zwykłe wyjście do toalety wymagało skomplikowanych piruetów i łamańców. Mimo to lokal zgodnie z tym, co mówił Johnny, był elegancki. Kobiety miały na sobie wykwintne suknie, perły i lśniącą brylantami biżuterię, a wyglądający na bankierów i polityków mężczyźni szyte na miarę garnitury i wyglansowane skórzane półbuty, od których odbijało się światło, gdy szli przez salę.

— Pięknie śpiewa, nie uważasz? — zapytała Sandra. Prawą ręką trzymała za nóżkę kieliszek z winem, lewą nieco niezręcznie oparła na kolanie. Miała na sobie kupioną przez Sonny'ego długą lawendową suknię, opiętą w pasie i na udach i rozchylającą się na dole, którym zamiatała podłogę.

— Dziś wieczór nic nie może się równać pięknością z tobą — odparł Sonny i uśmiechnął się, widząc, że ponownie przyprawił ją o rumieniec. Popijając whiskey, wlepił wzrok w jej piersi, których kształt, mimo niezbyt głębokiego dekoltu sukni, był doskonale widoczny dzięki przylegającemu do ciała miękkiemu jedwabiowi.

— Na co patrzysz? — zapytała i w tym momencie to on zarumienił się ze wstydu. Dopiero po chwili opanował się i roześmiał, zaskoczony jej śmiałością.

— Jesteś pełna niespodzianek — zauważył. — Nie wiedziałem tego o tobie.

— To chyba dobrze? Dziewczyna powinna zaskakiwać czasem swojego faceta.

Sonny oparł głowę na dłoniach i popatrzył na nią z uznaniem.

— Ta ekspedientka, która pomogła mi wybrać dla ciebie suknię, znała się na swojej robocie — stwierdził.

Sandra odstawiła swój kieliszek z winem, wyciągnęła rękę nad stolikiem i wzięła dłoń Sonny'ego.

— Jestem taka szczęśliwa, Santino — powiedziała, patrząc mu prosto w oczy.

Kiedy milczenie, które zapadło po jej słowach, stało się trochę niezręczne, Sonny spojrzał w stronę sceny.

— Ten Johnny jest lekko stuknięty. Mój ojciec załatwił mu świetną pracę spawacza w stoczni, lecz on uparł się, żeby zostać piosenkarzem. — oświadczył i zrobił minę sugerującą, że nie rozumie Johnny'ego. — Ale ma niezły głos, nie? — zapytał. Sandra kiwnęła tylko głową. — Jego matka to straszna pipa. *Madon'!*

— Co powiedziałeś o jego matce? — zapytała Sandra, unosząc kieliszek do ust i pociągając zdrowy łyk wina.

— Nic takiego — odparł. — Jest po prostu lekko szurnięta. Johnny chyba to po niej odziedziczył. Jego ojciec jest komendantem straży pożarnej — dodał. — Przyjacielem naszej rodziny.

Sandra słuchała, jak Johnny, któremu akompaniował Nino, kończy śpiewać piosenkę.

— Wyglądają na porządnych chłopców — stwierdziła.

— Są w porządku. Opowiedz mi o Sycylii — poprosił. — Jak ci się tam żyło?

— Wiele osób z mojej rodziny zginęło podczas trzęsienia ziemi.

— Och — stropił się Sonny. — Nie wiedziałem. Przykro mi.

— To było jeszcze przed moim urodzeniem — wyjaśniła, jakby nie chciała, by się nad nią użalał. — Krewni, którzy przeżyli, wyjechali z Messyny do Ameryki, a potem niektórzy wrócili do Messyny i zaczęli tam nowe życie. Zatem jeśli chodzi o mnie, jestem co prawda z Sycylii, ale dorastając, stale słuchałam, jakim to wspaniałym krajem jest Ameryka.

— Więc po co tam wracali?

— Nie wiem — odpowiedziała. — Sycylia jest piękna — dodała po chwili namysłu. — Tęsknię za plażami i górami, zwłaszcza za Lipari, gdzie jeździliśmy na wakacje.

— Jak to się stało, że nigdy nie słyszałem, jak mówisz po włosku? — zainteresował się Sonny. — Nawet ze swoją babcią.

— Kiedy dorastałam, moi rodzice mówili przy mnie po angielsku, moi krewni tak samo. Wysłali mnie do szkoły, żebym podciągnęła się w angielskim. Mówię po angielsku lepiej niż po włosku!

Słysząc to, Sonny roześmiał się. Odpowiedział mu wybuch śmiechu z końca sali, od stolików otaczających scenę, gdzie Nino wygłupiał się z Johnnym.

— Jedzenie... — szepnęła Sandra, jakby chciała ostrzec

Sonny'ego, że zbliża się kelner. Przy ich stoliku pojawił się wysoki przystojny mężczyzna w średnim wieku, mówiący z francuskim akcentem. Postawił przed nimi dwa zakryte talerze i z ferworem zaprezentował dania, zdejmując z nich pokrywki.

— Kurczak cordon bleu — powiedział do Sandry. — Oraz befsztyk chateaubriand, lekko wysmażony, dla pana.

Skończywszy, przez chwilę milczał, jakby oczekiwał, że goście będą mieli jakieś życzenia. Kiedy żadne z nich się nie odezwało, ukłonił się sztywno i odszedł.

— Myślał, że zapomnieliśmy, co zamówiliśmy? — skomentował Sonny. — Befsztyk chateaubriand — powtórzył, przedrzeźniając akcent kelnera.

— Popatrz — powiedziała Sandra, odwracając się w stronę sceny, gdzie żegnany grzecznymi brawami Johnny zszedł z podwyższenia i zaczął przeciskać się do ich stolika.

Sonny wstał, żeby go przywitać. Objęli się i poklepali wzajemnie po plecach.

— Oho — mruknął Johnny, spoglądając na krwisty befsztyk na talerzu Sonny'ego. — Jesteś pewny, że to nie żyje?

— Chciałbym ci przedstawić moją przyszłą żonę, Johnny — oświadczył Sonny, ignorując jego docinki.

Johnny dał krok do tyłu i spojrzał na Sonny'ego, jakby czekał na puentę żartu.

— Mówisz serio? — zapytał i spojrzał na dłoń, którą Sandra położyła na stoliku, pokazując brylant na palcu. — Popatrz, popatrz. Moje gratulacje, Santino. — Johnny uścisnął Sonny'ego i wyciągnął rękę do Sandry. Kiedy nie wstając z krzesła, podała mu swoją, podniósł ją i pocałował. — Jesteśmy teraz rodziną — wyjaśnił. — Ojciec Sonny'ego jest moim chrzestnym. Mam nadzieję, że będziesz mnie uważała za brata.

— Jasne, za brata — mruknął Sonny, szturchając Johnny'ego. — Musisz uważać na tego faceta — uprzedził Sandrę.

— Zaśpiewam oczywiście na waszym weselu — obiecał jej Johnny. — I nie wystawię ci zbyt wysokiego rachunku — dodał, zwracając się do Sonny'ego.

— Gdzie jest Nino?

— Znowu się na mnie gniewa.

— Coś takiego zmalował?

— Nic! Zawsze się na mnie o coś wścieka. — Johnny wzruszył ramionami, dając do zrozumienia, że naprawdę trudno jest dogadać się z Ninem. — Muszę wracać na scenę. Przychodzą tu same ciołki — dodał półgłosem. — Jakiś baran wciąż prosi mnie, żebym zaśpiewał *Inka Dinka Doo*. Czy ja wyglądam na Jimmy'ego Durante'a? Nic nie mów — rzucił, nim Sonny zdążył mu dogryźć.

— Pięknie śpiewasz, Johnny — powiedziała mu na pożegnanie Sandra.

Pod wpływem komplementu Johnny zmienił się na twarzy; wydał się kimś wrażliwym, niemal niewinnym. Widać było, że nie wie, co odpowiedzieć.

— Dziękuję — bąknął w końcu, po czym wrócił na scenę, gdzie czekał na niego Nino. — Panie i panowie — zwrócił się do widzów. — Następną piosenkę chciałbym zadedykować mojemu drogiemu przyjacielowi Sonny'emu Corleone i pięknej młodej kobiecie w lawendowej sukni... — tu wskazał ręką ich stolik, a Sonny z kolei wskazał Sandrę — ...która jest zdecydowanie zbyt piękna dla takiego jak on nicponia, ale z przyczyn niezrozumiałych dla zwykłych śmiertelników, zgodziła się właśnie wyjść za niego za mąż. — Goście odpowiedzieli grzecznymi oklaskami. Nino o mało nie wypuścił z rąk mandoliny, a potem wstał i wyciągnął ramiona do Sonny'ego i Sandry. — To nowy numer Harolda Arlena — podjął Johnny — i myślę, że oddaje dobrze to, co czuje w tej chwili mój kumpel Sonny.

Odwrócił się i szepnął coś do Nina, a potem nachylił się do mikrofonu i zaczął śpiewać *I've Got the World on a String*.

Siedząca naprzeciwko Sonny'ego Sandra nie zwracała uwagi na jedzenie na swoim talerzu, wpatrując się jak urzeczona w scenę. Sonny wziął ją za rękę i razem z całą salą siedzieli w milczeniu, słuchając, jak śpiewa Johnny.

. . .

U Angela na stoliku, przy którym Clemenza i Genco prowadzili luźną rozmowę, kelner postawił właśnie zakryty półmisek. Na czerwonym obrusie między nimi stała pękata butelka chianti w słomianym koszyczku. Genco oparł łokcie po obu stronach talerza, ręce splótł przed twarzą, ściskając palcami czubek nosa. Słuchając Clemenzy, który mówił więcej od niego, co jakiś czas kiwał głową. Obaj wydawali się zatopieni w rozmowie, żaden nie interesował się półmiskiem, który im podano. Restauracja była niewielka, tylko sześć ustawionych ciasno jeden obok drugiego stolików. Clemenza siedział odwrócony plecami do kuchni, nieopodal obitych skórą wahadłowych drzwi z okrągłymi okienkami, przez które Genco widział Angela stojącego przy swojej kuchence i blacie z nierdzewnej stali. Czterej inni goście siedzieli bliżej wejścia przy przeciwległych ścianach, tak że ich dwa stoliki tworzyły podstawę, a stolik Clemenzy i Genca szpic trójkąta. Słychać było tylko stłumione odgłosy trzech rozmów i od czasu do czasu dobiegający z kuchni szczęk garnków i talerzy.

Żeby wejść do Angela od ulicy, dwóch Anthonych musiało wspiąć się po trzech schodkach i pchnąć ciężkie drzwi z małym prostokątnym okienkiem i przymocowaną niżej mosiężną tabliczką, na której widniała nazwa restauracji. Tabliczka była jedyną wskazówką, że w miejscu, które wyglądało na mieszkanie w suterenie, mieści się niewielka knajpa. Na ulicę nie wychodziły żadne okna: tylko te trzy schodki, ciężkie drewniane drzwi i ceglana ściana. Anthony Firenza zerknął na zaparkowanego przed restauracją czarnego czterodrzwiowego chryslera, za którego kierownicą siedział Fio Inzana, chłopak niewyglądający na więcej niż szesnaście lat, z zarostem przypominającym puszek na brzoskwini. Firenzie nie podobało się, że ich szoferem jest jakiś dzieciak. Był z tego powodu lekko poirytowany. Stojący obok niego drugi Anthony, Bocatelli, zajrzał do restauracji przez zaparowaną szybkę. Był z nich obu większy, choć pod względem postury i wieku zbytnio się nie różnili: obaj dobiegali pięćdziesiątki i mieli trochę ponad metr osiemdziesiąt wzrostu. Poznali się jako chłopcy, dorastając w tym samym bloku w Cleveland Heights. Jako nastolatki obaj mieli kłopoty z prawem i kiedy skończyli dwudziestkę, wszyscy zaczęli określać ich mianem „dwóch Anthonych".

Bocatelli wzruszył ramionami.

— Niewiele widać — powiedział. — Jesteś gotów?

Firenza zerknął przez okienko. Dostrzegł tylko niewyraźne zarysy kilku stolików.

— W środku jest tylko parę osób — stwierdził. — Nie powinniśmy mieć kłopotu z rozpoznaniem.

— Rozumiem, że ich znasz — mruknął Bocatelli.

— Minęło już sporo lat, ale owszem, znam Pete'a. Gotów?

Dwóch Anthonych było ubranych w czarne trencze i eleganckie trzyczęściowe garnitury z przypinanymi białymi kołnierzykami, do których idealnie pasowały tkwiące w butonierkach białe goździki. Firenza miał pod płaszczem dwulufowego obrzyna, tkwiącego w futerale przy pasie. Lżej uzbrojony Bocatelli miał w kieszeni kolta kaliber .45.

— Właściwie to nawet lubię Pete'a — stwierdził Firenza. — Zabawny z niego facet.

— Wyślemy mu ładny wieniec — odparł Bocatelli. — Rodzina to doceni.

Firenza dał krok do tyłu i Bocatelli otworzył przed nim drzwi.

Clemenza od razu ich rozpoznał. Firenza udał, że zaskoczył go jego widok.

— Hej, Pete — powiedział.

Bocatelli stanął u jego boku i razem ruszyli w stronę stolika Clemenzy. Genco obrócił się lekko w krześle, kiedy Bocatelli sięgnął do kieszeni — i w tym samym momencie drzwi do kuchni otworzyły się na oścież i pojawił się w nich monstrualnie wielki mężczyzna z rękoma zwisającymi po bokach i wykrzywioną groteskowo twarzą. Facet był tak wysoki, że przechodząc przez drzwi, musiał się pochylić. Przeszedł kilka kroków i stanął w swobodnej pozie za Clemenzą. Firenza rozchylił już wcześniej poły płaszcza, mając zamiar wyciągnąć z futerału obrzyna, a idący u jego boku Bocatelli trzymał rękę w kieszeni — ale obaj mężczyźni zamarli na widok tej wychodzącej z kuchni bestii. Luca i dwaj przybysze wpatrywali się w siebie nad głowami Pete'a i Genca i nikt nie ruszał się z miejsca do chwili, gdy dobiegające z ulicy dwa strzały złamały zaklęcie. Bocatelli obrócił lekko głowę, jakby zastanawiał się, czy nie spojrzeć w kierunku strzałów, a potem obaj zbudzili się do życia, Bocatelli wyjmując z kieszeni kolta, a Firenza wyciągając obrzyna. Stojący za Clemenzą nieuzbrojony olbrzym zbił ich najwyraźniej z tropu i dopiero po chwili zdali sobie sprawę, co się dzieje, i sięgnęli po broń — ale wtedy było już za późno. Siedzący przy bocznych stolikach czterej mężczyźni trzymali w dłoniach broń. Unieśli ją pod czerwonymi serwetami i jednocześnie oddali kilkanaście strzałów.

Clemenza podniósł do ust kieliszek z winem. Kiedy strzelanina dobiegła końca, z kuchni wyszli dwaj jego ludzie, jeden z plastikową folią, drugi z wiadrem i mopem. Minutę później dwóch Anthonych wywleczono do kuchni i na podłodze zostały tylko mokre, śliskie plamy w miejscach, z których zmyto krew. Richie Gatto i Eddie Veltri, dwaj z czwórki, która strzelała, podeszli do Clemenzy, a Luca Brasi bez słowa wycofał się wraz z innymi do kuchni.

— Załadujcie ciała do samochodu razem z kierowcą i wyrzućcie je do rzeki — rozkazał Clemenza.

Richie zerknął przez okienka w drzwiach do kuchni, jakby chciał się upewnić, czy nikt ich nie słyszy.

— Ten Brasi ma jaja — powiedział do Clemenzy. — Bez broni, bez niczego. Po prostu tam stanął.

— Widziałeś, jak zatkało dwóch Anthonych, kiedy tylko pojawił się w drzwiach? — dodał Genco.

Clemenza udał, że nie zrobiło to na nim wrażenia.

— *Andate!* — zwrócił się do Richiego i Eddiego i kiedy ruszyli w stronę wyjścia, odwrócił się w stronę kuchni. — Frankie! — zawołał. — Długo tam będziesz siedział?

Frankie Pentangeli wyszedł z kuchni, kiedy za Richiem i Eddiem nie zamknęły się jeszcze frontowe drzwi.

— Chodź do nas! — zawołał Clemenza, wpadając nagle w jowialny nastrój. — Siadaj! — dodał, podsuwając mu krzesło. — Popatrz! — Podniósł pokrywkę ze srebrnego półmiska pośrodku stołu, odsłaniając przepołowioną na pół pieczoną jagnięcą głowę, z wciąż tkwiącymi w oczodołach zmętniałymi oczyma.

— *Capozzell'* — powiedział Genco. — Angelo robi najlepszą.

— *Capozzell' d'angell'* — potwierdził Frankie swoim ochrypłym głosem, jakby mówił do siebie, i cicho się roześmiał. — Mój brat w Katanii robi coś takiego — dodał. — Uwielbia móżdżek.

— Och! To coś, co ja też lubię, móżdżek — rzekł Clemenza. — Siadaj! — powtórzył i poklepał blat stołu. — *Mangia!*

— Jasne — odparł Frankie, po czym uścisnął na powitanie ramię Genca i usiadł.

— Angelo! — zawołał Clemenza do kuchni. — Przynieś jeszcze jeden talerz! *Mangia!* — zwrócił się ponownie do Frankiego.

— Powinniśmy porozmawiać o interesach — powiedział Pentangeli, kiedy Genco wziął z innego stolika kieliszek i nalał mu chianti.

— Nie teraz — odparł Clemenza. — Dobrze się spisałeś. Porozmawiamy później, z Vitem. Teraz — dodał, ściskając jego nadgarstek — teraz zjemy.

. . .

— Kiedy zmrużę oczy — powiedziała Sandra — mam wrażenie, że fruniemy.

Opierając się o drzwi packarda, przyglądała się przez szybę górnym piętrom bloków, w których jasno oświetlonych oknach pojawiali się czasem ludzie zajmujący się swoimi sprawami, niezwracający uwagi na pędzące obok samochody.

Wyjeżdżając z Manhattanu, Sonny skręcił w West Side Highway i zbliżał się teraz do zjazdu, którym miał dotrzeć do Arthur Avenue w Bronxie.

— Zanim zbudowali estakadę — wyjaśnił — nazywali tę ulicę Aleją Śmierci. Kiedy cały ruch biegł dołem, razem z koleją, stale dochodziło do wypadków. Pociągi i samochody bez przerwy się zderzały.

Sandra chyba go nie słuchała.

— Nie chcę dzisiaj słuchać o żadnych wypadkach — odparła w końcu. — Ten wieczór jest jak piękny sen. — Zmrużyła oczy i spojrzała przez szybę na dachy budynków. Gdy Sonny zjechał na dół i skręcił w jedną z uliczek, przysunęła się do niego i oparła mu głowę na ramieniu. — Kocham cię, Santino — powiedziała. — Jestem taka szczęśliwa.

Sonny zredukował bieg do dwójki i objął ją ramieniem. Kiedy przytuliła się do niego mocniej, podjechał do krawężnika i zgasił silnik. Trzymając Sandrę w ramionach, obsypał ją pocałunkami i po raz pierwszy zaczął ją dotykać po całym ciele. Ale kiedy zaczął pieścić jej piersi, a ona wcale się nie opierała, wprost przeciwnie, zamruczała jak kocica i przeczesała palcami jego włosy, odsunął się od niej i włączył silnik.

— Co się stało? — zapytała. — Sonny...

Nie odpowiedział. Wydawało się, że gorączkowo szuka

odpowiednich słów, a potem skręcił w Tremont Avenue i o mało nie wjechał w tył konnego furgonu.

— Zrobiłam coś nie tak? — zapytała, kładąc ręce na kolanach i wpatrując się w przednią szybę, jakby bała się spojrzeć na Sonny'ego, bała się tego, co mógł powiedzieć.

— To nie ma nic wspólnego z tobą. Jesteś piękna — odparł, zwalniając do prędkości pieszego i wlokąc się za furgonem. — Chcę po prostu postępować z tobą, jak należy — dodał, obracając się ku niej. — Dlatego to wszystko jest takie niepowtarzalne, takie, jak trzeba.

— Ach — westchnęła i w tej jednej sylabie zabrzmiało całe jej rozczarowanie.

— Kiedy weźmiemy ślub — podjął — możemy wyjechać na miesiąc miodowy. Na przykład nad wodospad Niagara. Żeby wszystko wyglądało tak, jak wygląda, kiedy ludzie biorą ślub. — Przez chwilę milczał, a potem się roześmiał.

— Z czego się śmiejesz?

— Z siebie — odpowiedział. — Chyba zwariowałem.

Sandra znowu się do niego przysunęła i objęła w pasie ramionami.

— Powiedziałeś już swojej rodzinie?

— Jeszcze nie — odparł, dając jej całusa. — Chciałem być pewien, że się zgodzisz.

— Wiedziałeś, że się zgodzę. Szaleję za tobą.

— A to co takiego?

Sonny skręcił właśnie w ulicę Sandry i pierwszą rzeczą, którą ujrzał, był należący do jego ojca wielki essex zaparkowany przed jej budynkiem.

— Co? — zapytała, zerkając na dom i okno swojej babci.

— To samochód mojego ojca — powiedział.

Zaparkował przy krawężniku, wysiadł i w tym samym momencie z essexa wygramolił się Clemenza, a w ślad za nim Tessio. Siedzący z przodu Richie Gatto uniósł dłonie znad kierownicy w geście pozdrowienia. Obok niego siedział Al Hats w nasuniętym na czoło czarnym homburgu i z rękoma skrzyżowanymi na piersi.

— Co się dzieje? — zapytał Sonny, czerwieniejąc na twarzy.

— Spokojnie — odparł Clemenza, klepiąc go swoim wielkim łapskiem po przedramieniu.

— Wszystko w porządku, Sonny — dodał Tessio, stając obok Clemenzy.

— Więc co tu robicie?

— Pani ma chyba na imię Sandra. — Clemenza obszedł dookoła Sonny'ego i podał rękę dziewczynie.

Sandra zawahała się i spojrzała na Sonny'ego, który kiwnął głową. Dopiero wtedy uścisnęła dłoń Clemenzy.

— Niestety musimy pani ukraść Sonny'ego — poinformował ją. — Porozmawia z nim pani jutro.

— *Che cazzo!*

Sonny chciał rzucić się na Clemenzę, ale Tessio złapał go za ramię i przyciągnął do siebie.

— Wszystko w porządku, skarbie — zapewnił Sandrę charakterystycznym dla niego ponurym tonem, który brzmiał, jakby obchodził żałobę.

— Santino! — zawołała przestraszona.

Sonny wyrwał się z uścisku Tessia.

— Odprowadzę ją do drzwi — powiedział do Clemenzy. — To bliscy przyjaciele mojej rodziny — wyjaśnił Sandrze. — Na pewno wyłonił się jakiś problem. Wyjaśnię ci, kiedy tylko się dowiem.

— Ale wszystko jest w porządku, Sonny? — szepnęła przy drzwiach. Zabrzmiało to bardziej jak błaganie niż pytanie.

— Ależ oczywiście! — Sonny pocałował ją w policzek. — To ma jakiś związek z rodzinnymi interesami. Nie powinnaś się przejmować — dorzucił, otwierając przed nią drzwi.

— Na pewno? — Sandra spojrzała na Clemenzę i Tessia, którzy stali po obu stronach essexa niczym wartownicy.

— Na pewno! — zapewnił ją i popchnął w stronę wejścia. — Porozmawiam z tobą jutro, przyrzekam — dodał, po czym pocałował ją szybko w usta, zamknął drzwi i zbiegł po schodach.

— Co się dzieje? — zapytał spokojnie, siadając z tyłu między Clemenzą i Tessiem i spoglądając najpierw na jednego, a potem na drugiego.

Richie uruchomił samochód, a Al wyciągnął do niego otwartą dłoń.

— Daj mu kluczyki do swojego samochodu — powiedział Tessio. — Pojedziesz z nami.

Sonny wyglądał, jakby miał ochotę mu przyłożyć, ale oddał kluczyki Alowi.

— Do zobaczenia w biurze — pożegnał się Al i wysiadł z samochodu.

— Mariposa zaatakował dziś wieczorem mnie i Genca — oznajmił Clemenza.

— Co z Genkiem? — W głosie Sonny'ego zabrzmiała obawa.

— Nic mu się nie stało. — Clemenza położył mu rękę na ramieniu, jakby chciał go uspokoić.

— Co się wydarzyło?

Richie zawrócił ostrożnie na trzy razy i ruszył z powrotem w stronę Hughes Avenue. Al jechał za nimi packardem.

— Mariposa sprowadził dwóch cyngli z Cleveland — wyjaśnił Clemenza — żeby sprzątnęli mnie i Genca. Dowiedzieliśmy się o tym wcześniej — mruknął, wzruszając ramionami. — Płyną teraz rzeką, usiłując wrócić do Cleveland drogą wodną.

— I mamy wojnę — dodał Tessio.

Sonny spojrzał na Clemenzę.

— Zabijemy teraz tego sukinsyna? — zapytał.

— Wracasz z nami do biura, gdzie spotykamy się z twoim ojcem — powiedział Clemenza. — Jeśli masz trochę oleju w głowie, przymkniesz się, zamienisz się w słuch i zrobisz, co ci każą.

— To dopiero sukinsyn — mruknął Sonny, myśląc o Mariposie. — Powinniśmy odstrzelić mu łeb. To położyłoby szybko kres kłopotom.

Clemenza westchnął.

— Powinieneś wziąć sobie do serca radę Tessia, Sonny, i trzymać gębę na kłódkę.

— *Fancul'* — zaklął Sonny, nie zwracając się do nikogo w szczególności. — A ja właśnie poprosiłem Sandrę o rękę.

Po jego słowach w samochodzie zapadła cisza. Clemenza i Tessio wbili w niego wzrok i nawet siedzący za kierownicą Richie zerknął szybko na tylne siedzenie.

— Twój ojciec o tym wie? — zapytał Clemenza.

— Nie, jeszcze nie.

— I nam mówisz o tym pierwszym?! — zawołał Clemenza i trzepnął Sonny'ego w tył głowy. — *Mammalucc'* — mruknął. — O takich rzeczach mówi się najpierw ojcu. Chodź. —

Nachylił się do Sonny'ego, objął go ramieniem i przyciągnął do siebie. — Gratulacje — powiedział. — Może teraz wreszcie dorośniesz.

Kiedy Clemenza puścił Sonny'ego, Tessio uściskał go i pocałował w policzek.

— Masz osiemnaście lat, tak? — zapytał. — Byłem w tym samym wieku, kiedy ożeniłem się z moją Lucille. To najmądrzejsza rzecz, jaką w życiu zrobiłem.

— Mamy dzisiaj wielki dzień — dodał Clemenza. — Miłość i wojna.

— Gratulacje, Sonny — odezwał się z przedniego siedzenia Richie. — Prawdziwa z niej piękność.

— Jezu, wojna... — mruknął Sonny, jakby teraz dopiero docierało do niego znaczenie tego, co się wydarzyło.

Na Hester Street Richie Gatto zatrzymał się za magazynem, w miejscu, gdzie dwaj ludzie Tessia stali przy wjeździe w alejkę. Zrobiło się chłodno i wilgotno. Wiatr szarpał brezentowymi plandekami stojących w rzędzie dostawczych ciężarówek. Przy tylnych drzwiach do magazynu widać było sylwetki dwóch mężczyzn, przed którymi prężył się i miauczał jakiś kot. Kiedy stanął na tylnych łapach, jeden z mężczyzn podniósł go i podrapał po karku, żeby przestał hałasować. Spoza chmur wyglądał sierp księżyca.

Sonny ruszył szybko w głąb alejki. Kiedy dotarł do wejścia do magazynu, w którym zniknęli właśnie Clemenza i Tessio, odkrył, że straż pełnią bliźniacy Romero. Obaj mieli na sobie trencze, pod którymi rozpoznał kształt pistoletów maszynowych.

— Czołem, chłopcy — powiedział, zatrzymując się, by wymienić z nimi uścisk dłoni. — Wygląda na to, że będziemy mieli wreszcie akcję.

436

— Stercząc tutaj, trudno się zorientować. — Vinnie rzucił trzymanego przez siebie kota na skrzynię ciężarówki, skąd zwierzę szybko zeskoczyło na ziemię i zniknęło w ciemnościach.

— Nic się tu nie dzieje — dodał Angelo, poprawiając na głowie brązowy melonik z biało-czerwonym piórkiem.

Sonny zerwał mu z głowy kapelusz, a potem wskazał z uśmiechem fedorę na głowie Vinniego.

— Kazali wam nosić różne kapelusze — powiedział — żeby was odróżnić. Zgadza się?

Vinnie wskazał ręką brata.

— Musi nosić to cudo z małym ślicznym piórkiem — mruknął.

— *Mannaggia la miseria* — poskarżył się Angelo. — Wyglądam w tym jak Irlandczyk.

— Czołem, chłopcy — przywitał się Richie i położył Sonny'emu rękę na plecach. — Mamy sprawy do załatwienia — przypomniał mu.

— Pogadam z wami później. — Sonny chciał sięgnąć za klamkę, ale Angelo dał krok do przodu i otworzył przed nim drzwi. — Zarabiacie porządne pieniądze? — zapytał, stojąc jedną nogą w środku, a drugą na zewnątrz. Bliźniacy pokiwali głowami, a Vinnie poklepał Sonny'ego po ramieniu.

— W tym momencie nic się nie dzieje — powiedział Richie do bliźniaków — ale to wcale nie znaczy, że nie będzie się działo za pięć minut. Rozumiecie, o co mi chodzi?

— Tak, oczywiście — odparli bliźniacy.

— Skupcie się na robocie — dodał Richie.

Sonny otworzył drzwi do gabinetu ojca, kiedy Frankie Pentangeli był w połowie zdania. Frankie umilkł i w pomieszczeniu zapadła cisza. Wszyscy spojrzeli na stojącego w progu Sonny'ego, a potem na Richiego Gatta. Vito siedział przy biurku, odchylony do tyłu w fotelu. Tessio i Genco zajęli miejsca naprzeciwko niego, Clemenza usadowił się na dużej szafce na akta, a Luca Brasi stał oparty plecami o ścianę, z rękoma skrzyżowanymi na piersi i nieobecnym wzrokiem, który utkwił gdzieś przed sobą. Frankie siedział okrakiem na krześle obok Tessia i Genca, trzymając ręce na oparciu. Vito dał znak Sonny'emu i Richiemu, żeby weszli do środka.

— Znasz mojego syna — powiedział do Frankiego.

— Oczywiście — odparł tamten, uśmiechając się do Vita. — Szybko dorastają! — dodał.

Vito wzruszył ramionami, jakby nie był tego taki pewien.

Richie i Sonny znaleźli dwa składane krzesła z tyłu pokoju. Richie rozłożył swoje i usiadł obok Clemenzy. Sonny obszedł ze swoim biurko i ulokował się blisko ojca.

Frankie powiódł za nim wzrokiem, jakby zdziwiło go nieco, że chłopak siada tak blisko Vita.

— *Per favore* — powiedział Corleone, dając Frankiemu znak, żeby kontynuował.

— Jak już mówiłem — podjął Frankie — Mariposa dostał szału. Jego ludzie mają odnaleźć ciała dwóch Anthonych i przywieźć mu, żeby mógł na nich nasikać.

— Wielka szkoda — mruknął Clemenza — bo i tak mu się to nie uda.

— *Buffóne* — powiedział Genco, mając na myśli Giuseppego.

— Ale ma wysoko postawionych przyjaciół — dodał Frankie. — Dostałem cynk, że zwrócił się do Ala Capone, który przyśle mu dwóch cyngli, żeby się tobą zajęli, Vito.

Nie wiem jeszcze, co to za jedni, ale w organizacji chicagowskiej mają prawdziwe bestie.

— Kogo przyśle ten wieprz Capone?! — zawołał nagle Sonny, wychylając się w stronę Frankiego. — Ten gruby spaślak! Skąd masz tę informację? — zapytał, wymachując oskarżycielsko palcem. — Kto ci powiedział?

— Idź i stań po drugiej stronie drzwi, Sonny — polecił Vito, zanim Frankie zdążył odpowiedzieć. — Pilnuj, żeby nikt tu nie wchodził.

— Ale, tato...

Clemenza przerwał Sonny'emu, podrywając się z szafki z czerwoną twarzą.

— Zamknij się i stań po drugiej stronie pierdolonych drzwi, jak ci kazał twój don, Sonny, albo jak mi Bóg miły...! — zawołał, podnosząc w górę pięść i dając krok w stronę biurka.

— *Cazzo* — mruknął Sonny, najwyraźniej zaskoczony wybuchem Clemenzy.

— Idź i stań po drugiej stronie drzwi, Sonny — powtórzył Vito, nadal odchylając się do tyłu w fotelu. — Pilnuj, żeby nikt tu nie wchodził.

— Ale, tato — odparł, starając się opanować, Sonny. — Przecież nikogo tam nie ma.

Kiedy Vito tylko na niego popatrzył, podniósł sfrustrowany ręce i wyszedł z gabinetu, zatrzaskując za sobą drzwi.

— Proszę, wybacz mojemu w gorącej wodzie kąpanemu synowi, Frankie — powiedział Vito dość głośno, żeby Sonny go usłyszał. — Ma dobre serce, ale jest niestety głupi i nie potrafi słuchać. Mimo to jest moim synem i próbuję go czegoś nauczyć. Proszę jeszcze raz, żebyś mu wybaczył. Jestem pewien, że sam również przeprosi cię za swoje słowa.

— Nie ma o czym mówić — mruknął Frankie, bagatelizując zdarzenie i wybaczając Sonny'emu jego zachowanie. — Jest młody i martwi się o ojca — dodał i zbył cały epizod wzruszeniem ramion.

Vito skinął prawie niedostrzegalnie głową, dziękując w ten oczywisty, choć niemy sposób Frankiemu za jego wyrozumiałość.

— Czy Mariposa wie, że nas ostrzegłeś? — zapytał, wracając do tematu.

— Nie wie nic na pewno — odparł Frankie, po czym sięgnął do kieszeni marynarki po cygaro. — Wie tylko, że dwóch Anthonych jest martwych, a Genco i Clemenza żyją.

— Ale czy cię podejrzewa? — drążył dalej Vito.

— Nie ufa mi — stwierdził Frankie, trzymając przed sobą niezapalone cygaro. — Wie, że nasze rodziny od dawna się przyjaźnią.

Vito spojrzał na Clemenzę, a potem na Tessia, jakby szukał u nich potwierdzenia. Wyglądało to, jakby trzej mężczyźni odbyli krótką rozmowę bez słów.

— Nie chcę, żebyś wracał do Mariposy — powiedział Vito do Frankiego po chwili namysłu. — To zbyt niebezpieczne. Giuseppe to *animale*, zabije cię, jeśli padnie na ciebie tylko cień podejrzenia.

— Ale przecież potrzebujemy kogoś w organizacji Giuseppego, Vito — zaprotestował Genco. — Frankie jest dla nas zbyt wartościowy.

— Mam kogoś przy samym Mariposie. Kogoś, komu ufam — wyznał Frankie. — Kogoś, kto nienawidzi go prawie tak samo mocno jak ja. Mam już dosyć tego klauna — zwrócił się do Vita. — Chcę należeć do twojej Rodziny, don Corleone.

— Ale mając tam Frankiego — nie dawał za wygraną Genco — możemy, jeśli okaże się to konieczne, dobrać się do skóry Mariposie.

— Nie. — Vito podniósł rękę, kończąc dyskusję. — Frankie Pentangeli jest człowiekiem bliskim naszemu sercu. Nie pozwolimy, żeby ryzykował dla nas życie bardziej, niż już to zrobił.

— Dziękuję, don Corleone — powiedział Frankie. — I nie oszukujcie się, mówiąc: „jeśli okaże się to konieczne". Jesteście teraz w stanie wojny i ta wojna nie skończy się, dopóki będzie żył Giuseppe Mariposa.

— Don Corleone — odezwał się nagle Luca Brasi, o którym prawie wszyscy zapomnieli i którego głos zaskoczył wszystkich, z wyjątkiem Vita; ten odwrócił się spokojnie w jego stronę, jakby w gruncie rzeczy spodziewał się, że Luca zabierze głos. — Czy mogę zaproponować... żebyś pozwolił mi... zabić Giuseppego Mariposę — podjął, sprawiając wrażenie mniej rozgarniętego niż zwykle. — Powiedz tylko... a ja daję ci... moje słowo... że Giuseppe Mariposa... bardzo szybko... rozstanie się z życiem.

Obecni w gabinecie mężczyźni uważnie obserwowali Lucę, gdy mówił, a potem wszyscy spojrzeli na Vita, czekając, co odpowie.

— Jesteś dla mnie zbyt cenny, Luca — oznajmił don — bym pozwolił ci ryzykować życie, co z pewnością byś uczynił, żeby zabić Giuseppego. Nie mam wątpliwości, że zabiłbyś go albo sam dał się zabić, próbując to zrobić... Być może nadejdzie czas, kiedy nie będę miał wyboru i poproszę cię o oddanie tej przysługi. — Vito sięgnął do najwyższej szuflady biurka i wyciągnął z niej cygaro. — Jednak teraz — podjął —

przysłużysz mi się lepiej, zajmując się tymi dwoma zabójcami, których nasłał na mnie Capone.

— Z przyjemnością... to dla ciebie zrobię, don Corleone — odparł Luca, po czym oparł się o ścianę i jego oczy przybrały z powrotem nieobecny wyraz.

— Czy twój człowiek będzie mógł nam pomóc w tej historii z Capone, Frankie? — zapytał Vito.

Pentangeli pokiwał głową.

— Ale jeśli zrobi się wokół niego zbyt gorąco, będziemy musieli go wycofać. To porządny chłopak, Vito. Nie chciałbym, żeby mu się coś stało.

— Naturalnie — odparł Vito. — Kiedy nadejdzie odpowiednia pora, możesz go wprowadzić z naszym błogosławieństwem do swojej Rodziny.

— Dobrze. Kiedy tylko się czegoś dowie, ja też będę o tym wiedział.

Frankie znalazł zapałki w kieszeni marynarki i zapalił cygaro, które obracał wcześniej w palcach.

— To, co zdarzyło się dzisiaj u Angela — odezwał się Genco — zaszkodzi Mariposie w oczach innych Rodzin. Atakując nas tak szybko po spotkaniu u świętego Franciszka, pokazał wszystkim, że jego słowo jest nic niewarte.

— A poza tym — dodał swoim ponurym tonem Tessio — wyprowadziliśmy go w pole. To też nie przysporzy mu szacunku.

— Nie mam zbyt dużej organizacji — powiedział z cygarem w ustach Frankie — ale będą wiedzieli, że moi chłopcy są z tobą.

— Wszystko to bardzo pięknie — zauważył Genco, podnosząc rękę, jakby chciał ostudzić ich zapał. — Wygraliśmy pierwszą bitwę, lecz Mariposa jest od nas nadal o wiele silniejszy.

— Mimo to mamy pewne atuty — stwierdził Vito, po czym spojrzał na cygaro, które trzymał w ręce, i odłożył je na biurko. — Mariposa jest głupi...

— Ale jego *caporegimes* nie są — wtrącił Clemenza.

— *Si* — zgodził się Vito — lecz to Giuseppe podejmuje decyzje. — Potoczył cygaro po biurku, jakby oddalał zastrzeżenia Clemenzy. — Mając w odwodzie organizację Tessia — podjął — jesteśmy silniejsi, niż sądzi Giuseppe... i mamy w kieszeni więcej gliniarzy, sędziów i polityków, niż mu się śni. — Vito dotknął stojącego na biurku pustego kieliszka i stuknął weń paznokciem, jakby prosił wszystkich o uwagę. — Co najważniejsze — dodał — w przeciwieństwie do Giuseppego cieszymy się szacunkiem innych Rodzin. Wszyscy wiedzą, że mogą z nami prowadzić interesy — powiedział, tocząc wzrokiem po twarzach otaczających go mężczyzn — bo dotrzymujemy słowa. Zważcie na to, co mówię: jeśli w tej wojnie okażemy się dość silni, inne Rodziny przejdą na naszą stronę.

— Zgadzam się z Vitem — oświadczył Genco, patrząc na niego, ale zwracając się do innych. — Moim zdaniem możemy wygrać.

Vito przez chwilę milczał, czekając na zastrzeżenia ze strony Tessia lub Clemenzy. Kiedy żaden z nich się nie odezwał, można było odnieść wrażenie, że odbyło się głosowanie i podjęto decyzję o wypowiedzeniu wojny Mariposie.

— Luca będzie moim ochroniarzem. — Vito przeszedł do szczegółów. — Kiedy zajmą go inne sprawy, zastąpi go

Santino. Ty, Genco — dodał, wskazując swojego *caporegime* — będziesz ochraniany przez ludzi Clemenzy. Ty, Frankie, uderzysz w nadzorowany przez Mariposę hazard i związki zawodowe. Chcę, żebyśmy całkowicie wyeliminowali go ze związków. Powinien stracić kilku swoich czołowych ludzi... ale nie braci Rosato i nie braci Barzini. Będziemy ich potrzebowali, kiedy wygramy tę wojnę.

— Znam dobrze działalność Giuseppego w branży hazardowej — odparł Frankie. — Mogę się tym zająć. Co do związków, potrzebuję pomocy.

— Mogę cię zapoznać ze wszystkim, co musisz wiedzieć — zapewnił go Tessio.

— Jeśli idzie o hazard... — Frankie przechylił głowę, jakby rozważał konkretne posunięcia. — Niektórym z naszych przyjaciół może się to nie spodobać.

— To zrozumiałe — odparł Vito. — Znasz dobrze jego działalność i wiesz, kogo można usunąć, nie psując przy tym zbyt wiele krwi. Uzgadniaj wszystko z Genkiem, ale generalnie jestem skłonny zawierzyć twojemu wyczuciu w tych sprawach.

Genco poklepał Frankiego po dłoni, jakby chciał go zapewnić o swojej gotowości do pomocy.

— Tessio — powiedział Vito, przechodząc do kolejnych zadań. — Chcę, żebyś wysondował Rodzinę Tattaglii. Sprawdź, czy nie ma tam jakiegoś słabego ogniwa. Joe wszędzie narobił sobie wrogów. I wysonduj Carminego Rosata. Podczas spotkania u świętego Franciszka uścisnął mi dłoń trochę zbyt serdecznie jak na kogoś, kto trzyma z Mariposą. — Vito ponownie umilkł, jakby wrócił myślami do tamtego spotkania. — No tak — mruknął, otrząsając się

444

z zamyślenia. — Niech wszyscy myślą, jak najszybciej zakończyć tę wojnę i zająć się z powrotem naszymi interesami i rodzinami — zakończył.

— W pierwszej kolejności... — zaczął Genco, po czym przysunął swoje krzesło do biurka i odwrócił je, żeby mieć przed sobą wszystkich. — W pierwszej kolejności — powtórzył — musimy się zająć cynglami Ala Capone. Następnie... — dodał, dotykając czubka nosa, jakby starał się podjąć ostateczną decyzję. — Frankie miał w tej kwestii rację: musimy się zająć Mariposą. — Genco wzruszył ramionami, jakby pozbycie się Mariposy było pewnym problemem, ale jednocześnie koniecznością. — Jeśli uda nam się szybko załatwić te dwie sprawy, być może dołączą do nas inne Rodziny.

— Nie spodoba im się to, że Mariposa zwrócił się do Ala Capone — powiedział Clemenza, unosząc się lekko i siadając z powrotem na szafce. — Żeby wzywać neapolitańczyka przeciwko Sycylijczykowi... Na pewno im się to nie spodoba — powtórzył, kręcąc palcem.

— Ludzi Ala Capone zostawiamy tobie, Luca — oświadczył Genco. — Ty, Frankie, przekażesz Luce wszystko, co wiesz. Powtórzę jeszcze raz: chociaż przewyższają nas liczebnie, moim zdaniem mamy duże szanse. — Skrzyżował ręce na piersi i odchylił się do tyłu. — Jednak na razie, dopóki sytuacja się nie wyklaruje, musimy się przyczaić. Wysłałem już kilku chłopców, żeby przygotowali kwatery w kompleksie na Long Island. Domy nie są wykończone, mur nie obejmuje całego terenu, ale niewiele brakuje. Od tej chwili my i wszyscy nasi najważniejsi ludzie będziemy mieszkali w kompleksie.

— Od tej chwili? — zapytał Richie Gatto, który normalnie raczej się nie odzywał na tego rodzaju spotkaniach. — Moja żona chciałaby... — Przez chwilę chyba zamierzał wyjaśnić, jak trudno będzie mu natychmiast przenieść się do kompleksu, ale potem się zmitygował.

— Twoja żona z pewnością nie chciałaby zostać wdową, Richie. Mam rację? — mruknął Clemenza.

Vito wstał zza biurka i podszedł do Richiego.

— Mam pełne zaufanie do Genca Abbandanda — zapewnił wszystkich. — Jest Sycylijczykiem, a któż jak nie Sycylijczyk jest najlepszym wojennym *consigliere*? Twoja żona i dzieci znajdą się pod odpowiednią opieką — dodał, obejmując ramieniem Richiego i prowadząc go ku drzwiom. — Zaopiekujemy się twoją żoną Ursulą i synkiem Pauliem, jakby należeli do naszej rodziny. Masz na to moje słowo, Richie.

— Dziękuję, don Corleone — odparł Richie, zerkając na Clemenzę.

— Idź po resztę chłopaków — powiedział tamten, po czym wstał i dołączył do Luki i innych, którzy wychodzili z gabinetu. Przy drzwiach objął Vita, podobnie jak uczynili to przed nim Tessio i Frankie.

Genco patrzył, jak Clemenza zamyka za sobą drzwi.

— Co zrobimy z paradą, Vito? — zapytał.

— Ach — mruknął Vito i stuknął się palcem w czoło, jakby chciał przypomnieć sobie szczegóły sprawy. — Radny Fischer — dodał.

— *Si* — potwierdził Genco. — Będzie tam burmistrz. W paradzie wezmą udział wszyscy nowojorscy *pezzonovante*.

Vito przeciągnął się, pogładził po szyi i spojrzał na sufit, rozważając wszystkie za i przeciw.

— Na tego rodzaju imprezie — powiedział — w której będzie uczestniczył nawet nasz gruby neapolitański burmistrz... a także kongresmeni, gliniarze, sędziowie i dziennikarze... Nie. Mariposa nie odważy się zakłócić podobnej uroczystości. Ryzykowałby, że obrócą się przeciwko niemu wszystkie Rodziny, z całego kraju. Gliniarze zamknęliby wszystkie jego interesy i nie pomogliby mu nawet jego sędziowie. Jest głupi, ale nie aż tak. Nie, możemy śmiało wziąć udział w paradzie.

— Zgadzam się — odparł Genco. — Na wszelki wypadek powinniśmy jednak rozstawić naszych ludzi wzdłuż trasy pochodu, na chodnikach.

Vito pokiwał głową, a Genco objął go i wyszedł z gabinetu.

Kiedy zniknął w mroku między skrzyniami magazynu, do środka wszedł Sonny i zamknął za sobą drzwi.

— Chciałbym z tobą chwilę porozmawiać, tato.

Vito usiadł z powrotem w swoim fotelu i spojrzał na syna.

— Co się z tobą dzieje? — zapytał. — Odzywasz się do człowieka honoru, jakim jest Pentangeli, jakby był jakimś chłystkiem? Podnosisz głos i grozisz palcem komuś takiemu?

— Przepraszam, tato. Poniosło mnie.

— Poniosło cię — powtórzył Vito, po czym westchnął i odwróciwszy się od Sonny'ego, omiótł wzrokiem gabinet, puste składane krzesła i gołe ściany.

Gdzieś niedaleko przejechała ciężarówka, warkot jej silnika wyróżniał się spośród innych odgłosów ulicy. W magazynie drzwi otwierały się i zamykały i słychać było echo szybkich rozmów, stłumionych i tajemniczych. Vito dotknął węzła swojego krawata i lekko go rozluźnił.

— Chciałeś wejść do interesu swojego ojca? — zapytał, odwracając się do Sonny'ego. — Teraz do niego wszedłeś. — Vito podniósł palec, dając do zrozumienia synowi, żeby uważnie go wysłuchał. — W trakcie naszych spotkań nie wolno ci powiedzieć ani słowa, chyba że ci pozwolę albo o coś zapytam. Zrozumiano?

— Jezu, tato...

Vito zerwał się z fotela i złapał Sonny'ego za kołnierz.

— Nie kłóć się ze mną! Rozumiesz, o co cię proszę?

— Jezu, tak, jasne, rozumiem. — Sonny cofnął się, wyzwolił z uścisku ojca i wygładził koszulę.

— Idź już — powiedział Vito, wskazując mu drzwi. — Zostaw mnie.

Sonny zawahał się. Skierował się do wyjścia, nacisnął klamkę, i nagle odwrócił się i zobaczył, że ojciec piorunuje go wzrokiem.

— Tato — zaczął ponownie, jakby nic się nie stało, jakby w czasie, który zajęło mu podejście do drzwi, zupełnie zapomniał o gniewie ojca. — Chciałem ci powiedzieć. Oświadczyłem się Sandrze.

W długiej ciszy, jaka zapadła po wyznaniu Sonny'ego, Vito ani na chwilę nie odrywał od niego wzroku. Gniew w jego oczach stopniowo ustępował miejsca ciekawości.

— Więc teraz będziesz miał żonę, którą się zaopiekujesz, a wkrótce potem dzieci. — Chociaż zwracał się do syna, Vito sprawiał wrażenie, jakby mówił do siebie. — Może żona nauczy cię słuchać — dodał. — Może dzieci nauczą cię cierpliwości.

— Kto wie? — odparł Sonny i roześmiał się. — Chyba wszystko jest możliwe.

Vito zmierzył go wzrokiem.

— Podejdź do mnie — powiedział, otwierając ramiona.
Sonny objął ojca, a potem cofnął się o krok.

— Jestem wciąż młody — stwierdził, przepraszając za wszystko, co denerwowało w nim ojca — ale szybko się uczę, tato. Uczę się od ciebie. A teraz, kiedy się ożenię... kiedy będę miał własną rodzinę...

Vito złapał Sonny'ego za tył głowy i zacisnął palce na jego gęstych włosach.

— Taka wojna jak ta... to jest to, przed czym chciałem cię uchronić. — Popatrzył synowi prosto w oczy, a potem przyciągnął go do siebie i pocałował w czoło. — Ale nie udało mi się i muszę to zaakceptować. — Puszczając Sonny'ego, poklepał go delikatnie po policzku. — Tą dobrą wiadomością będę mógł przynajmniej zrównoważyć obawy, z jakimi twoja matka przyjmie wieści o wojnie.

— Czy mama musi wiedzieć o wojnie? — zapytał Sonny, podchodząc do wieszaka i zdejmując z niego kapelusz, płaszcz i szalik Vita.

Jego ojciec westchnął, dziwiąc się, jak można być takim ograniczonym.

— Będziemy mieszkali na Long Island razem ze wszystkimi naszymi ludźmi — powiedział. — Zabierz mnie teraz do domu, musimy się spakować.

Sonny pomógł ojcu włożyć płaszcz i otworzył przed nim drzwi.

— Powiedz, tato, czy nadal chcesz, żebym trzymał gębę na kłódkę w trakcie naszych zebrań? — zapytał.

— Nie chcę słyszeć od ciebie ani słowa, chyba że dam ci pozwolenie albo sam o coś zapytam — podtrzymał swój zakaz Vito.

— W porządku, tato. — Sonny rozłożył ręce, dając do zrozumienia, że przyjął do wiadomości słowa ojca. — Jeśli tego właśnie chcesz.

Vito zawahał się i spojrzał na syna, jakby zobaczył go w nowym świetle.

— Chodźmy — powiedział, obejmując go ramieniem i obaj wyszli z gabinetu.

21

— Znałem Małego Carminego, kiedy był dzieckiem —
powiedział Benny Amato do Joeya Daniella, jednego z chłopaków Franka Nittiego. Wysiedli właśnie z pociągu z Chicago.
Była dziewiąta rano. Szli wzdłuż peronu, każdy z walizką
w ręce, zmierzając za kilkunastoma pasażerami do głównej
hali Grand Central.

— Na pewno go poznasz? — zapytał Joey. Pytał już o to
wcześniej Benny'ego kilkanaście razy. Był chudym facetem,
sama skóra i kości. Obaj ubrali się jak robociarze, w spodnie
khaki i tanie koszule, na które włożyli postrzępione wiatrówki, i obaj mieli na głowach nasunięte nisko wełniane
czapki.

— Jasne, że go poznam. Powtarzam: znałem go, kiedy był
mały. — Benny ściągnął czapkę, przeczesał palcami włosy
i włożył ją z powrotem. On też był chudy, ale jednocześnie
silny i żylasty, z potężnymi bicepsami, na których opinały
się rękawy koszuli. W przeciwieństwie do niego Joey wyglądał, jakby miał się rozpaść na tysiąc kawałków, gdyby

tylko ktoś go mocniej szturchnął. — Mówili ci już, że za bardzo się wszystkim przejmujesz? — zapytał.

— Gdyby dwóch Anthonych przejmowało się tak jak ja, jeszcze by żyli — stwierdził Joey.

— Mówisz o tych facetach z Cleveland? Mają tam samych amatorów. Jezu — mruknął Benny. — Przecież to pieprzone Cleveland.

Sklepione przejście prowadziło do przestronnej głównej hali Grand Central, w której przez olbrzymie okna padały na podłogę szerokie smugi światła. Rzesze pasażerów sunęły w stronę kas biletowych, okienek informacji i na zewnątrz, ale na tle monumentalnej architektury wszyscy wydawali się jacyś zagubieni. W smudze światła pośrodku hali dwie przysadziste kobiety z wiadrami i mopami lały wodę z mydlinami w miejscu, gdzie zwymiotowała mała dziewczynka trzymana w ramionach przez młodą kobietę. Ze zmywanej podłogi unosił się mdlący miętowy zapach.

— Masz dzieci? — zapytał Benny.

— Z dziećmi są same kłopoty — odparł Joey.

— Daj spokój. Ja je lubię — mruknął Benny, idąc wraz z nim w stronę wyjścia na Czterdziestą Drugą Ulicę. Strzępy rozmów otaczających ich ludzi odbijały się echem od ścian i unosiły ku konstelacjom gwiazd na niewyobrażalnie wysokim suficie.

— Nie mam nic przeciwko dzieciom — wyjaśnił Joey. — Chodzi tylko o to, że człowiek ma z nimi same kłopoty — dodał i podrapał się po karku, jakby coś go tam właśnie ugryzło. — Facet spotka się z nami na zewnątrz, tak? Na pewno go poznasz?

— Jasne — potwierdził Benny. — Znałem go, kiedy był mały.

— I jest jednym z ludzi Mariposy? Muszę ci powiedzieć — oświadczył Joey — że wcale mi się nie podoba, że ten facet ściąga nas aż z Chicago, żebyśmy rozwiązywali jego problemy. Pierdoleni Sycylijczycy. Banda wieśniaków.

— Powiedziałeś to Nittiemu?

— Że co? Że Sycylijczycy to banda wieśniaków?

— Nie. Że nie podoba ci się, że przyjeżdżamy z Chicago, żeby rozwiązywać problemy Nowego Jorku.

— Nie — odparł Joey. — A ty powiedziałeś Alowi?

— Al jest teraz nieosiągalny.

— Nie powinniśmy mieć większych kłopotów — stwierdził Benny. — Z tego co słyszałem, ten Corleone potrafi tylko gadać. Facet nie ma jaj.

— To samo słyszało pewnie dwóch Anthonych — powiedział Joey i ponownie zaatakował kark, drapiąc się po nim, jakby chciał coś uśmiercić.

Na chodniku przed wyjściem z Grand Central na Czterdziestą Drugą Ulicę, Carmine Loviero cisnął na ziemię papierosa i przydeptał go czubkiem buta.

— Hej! — zawołał do Benny'ego. — Tu jestem!

Benny podnosił właśnie prawą rękę, żeby zerknąć na zegarek. Słysząc głos Carminego, zastygł w bezruchu. Zobaczył przed sobą zwalistego faceta w jasnoniebieskim garniturze i przez chwilę przyglądał mu się zdezorientowany.

— Mały Carmine! — stwierdził w końcu, po czym podszedł bliżej, postawił walizkę na ziemi i objął go. — *Madre Dio!* W ogóle cię nie poznałem. Musiałeś przytyć z dziesięć kilogramów!

— Raczej dwadzieścia od czasu, kiedy się ostatnio widzieliśmy — powiedział Carmine. — Jezu, miałem wtedy... ile? Piętnaście lat?

— Chyba tak. Jakieś dziesięć lat temu.

Benny spojrzał nad ramieniem Carminego na faceta, który stał za nim po lewej stronie przy samym krawężniku.

— A to kto? — zapytał.

— To mój kumpel JoJo — odparł Carmine. — JoJo DiGiorgio. Nie znacie się?

— Nie — mruknął JoJo, podając Benny'emu rękę. — Nie miałem przyjemności.

Joey Daniello nie brał udziału w spotkaniu i obserwował trzech mężczyzn, opierając się o ścianę dworca. Postawiwszy stopę na walizce, prawą rękę wsadził do kieszeni, a lewą masował czoło. Wyglądał jak ktoś, komu dokucza dotkliwy ból głowy.

Benny wymienił uścisk dłoni z JoJem i dał znak Joeyowi, żeby do nich dołączył.

— To Joey Cygan. Nie wygląda na wielkiego chojraka, ale *Madon'*! Nie wyprowadzajcie go z równowagi. To wariat — szepnął do Carminego. — To jest Mały Carmine, o którym ci mówiłem — powiedział do Joeya, kiedy ten podszedł do nich, nadal trzymając rękę w kieszeni. — A to JoJo DiGiorgio.

Joey skinął głową obu mężczyznom.

— To ma być spotkanie po latach czy przyjechaliśmy w interesach, które trzeba załatwić? — zapytał.

— W interesach — stwierdził JoJo. — Może weźmiesz ich bagaż? — zwrócił się do Carminego.

Ten spojrzał na niego, jakby nie do końca rozumiał, o co chodzi.

— No tak, wezmę wasze walizki — mruknął w końcu, odwracając się do Benny'ego i Joeya.

Kiedy Carmine złapał obie walizki, JoJo wyszedł na jezdnię i machnął ręką, jakby wzywał taksówkę. Zrobił to lewą ręką, prawą przez cały czas trzymając tuż przy kieszeni marynarki i obserwując kątem oka stojącego z walizkami Loviera.

— Proszę bardzo — powiedział, kiedy przy krawężniku zatrzymał się czarny buick.

— Dokąd jedziemy? — zapytał Daniello.

— Chce się z wami widzieć Mariposa — odparł JoJo i otworzył przed nimi tylne drzwi. — Wsadź walizki do bagażnika, Carmine — polecił, kiedy Benny i Joey usiedli na tylnej kanapie.

Carmine obszedł buicka, żeby unieść klapę bagażnika, i w tej samej chwili drzwi od strony ulicy otworzyły się i do środka wszedł ubrany w czarny trencz Luca Brasi, trzymając kolta kaliber .38, którego lufę wcisnął w brzuch Benny'ego. Siedzący za kierownicą Vinnie Vaccarelli odwrócił się, wycelował broń w twarz Joeya i szybko go obszukał. Znalazł jeden pistolet w kieszeni Joeya, a drugi w kaburze na kostce. Luca wyłowił spod marynarki Benny'ego wielkiego kolta kaliber .45 i rzucił go na przednie siedzenie razem z bronią Joeya. Sekundę później JoJo usiadł z przodu obok Vinniego i wyprzedzając inne samochody, popędzili przez śródmieście.

— Gdzie jest twój dobry kumpel Mały Carmine? — zapytał Joey Benny'ego. — Wygląda na to, że się zgubił.

Benny, który obficie się pocił, zapytał drżącym głosem Lucę, czy może wyjąć chusteczkę i otrzeć sobie czoło. Luca kiwnął głową.

Joey wyszczerzył zęby w uśmiechu. Wyglądał, jakby świetnie się bawił.

— Słuchaj, JoJo — powiedział, pochylając się do przodu. — Ile wasi ludzie zapłacili dobremu kumplowi Benny'ego, Małemu Carminemu, żeby nas wystawił?

— Nic mu nie zapłaciliśmy — odparł JoJo, po czym zdjął kapelusz i położył go na pistoletach leżących na siedzeniu między nim i Vinniem. — Przekonaliśmy go, że będzie dla niego zdrowiej, jeśli zrobi, co każemy.

— Aha — mruknął Joey, odchylając się z powrotem do tyłu i wpatrując się w Lucę. — Widzisz — zwrócił się do Benny'ego. — Przynajmniej twój kumpel nas nie sprzedał. To już coś.

Benny pobladł na twarzy i miał kłopoty z oddychaniem.

— Odpręż się — powiedział Luca. — Nie zamierzamy... nikogo zabić.

Joey Daniello parsknął gorzkim cichym śmiechem, lecz ani na chwilę nie spuścił z oczu Luki.

— Carmine jest teraz w drodze do Narwanego Joego — wyjaśnił Vinnie, zerkając w tylne lusterko. — Może wyślą wam na pomoc kawalerię.

Joey wskazał palcem Lucę.

— Wiesz, do kogo jesteś podobny? — zapytał. — Naprawdę wyglądasz jak ten pierdolony Frankenstein, którego grał w filmie Boris Karloff. Zwróciłeś na to uwagę? — Joey dotknął swoich brwi. — Na to, jak wystaje ci czoło? Zupełnie jak u małpy, wiesz? Co ci się stało z twarzą? — dodał, kiedy Luca nie odpowiedział. — Moja babcia wyglądała tak samo po wylewie.

JoJo wycelował z pistoletu w Daniella.

— Chcesz, żebym mu strzelił w twarz tu i teraz, szefie? — zapytał.

— Zabierz broń — mruknął Luca.

— Nie chce, żebyś zastrzelił mnie w samochodzie — wyjaśnił Joey. — Po co robić bałagan? Masz pewnie jakieś miłe miejsce, które dla nas wybrałeś — dodał, patrząc ponownie na Lucę.

— Odpręż się — odparł tamten. — Powiedziałem, że nie zamierzamy nikogo zabić.

Joey parsknął tym samym gorzkim śmiechem i potrząsnął głową, jakby kłamstwa Luki napełniały go niesmakiem.

— Wszyscy ci ludzie na ulicy — mruknął pod nosem, wyglądając przez okno. — Wszyscy mają jakieś sprawy do załatwienia. Wszyscy dokądś biegną.

JoJo zerknął na Lucę i skrzywił się, jakby doszedł do wniosku, że Daniello jest lekko stuknięty.

— Skoro nas nie zabijecie, to o co wam chodzi? — zapytał Benny.

Jojo spojrzał ponownie na Lucę.

— Przekażecie wiadomość Alowi Capone i organizacji chicagowskiej — odrzekł po chwili. — Po prostu. Wysyłamy dzisiaj wiadomości, jak Western Union. Mały Carmine przekaże wiadomość Mariposie, a wy przekażecie wiadomość do Chicago.

— Naprawdę? — odparł, uśmiechając się Joey. — Więc powiedzcie, co to za wiadomość, i możecie nas wysadzić na rogu. Złapiemy taksówkę — zaproponował, ale nikt się nie odezwał. — No tak, wiadomość — mruknął.

Za rogiem West Houston i Mercer Street Vinnie skręcił w wąską alejkę, przy której stały magazyny i fabryczki. Był słoneczny ranek i na ulicy za nimi widać było mężczyzn w lekkich marynarkach i kobiety w kwiecistych sukienkach. Pojedynczy promyk słońca wpadł w głąb alejki i rozjaśnił brudną ceglaną ścianę. Dalej wszystko tonęło w półmroku. Nikt tamtędy nie szedł, ale ziemia była ubita podeszwami butów.

— A więc to tutaj — powiedział Daniello, jakby rozpoznawał to miejsce.

Luca wyciągnął Benny'ego z samochodu i ruszyli pogrążoną w mroku alejką. Po jakimś czasie doszli do drugiej, szerszej, biegnącej w poprzek pierwszej niczym daszek nad literą T. Przy pozbawionej okien ceglanej ścianie stały tu budy sklecone z desek i odpadów, z wystającymi z dachów rurami piecyków. Przy brezentowej zasłonie, przez którą wchodziło się do jednej z bud, wylegiwał się kot, obok stał dziecinny wózek i poczerniała od kopcia metalowa beczka z kratką do pieczenia. O tej porze alejka była pusta: wszyscy poszli szukać pracy.

— To tutaj — oznajmił Vinnie, prowadząc grupę do drzwi między dwiema budami. Wyciągnął z kieszeni klucz, przez minutę mocował się z zamkiem, a potem pchnął ramieniem drzwi i zobaczyli przed sobą wilgotne wnętrze dawnej fabryki, która była teraz rozbrzmiewającym echem pustostanem z gołębiami siedzącymi na parapetach okien i srającymi na podłogę. W powietrzu unosił się zapach pleśni i kurzu. Benny zakrył nos czapką. Vinnie pchnął go ku prostokątnemu otworowi w podłodze, gdzie tylko pojedyncza rurka została z dawnej balustrady. — Tędy. — Wskazał ginące w mroku rozchybotane schody.

— Nic nie widzę tam, na dole — poskarżył się Benny.

— Proszę — powiedział JoJo, po czym ruszył pierwszy po schodach, trzymając przed sobą srebrną zapalniczkę. Na dole, gdzie nie było nic widać, zapalił ją i w migotliwym czerwonym świetle płomyka zobaczyli czerwony korytarz. Co kilka metrów wchodziło się z niego do niewielkich pomieszczeń z gołymi ścianami i klepiskiem zamiast podłogi. Ściany były wilgotne i śliskie, z niskiego sufitu kapała woda.

— Idealne miejsce — stwierdził Daniello. — Macie tu na dole pierdolone katakumby.

— Kata co? — zapytał Vinnie.

— To tutaj — powiedział JoJo, wchodząc do jednego z pomieszczeń.

— Dlaczego akurat tutaj? — zapytał Daniello.

— Dlatego — odparł JoJo, stawiając zapalniczkę na stojącej na sztorc cegle i pokazując leżące przy niej rolki czarnej folii i zwój sznura.

Daniello głośno się roześmiał.

— Hej, Boris! — zawołał do Luki. — Myślałem, że nie miałeś zamiaru nas zabić.

Luca położył mu dłoń na ramieniu.

— Nie zamierzam... pana zabić... panie Daniello — zapewnił.

Dał znak Vinniemu i JoJo, którzy w migotliwym blasku zapalniczki zaczęli wiązać ręce i nogi Benny'ego i Joeya kawałkami sznura. Luca ciął go wyciągniętą spod płaszcza maczetą.

— Maczeta? — parsknął Joey, po raz pierwszy tracąc panowanie na widok długiego ostrza. — Jesteście, kurwa, dzicy?

Kiedy byli już skrępowani, Luca podniósł najpierw Benny'ego, a potem Joeya i zawiesił ich za związane ręce na tkwiących w przeciwległych ścianach poczerniałych hakach.

Zwróceni twarzami do siebie, wisieli ze stopami dyndającymi kilkanaście centymetrów nad ziemią.

— *Mannaggia la miseria* — załkał żałośnie Benny, kiedy Luca wziął do ręki maczetę, którą oparł wcześniej o ścianę.

— Hej, Benny, ilu ludzi zabiłeś? — zapytał Joey.

— Kilku — odparł Benny, starając się stłumić szloch.

— Więc stul dziób — nakazał mu Joey. — Hej, Boris! — zwrócił się do Luki i zaczekał, aż ten odwróci się w jego stronę. — To żyje! To żyje! — zawołał głosem Borisa Karloffa z filmu i dziko się roześmiał. Chciał powtórzyć ten okrzyk, ale nie potrafił opanować śmiechu.

— Jezu, Daniello — mruknął Vinnie. — Naprawdę jesteś stuknięty.

Luca zapiął płaszcz po szyję, postawił kołnierz i dał znak Vinniemu i JoJo, żeby cofnęli się do drzwi. Następnie zamachnął się maczetą i oderżnął Benny'emu stopy wysoko nad kostkami. Krew trysnęła przez pokój i polała się na podłogę. Luca dał krok do tyłu, żeby przyjrzeć się swojemu dziełu. Skowyt Benny'ego najwyraźniej go zirytował, bo wyjął z kieszeni chusteczkę i wcisnął mu do gardła.

— I co teraz? — zapytał spokojnie Joey, kiedy przycichły krzyki Benny'ego. — Naprawdę nas nie zabijesz? Tylko nas okaleczysz? To jest ta twoja wiadomość?

— Nie — odparł Luca. — Mam zamiar... zabić Benny'ego Amata. Nie lubię go. — Zamachnął się raz i drugi maczetą i uciął Benny'emu ręce w nadgarstkach. Kiedy jego ciało runęło w dół i chłopak próbował odczołgać się na kikutach, Brasi stanął mu na łydce i przygwoździł do ziemi. — Wychodzi na to, że ty będziesz musiał przekazać naszą wiadomość organizacji w Chicago — powiedział do Joeya.

Wijąc się pod jego stopą, Benny wypluł chusteczkę i zaczął wzywać pomocy, jakby ktoś mógł usłyszeć go w piwnicy porzuconej fabryki przy opustoszałej alejce, jakby istniała szansa, że ktoś przyjdzie mu na ratunek. Luca pochylił się nad nim, zacisnął dłonie na rękojeści maczety i wbił ją w plecy i serce Amata. Kiedy wyciągnął ostrze, krew była wszędzie: na ścianach i na klepisku, na jego trenczu oraz na ubraniu i twarzy Joeya Daniella, który wciąż wisiał na ścianie. Luca kopnął zwłoki chłopaka w róg piwnicy, po czym sięgnął do kieszeni i wyciągnął z niej białą kartkę. Ręce miał tak ubrudzone krwią, że mógł zamazać to, co było na niej napisane.

— Przeczytaj to... panu Daniello — powiedział, podając kartkę JoJowi. — Wiadomość jest od dona Vita Corleone... zaadresowana... do waszych szefów w Chicago... i Ala Capone w Atlancie — wyjaśnił i dał znak JoJowi.

Ten przeszedł przez piwnicę i pochylił się z kartką nad płomykiem zapalniczki.

— „Drogi panie Capone. Teraz pan wie, jak postępuję z moimi wrogami — przeczytał i odchrząknął. — Dlaczego neapolitańczyk wtrąca się w spór między dwoma Sycylijczykami? — podjął, cedząc powoli każde słowo. — Jeśli chce pan, bym uważał go za przyjaciela, będę panu winien przysługę, którą wyświadczę na żądanie. — JoJo przysunął kartkę do oczu, próbując odczytać poplamiony krwią fragment tekstu. — Człowiek taki jak pan — podjął — musi wiedzieć, że o wiele korzystniej jest mieć przyjaciela, który zamiast prosić pana o pomoc, potrafi sam zadbać o swoje interesy i jest gotów panu zawsze pomóc, gdyby miał pan jakieś kłopoty w przyszłości. — JoJo przerwał i próbował zetrzeć krew z ostatniego zdania. — Jeśli nie zależy panu na mojej przyjaźni, trudno. Muszę jednak uprzedzić, że klimat w tym mieście jest wilgotny, niezdrowy dla neapolitańczyków i lepiej, by nie składał pan nam wizyty". — Skończywszy czytać, JoJo wyprostował się i oddał list Luce, który złożył go i wsunął do kieszeni marynarki Joeya Daniella.

— To wszystko? — powiedział Joey. — Mam po prostu doręczyć ten list?

— Czy mogę ufać, że to zrobisz? — zapytał Luca.

— Jasne — odparł Daniello. — Mogę go doręczyć. Jasna sprawa.

— To dobrze. — Luca wziął maczetę i zdecydowanie ruszył ku drzwiom. — Wiesz co? — zapytał, stając w progu. — Wiesz co? — powtórzył, wracając do Joeya. — Nie jestem taki pewien... czy mogę ci ufać.

— Ależ oczywiście, możesz mi ufać — odparł, połykając sylaby, Daniello. — Dlaczego miałbym nie doręczyć listu od twojego szefa? Możesz mi ufać, naturalnie.

Luce najwyraźniej nie dawało to spokoju.

— Co do tego monstrum... Frankensteina, o którym tyle gadałeś... tak się składa... że oglądałem ten film — powiedział i wydął wargi, jakby nie wiedział, co ludzie w nim takiego widzą. — Moim zdaniem, żadne z niego monstrum.

— A co ma, do diabła, piernik do wiatraka? — żachnął się Joey.

Luca ruszył w stronę drzwi, a potem odwrócił się nagle z maczetą i niczym biorący zamach kijem baseballowym Mel Ott zdekapitował trzema szybkimi cięciami Daniella. Jego głowa potoczyła się w strumieniach krwi po podłodze i zatrzymała przy ścianie.

— Niech się wykrwawią — powiedział Luca do JoJa, idąc do drzwi — a potem zapakujcie ciała... i pozbądźcie się ich. — Wrócił do Daniella, wyciągnął list z jego kieszeni i dał go Vinniemu. — Włóż to... do walizki razem z... rękoma chłopaka... i dopilnuj, żeby dostarczono ją... Frankowi Nittiemu — polecił, po czym rzucił maczetę na czerwone od krwi klepisko i wyszedł w mrok korytarza.

22

Jeden z ludzi Tony'ego Rosata stał pochylony nad wypełnionym mydlinami zlewem w kuchni mieszkania przy Dwudziestej Piątej Ulicy i prał swoją koszulę na tarze. Niski i krępy, z potarganymi gęstymi włosami, wyglądał na jakieś dwadzieścia lat i miał na sobie biały podkoszulek i pogniecione spodnie od garnituru. Giuseppe był już od godziny na nogach. Chłopak przesuwał koszulę tam i z powrotem po tarze, która była żłobionym prostokątem matowego szkła osadzonym w drewnianej ramce. Mydliny wylewały się z porcelanowego zlewu i kapały na podłogę. Giuseppe wyjrzał z kuchni na korytarz i nikogo tam nie zobaczył. Minęła już dziesiąta rano, a wszyscy ci pracujący dla niego idioci, z wyjątkiem idioty, który prał swoją koszulę, spali jak susły. Spojrzał na pierwszą stronę gazety, którą zabrał przed chwilą spod drzwi, nie budząc śpiących na krzesłach dwóch wartowników Tomasina. Wziął gazetę, zamknął frontowe drzwi, wrócił do kuchni i nikt nie zwrócił na niego uwagi, nawet ten debil piorący koszulę w zlewie. Co za tupet! Prać swoją koszulę w kuchni, gdzie wszyscy jedzą!

Na pierwszej stronie „New York Timesa" zamieszczone było zdjęcie Alberta Einsteina, który wyglądał jak jakiś *ciucc'* w porządnym garniturze, frakowym kołnierzyku i jedwabnym krawacie oraz ze sterczącymi na wszystkie strony włosami, których nie chciało mu się uczesać.

— Hej, *stupido* — powiedział Giuseppe.

Chłopak przy zlewie podskoczył, wylewając wodę na podłogę.

— Don Mariposa! — Spojrzał na Giuseppego, zobaczył wyraz jego twarzy i podniósł w górę koszulę. — Poplamiłem winem porządną koszulę — wyjaśnił. — Chłopcy do późnej nocy grali...

— *Mezzofinocch'* — warknął Giuseppe. — Jak jeszcze raz złapię cię na praniu swoich brudów tam, gdzie jemy, wpakuję ci kulkę w dupę. Rozumiesz?

— Jasne — odparł chłopak. — To się już nie zdarzy, don Mariposa — zapewnił, wyciągając gumowy korek ze zlewu. Woda szybko spłynęła otworem odpływowym, wir porwał mydliny.

— Idę na dach. Znajdź Emilia i powiedz mu, że chcę go widzieć. Niech zabierze ze sobą Cycatka.

— Jasne.

— Potem posprzątaj tutaj, nastaw kawę i wyciągnij wszystkich z łóżek. Myślisz, że poradzisz sobie z tym wszystkim?

— Jasne — odparł chłopak i oparł się o zlew, mocząc sobie tył spodni.

Giuseppe spiorunował go wzrokiem i wrócił do głównej sypialni. Pościel na jego łóżku była skotłowana i pognieciona. Nocami bardzo często rzucał się w łóżku, walcząc z kołdrą i poduszkami. I jęczał. Czasami tak głośno, że było go słychać w sąsiednim mieszkaniu. Za otwartymi drzwiami do łazienki widział lustro nad umywalką, nadal zaparowane po tym, jak wziął prysznic. Zawsze brał prysznic natychmiast po wstaniu z łóżka. Nie tak jak ten *stronz'*, jego ojciec, od dawna już na szczęście nieżyjący, on i jego matka, para bezwartościowych pijaków zakochanych w tej swojej pierdolonej Sycylii. Najczęściej śmierdzieli jak skunksy. Giuseppe od wczesnej młodości wstawał, brał prysznic i od razu się ubierał. Zawsze nosił garnitur: nawet kiedy nie miał grosza przy duszy, zawsze znalazł sposób, żeby zdobyć przyzwoity garnitur. Wstawał z łóżka, ubierał się i szedł do roboty. Dlatego coś w życiu osiągnął, a reszta tych nicponiów dla niego pracowała.

Omiótł wzrokiem sypialnię, całe umeblowanie, mahoniowe łoże, nocne szafki i utrzymane w tym samym stylu komodę i toaletkę z lustrem, wszystko fabrycznie nowe. Podobało mu się to mieszkanie i doszedł do wniosku, że kiedy ta bzdura z Corleonem dobiegnie końca, może zachowa je dla którejś ze swoich dziewczyn. Jego marynarka wisiała na drzwiach łazienki, a pod nią kabura zakładana pod pachę. Giuseppe włożył marynarkę i zostawił kaburę. Z wielu pistoletów, które trzymał w komodzie, wybrał małego derringera. Wsadził go do kieszeni marynarki i wyszedł na dach, trzepiąc wcześniej po głowach śpiących przy drzwiach wartowników i odchodząc bez słowa.

Na dachu było cudownie. Słońce grzało kryty papą dach i kamienne gzymsy. Zgadywał, że temperatura przekraczała dwadzieścia stopni, był słoneczny wiosenny ranek, prawie jak w lecie. Giuseppe lubił przebywać na dworze, na świeżym powietrzu. Czuł się wtedy czysty. Podszedł do skraju dachu, położył dłoń na łbie gargulca i przyjrzał się miastu, które tętniło już życiem: ulicami pędziły pojazdy, chodnikami walił tłum ludzi. Nieopodal lśniła w słońcu biała strzała Flatiron Building. W młodości pracował jakiś czas dla Billa Dwyera w Chicago. Tam właśnie poznał Ala Capone. Za każdym razem, kiedy Bill kazał mu coś zrobić, Joe rwał się do tego. Rwał się do tego i w końcu zaczęli go nazywać Narwanym Joem, a on udawał, że go to wnerwia, ale właściwie nie miał nic przeciwko. Pewnie, że się rwał. Rwał się przez całe życie. Kiedy trzeba było coś zrobić, rwał się do tego. Dlatego osiągnął to, co osiągnął.

Kiedy za jego plecami otworzyły się drzwi na dach, niechętnie odwrócił się od grzejącego twarz słońca i spojrzał na Emilia, ubranego dość swobodnie w ciemne spodnie i obszerną jasnożółtą koszulę z rozpiętym kołnierzykiem, pod którym widać było złoty łańcuszek. Emilio był elegantem i to podobało się w nim Joemu. Nie podobało mu się jednak, że tym razem tak się wyluzował. To było nieprofesjonalne.

— Chciałeś ze mną porozmawiać, Joe? — zapytał Emilio, stając obok niego.

— Kiedy wstałem dziś rano — powiedział Giuseppe, odwracając się tak, by mieć go przed sobą — znalazłem dwóch twoich ludzi śpiących za drzwiami i wszystkich w środku pogrążonych we śnie, wszystkich z wyjątkiem jednego z chłopaków Tony'ego, jakiegoś kretyna, który prał ubranie w kuchennym zlewie. — Giuseppe rozłożył ręce, dając do zrozumienia, że są to rzeczy niedopuszczalne.

— Dopiero się tu sprowadzili — odparł Emilio. — Chłopcy siedzieli aż do świtu, pijąc i grając w pokera.

— I co z tego? Czy to miałoby jakieś znaczenie, gdyby

Clemenza przysłał tu swoich ludzi? Uważasz, że nie od-
strzeliliby nam łbów, bo chłopcy zasiedzieli się do późna
i rżnęli w pokera?

Emilio podniósł ręce, przyznając mu rację.

— To się już więcej nie powtórzy, Joe. Daję słowo.

— Dobrze. — Giuseppe usiadł na kamiennym gzymsie,
oparł rękę na gargulcu i zaprosił gestem Emilia, by siadł obok
niego.

— Powiedz, czy jesteśmy absolutnie pewni, że to byli
ludzie Frankiego Pentangelego? — zapytał.

— Tak jest — odparł Emilio, siadając przy nim i wyciągając z paczki papierosa. — Carmine Rosato mówi, że to
byli Fausto i Gruby Larry, a także kilku innych chłopaków,
których nie zna. Zdemolowali cały lokal. Jesteśmy do tyłu
co najmniej dziesięć kawałków.

— A biura związkowe? — Giuseppe dał mu znak, żeby
poczęstował go papierosem.

— To musiał być Frankie. Mamy wojnę, Joe. Frankie
przystał do Rodziny Corleone.

Giuseppe wziął od niego papierosa i postukał nim o kamienny gzyms. Emilio podał mu zapalniczkę.

— A my? — zapytał Giuseppe. — Siedzimy na dupie
i walimy konia?

— Rodzina Corleone przeniosła albo zamknęła swoje
punkty bukmacherskie i większość kasyn, więc traci pieniądze.
To jedno. Wszystkie ich wielkie szychy są teraz w jednym
miejscu na Long Island. Mają tam prawdziwą fortecę. Nie
sposób nawet podejść i rzucić okiem. A tym bardziej dostać
się do środka. Trzeba by zorganizować regularne oblężenie,
jak w czasach średniowiecza.

— W jakich czasach? — zapytał Giuseppe, oddając mu zapalniczkę.

— W czasach zamków — wyjaśnił. — Zamków, fos i takich tam.

— Aha — mruknął Giuseppe i przez jakiś czas wpatrywał się w milczeniu w bezchmurne błękitne niebo. — Więc teraz wiemy na pewno — odezwał się — że to Frankie powiedział im o Anthonych. Nigdy nie ufałem Frankiemu — dodał, odwracając się z ponurą miną do Emilia. — Nie lubił mnie. Uśmiechał się, mówił wszystko, co trzeba... ale ja to czułem. Nigdy mnie nie lubił. Żałuję tylko, że go nie sprzątnąłem tak, jak powinienem to zrobić. — Giuseppe zgasił papierosa i cisnął go w dół. — Ty się za nim wstawiłeś, Emilio. Wstrzymaj się, mówiłeś, nie likwiduj go, poczekaj, przekonasz się, że to porządny facet.

— Hej, Joe — zaprotestował Emilio. — Skąd miałem wiedzieć?

Giuseppe postukał się palcem w serce.

— Instynkt — stwierdził. — Nie wiedziałem na pewno, ale podejrzewałem. Powinienem posłuchać tego, co mówił mi instynkt, i zabić go.

Drzwi na dach otworzyły się i pojawił się w nich Ettore Barzini, za którym szedł Cycatek.

— Lepiej, żeby ta historia z Irlandczykami się udała — powiedział Giuseppe do Emilia, kończąc z nim rozmowę w cztery oczy. — Rozumiesz?

— Jasne. Rozumiem cię, Joe.

Obaj wstali, kiedy podeszli do nich Ettore i Cycatek.

— Emilio i ja rozmawialiśmy właśnie o tym parszywym zdrajcy Frankiem Pentangelim — oznajmił Giuseppe.

— Sukinsyn — odezwał się Ettore. Miał na sobie popielaty garnitur i czarną koszulę z rozpiętym kołnierzykiem, bez krawata. — To się nie mieści w głowie, Joe.

— Ale najciekawsze jest to — odparł Giuseppe, patrząc na Cycatka — że nie powiedzieliśmy Frankiemu o Anthonych. To nie daje mi spokoju. I Frankie nie miał pojęcia o cynglach Ala Capone. Więc jak się dowiedział? — Zaciągnął się papierosem i wypuścił z ust dym, wpatrując się w Cycatka. — Jak się dowiedział o spotkaniu w knajpie Angela? Jak się dowiedział o facetach przysłanych z Chicago? Ktoś musiał dać mu cynk. Wiesz może, kto to był, Cycatek?

— Jak mogłem dać cynk Frankiemu, don Mariposa? — odparł chłopak. Rysy jego zawsze uśmiechniętej, pucułowatej dziecinnej twarzy nagle stwardniały. — Nie jestem jednym z jego ludzi. Nie mam z nim nic do czynienia. Kiedy miałbym się z nim spotkać, żeby dać mu cynk? Proszę, don Mariposa. Nie mam z tym nic wspólnego.

— Ręczę za Cycatka, Joe — odezwał się Ettore. — Dlaczego miałby dawać cynk Frankiemu? Co by z tego miał?

— Zamknij się, Ettore — warknął Joe, patrząc na Emilia. — Ty też za niego ręczysz? — zapytał.

— Jasne, że tak — odparł Emilio. — Chłopak jest ze mną od małego. Nie wystąpiłby przeciwko mnie. To nie on, Joe.

— Oczywiście, że nie wystąpiłby przeciwko tobie. Jesteś dla niego jak ojciec. Nie wystąpiłby przeciwko tobie. — Giuseppe potrząsnął głową, zdegustowany całą tą kwestią, po czym ruszył w stronę drzwi, dając znak pozostałym, by mu towarzyszyli. — I jak ja teraz wyglądam w oczach innych Rodzin? — zapytał. — W oczach mojego przyjaciela Ala

Capone? W oczach organizacji chicagowskiej? Wiecie, jak ja teraz wyglądam?

Cycatek wyprzedził innych, żeby otworzyć przed nim drzwi.

— Nie lubisz mnie za bardzo, prawda? — zapytał go Giuseppe.

— Bardzo pana lubię, don Mariposa — odparł chłopak.

— Don Mariposa, don Mariposa — mruknął, przedrzeźniając go, Giuseppe. — Twój chłopak okazuje mi nagle tyle szacunku — powiedział do Emilia, wchodząc do pogrążonego w półmroku małego holu.

Cycatek zamknął za nimi drzwi i czterej mężczyźni stanęli u szczytu schodów.

Giuseppe potrząsnął ponownie głową, jakby odpowiadał na argumenty, których inni nie mogli słyszeć.

— Wiesz co? — zwrócił się do Cycatka. — Nie wiem, czy dałeś cynk Frankiemu, Rodzinie Corleone czy komu tam jeszcze. Ale nie licząc moich *caporegimes*, byłeś jedyną osobą, która znała wszystkie detale, więc...

— Nieprawda, don Mariposa! — krzyknął chłopak. — Wszyscy wiedzieliśmy o wszystkim!

— Nie kryję niczego przed moimi ludźmi — oświadczył Emilio, podchodząc trochę bliżej do Giuseppego. — Muszę im ufać. I wszyscy wiedzieli, że Frankie nie jest w nic wtajemniczany. Żaden z moich ludzi nie pisnął mu ani słowa.

Giuseppe spojrzał mu prosto w oczy i odwrócił się z powrotem do chłopaka.

— Mimo to nie ufam ci, Cycatek — powiedział. — Jesteś gnojkiem i mam pewne podejrzenia, więc...

Złapał Cycatka lewą ręką za kark, a prawą przystawił mu

do serca derringera i strzelił. Następnie cofnął się o krok i patrzył, jak chłopak osuwa się na podłogę.

Ettore odwrócił się i uciekł w bok wzrokiem. Emilio nie poruszył się. Wpatrywał się w milczeniu w Mariposę.

— Nigdy już nie kwestionuj moich decyzji — zwrócił się do niego Giuseppe. — Gdybym cię nie posłuchał, Frankie gryzłby ziemię i żadna z tych rzeczy by się nie wydarzyła. Wszystko szybko by się skończyło. A teraz czeka mnie prawdziwa pierdolona wojna.

Emilio wyglądał, jakby w ogóle nie słuchał Giuseppego. Patrzył na Cycatka. Spod jego ciała wypłynął już mały strumyk krwi.

— Był z niego dobry chłopak — powiedział.

— A teraz jest z niego martwy chłopak — mruknął Mariposa i ruszył w dół. — Pozbądźcie się go. — W połowie schodów odwrócił się i spojrzał w górę. — Niech ktoś pogada z Irlandczykami. Zadbajcie, żeby trzymali gęby na kłódkę — polecił i zbiegł niżej.

— Sukinsyn miał chyba rację — odezwał się Ettore, kiedy kroki Giuseppego ucichły na dole i był pewien, że don go nie usłyszy. — Możliwe, że to Cycatek dał cynk Frankiemu. Nienawidził Mariposy.

— Nie wiemy tego — stwierdził Emilio, ruszając wraz z bratem po schodach. — Weź paru chłopców i przewieźcie go do tej kostnicy na Greenpoincie, niedaleko jego rodziny.

— Myślisz, że Giuseppe... — zatroskał się Ettore.

— Mam w dupie Giuseppego — odparł Emilio. — Zrób, co powiedziałem.

23

Cork opuścił do połowy zielone żaluzje chroniące wnętrze sklepu przed blaskiem porannego słońca. Eileen przyniosła przed chwilą tacę parujących słodkich bułeczek i w powietrzu unosił się zapach cynamonu i świeżo upieczonego chleba. Skończył się poranny szczyt zakupów i Eileen wróciła na górę do Caitlin, zostawiając go, żeby poustawiał równo gabloty i zrobił porządek w sklepie. Cork nie miał nic przeciwko pracy w piekarni. Zaczynał ją lubić, chociaż lepiej czułby się bez białego fartucha i czepka, które Eileen kazała mu nosić. Lubił pogawędki z klientkami, bo sklep odwiedzały przeważnie panie. Chętnie plotkował z mężatkami i flirtował z niezamężnymi. Eileen przysięgała, że od dnia, gdy stanął za ladą, obroty poszły wyraźnie w górę.

Zaraz po tym, jak opuścił żaluzje, w dole okna pojawiła się długa czarna suknia i chwilę później zabrzęczał dzwonek nad drzwiami. Do sklepu weszła pani O'Rourke, trzymając w ręce brązową torbę. Była chudą jak tyczka kobietą z siwiejącymi włosami i wymiętą twarzą, na której malował się wieczny grymas niezadowolenia, nawet kiedy nic jej nie dolegało.

— Dzień dobry, pani O'Rourke — powiedział Cork z nutką współczucia w głosie.

— Witaj, Bobby — odparła. Była cała w żałobnej czerni i zalatywało od niej piwem i papierosami. Przeczesała palcami wolnej ręki przerzedzające się włosy, prostując się w obecności mężczyzny. — Słyszałam, że pracujesz za ladą.

— Zgadza się — odparł i zaczął jej składać kondolencje, ale kiedy tylko wymówił imię Kelly, starsza kobieta przerwała mu.

— Nigdy nie miałam córki — oświadczyła. — Moja córka nigdy nie sypiałaby z mordercą pokroju Luki Brasiego, tego parszywego makaroniarza.

— Rozumiem, jak się pani musi czuć — stwierdził Cork.

— Naprawdę? — zapytała, po czym skrzywiła się z odrazą, przycisnęła do piersi brązową torbę i chwiejąc się lekko, podeszła do lady. — Sean mówi, że poprztykałeś się ze swoim przyjacielem Sonnym Corleone. Czy to prawda?

— Owszem — odparł Cork, uśmiechając się do niej półgębkiem i pochylając się nad gablotą, żeby ukryć odrazę, jaką wzbudziła w nim bliskość starszej pani. — Już się nie widujemy.

— To dobrze — stwierdziła pani O'Rourke i przycisnęła mocniej do piersi brązową torbę. Widać było, że ma ochotę coś powiedzieć, choć z drugiej strony czuje, że powinna zachować milczenie.

— Mogę pani w jakiś sposób pomóc? — zapytał Cork.

— To dobrze — powtórzyła pani O'Rourke, jakby Cork w ogóle się nie odezwał. Podeszła krok bliżej i nachyliła się do niego. Choć dzieliło ich nadal kilkadziesiąt centymetrów, zrobiła taką minę, jakby rozmawiali twarzą w twarz. — Ten Sonny dostanie za swoje — oznajmiła. — On i Luca Brasi, i wszyscy ci żałośni makaroniarze — dodała i zadowolona z siebie odgarnęła do tyłu włosy. — Czeka ich miła irlandzka niespodzianka.

— O czym pani mówi, pani O'Rourke? — zapytał Cork, cicho się śmiejąc. — Nie bardzo panią rozumiem.

— Ale wkrótce zrozumiesz — odparła, sama też cicho się śmiejąc. Tuż przy drzwiach, zanim wyszła na słońce, odwróciła się ponownie do Corka. — Bóg kocha parady — powiedziała i zaśmiała się ponownie, tym razem z goryczą. Chwilę później wyszła na ulicę i drzwi same się za nią zamknęły.

Cork wpatrywał się w nie przez chwilę, jakby znaczenie słów starszej pani mogło ukazać się w smudze światła padającego przez umieszczone wyżej okienko. W porannej gazecie widział wcześniej informację o paradzie. Znalazł teraz w pokoiku na zapleczu egzemplarz „New York American" otwarty na stronie z komiksami i po dłuższej chwili trafił na artykuł, który zajmował jedną szpaltę na trzeciej stronie. Parada miała przejść Broadwayem przez Manhattan po południu, hasłem przewodnim była obywatelska odpowiedzialność. Cork uznał to za jakąś polityczną głupotę i nie bardzo rozumiał, co mógł mieć z tym wspólnego Sonny i jego rodzina. Cisnął gazetę na podłogę i wrócił do robienia porządków, ale nie mógł przestać myśleć o pani Rourke mówiącej, że „Bóg kocha parady" i „Sonny dostanie za swoje". Po minucie przestawiania ciastek na blasze zawiesił na frontowych drzwiach napis „Zamknięte", zamknął je na zasuwkę i pobiegł na górę.

Eileen leżała na sofie w salonie, trzymając nad głową chichoczącą Caitlin. Dziewczynka rozpostarła ręce jak skrzydła i udawała, że fruwa.

— Kto pilnuje sklepu? — zapytała Eileen na jego widok.

— Wujku Bobby! — pisnęła Caitlin. — Zobacz! Fruwam jak ptaszek!

Bobby złapał Caitlin, zarzucił ją sobie na ramię, zrobił z nią kółko, a potem postawił na podłodze i poklepał po pupie.

— Idź i pobaw się przez chwilę zabawkami, skarbie — powiedział. — Muszę porozmawiać z twoją mamą o dorosłych sprawach.

Caitlin zerknęła na mamę. Kiedy Eileen wskazała jej drzwi, wydęła dramatycznie wargi, wzięła się pod boki i udając oburzoną, odmaszerowała do swojego pokoju.

— Zamknąłeś przynajmniej drzwi? — zapytała Eileen, siadając na sofie.

— I wywiesiłem napis „Zamknięte". Do lunchu i tak będą pustki — odparł Bobby, po czym usiadł obok Eileen na sofie i opowiedział jej, co usłyszał od pani O'Rourke.

— Prawdopodobnie się upiła i gadała od rzeczy — uznała Eileen. — O której ma się zacząć ta parada?

Cork zerknął na zegarek.

— Mniej więcej za godzinę.

— No tak — mruknęła i przez chwilę zbierała myśli — Znajdź Sonny'ego i powiedz mu, co się stało — poradziła w końcu. — Pewnie nie będzie miał o niczym pojęcia i na tym się to skończy.

— A ja wyjdę na idiotę.

— Obaj jesteście idiotami — stwierdziła, po czym przyciągnęła go do siebie i pocałowała w bok głowy. — Znajdź

Sonny'ego i pogadaj z nim. Pora, żebyście obaj zakopali topór wojenny.

— A co będzie z Caitlin? Dasz radę poprowadzić sklep?

Eileen przewróciła oczyma.

— Stałeś się nagle niezastąpiony, tak? — Wstała i ścisnęła Bobby'ego za kolano. — Niech to nie trwa zbyt długo — powiedziała w drodze do sypialni. W progu obróciła się i wskazała mu drzwi do kuchni. — No idź już — dodała i poszła po Caitlin.

. . .

Vito podał Fredowi chusteczkę. Stali na Szóstej Alei, między Trzydziestą Drugą i Trzydziestą Trzecią Ulicą, czekając wraz z setkami innych mieszkańców na rozpoczęcie parady. Fredo wstał z łóżka, brzydko kaszląc, ale uparł się, żeby wziąć udział w pochodzie razem z całą rodziną i Carmella stała teraz, trzymając rękę na jego czole i spoglądając z wyrzutem na Vita. Dzień był na zmianę słoneczny i pochmurny; wkrótce powinno się ocieplić, lecz w tym momencie w cieniu domu towarowego Gimbels było chłodno i Fredem wstrząsały dreszcze. Vito trzymał za rękę Connie i patrzył na syna. Za plecami Carmelli Santino i Tom boksowali się na niby z Michaelem, który podekscytowany paradą bawił się z nimi, okładając Sonny'ego pod pachami i uderzając Toma w brzuch ramieniem. Po drugiej stronie ulicy stał radny Fischer, otoczony oficjelami, wśród których był szef policji w wyprasowanym mundurze i z przypiętymi do piersi wstążkami i medalami. Członkowie Rodziny Corleone minęli przed chwilą całą grupkę i radny nie skinął im nawet głową.

— Jesteś chory — powiedział Vito do Freda. — Masz dreszcze.

— Wcale nie — odparł chłopak, strącając z czoła dłoń matki. — Trochę tylko się przeziębiłem. To nic takiego, tato.

Vito podniósł palec, zamykając dyskusję, i zawołał Ala Hatsa, który razem z Richiem Gattem i bliźniakami Romero lustrował wzrokiem zgromadzonych. Luca Brasi i jego chłopcy zmieszali się z tłumem po drugiej stronie ulicy. Kiedy Al podszedł do Vita w nasuniętym nisko na czoło kapeluszu i ze zwisającym z ust papierosem, ten zabrał mu go i rozdeptał czubkiem buta.

— Zabierz Freda do domu — polecił, zsuwając mu kapelusz na tył głowy. — Ma gorączkę.

— Przepraszam — bąknął Al, kajając się za to, że paraduje z papierosem zwisającym z wargi niczym karykatura gangstera. — Chodź, mały — powiedział do Freda, poprawiając popielaty krawat dopasowany do ciemnobrązowej koszuli. — Wpadniemy po drodze do cukierni i fundnę ci koktajl mleczny.

— Naprawdę? — zapytał chłopiec, zerkając na matkę.

— Oczywiście — odparła. — To dobre na zdrowie.

— Hej, słuchajcie! — zawołał Fredo do swoich braci. — Muszę jechać, bo jestem chory.

Chłopcy przestali się wygłupiać i podeszli do Freda i rodziców. Wszędzie dokoła stali ludzie, wielu Włochów, ale także Polacy i Irlandczycy oraz grupa chasydów w czarnych płaszczach i czarnych kapeluszach.

— Szkoda, że musisz jechać — oświadczył Michael. — Chcesz, żebym ci załatwił autograf burmistrza, gdybyśmy go spotkali?

— Po co mi autograf tego grubego dupka? — odparł Fredo i popchnął brata.

— Przestańcie — powiedział Sonny i złapał Michaela za kołnierz, zanim tamten zdążył popchnąć Freda.

Vito spojrzał na swoich synów, westchnął i dał znak Hatsowi, który wziął Freda za rękę i oddalił się z nim.

— Przepraszam, tato — powiedział Michael. — Myślisz, że spotkamy burmistrza? — dodał szybko. — Myślisz, że da mi autograf?

Vito wziął Connie na ręce i wygładził jej niebieską sukienkę, zakrywając kolana dziewczynki.

— Twoja siostra to anioł — zwrócił się do Michaela.

— Przepraszam, tato, naprawdę — odparł chłopiec. — Przepraszam, że biłem się z Fredem.

Vito zmierzył go surowym wzrokiem, a potem objął i przyciągnął do siebie.

— Jeśli chcesz mieć autograf burmistrza, dopilnuję, żebyś go dostał — oświadczył.

— Naprawdę, tato? Możesz to zrobić?

— Coś ty, Michael — odezwał się Tom. — Tato może ci załatwić każdy autograf, jaki zechcesz.

— Powinieneś poprosić o autograf papieża — zaproponował Sonny i trzepnął brata żartobliwie po czole.

— Sonny! Zawsze taki brutalny! — skarciła go Carmella i pogładziła Michaela po czole, jakby chciała uśmierzyć jego ból.

Gdzieś nieopodal zabuczała przeraźliwie tuba, a chwilę później dołączyły do niej inne instrumenty strojone przez muzyków orkiestry dętej.

— Zaczyna się — powiedział Vito, gromadząc wokół siebie rodzinę.

Zaraz potem pojawił się kierujący paradą i zaczął kierować

grupki ludzi na ulicę i wydawać głośno instrukcje. Po drugiej stronie Szóstej Alei Luca Brasi stał nieruchomo jak głaz, nie spuszczając z oczu Vita.

Corleone skinął do niego głową i poprowadził rodzinę aleją.

. . .

Cork podjechał swoim nashem przed dom Sonny'ego i zobaczył Hatsa, który podchodził do schodów, trzymając rękę na ramieniu Freda. Gruby Bobby i Johnny LaSala, którzy stali przy drzwiach Sonny'ego niczym wartownicy, zbiegli szybko na dół, każdy z dłonią w kieszeni marynarki. Cork przesunął się po siedzeniu i wystawił głowę przez okno.

— Cork! — zawołał Fredo i podbiegł do samochodu.

— Cześć, Fredo — przywitał go Cork i skinął głową Hatsowi. Dwaj wartownicy wrócili na swój posterunek na ganku. — Szukam Sonny'ego — powiedział Cork do chłopca. — Nie ma go w domu i pomyślałem, że może być z wami.

— Nie, jest na paradzie — odparł Fredo. — Byłem z nim, ale jestem chory i musiałem wrócić do domu.

— To fatalnie — stwierdził Cork. — On jest na paradzie? Sonny?

— Tak, są tam wszyscy — wyjaśnił Fredo. — To znaczy z wyjątkiem mnie.

— Na paradzie? — powtórzył Cork.

— O co chodzi, Cork? — zapytał go Hats. — Masz kłopoty ze słuchem?

— Są tam wszystkie wielkie szychy — dodał Fredo. — Nawet burmistrz.

— Serio? — Cork ściągnął czapkę i podrapał się w głowę,

jakby nadal trudno mu było uwierzyć, że Sonny bierze udział w paradzie.

— I gdzie jest ta parada? — zapytał Freda.

Hats odciągnął chłopca od samochodu.

— Dlaczego zadajesz tyle pytań? — zapytał Corka.

— Bo szukam Sonny'ego.

— Więc poszukaj go innym razem — poradził mu Hats. — Dzisiaj jest zajęty.

— Są przy domu towarowym Gimbels w środku miasta — poinformował Fredo. — Jest tam cała rodzina: Sonny, Tom i wszyscy. To przecież najlepszy przyjaciel Sonny'ego! — zawołał, kiedy Hats rzucił mu mordercze spojrzenie.

— Trzymaj się ciepło, mały. Wkrótce poczujesz się lepiej — powiedział Cork do chłopca, po czym skinął ponownie głową Hatsowi i usiadł z powrotem za kierownicą.

Na Manhattanie policja zablokowała żółtymi barierkami Herald Square, choć ulice wcale nie były wypełnione tłumami ludzi. Przechodniów było z grubsza tyle samo co w zwykły dzień tygodnia, może trochę więcej. Cork ominął barierki i zaparkował w cieniu Empire State Building. Zanim wysiadł z samochodu, wyjął ze schowka na rękawiczki smith & wessona i schował go do kieszeni marynarki. Po kilkunastu krokach zszedł do metra i znalazł się w chłodnym mroku tuneli, pośród łoskotu pociągów. Robił już wcześniej zakupy w Gimbels z Eileen i Caitleen i miał nadzieję, że uda mu się dojść podziemnymi przejściami prosto do domu towarowego. Okazało się to całkiem łatwe: podążając w ślad za tłumem i kierując się znakami informacyjnymi, dotarł do mieszczącego się w podziemiach działu wyprzedaży, gdzie w labiryncie lad i gablot krzątały się ekspedientki. Ze sklepu wyszedł na ulicę i ruszył w stronę Szóstej Alei, a potem Broadwayu, gdzie przy muzyce orkiestry dętej ubrane w białe uniformy mażoretki żonglowały pałeczkami.

Przyglądający się paradzie gapie stali w dwóch albo trzech rzędach przy krawężniku, zostawiając dość miejsca dla zwykłych przechodniów. Cork zdążył zobaczyć burmistrza LaGuardię pozdrawiającego tłum z platformy wolno jadącej ciężarówki. Burmistrza otaczali policjanci ubrani niczym generałowie oraz oficjele w garniturach i mundurach, ale łatwo go było rozpoznać po przysadzistej sylwetce i ferworze, z jakim wymachiwał kapeluszem. Wokół LaGuardii i jego świty kłębili się gliniarze, a za nimi, jak daleko Cork sięgał wzrokiem, szła parada. Za ciężarówką burmistrza jechali dwaj policjanci na koniach, podobni do toczących się powoli kamieni milowych oddzielających miejskich urzędników od mażoretek oraz zgiełku bębnów, cymbałów i rożków orkiestry, która grała *The Stars and Stripes Forever*.

Cork ruszył chodnikiem w kierunku przeciwnym do parady, mijając muzyków i wypatrując Sonny'ego. Szare chmury płynęły nad budynkami, zasłaniając słońce i tworząc mozaikę światła i cienia, która sunęła wzdłuż alei, jakby brała udział w pochodzie. Po przejściu orkiestry paradę tworzyły grupki ludzi idących środkiem ulicy. Nad jedną z nich, liczącą kilkanaście osób, powiewał transparent z napisem „Sklep papierniczy Waltera, 1355 W. Broadway". Tuż za nimi szła, trzymając się za ręce i machając do tłumu, elegancko ubrana para. Cork zobaczył nagle po drugiej stronie ulicy Lucę Brasiego i w tym samym momencie stanął przed nim Angelo Romero.

— Co ty tu, do diabła, robisz, Cork? — zapytał, łapiąc go za ramię i potrząsając.

— Co się dzieje, Angelo?

Angelo zerknął na ulicę, a potem z powrotem na Corka.

— Mamy paradę — odparł. — A co myślałeś?

— Dzięki. — Cork ściągnął mu z głowy kapelusz i pstryknął palcem czerwono-białe piórko. — Mam wujka ze starego kraju, który nosi podobne nakrycie głowy.

Angelo odebrał mu kapelusz.

— Więc co tu robisz? — zapytał ponownie.

— Robiłem zakupy w Gimbels — odparł Cork. — Wysłała mnie Eileen. A ty co robisz? I Luca? — dodał, wskazując drugą stronę ulicy.

— W paradzie biorą udział Corleone. Obserwujemy teren, pilnujemy, żeby nie było żadnych kłopotów.

— Gdzie oni są? — zapytał Cork, omiatając wzrokiem ulicę. — Nie widzę ich.

— Idą kilka przecznic dalej — odparł Angelo. — Chodź. Chcesz iść z nami?

— Nie — mruknął Cork. Zauważył w tłumie dwóch ludzi Luki, Tony'ego Colego i Pauliego Attardiego. Tony utykał po tym, jak Willie O'Rourke postrzelił go w nogę. — Macie tutaj cały gang Luki? — zapytał.

— Zgadza się — powiedział Angelo. — Luca i jego chłopcy, ja, Vinnie i Richie Gatto.

— A Nico? — zainteresował się Cork. — Grekom wstęp wzbroniony?

— Nie słyszałeś? Corleone załatwił mu pracę w porcie.

— Ach tak. Zapomniałem. Włosi tylko we własnym towarzystwie.

— Nie, wcale tak nie jest — odparł Angelo. — No, może trochę — dodał po chwili zastanowienia. — Tom Hagen nie jest Włochem.

— Zawsze mnie to zastanawiało — przyznał Cork. — To do nich niepodobne.

— Daj spokój — powiedział Angelo. — Chodź ze mną. Sonny ucieszy się na twój widok. Zawsze żałował, że tak wyszło.

— Nie — odparł Cork, cofając się o krok. — Zostało mi jeszcze parę rzeczy do zrobienia u Eileen. Należę teraz do klasy pracującej. Poza tym nie odnoszę wrażenia, żeby wam brakowało ludzi. Jezu... — dodał, wskazując Lucę. — Wygląda jeszcze paskudniej niż kiedyś.

— Zgadza się — potwierdził Angelo. — Pachnie też nie najlepiej.

Cork jeszcze raz zlustrował wzrokiem Broadway. Zobaczył tylko ludzi obserwujących paradę oraz Lucę i jego chłopaków obserwujących ludzi.

— No dobrze. — Szturchnął Angela. — Powiedz Sonny'emu, że wkrótce się z nim spotkam.

— Dobrze. Powtórzę mu. Vinnie też cię pozdrawia. Mówi, że powinieneś znowu do nas zaglądać. Jełop chyba się za tobą stęsknił.

Angelo podał mu niezgrabnie rękę.

Cork uścisnął ją, poklepał go po ramieniu i ruszył z powrotem w stronę domu towarowego. Ktoś rzucił na ulicę egzemplarz „Daily News" i wiatr trzepotał stronami gazety. Cork podniósł ją z ziemi, zerknął na chmury i uświadomił sobie, że może zacząć padać. Na pierwszej stronie gazety zamieszczono fotografię dziesięcioletniej Glorii Vanderbilt z podpisem „Biedna mała Gloria". Widząc kosz na śmieci na rogu Trzydziestej Drugiej Ulicy, ruszył w jego stronę i nagle zatrzymał się jak wryty, widząc Pete'a Murraya za kierownicą czarnego czterodrzwiowego chryslera. Obok niego siedział Rick Donnelly, a z tyłu Billy Donnelly. Samochód stał zaparkowany w połowie przecznicy. Zamiast wyrzucić gazetę, Cork rozpostarł ją i trzymając przed sobą, stanął w wejściu do sklepu z zabawkami. Pete i bracia Donnelly mieli na sobie długie płaszcze i widząc ich, przypomniał sobie groźby starej pani O'Rourke tak wyraźnie, jakby krzyknęła mu prosto do ucha: „Czeka ich miła irlandzka niespodzianka". Stojąc w wejściu do sklepu, obserwował chryslera do momentu, gdy mężczyźni wysiedli, każdy trzymając rękę pod płaszczem. Wtedy doszedł do rogu Trzydziestej Drugiej Ulicy i puścił się biegiem.

Dwie przecznice dalej zauważył pośrodku alei Sonny'ego i jego rodzinę. Vito Corleone szedł między swoją żoną i synem Michaelem, trzymając na rękach Connie. Przed nimi maszerowali Sonny i Tom, gawędząc ze sobą i nie zwracając uwagi na to, co się wokół nich działo. Widząc ich, Cork wybiegł na jezdnię, ale już po kilku krokach zderzył się z Lucą Brasim i odbił się od niego jak od ściany.

Luca popatrzył na niego i nagle odwrócił gwałtownie głowę w stronę Seana O'Rourke'a, który przesadził żółtą barierkę, wykrzykując jego imię.

— Luca Brasi!

Sean zawisł niczym płotkarz nad barierką, trzymając w wyciągniętej ręce czarny pistolet wielkości małej armaty. Sekundę później, z twarzą wykrzywioną brzydkim grymasem opadł na ziemię, strzelając na wszystkie strony. Wszędzie dokoła ludzie rozpierzchli się na boki. Kobiety złapały swoje pociechy i uciekały, krzycząc wniebogłosy. Ludzie Luki przykucnęli i wyciągnęli broń spod marynarek, a Sean zatrzymał się nagle pośrodku ulicy i wycelował starannie w Lucę. Brasi stał nie dalej niż dwa metry od niego, a mimo to Sean zatrzymał się, ujął pistolet w obie ręce, zaczerpnął powietrza i częściowo je wypuścił, jakby postępował zgodnie z instrukcją strzelania. Kiedy w końcu pociągnął za spust, kula trafiła Lucę w pierś, nad sercem, i jego wielkie ciało poleciało do tyłu i padło na ziemię niczym powalone drzewo. Jego głowa uderzyła w sam środek barierki i przewróciła ją, a potem rąbnęła o krawędź kamiennego krawężnika. Luca zadygotał i znieruchomiał.

Sean ruszył z pistoletem w ręce w jego stronę, uważnie mu się przyglądając, zupełnie jakby byli obaj gdzieś w zamkniętym pomieszczeniu, a nie w samym środku parady. Kiedy pierwszy pocisk trafił go w pierś, obrócił się zaskoczony. Przypominał budzącego się ze snu — a potem drugi pocisk trafił go w głowę i sen się skończył. Runął na ziemię, wypuszczając z dłoni monstrualny czarny pistolet.

Kiedy Sean oberwał, Cork wciąż stał na jezdni, blisko krawężnika — i zaraz potem zaczęły padać kule i ciała. Było tak, jakby rozpętała się ulewa: suchy trzask wystrzałów, histeryczne krzyki, ciała padające na ziemię niczym krople deszczu, nagły tumult i zgiełk. Ludzie oglądający paradę rozbiegli się na wszystkie strony, niektórzy na czworakach, inni pełznąc po ziemi jak węże, wszyscy szukając osłony w wejściach do sklepów i bramach.

Cork też skoczył, by się gdzieś skryć, ale kiedy tylko stanął w progu sklepu, trafiona przez zabłąkany pocisk szyba rozprysła się na tysiąc kawałków. Sean O'Rourke leżał martwy na jezdni z odstrzeloną połową głowy. Ludzie Luki kucali przy nim z wyciągniętą bronią i strzelali. Vito Corleone leżał na swojej żonie, która trzymała w ramionach Connie i Michaela, tuląc ich do siebie. Vito krzyczał coś, osłaniając własnym ciałem rodzinę i podnosząc w górę głowę jak żółw. Krzyczał chyba do Sonny'ego, który złapał Toma Hagena za kark i przyciskał go do ziemi, a w prawej ręce trzymał pistolet i do kogoś strzelał. Cork spojrzał w tamtym kierunku i zobaczył sklep z rozbitą witryną i Corra Gibsona, stojącego w progu i trzymającego w obu rękach pistolety, które podrygiwały przy każdym strzale, plując płomieniami białego ognia. Tony Coli dostał kilka kulek, padł na twarz i jego broń potoczyła się po jezdni.

Potem na krótką chwilę zrobiło się niemal cicho. Strzelanina ustała i słychać było tylko wołających do siebie mężczyzn. Na ulicy pojawił się z dwoma pistoletami Richie Gatto. Rzucił jeden Vitowi, który złapał go w tym samym momencie, gdy kolejne strzały przerwały ciszę. Cork spojrzał w kierunku, z którego dochodziły, i zobaczył braci Donnelly i Pete'a Murraya idących ramię przy ramieniu ulicą, Pete'a pośrodku z automatem i Donnellych po jego obu stronach z pistoletami. Szli pochyleni, prażąc gęstym ogniem, i Richie Gato padł trafiony tuż obok Vita. Ten złapał go za ramiona i teraz, gdy ciało Richiego osłoniło jego i rodzinę, dokładnie wycelował, pociągnął za spust i trafił Pete'a Murraya. Automat wypadł z muskularnych ramion Pete'a, a prująca z niego seria roztrzaskała sklepowe witryny. Vito ukląkł przed swoją żoną i nadal strzelał, oddając pojedyncze strzały. Wydawało się, że w całym tym tumulcie i zgiełku on jeden porusza się precyzyjnie i ostrożnie.

Sonny pchnął Toma do Carmelli, która zdołała wyswobodzić rękę i przyciągnęła go do siebie. Tom objął ją, Michaela i łkającą między nimi Connie, a Sonny złapał broń Richiego Gatta, stanął obok ojca i również zaczął strzelać — jednak w porównaniu z przemyślanymi strzałami Vita jego wydawały się chaotyczne i oddawane na oślep.

Wszystko to zdarzyło się w ciągu kilku sekund — a potem na scenę wkroczyła armia gliniarzy w zielono-białych samochodach, które wyjechały z wyjącymi syrenami z bocznych uliczek. Bracia Donnelly nadal pruli z pistoletów, podobnie jak czający się w wejściu do sklepu Corr Gibson. Z gangu Luki odpowiadali im ogniem JoJo, Paulie i Vinnie. Leżący na jezdni przy krawężniku bracia Romero strzelali do Donnellych, którzy również szukali osłony w bramach domów. Gliniarze wrzeszczeli zza swoich samochodów. Na chodniku Luca poruszył się, usiadł i zaczął masować tył głowy, jakby strasznie go bolała. Cork nie bardzo wierzył, by strzelanina mogła trwać dłużej. Wszędzie wyły syreny i przybywało coraz więcej policyjnych samochodów, które blokowały ulice. Sonny i jego rodzina byli chyba zdrowi i cali, ale uświadamiając to sobie, Cork zobaczył nagle Steviego Dwyera, który wyskoczył ze sklepu za Sonnym i Vitem. Korzystając z tego, że uwaga wszystkich skupiona była na Donnellych i Gibsonie, Stevie wybiegł na jezdnię i ruszył z pistoletem w ręce w stronę Vita.

Cork podbiegł do krawężnika i wrzasnął do Sonny'ego, ale zamiast krzyknąć „Uważaj, za tobą!" albo „Z tyłu jest Stevie!", zawołał go tylko po imieniu.

Sonny odwrócił się, zobaczył Corka i w tym samym momencie Stevie podniósł broń i wycelował w Vita.

Cork boleśnie zdawał sobie sprawę, jak bardzo się naraża, stojąc na widoku w samym środku strzelaniny. Lekko się skulił, jakby samo napięcie mięśni i pochylona sylwetka mogły w jakiś sposób zmniejszyć grożące mu niebezpieczeństwo. Instynkt nakazywał mu uciekać i szukać osłony — ale Stevie Dwyer stał mniej niż dwie długości samochodu za Vitem z podniesioną i wycelowaną bronią i miał zamiar zabić ojca Sonny'ego, więc Cork wyszarpnął pistolet z kieszeni, wycelował najlepiej, jak potrafił, i strzelił do Steviego ułamek sekundy przed tym, jak Stevie strzelił do Vita.

Kula minęła Steviego i trafiła w ramię Vita. Uświadomiwszy sobie, co zrobił, Cork wypuścił z ręki pistolet i zatoczył się do tyłu, jakby to jego postrzelono.

Vito padł na ziemię i pocisk wystrzelony przez Steviego w ogóle go nie trafił.

Cork cofnął się do wejścia do sklepu.

Zmartwychwstały Luca Brasi strzelił do Steviego, trafiając go w głowę, i nagle znowu wybuchł zgiełk i tumult i wszędzie zaczęły fruwać kule, Cork przywarł do ceglanej ściany, a bracia Donnelly, Corr Gibson i gliniarze — wszyscy strzelali do wszystkich.

W całym tym chaosie Cork potrafił myśleć tylko o jednym: musiał wytłumaczyć się przed Sonnym, wyjaśnić mu, co się stało, powiedzieć, że celował do Steviego i trafił Vita przez pomyłkę — ale Sonny był w ciżbie ludzi pochylających się nad Vitem.

Cork zawołał do Vinniego i Angela, wystawił głowę z wejścia do sklepu i dał znak, żeby do niego podeszli. Bliźniacy zerknęli na niego, odrywając na chwilę wzrok od Donnellych. Przez moment chyba się spierali, a potem Vinnie zerwał się na nogi i ruszył biegiem w stronę chodnika — lecz kiedy tylko się wyprostował, kule trafiły go w głowę i szyję i rozerwały twarz na kawałki. Otoczony różową mgiełką, zachwiał się na nogach i osunął na ziemię niczym wysadzany w powietrze budynek. Cork spojrzał na Angela, który wpatrywał się zdumiony w brata. Na ulicy za nimi Luca Brasi niósł w bezpieczne miejsce Vita, który wyciągał ręce do leżącej na jezdni rodziny. A potem wszyscy zdali sobie jednocześnie sprawę, że bracia Donnelly i Corr Gibson przestali strzelać i że wnęki, w których się kryli, są puste. Zrozumiawszy, że Irlandczycy uciekli, JoJo, Vinnie i Paulie wbiegli do budynków, puszczając się za nimi w pogoń, i na ulicy znowu zapanował spokój. Na jezdni leżeli martwi Richie Gatto, Tony Coli i Vinnie Romero, a także Pete Murray, Stevie Dwyer i Sean O'Rourke. Przyglądając się im, Cork zauważył, że ofiar jest więcej i że są wśród nich ludzie, którzy oglądali paradę, którzy oderwali się na chwilę od pracy albo zakupów i którzy już nigdy do nich nie wrócą. Między nimi spostrzegł zwłoki dziecka — ciemnowłosego chłopczyka mniej więcej w wieku Caitlin.

Tak się złożyło, że uwaga wszystkich skupiła się w tym momencie na dziecku. Cork miał wrażenie, że każdy patrzy na drobne ciałko leżące na chodniku z ręką zwisającą z krawężnika. Wciąż słychać było głośne krzyki, przeważnie policjantów, od których zaroiło się na ulicy, ale Corkowi wydawało się, że zapadła nagła cisza. Stojąc we wnęce, odwrócił się i zajrzał do środka sklepu, w którym sprzedawano chyba damską odzież. Kilkanaście osób, które kuliły się po kątach i kryły za drzwiami i ladami, ruszyło w stronę rozbitej witryny, chcąc obejrzeć pobojowisko. Zerkając z powrotem na ulicę, Cork zobaczył tyralierę umundurowanych gliniarzy, którzy wydawali krzykiem rozkazy i aresztowali każdego, kto się nawinął. Sonny miał skute na plecach ręce i wpatrywał się w niego podobnie jak Angelo, którego trzymali za ramiona dwaj barczyści gliniarze. Kiedy kolejna fala mundurowych ruszyła w stronę sklepu, Cork dał nura do środka, a potem na zaplecze, gdzie znalazł wyjście na tylną alejkę. Przez chwilę stał wśród różnych gratów i pojemników na śmieci, a potem nie wiedząc, co ma robić dalej, ruszył w stronę domu towarowego Gimbels i podziemnych korytarzy, którymi mógł dotrzeć do pozostawionego samochodu.

24

Vito patrzył z okna swojego gabinetu, jak ostatni reporterzy — dwóch grubasów w tandetnych garniturach, z legitymacjami prasowymi zatkniętymi za wstążki kapeluszy — wsiadają do starego buicka i odjeżdżają powoli Hughes Avenue. Za nimi trzej policjanci przekomarzali się z Hubbellem i Mitznerem, dwoma zatrudnionymi przez niego adwokatami z dyplomami Ivy League. Przez długie godziny w jego domu kręcili się gliniarze i prawnicy, a na zewnątrz kłębił się tłum dziennikarzy agencyjnych i radiowych, którzy zaczepiali każdego, kto pojawił się w pobliżu, łącznie z jego sąsiadami. Teraz, przed wieczorem, w pogrążonym w półmroku gabinecie, stojąc w oknie z ręką na temblaku, Vito czekał, aż wyniosą się stąd ostatni obcy. Jego ludzie na dole także czekali. Siedzieli w kuchni razem z Clemenzą, który zrobił dla wszystkich spaghetti i klopsiki, podczas gdy Carmella chodziła tam i z powrotem do sypialni dzieci, dodając im otuchy. Vito przeczesywał palcami zdrowej ręki włosy, co jakiś czas zerkając na ulicę i patrząc na swoje odbicie w ciemnej szybie. Myślami wracał do parady, do policji i do szpitala, do swoich leżących na jezdni dzieci, nad którymi fruwały kule, do Santina trzymającego broń u jego boku, i raz po raz do owej chwili, kiedy po raz pierwszy zobaczył martwe dziecko na chodniku, jego krew spływającą po krawężniku i rozlewającą się po jezdni.

Jeśli chodzi o dziecko, niewiele mógł zrobić. Znajdzie jakiś sposób, by pomóc rodzinie, ale wiedział, że to nic nie da: w tym wypadku liczyłoby się tylko cofnięcie wydarzeń. Rozumiał, że są granice tego, co możliwe, i zdawał sobie sprawę, że będzie musiał przestać o nim myśleć — na razie jednak znowu stanęło mu przed oczyma leżące na chodniku i krwawiące martwe dziecko. Stanął mu przed oczyma Richie Gatto padający w jego ramiona, przypomniał sobie upokorzenia, jakich doznał z rąk gliniarzy, zakuty w kajdanki i wleczony do policyjnego furgonu, mimo że powinni go od razu zawieźć do szpitala. Został ranny w bark. Powiedziano mu, że postrzelił go przyjaciel Santina, Bobby Corcoran, ale nie widział, jak to się stało. Widział za to spojrzenia policjantów, którzy go stamtąd zabierali. Widział, z jaką odrazą na niego patrzyli, jakby mieli do czynienia z jakimś dzikusem. „Maszerowałem w paradzie razem z moją rodziną", wyjaśnił jednemu z nich, jakby musiał się tłumaczyć, a potem zaczerwienił się, zdając sobie sprawę z niestosowności tłumaczenia się przed jakimś *buffóne*, i cierpiał w milczeniu do chwili, gdy pojawił się Mitzner i zabrał go do szpitala Columbia Presbyterian, gdzie wyciągnęli mu z barku kulę, zabandażowali ranę i umieścili rękę na temblaku, a potem posłali do domu, przed którym znowu musiał znosić nagabywania i presję ze strony reporterów i dopiero po dłuższym czasie zdołał schronić się w środku, w zaciszu swojego gabinetu.

W okiennej szybie zobaczył, że ma potargane włosy, i przez chwilę obserwował zaskoczony własne odbicie: mężczyzny w średnim wieku, w rozpiętej frakowej koszuli, z obandażowaną piersią, potarganymi włosami i lewą ręką na temblaku. Przyczesał, jak mógł najlepiej, włosy i zapiął koszulę. Dzieci, pomyślał, jego własne dzieci na ulicy, w ogniu strzelaniny. Jego żona leżąca na ziemi i próbująca je obronić przed uzbrojonymi mężczyznami.

— *Infamitá* — szepnął i to jedno słowo wypełniło swoim brzmieniem cały gabinet. — *Infamitá* — powtórzył i dopiero, gdy zdał sobie sprawę, że wali mu serce i krew napływa do twarzy, zamknął oczy, przestał o czymkolwiek myśleć i poczuł, jak ogarnia go znajomy spokój. Nie powiedział tego. Nawet tego nie pomyślał. Ale był o tym święcie przekonany: zrobi wszystko, co trzeba będzie zrobić. Zrobi to najlepiej, jak potrafi. Z wiarą, że Bóg zrozumie, iż są rzeczy, które mężczyźni muszą robić dla siebie i swoich rodzin w świecie, który stworzył.

Zanim do drzwi zapukał dwa razy Clemenza i zanim wpuścił go do środka, Vito był już z powrotem sobą. Zapalił lampę i usiadł za biurkiem. W ślad za Clemenzą do gabinetu wszedł Sonny z Tessiem i Genkiem i usiedli wokół niego. Vito spostrzegł, że Tessio i Genco są wstrząśnięci. Clemenza wyglądał zupełnie tak samo jak zawsze — po masakrze, w której zginęło dziecko i trzech ich ludzi, zachowywał się jak po niedzielnym obiedzie z przyjaciółmi. Ale na twarzach Tessia i Genca Vito widział napięcie, przygnębienie i głębsze niż zazwyczaj bruzdy na czołach. Na twarzy Santina zobaczył mieszaninę powagi i gniewu, której nie potrafił rozszyfrować, i zastanawiał się, czy chłopak nie jest bardziej synem Clemenzy niż jego.

— Wszyscy już poszli? — zapytał. — Gliniarze i reporterzy?

— Stado szakali — mruknął Clemenza. — Wszyscy co do jednego. — Przez chwilę próbował zetrzeć z krawata plamę po czerwonym sosie, a potem rozluźnił węzeł. — Niech ich wszyscy diabli.

— To największa sensacja od czasu porwania małego Lindbergha. To martwe dziecko... — mruknął Genco, po czym złożył ręce jak do modlitwy. — Trąbią o tym bez przerwy w radiu i gazetach. Słyszałem, że będą o tym mówili w piątkowym wydaniu *The March of Time*. *Madre 'Dio* — dodał.

Vito wstał, położył dłoń na plecach Genca i poklepał go po ramieniu, a potem przeszedł przez pokój i usiadł na kanapce przy oknie.

— Ile osób zginęło poza naszymi ludźmi i Irlandczykami? — zapytał go.

— Cztery osoby łącznie z tym małym — odpowiedział Sonny za Genca. — I jest dwunastu rannych. To dane z „Mirror". Na okładkę dali fotografię dzieciaka.

— LaGuardia wystąpił w radiu i znowu nawijał, że „trzeba się pozbyć tych kanalii". — Clemenza jeszcze raz potarł plamę po sosie, a potem, jakby bardziej niż wiadomości zdenerwował go poplamiony krawat, rozwiązał go, ściągnął i wetknął do kieszeni marynarki.

— Jeśli chodzi o rodzinę dziecka — powiedział Vito do Genca — znajdziemy dyskretny sposób, żeby otrzymali każdą pomoc, którą mogą zapewnić pieniądze i koneksje. To samo dotyczy rodzin innych zabitych.

— *Si* — odparł Genco. — Słyszałem już o funduszach na rzecz rodzin. Możemy tu być bardzo hojni i zachować anonimowość.

— Dobrze. Co do innych spraw... — podjął Vito i w tym momencie przerwało mu pukanie.

— Co jest?! — zawołał Sonny w stronę drzwi. Vito odwrócił wzrok i wyjrzał przez okno.

Do gabinetu zajrzał Jimmy Mancini i zawahał się, jakby zabrakło mu słów. Był potężnym mężczyzną wyglądającym na więcej niż swoje trzydzieści parę lat, z muskularnymi ramionami i twarzą, która wydawała się opalona nawet w środku zimy.

— Emilio Barzini — powiedział w końcu.

— Co Emilio Barzini? — warknął Clemenza. Jimmy był jednym z jego ludzi i denerwowało go jego dukanie.

— Jest tutaj — wyjaśnił Jimmy. — Czeka przy frontowych drzwiach.

— Barzini? — Tessio dotknął serca, jakby go zabolało.

— Powinniśmy zabić na miejscu tego sukinsyna! — szepnął Sonny do ojca.

— Jest sam — dodał Jimmy. — Dobrze go przeszukałem. Przyszedł nieuzbrojony, z kapeluszem w ręce. „Przekaż don Corleone, oświadczył, że uprzejmie proszę o udzielenie audiencji".

Obecni w pokoju mężczyźni spojrzeli na Vita, który dotknął lekko podbródka i skinął na Jimmy'ego.

— Przyprowadź go na górę — rozkazał. — I traktuj z szacunkiem.

— *V'fancul'!* — Sonny uniósł się z krzesła i nachylił do Vita. — Facet próbował zabić Genca i Clemenzę!

— To są interesy — powiedział Tessio do Sonny'ego. — Siadaj i słuchaj.

— Pozwól mi przeszukać go ponownie — poprosił Sonny, kiedy za Jimmym zamknęły się drzwi. — Jest gościem w naszym domu, tato.

— Właśnie dlatego nie musisz go przeszukiwać — oznajmił Vito i z powrotem usiadł za biurkiem.

— W naszej branży są rzeczy zrozumiałe same przez się — wyjaśnił Clemenza. — Człowiek taki jak Emilio nie przychodzi do twojego domu, żywiąc w sercu mordercze zamiary.

Słysząc słowa Clemenzy, Vito wydał z siebie dźwięk będący czymś pośrednim między chrząknięciem i warknięciem, odgłos tak dla niego nietypowy, że wszyscy odwrócili się w jego stronę.

Kiedy się nie odezwał, Tessio przerwał milczenie, zwracając się do Clemenzy.

— Dobrze jest ufać. Nie ufać jeszcze lepiej — powtórzył starą sycylijską maksymę.

— W porządku — odparł z uśmiechem Clemenza. — Ujmijmy to tak: wierzę, że Jimmy dobrze go przeszukał.

Kiedy Mancini zapukał do drzwi i je otworzył, wszyscy mężczyźni w gabinecie pozostali na swoich miejscach. Żaden nie wstał, gdy Emilio wszedł do środka. W jednej ręce trzymał kapelusz, druga zwisała przy boku. Ciemne włosy miał starannie uczesane i odgarnięte z czoła. Wchodząc, wniósł ze sobą delikatny, niemal kwiatowy zapach wody kolońskiej.

— Don Corleone — powiedział, podchodząc do biurka Vita. Mężczyźni przesunęli się na krzesłach, po dwóch po każdej stronie Vita, tworząc niewielki krąg, pośrodku którego stał Emilio zwracający się do dona. — Przyszedłem porozmawiać o interesach — podjął — ale najpierw chciałbym złożyć kondolencje z powodu śmierci ludzi, których dziś straciłeś, zwłaszcza Richiego Gatta, z którym, jak wiem, byłeś blisko związany i którego ja też znałem i szanowałem od wielu lat.

— Składasz nam kondolencje? — odezwał się Sonny. — Co ty sobie wyobrażasz? Myślisz, że to nas osłabiło? — Miał chyba zamiar powiedzieć coś więcej, ale Clemenza ścisnął go za ramię.

Emilio nawet nie spojrzał na Sonny'ego.

— Mogę się założyć, że don Corleone rozumie, dlaczego tu jestem — stwierdził, patrząc na Vita.

Siedzący za biurkiem don obserwował go w milczeniu. Kiedy ujrzał perlące się na górnej wardze Emilia kropelki potu, zacisnął ręce na poręczy fotela i odchylił się do tyłu.

— Jesteś tu, bo za masakrą stał Giuseppe Mariposa — powiedział. — A teraz, kiedy mu się nie udało, widzisz, w jakim kierunku pójdzie ta wojna, i chcesz ocalić siebie i swoją Rodzinę.

Emilio skinął lekko głową.

— Wiedziałem, że to zrozumiesz.

— Nie trzeba być geniuszem, żeby to pojąć — odparł Vito. — Irlandczycy nigdy nie spróbowaliby czegoś takiego bez poparcia Mariposy. — Sonny'emu krew napłynęła do twarzy i widać było, że za chwilę skoczy Barziniemu do gardła. Vito uznał, że powinien interweniować. — Santino. Zaprosiliśmy *signora* Barziniego do naszego domu i wysłuchamy teraz, co ma do powiedzenia.

Sonny mruknął coś pod nosem i opadł z powrotem na krzesło. Vito odwrócił się z powrotem do gościa.

Emilio rozejrzał się po gabinecie. Jego oczy padły na stojące przy ścianie składane krzesło.

— Byłem przeciwko temu, don Corleone — podjął, kiedy nikt nie zareagował i nie poprosił go, żeby usiadł. — Proszę, byś mi uwierzył. Podobnie jak bracia Rosato byłem przeciwko temu... ale znasz Giuseppego. Kiedy się przy czymś uprze, nie można mu tego wybić z głowy.

— Ale ty byłeś przeciwko — powiedział Vito. — Przeciwko wykorzystaniu Irlandczyków do tej brudnej roboty, do tej masakry.

— Joe ma teraz dużą władzę — stwierdził Emilio. Co chwila klepał się kapeluszem po nodze i tylko po tym można było poznać, jak bardzo jest zdenerwowany. — Nie mogliśmy go powstrzymać, podobnie jak żaden z twoich *caporegimes* nie może się sprzeciwić twoim rozkazom.

— Ale ty byłeś przeciwko — powtórzył Vito.

— Sprzeciwialiśmy się temu — odparł Emilio, mnąc w ręce kapelusz — niestety na próżno. A teraz doszło do tej krwawej jatki, która jak nigdy dotąd ściągnie nam wszystkim na głowy policję. Robią już naloty na nasze punkty bukmacherskie i na dziewczyny Tattaglli.

— Nasze punkty bukmacherskie — powtórzył prawie szeptem Vito. — Dziewczyny Tattaglii... — Urwał i zmierzył mrocznym spojrzeniem Emilia. — To was niepokoi, a nie zamordowane niewinne dziecko, nie moja osaczona na ulicy rodzina — dodał, podnosząc głos przy słowie „rodzina". — Nie moja żona, moja sześcioletnia córka, moi chłopcy, na ulicy... nie dlatego przyszedłeś tu, do mojego domu.

— Don Corleone — odparł, pochylając głowę, Emilio i w jego głosie zabrzmiały emocje. — Wybacz, że do tego dopuściłem, don Corleone. *Mi dispiace davvero. Mi vergogno.* Powinienem przyjść do ciebie wcześniej, żeby temu zapobiec. Zaryzykować życie i majątek.

— *Si.* — Vito nie powiedział nic więcej, mierzył tylko twardym wzrokiem Emilia. — Z czym do mnie przychodzisz, Emilio? — zapytał w końcu. — Jakie proponujesz zadośćuczynienie?

— Żeby zmyć z siebie taką hańbę — oznajmił Barzini — potrzebujemy mądrego przywództwa. Giuseppe jest silny i bezwzględny, ale nigdy nie uważano go za mądrego.

— A zatem?

— Mój brat Ettore, bracia Rosato, wszyscy nasi ludzie i nawet Tomasino uważamy, że w takich czasach jak te niezbędny jest mądry przywódca, ktoś, kto ma polityczne koneksje. — Emilio umilkł i poklepał się kapeluszem po udzie. Najwyraźniej szukał właściwych słów. — Uważamy, że powinieneś zostać naszym przywódcą, don Corleone. Po tej wpadce z paradą, po tej katastrofie czas Giuseppego Mariposy się skończył.

— *Si* — powiedział ponownie Vito i w końcu oderwał wzrok od Emilia. Popatrzył na swoich ludzi, na ich twarze: nieprzeniknione Clemenzy i Tessia, zaciekawioną i zamyśloną Genca i co łatwe do przewidzenia, gniewną Sonny'ego. — I wszyscy się co do tego zgadzają? — zapytał. — Wszyscy *caporegimes* Mariposy?

— Tak — potwierdził Emilio. — I jeśli wyłonią się jakieś problemy po odejściu Giuseppego... z jego interesami, z Tattaglią albo nawet z Alem Capone i Frankiem Nittim, daję ci uroczyste słowo, że bracia Barzini, bracia Rosato i Tomasino Cinquemani będą walczyli po twojej stronie.

— A w zamian za to? — zapytał Vito.

— Uczciwy podział wszystkich interesów Mariposy między twoją i naszymi Rodzinami. To, co się dzisiaj stało, było straszne — dodał Emilio, kiedy Vito nie odpowiedział od razu. — *Disgrazia*. Musimy się z tego oczyścić i prowadzić dalej naszą działalność w pokojowy sposób, bez rozlewu krwi.

— Co do tego zgoda — powiedział Vito — ale co do podziału biznesów Mariposy będziemy musieli porozmawiać.

— Ależ oczywiście — odparł z widoczną ulgą Emilio. — Jesteś znany ze swojej uczciwości, don Corleone. Jestem gotów zawrzeć to porozumienie tu i teraz w imieniu swoim oraz braci Rosato i Tomasina Cinquemaniego.

Emilio podszedł do biurka i podał Vitowi dłoń.

Vito wstał i ją uścisnął.

— Genco wkrótce cię odwiedzi i wszystko przygotuje — powiedział, po czym obszedł biurko i położył rękę na ramieniu Emilia, żeby wyprowadzić go z gabinetu.

W tym samym momencie drzwi otworzyły się i do środka wszedł Luca Brasi. Miał na sobie nową koszulę i krawat, ale ten sam garnitur co na paradzie. Jedynym świadectwem, że brał udział w strzelaninie, było niewielkie rozdarcie na spodniach.

Emilio zamrugał, po czym zerknął na Vita i z powrotem na Lucę.

— Powiedziano mi, że zginąłeś. — W jego tonie słychać było bardziej gniew niż zaskoczenie.

— Nie można mnie zabić — odparł Luca. Zerknął na Emilia i stanął przy oknie, jakby jego obecność w ogóle go nie interesowała. — Zawarłem pakt... z diabłem — dodał, widząc, że wszyscy mu się przyglądają. Powiedziawszy to, krzywo się uśmiechnął; lewa część jego twarzy pozostała nieruchoma.

Vito odprowadził Barziniego do drzwi i dał znak pozostałym, żeby wyszli razem z Emiliem.

— Chciałbym zostać na chwilę sam na sam z moim ochroniarzem, *per piacere*.

Kiedy ostatni z mężczyzn wyszedł z gabinetu, podszedł do Luki i stanął obok niego przy oknie.

— Jak to jest, że człowiek dostaje z bliska pociskiem z armaty i stoi teraz w moim gabinecie? — zapytał.

Luca znowu krzywo się uśmiechnął.

— Nie wierzysz, że... zawarłem pakt z diabłem?

Vito dotknął piersi Luki i wyczuł pod koszulą kamizelkę kuloodporną.

— Nie sądziłem, że coś takiego może zatrzymać pocisk dużego kalibru — powiedział.

— Większość nie może — odparł Luca, rozpinając koszulę, żeby pokazać grubą skórzaną kamizelkę. — Większość to po prostu... dużo bawełny. Czujesz? — zapytał, biorąc rękę Vita i przyciskając ją do skóry.

— Co to jest? — zapytał Vito, wyczuwając pod spodem coś twardego.

— Zrobili to na moje... specjalne zamówienie. Stalowe łuski... zawinięte w bawełnę... i obszyte skórą. Waży tonę... ale nie jest to coś... czego bym nie udźwignął. Może zatrzymać... ręczny granat.

Vito dotknął otwartą dłonią lewej części jego twarzy.

— Co o tym mówią lekarze? — zapytał. — Czy to cię boli?

— Nie. Mówią, że... z czasem się polepszy — odparł Luca i dotknął twarzy w tym samym miejscu co Vito. — Mnie to nie przeszkadza.

— Dlaczego? — zdziwił się Vito. Kiedy Luca nie odpowiedział, poklepał go po ramieniu i wskazał drzwi. — Powiedz innym, żeby się spakowali. Chcę, żebyśmy już teraz wszyscy wrócili na Long Beach. Porozmawiamy później.

Luca skinął posłusznie głową i wyszedł.

Sam w gabinecie, Vito zgasił lampę i wyjrzał przez okno. Ulice były już ciemne i puste. Za sobą usłyszał otwierające się i zamykające drzwi, a potem płacz Connie i głos pocieszającej ją Carmelli. Zamknął oczy, otworzył i zobaczył swoje odbicie nałożone na czarne niebo i pogrążone w mroku ulice. Kiedy Connie przestała płakać, przeczesał palcami włosy i poszedł do sypialni, gdzie odkrył, że Carmella spakowała już jego walizkę i zostawiła na ich łóżku.

. . .

Cork siedział na dole, w wąskim pokoiku wychodzącym na tyły piekarni, czekając, aż Eileen ułoży Caitlin do snu. Wyciągnął się na kozetce, wstał, znowu się położył, znowu wstał, przez chwilę przemierzał pokój. W końcu usiadł i zaczął kręcić gałkami stojącego na nocnej szafce radia. Znalazł jakiś mecz bokserski, przez kilka minut słuchał relacji i znowu zaczął kręcić gałką, patrząc, jak czarna wskazówka przesuwa się po skali. Trafił na *Guy Lombardo Show* i przez minutę słuchał George'a Burnsa i Gracie Allen nawijającej o swoim zaginionym bracie. Potem wyłączył radio, wstał, podszedł do jednego z dwóch starych regałów i próbował wybrać sobie jakąś książkę, lecz nie był w stanie zapamiętać trzech słów z tego, co czytał. Na koniec usiadł ponownie na kozetce i schował twarz w dłoniach.

Eileen nalegała, by nie ruszał się z pokoiku za piekarnią, dopóki ona nie znajdzie Sonny'ego i z nim nie pogada. Miała rację. To był dobry pomysł. Nie chciał narażać jej i Caitlin na niebezpieczeństwo. Powinien chyba ukryć się w innym miejscu, ale nie wiedział, dokąd mógłby pójść. Bez przerwy odtwarzał w pamięci fakty, analizując je i oceniając. Postrzelił Vita Corleone. Nie było co do tego wątpliwości. Ale celował do Dwyera, próbował uratować Vita przed strzałem w tył głowy. I chociaż przypadkowo trafił Vita, ocalił mu w ten sposób życie, ponieważ Dwyer chybił, a nie doszłoby do tego, gdyby Vito nie został postrzelony i nie upadł. Dwyer zapewne by go trafił i zabił. Zatem bez względu na to, jak nieprawdopodobnie to brzmiało, strzelając do Vita, uratował mu życie.

Wierzył, że Sonny da się przekonać, nawet jeśli nie da temu wiary nikt inny na świecie. Sonny za dobrze go znał. Przyjaźnili się i byli dla siebie jak rodzina: młody Corleone musiał wiedzieć, że jest niemożliwością, by Bobby Corcoran strzelił do jego ojca. Musiał to wiedzieć i wystarczy, że Cork wszystko mu wyjaśni: jak przyszedł na paradę po spotkaniu z panią O'Rourke, jak niepokoił się o niego i jego rodzinę, jak widząc zakradającego się z tyłu Dwyera, próbował ratować Vita. Te fakty miały sens, kiedy się je połączyło, i wiedział, że Sonny ujrzy cały obraz. Pozostawało tylko wierzyć, że przekona resztę swojej rodziny, i wówczas wszystko się dobrze skończy i będzie mógł dalej żyć z Eileen i Caitlin i zajmować się piekarnią. Za to, co zrobił, za to, jak próbował pomóc, mógł nawet spodziewać się jakichś podziękowań od Rodziny

Corleone. Nikt nigdy nie uważał go za dobrego strzelca. Jezu, próbował przecież tylko pomóc.

Usłyszał odgłos otwieranych i zamykanych drzwi i kroki Eileen na schodach. Chwilę później otworzyła drzwi i zastała go siedzącego nadal na skraju kozetki, z twarzą w dłoniach.

— Spójrz na siebie — powiedziała i stojąc w progu, podparła się pod boki. — Jak ty wyglądasz, z potarganymi włosami i miną, jakbyś dźwigał brzemię trosk całego świata?

Cork przyczesał włosy.

— Siedzę tu i pytam sam siebie: Bobby Corcoranie, czy naprawdę postrzeliłeś Vita Corleone? — mruknął. — I odpowiedź jest stale taka sama: tak, panie Corcoran. Wpakowałeś mu kulkę w ramię na oczach kilkunastu osób, w tym Sonny'ego.

Eileen usiadła przy nim i położyła mu rękę na kolanie.

— Ach, Bobby — powiedziała i przez chwilę wodziła wzrokiem po tytułach książek upchniętych na dwóch regałach. W końcu wygładziła sukienkę na kolanach i ścisnęła palcami płatek ucha.

— Co „Ach, Bobby"? — zapytał, odsuwając dłonie od twarzy i zerkając na siostrę. — Co chciałaś mi powiedzieć, Eileen?

— Wiesz, że w tej strzelaninie zginął mały chłopiec? Mniej więcej w wieku Caitlin?

— Wiem. Widziałem go leżącego na ulicy. To nie ja go zastrzeliłem.

— Nie sugerowałam wcale, że zastrzeliłeś to dziecko — odparła i w jej głosie zabrzmiała przygana.

— Och, na litość boską, Eileen. Pojechałem tam pomóc Sonny'emu! Sama powiedziałaś, żebym to zrobił!

— Nie mówiłam, żebyś zabierał ze sobą broń. Nie mówiłam, żebyś szedł tam uzbrojony.

— Och, Matko Boska. — Bobby ponownie schował twarz w dłoniach. — Jeśli nie uda mi się wytłumaczyć Sonny'emu, co się stało, Eileen, jestem trupem. Postrzeliłem Vita Corleone. Nie chciałem tego, ale go postrzeliłem.

— Sonny da się przekonać — zapewniła go i pogładziła po karku, dodając otuchy. — Zaczekamy kilka dni, aż opadnie kurz, i jeśli Sonny nie zapuka sam do moich drzwi, szukając cię, ja pójdę do niego. Tak czy inaczej porozmawiamy. Kiedy usłyszy całą historię, zorientuje się, że to prawda.

— Wtedy pozostanie mu tylko przekonać resztę rodziny — mruknął Cork. Jego ton sugerował, że nie będzie to łatwe.

— Owszem. Z tym może być problem — zgodziła się Eileen i pocałowała go w ramię. — Sonny ma gadane — dodała. — Trzeba mu to przyznać. Przekabaci ich jakoś, jestem tego pewna.

Kiedy zamiast odpowiedzieć pokiwał tylko głową i potarł oczy opuszkami palców, pocałowała go w skroń i poradziła, by spróbował się przespać.

— Przespać się... to dobry pomysł — stwierdził, po czym wyciągnął się na kozetce i przykrył głowę poduszką. — Obudź mnie, kiedy świat stanie się bezpiecznym miejscem — dodał stłumionym głosem.

— W takim razie będziesz spał wiecznie — odparła, wychodząc z pokoju, ale powiedziała to tak cicho, że Bobby na pewno jej nie usłyszał.

• • •

Clemenza złapał Sonny'ego za klapy i przyciągnął go do siebie.

— Pięć minut — powiedział. — *Capisc'?* Jeśli to dłużej potrwa, osobiście się po ciebie pofatyguję.

Siedzieli na tylnej kanapie buicka Clemenzy. Kierowcą był Jimmy Mancini, obok siebie miał Ala Hatsa. Zatrzymali się właśnie przed domem Sandry, która czekała, wyglądając przez okno. Kiedy tylko zobaczyła, że Jimmy podjeżdża wielkim buickiem do krawężnika, zerwała się i zniknęła z pola widzenia.

— Pięć minut — powtórzył Clemenza i kiedy Sonny mruknął coś w odpowiedzi, otworzył drzwi auta. — Idź razem z nim — polecił, klepiąc po ramieniu Jimmy'ego.

Ten zgasił silnik i dołączył do Hatsa, który wysiadł już wcześniej i szedł za Sonnym w stronę wejścia.

— *Che cazzo!* — Sonny odwrócił się i podniósł ręce. — Zaczekajcie w samochodzic. Będę za dwie minuty!

— Nie ma mowy — odparł Jimmy i wskazał mu Sandrę, która pojawiła się w progu, przyciskając rękę do serca i patrząc na Sonny'ego, jakby groziło mu śmiertelne niebezpieczeństwo. — Zaczekamy tutaj — powiedział Jimmy, po czym razem z Alem odwrócili się plecami do drzwi i zajęli pozycje po obu bokach schodów.

Sonny zcrknął na Clemenzę trzymającego ręce na brzuchu i łypiącego na niego z tylnego siedzenia, po czym zmełł w ustach przekleństwo i wbiegł po schodach. Sandra zarzuciła mu ręce na szyję i uściskała tak mocno, że o mało się nie przewrócił.

— Skarbie — powiedział, wyzwalając się z jej uścisku. — Muszę się pospieszyć. Posłuchaj — dodał, cofając się o krok i ujmując ją za ramiona. — Dopóki cała ta historia z paradą nie przycichnie, być może nie będę mógł się z tobą widywać.

Ale nic mi nie jest. — Musnął jej usta szybkim pocałunkiem. — Wszystko będzie dobrze.

— Sonny... — zaczęła i urwała. Widział, że jeśli spróbuje powiedzieć coś więcej, utonie w łzach.

— Skarbie — powtórzył. — Obiecuję, to się prędko skończy.

— Jak prędko? — wyjąkała, ocierając łzy. — Co się dzieje, Sonny?

— Nic takiego — odparł i zaraz się poprawił: — To była prawdziwa masakra, ale gliniarze zrobią to, co do nich należy. Dorwą sukinsynów, którzy to zrobili, i wszystko wróci do normy.

— Nie rozumiem — powiedziała, jakby nie trafiły jej do przekonania wyjaśnienia Sonny'ego. — W gazetach piszą straszne rzeczy o twojej rodzinie.

— Chyba nie wierzysz w te bzdury? — zapytał. — Wszystko przez to, że jesteśmy Włochami. Dlatego mogą bezkarnie wypisywać o nas takie rzeczy.

Sandra zerknęła na stopnie, na których stali niczym wartownicy Jimmy i Al. Każdy trzymał dłoń w kieszeni i lustrował wzrokiem ulicę. Za nimi czekał przy krawężniku błyszczący czarny buick z siedzącym z tyłu mężczyzną. W jej oczach pojawił się jednocześnie błysk zrozumienia i zaskoczenia, jakby nagle wszystko sobie uświadomiła, lecz nadal nie mogła w to uwierzyć.

— Jesteśmy ludźmi interesu — oznajmił Sonny — i czasami musimy być bezwzględni. Ale ci ludzie — dodał, mając na myśli sprawców masakry — zapłacą za to, co zrobili.

Sandra pokiwała w milczeniu głową.

— Nie mam czasu ci wszystkiego wyjaśniać — rzucił

oschle. — Kochasz mnie? — dodał łagodniejszym tonem, choć słychać w nim było lekkie zniecierpliwienie.

— Tak, kocham cię, Santino — odrzekła bez wahania.

— Więc mi zaufaj. Nic złego się nie wydarzy. — Sonny podszedł bliżej i pocałował ją ponownie, tym razem czulej. — Obiecuję ci, rozumiesz? Nic złego się nie wydarzy. — Kiedy Sandra pokiwała głową i otarła łzy, pocałował ją jeszcze raz i otarł łzy z jej policzków. — Muszę już iść. — Spojrzał przez ramię na buicka, wyobrażając sobie Clemenzę czekającego w środku z palcami splecionymi na opasłym brzuchu. — Dopóki wszystko nie przycichnie, będę na Long Island, w naszej rodzinnej posiadłości. — Wziął ją za ręce i cofnął się. — Nie czytaj gazet. Wypisują same kłamstwa.

Uśmiechnął się i zaczekał, aż na jej ustach też pojawi się ślad uśmiechu. Wtedy pocałował ją po raz ostatni i zbiegł po schodach.

Sandra przyglądała się, jak mężczyźni, którzy stali u stóp schodów, ruszają w ślad za Sonnym do samochodu. Patrzyła, jak samochód rusza z miejsca i odjeżdża Arthur Avenue. Trwając w bezruchu, wpatrywała się w pustą ulicę i w głowie miała tylko widok odjeżdżającego w ciemną noc Sonny'ego. Nie mogła się zmusić, by zamknąć drzwi i wrócić do mieszkania i śpiącej babci. W myślach powtarzała po wielokroć słowa Sonny'ego: „Nic złego się nie wydarzy" i w końcu zamknęła drzwi i poszła do swojego pokoju, gdzie mogła jedynie czekać.

25

Sonny pchnął drzwi i zajrzał do pogrążonego w mroku pokoju. Był w ich przyszłym nowym domu na Long Island, w ogrodzonym murami kompleksie, na którego terenie teraz, późno w nocy, między budynkami bez przerwy krążyli ludzie i samochody.

Samochodowe światła, palące się w każdym pokoju lampy oraz skierowane na dziedziniec i mury reflektory sprawiały, że miejsce było rozświetlone niczym Rockefeller Center. Clemenza powiedział, że chce się z nim widzieć ojciec, i Sonny mijał kolejne pokoje, aż stanął w drzwiach jedynego chyba w całej posiadłości pomieszczenia, w którym nie paliło się światło.

— Tato? — zagadnął, wchodząc nieśmiało do pokoju, gdzie na tle wychodzącego na dziedziniec okna widać było niewyraźną sylwetkę ojca. — Czy mam zapalić światło? — zapytał.

Vito pokręcił głową i odsunął się od okna.

— Zamknij drzwi. — Zabrzmiało to, jakby jego głos dobiegał z bardzo daleka.

— Clemenza powiedział, że chcesz się ze mną widzieć.

Sonny zamknął drzwi i podszedł w półmroku do ojca, który zdrową ręką ustawił obok siebie dwa krzesła. Lewa ręka tkwiła bezużytecznie w zawieszonym na piersi temblaku.

— Siadaj. — Vito usiadł i wskazał mu krzesło naprzeciwko siebie. — Chciałem porozmawiać z tobą w cztery oczy.

— Oczywiście, tato. — Sonny usiadł, położył ręce na kolanach i czekał.

— Za chwilę dołączy do nas Clemenza — oświadczył Vito głosem, który niewiele się różnił od szeptu — ale najpierw chciałem zamienić z tobą kilka słów.

Pochylił się do przodu, przeczesał palcami prawej ręki włosy i skrył głowę w dłoniach.

Sonny nigdy nie widział ojca w takim stanie i miał ochotę go dotknąć, położyć mu krzepiącym gestem rękę na kolanie. Nie poszedł za głosem serca, ale w przyszłości często wracał myślami do owej chwili, kiedy siedząc z ojcem w pogrążonym w mroku niewykończonym gabinecie, chciał go dotknąć i pocieszyć.

— Santino — powiedział, prostując się, Vito. — Zapytam cię o coś i chciałbym, żebyś się nad tym zastanowił. Dlaczego twoim zdaniem Emilio przyszedł do nas? Dlaczego zdradził Mariposę?

W oczach ojca Sonny zobaczył błysk nadziei, jakby Vito szczerze pragnął, by jego syn udzielił prawidłowej odpowiedzi. Dlatego próbował zastanowić się nad pytaniem — ale nic nie przychodziło mu na myśl. Miał w głowie kompletną pustkę, umysł odmawiał mu posłuszeństwa.

— Nie wiem, tato — odparł. — Przypuszczam, że jest tak, jak mówił: widzi, że będziesz lepszym przywódcą od Mariposy.

Vito pokręcił głową i z jego oczu zniknął błysk nadziei.

— Nie — powiedział i położył zdrową rękę na kolanie Sonny'ego, wykonując dokładnie taki sam gest, jaki jego syn miał ochotę zrobić wcześniej. — Człowiek pokroju Emilia Barziniego nigdy nie mówi tego, co myśli. Żeby dojść do prawdy — dodał, ściskając mocniej kolano Sonny'ego — musisz ocenić człowieka i okoliczności. Musisz zaangażować rozum i serce. Tak to wygląda w świecie, w którym kłamstwo jest czymś naturalnym... a innego świata nie ma, Santino, przynajmniej tu, na tej ziemi.

— Więc dlaczego? — zapytał Sonny z nutką frustracji w głosie. — Skoro nie z tego powodu, który wyjawił, to z jakiego?

— Dlatego że to Emilio zaplanował porachunki na paradzie. — Vito przerwał i popatrzył na Sonny'ego tak, jak to robi rodzic wyjaśniający coś dziecku. — Nie spodziewał się, że dojdzie do takiej masakry, i na tym polegał jego błąd. Możesz być jednak pewien, że to plan Emilia. Mariposa nie jest dość cwany, żeby wymyślić coś takiego. Gdyby to się udało, gdybym został zabity razem z Lucą Brasim... i razem z tobą, Sonny, zabicie ciebie należało do planu... i gdyby można to było wszystko zwalić na szalonych Irlandczyków, · bo wszyscy wiedzą, że Włosi nigdy nie narażaliby życia kobiet i dzieci, niewinnych rodzin innych ludzi, że to jest niezgodne z naszym kodeksem... gdyby także inne Rodziny uwierzyły, że to zrobili Irlandczycy, wówczas wojna dobiegłaby końca i Joe rządziłby wszystkim z Emiliem jako swoją prawą ręką.

Vito wstał, podszedł do okna i przez chwilę przyglądał się krzątaninie na dziedzińcu. Prawą ręką ściągnął przez głowę temblak, odrzucił go i krzywiąc się lekko, otworzył i zacisnął lewą dłoń.

— Już obecnie — podjął, odwracając się do Sonny'ego — czytamy w gazetach, że to była irlandzka wendeta, że to sprawka bandy wściekłych Irlandczyków. Autorami są pismacy na żołdzie Mariposy. Ale teraz, kiedy cały plan wziął w łeb, Emilio się boi. — Vito usiadł ponownie naprzeciwko Sonny'ego i blisko się do niego nachylił. — Wiedział, że jeśli przeżyję, domyślę się, że za masakrą musiała stać Rodzina Mariposy. Obawia się, że wszystkie Rodziny obrócą się przeciwko niemu i Mariposie. Po nieudanej próbie zabicia Clemenzy i Genca u Angela, po nieudanej próbie zabicia mnie przez ludzi Ala Capone, a teraz po tym... i to wszystko tak szybko po naszej zgodzie na opodatkowanie... słowo Giuseppego jest nic niewarte, a teraz okazało się, że można go pokonać. Jedyną szansą Emilia jest układ, jaki mi zaoferował. Dlatego ryzykował życie, przychodząc do nas z tą propozycją. A co najważniejsze, Sonny, dlatego właśnie można mu teraz ufać.

— Skoro miał zamiar nas wszystkich zabić, nie rozumiem, dlaczego puściliśmy go żywego.

Sonny wiedział, że powinien powściągnąć gniew, powinien być rozsądny jak ojciec, ale nie potrafił nad sobą zapanować. Dowiedziawszy się, że Emilio zamierzał zabić jego i całą Rodzinę, zapałał gniewem i jego jedyną myślą, jeśli można to w ogóle nazwać myślą, było pragnienie odwetu.

— Proszę cię, pomyśl, Sonny. Użyj głowy. — Vito złapał w dłonie twarz Sonny'ego, potrząsnął nim i puścił. — Co dobrego przyniosłaby nam śmierć Emilia Barziniego? Mielibyśmy wówczas przeciw sobie Ettorego Barziniego, braci Rosato i Mariposę. Z żywym Emiliem i martwym Mariposą —

513

podjął Vito, kiedy Sonny nie odpowiedział — po tym, jak podzielimy terytoria Giuseppego, zostanie pięć Rodzin, a my będziemy z nich najsilniejsi. To jest nasz cel. O tym musimy myśleć... a nie o zabiciu Emilia.

— Wybacz mi, tato — odezwał się Sonny — ale gdybyśmy pokonali ich wszystkich, bylibyśmy jedyną Rodziną.

— I znowu pomyśl — odparł Vito. — Nawet gdyby udało nam się wygrać taką wojnę, co dalej? Gazety zrobiłyby z nas potworów. W krewnych ludzi, których byśmy zabili, mielibyśmy zajadłych wrogów. — Vito pochylił się i położył mu ręce na ramionach. — Sycylijczycy nigdy nie zapominają i nigdy nie wybaczają, Sonny. To coś, o czym musisz stale pamiętać. Chcę wygrać tę wojnę, żebyśmy mieli długi okres pokoju i umierali w otoczeniu naszych rodzin, we własnych łóżkach. Chcę, żeby Michael, Fredo i Tom znaleźli miejsce w legalnym biznesie, żeby byli bogaci i żeby dobrze im się wiodło. Żeby w przeciwieństwie do mnie i teraz do ciebie, Sonny, nie musieli się stale martwić, że ktoś strzeli do nich zza węgła. Rozumiesz, Sonny? Rozumiesz, że tego właśnie chcę dla naszej rodziny?

— Tak, tato, rozumiem.

— To dobrze — odparł Vito i łagodnie odgarnął włosy z czoła syna.

Kiedy otworzyły się za nimi drzwi, dotknął jego ramienia i wskazał kontakt na ścianie.

Sonny wstał i zapalił światło. Do pokoju wszedł Clemenza.

— W nadchodzących dniach mamy dużo do zrobienia — zakomunikował Vito synowi i dotknął ponownie jego ramienia. — Musimy strzec się zdrady — oświadczył i przez chwilę chyba się wahał. — Zostawię cię teraz — dodał, po czym zerknął na Sonny'ego i szybko odwrócił wzrok, jakby bał się spojrzeć mu w oczy. — Zdrady — powtórzył cicho, a potem podniósł palec i skinął na Clemenzę i Sonny'ego, jakby chciał podkreślić wagę ostrzeżenia. — Wysłuchaj Clemenzy — powiedział i wyszedł z pokoju.

— Co się dzieje? — zapytał Sonny.

— *Aspett'* — odparł Clemenza, po czym zamknął ostrożnie drzwi za Vitem, jakby nie chciał robić za dużo hałasu. — Usiądź — powiedział, wskazując dwa krzesła, na których przed chwilą jeszcze siedzieli Sonny i jego ojciec.

— Oczywiście. — Sonny rozsiadł się wygodnie na jednym z nich i założył nogę na nogę. — O co chodzi?

Clemenza jak zwykle miał na sobie workowaty pognieciony garnitur i żółty krawat tak czysty i lśniący, że musiał być świeżo ze sklepu. Klapnął na krześle naprzeciwko Sonny'ego, dając głośnym mruknięciem wyraz zadowoleniu, że może wreszcie dać odpocząć nogom, po czym wyjął z jednej kieszeni marynarki czarny pistolet, a z drugiej srebrny tłumik.

— Wiesz, co to jest? — zapytał.

Sonny popatrzył na niego z politowaniem. Oczywiście wiedział, że to tłumik.

— O co chodzi? — powtórzył.

— Osobiście nie lubię tłumików — stwierdził Clemenza, przymocowując do lufy ciężki metalowy cylinder. — Wolę wielkiego hałaśliwego gnata. Jest lepszy, kiedy trzeba wybić komuś z głowy głupie pomysły. Pif-paf!, wszyscy wieją, a ty spokojnie odchodzisz.

Sonny roześmiał się, splótł ręce na karku, a potem pochylił się i czekał, co ma mu do powiedzenia Clemenza.

Ten nadal majstrował przy tłumiku. Miał kłopoty z przykręceniem go do lufy.

— Chodzi o Bobby'ego Corcorana — zdradził w końcu.

— Aha — odparł Sonny i zerknął przez okno, jakby wypatrywał za nim czegoś, co zgubił i o czym właśnie sobie przypomniał. — Nie potrafię tego zrozumieć — powiedział, odwracając się do Clemenzy, i zabrzmiało to bardziej jak pytanie.

— Co tu jest do rozumienia? — zapytał Clemenza.

— Nie wiem, co o tym, do diabła, myśleć, wujku Pete — odparł Sonny i natychmiast zawstydziło go, że zwraca się do Clemenzy tak, jak to robił w dzieciństwie. — Wiem, że Bobby postrzelił tatę — dodał szybko, chcąc zatrzeć nieprzyjemne wrażenie. — Widziałem to jak wszyscy inni, ale...

— Ale nie możesz w to uwierzyć — dokończył Clemenza, jakby znał jego myśli.

— No tak — zgodził się Sonny. — Chodzi o to... — zaczął i uciekł wzrokiem w bok, nie wiedząc, co powiedzieć.

— Posłuchaj, Sonny. — Clemenza znowu zaczął majstrować przy pistolecie, zdejmując i zakładając z powrotem tłumik, sprawdzając, czy dobrze przylega do lufy. — Rozumiem, że dorastałeś z małym Bobbym, że znałeś go przez całe życie... — Na chwilę przerwał i pokiwał głową, jakby coś sobie właśnie wyjaśnił. — Ale Bobby Corcoran musi umrzeć — dodał. — Postrzelił twojego ojca. — Obrócił po raz ostatni tłumik, tak że przylegał teraz ściśle do lufy, i podał pistolet Sonny'emu.

Ten wziął broń do ręki i położył sobie na kolanach, jakby odkładał ją na bok.

— Rodzice Bobby'ego zmarli oboje na grypę, kiedy był dzieckiem — powiedział cicho.

Clemenza pokiwał w milczeniu głową.

— Ma tylko siostrę Eileen i jej córkę. A one mają tylko Bobby'ego.

Clemenza nadal się nie odzywał.

— Męża siostry Bobby'ego, Jimmy'ego Gibsona, zabił jeden ze zbirów Mariposy w zamieszkach podczas strajku.

— Mówisz, że kto go zabił? — zapytał Clemenza.

— Jeden ze zbirów Mariposy.

— Tak słyszałeś?

— Owszem, tak słyszałem.

— Bo tak chcieliby to widzieć pewni ludzie.

— Uważasz, że było inaczej?

— Jeśli sprawa dotyczy związków, dobrze wiemy, jak to wyglądało. — Clemenza westchnął i spojrzał na sufit, gdzie smuga padającego przez okno światła przesuwała się powoli z prawej na lewą stronę. — Jimmy'ego Gibsona zabił Pete Murray — powiedział. — Zatłukł go ołowianą rurką. Były między nimi jakieś sęki... zapomniałem, o co chodziło, ale Pete nie chciał, żeby wyszło na jaw, że załatwił własnego ziomka, i zawarł układ z Mariposą. Od tego czasu zawsze był na żołdzie Mariposy. Dzięki temu Giuseppe kontrolował Irlandczyków.

— Jezu — mruknął Sonny, spoglądając na leżący na jego kolanach pistolet z tłumikiem.

— Posłuchaj, Sonny — powiedział Clemenza i podobnie jak zrobił to wcześniej Vito, położył rękę na jego kolanie. — W naszej branży nie ma lekko. W policji czy wojsku... — widać było, że szuka odpowiednich słów — ...zakładają komuś

517

mundur i każą mu zabić kogoś innego, bo to drań, trzeba go zabić... i wtedy każdy może pociągnąć za spust. Ale w tej branży musisz czasami zabijać ludzi, którzy są twoimi przyjaciółmi. — Clemenza urwał i wzruszył ramionami, jakby potrzebował chwili, żeby samemu się nad tym zastanowić. — Tak to wygląda w tej branży. Czasami mogą to być nawet ludzie, których kochasz, a mimo to musisz to zrobić. Tak to wygląda — powtórzył — w tej branży. Czas, żebyś się wykazał. Bobby Corcoran musi umrzeć, a ty musisz być tym, który to zrobi. Postrzelił twojego ojca, Santino. Tak to wygląda i kropka. Musi umrzeć i ty musisz to zrobić.

Sonny znów położył broń na kolanach i przyjrzał jej się, jakby miał przed sobą zagadkę. Pistolet był czarny i ciężki, z dodatkowo obciążającym go tłumikiem. Patrząc nań, usłyszał trzaśnięcie zamykanych drzwi i zorientował się, że Clemenza wyszedł z pokoju. Potrząsnął głową, jakby nie chciał uwierzyć w to, co się działo, lecz broń wciąż tkwiła w jego dłoni, ciężka i solidna. Siedząc sam w zapadłej nagle ciszy, zacisnął palce na rękojeści, a potem naśladując w przedziwny sposób to, co robił przed kilkoma chwilami jego ojciec, pochylił się do przodu, przeczesał dłonią włosy, skrył głowę w dłoniach i poczuł przy skroni chłodny dotyk pistoletu. Dotknąwszy palcem spustu, siedział długo w ciszy i bezruchu.

• • •

Fredo obudził się w ciemności z głową schowaną pod poduszkami i kolanami podciągniętymi pod brodę. Przez chwilę nie wiedział, gdzie jest, a potem przypomniał sobie pełen wrażeń dzień i zorientował się, że leży we własnym łóżku, że wczoraj była parada i ojciec został ranny, ale nic mu nie będzie. Widział go. Mama pozwoliła jemu i Michaelowi zerknąć na tatę, a potem zaprowadziła ich do sypialni, nie chcąc, by brali udział w panującym w domu zamieszaniu.

Tato miał rękę na temblaku, lecz wyglądał normalnie — a później nikt nie chciał im już powiedzieć ani słowa o tym, co się wydarzyło. Fredo próbował podsłuchiwać przez drzwi, ale w pokoju była z nimi mama, każąc im obu, jemu i Michaelowi, odrabiać lekcje, i trudno było coś usłyszeć. Nie mogli nawet włączyć radia. Mama nie pozwoliła Michaelowi o niczym mówić, a potem Fredo zasnął. Mimo to wiedział, że na paradzie doszło do strzelaniny i tato został trafiony w ramię. Leżąc w łóżku i rozmyślając o wydarzeniach minionego dnia, Fredo bolał nad tym, że miał takiego pecha i wszystko go ominęło. Gdyby tam był, może udałoby mu się obronić ojca. Może uchroniłby go przed postrzałem. Mógł osłonić go własnym ciałem albo przewrócić, żeby nie trafiła go kula. Żałował, że go tam nie było. Żałował, że nie miał okazji pokazać ojcu i całej reszcie, że nie jest już dzieckiem. Gdyby zdołał uchronić ojca przed postrzałem, wszyscy by zobaczyli. Miał już piętnaście lat. Był wystarczająco dorosły.

Kiedy obrócił się w końcu na drugi bok i wystawił głowę spod poduszki, zobaczył, że po drugiej stronie pokoju Michael zakrył się cały kołdrą i sączy się spod niej światło.

— Co robisz, Michael? — szepnął. — Czytasz?

— Tak — dobiegł go stłumiony głos brata. Po chwili Michael ściągnął kołdrę z głowy i wychylił się z łóżka. — Zwinąłem z dołu gazetę — powiedział, pokazując Fredowi egzemplarz „Mirror". Na okładce było zdjęcie małego dziecka, które leżało na chodniku z ręką zwisającą z krawężnika. „Gangsterska masakra!", głosił wielki tytuł.

— Rany julek! — Fredo wyskoczył ze swojego łóżka i wskoczył do Michaela. — Co piszą? — zapytał, wyrywając mu gazetę i latarkę.

— Że tato jest gangsterem. Piszą, że jest ważną szychą w mafii.

Fredo obrócił stronę i zobaczył zdjęcie wpychanego do więźniarki ojca.

— Tato mówi, że nie ma takiej rzeczy jak mafia — oświadczył i nagle zobaczył fotografię Richiego Gatta, który leżał na jezdni w kałuży krwi, z powykręcanymi rękoma i nogami. — To Richie — powiedział cicho.

— Zgadza się — potwierdził Michael. — Richie nie żyje.

— Richie nie żyje? Widziałeś, jak go zastrzelili? — zapytał Fredo.

W tym samym momencie otworzyły się drzwi sypialni i rzucił gazetę na łóżko.

— Co wy obaj wyprawiacie? — Carmella weszła do nich w niebieskim szlafroku zarzuconym na białą nocną koszulę. Rozpuszczone włosy opadały jej na ramiona. — Skąd to macie? — zapytała, po czym podniosła z łóżka gazetę, złożyła ją i przycisnęła do piersi, jakby chciała ją przed nimi ukryć.

— Michael zwinął ją z dołu — naskarżył Fredo.

Michael spiorunował brata wzrokiem, po czym spojrzał na matkę i pokiwał głową.

— Czytaliście to? — zapytała.

— Michael czytał — powiedział Fredo. — Richie naprawdę nie żyje?

Carmella w milczeniu się przeżegnała. Wyraz jej twarzy i łzy w oczach stanowiły wystarczającą odpowiedź.

— Ale tata czuje się dobrze, tak? — zapytał Fredo.

— Przecież go widzieliście. — Carmella wsunęła złożoną gazetę do kieszeni szlafroka, po czym wzięła Freda pod ramię i zaprowadziła z powrotem do własnego łóżka. — Nie powinieneś wierzyć w to, co piszą w gazetach — zwróciła się do Michaela.

— Piszą, że tato jest ważną szychą w mafii — odparł. — Czy to prawda?

— Mafia — prychnęła Carmella, otulając się szczelniej szlafrokiem. — Kiedy mowa o Włochach, zawsze wyjeżdżają z mafią. Czy mafioso przyjaźniłby się z kongresmenami tak jak wasz ojciec?

Michael zgarnął włosy z czoła i przez chwilę się nad tym zastanawiał.

— Nie będę pisał wypracowania o Kongresie — oznajmił. — Zmieniłem zdanie.

— Co ty gadasz, Michael? Tyle już włożyłeś w to pracy!

— Znajdę inny temat — odparł, kładąc się na wznak i nakrywając kołdrą.

Carmella cofnęła się o krok i pokręciła głową, jakby bardzo ją rozczarował.

— Jeśli usłyszę stąd jeszcze jakieś hałasy, powiem ojcu — ostrzegła, ocierając łzy z oczu, ale wyrzekła te słowa bez przekonania i przez chwilę jeszcze przyglądała się chłopcom.

Kiedy wyszła z pokoju i zamknęła za sobą drzwi, u szczytu schodów czekał na nią Tom.

— *Madon'* — westchnęła na jego widok. — Czy nikt tu dzisiaj nie śpi?

Tom przycupnął na najwyższym schodku, a ona usiadła obok niego.

— Chłopcy są podenerwowani? — zapytał.

— Wiedzą, że Richie nie żyje — odparła. Wyciągnęła z kieszeni szlafroka egzemplarz „Mirror" i spojrzała na fotografię martwego dziecka na okładce.

Tom wziął od niej gazetę.

— Powinienem być na Long Island z resztą mężczyzn — stwierdził, po czym zwinął gazetę w ciasny rulon i postukał nią o stopień. — Zostawili mnie tutaj z chłopcami.

— *Per caritá!* — mruknęła Carmella. — Niech Bóg broni, żebyś był tam z nimi.

— Jest tam Sonny — zauważył i Carmella uciekła w bok wzrokiem. — Sonny nie pozwolił mi walczyć — dodał prawie szeptem. Brzmiało to tak, jakby mówił do siebie. — Przyciskał mnie do ziemi, jakbym był dzieckiem.

— Sonny pilnował, żeby nie stało ci się coś złego — powiedziała, patrząc gdzieś w dal. — Zawsze cię pilnował.

— Wiem — odparł. — Teraz, kiedy jestem dorosły, chciałbym mu się zrewanżować. Sonny'emu też przydałoby się, żeby go ktoś przypilnował.

Carmella wzięła go za rękę i przytrzymała ją w obu swoich. W oczach znowu stanęły jej łzy.

— Chcę tu zostać i pomóc, mamo. Chcę pomóc rodzinie.

Carmella ścisnęła jego dłoń.

— Módl się za nich — poprosiła. — Módl się za Vita i Sonny'ego. Wszystko jest w rękach Boga — dodała. — Wszystko.

26

Luca zaparkował na Dziesiątej Ulicy przy samej rzece i ruszył wzdłuż rzędu bud, na których dachach leżały deski i inne rupiecie. Noc była chłodna i z wystającej z ostatniej budy zakrzywionej rury sączyła się cienka smuga dymu. Minęła druga w nocy i ulica świeciła pustkami. Po jednej stronie były budy, po drugiej woda. Otulił się szczelniej marynarką i ruszył dalej. Słychać było tylko jego kroki i wiejący od rzeki wiatr. Kiedy skręcił na rogu, przy wyważonych drzwiach czekali na niego JoJo i Paulie. Opierali się o ceglaną ścianę, JoJo ze zwisającym z ust papierosem, Paulie strząsając popiół z grubego cygara.

— Na pewno... tam są? — zapytał Luca, podchodząc do nich.

— Kilka razy do nas strzelali — odparł Paulie i wsadził sobie do ust cygaro.

— Stoimy tu na widoku. Popatrz. — JoJo wskazał drzwi.

— Co to za miejsce?

— Rzeźnia.

Luca parsknął śmiechem.

— Cali Irlandczycy. Zabarykadowali się... w rzeźni. Jest ich tylko dwóch?

— Tak, to bracia Donnelly — oświadczył Paulie z cygarem w ustach.

— Ścigaliśmy ich aż do tego miejsca — dodał JoJo.

— Myślą, że wystarczy, jak przekiblują tu jeszcze ze dwie godziny — wyjaśnił Paulie, żując cygaro.

— Wtedy zaczną się pojawiać robotnicy — dokończył za niego myśl JoJo.

Luca zajrzał do rzeźni. Wnętrze było prawie puste, z taśmociągów zwisały haki. Wyżej, mniej więcej w połowie wysokości budynku krzyżowały się pomosty.

— Gdzie oni są? — zapytał.

— Gdzieś tam na górze — odparł Jojo. — Wsadź głowę do środka, to zaczną do ciebie strzelać.

— Nie macie... pojęcia?

— Bez przerwy się przemieszczają — powiedział Paulie. — Mają tam na górze przewagę.

Luca zajrzał ponownie do środka i zobaczył przy ścianie drabinę, którą można się było wdrapać na pomost.

— Jest jakieś... inne wejście? — zapytał.

— Po drugiej stronie budynku — odparł JoJo. — Pilnuje go Vinnie.

Luca wyciągnął trzydziestkęósemkę z kabury pod pachą.

— Idźcie tam — polecił. — Kiedy będziecie gotowi... wpadnijcie do środka... i zacznijcie grać. Do niczego nie celujcie... nie musicie w nic trafić. — Luca sprawdził swój rewolwer. — Pamiętajcie tylko... żeby strzelać w górę... a nie poziomo... żebyście mnie nie postrzelili.

— Chcesz, żebyśmy odwrócili ich uwagę — domyślił się JoJo — a ty zajdziesz ich z boku?

Luca wyciągnął cygaro z ust Pauliego i zgasił je o ścianę.

— Idźcie — powiedział do nich obu. — Pospieszcie się. Zaczyna mnie to męczyć.

Kiedy chłopcy zniknęli z pola widzenia, wyciągnął z kieszeni marynarki drugi rewolwer i uważnie mu się przyjrzał. To była nowa broń, magnum kaliber .357 z czarnym cylindrem i długą lufą. Wyjął nabój z jednej z komór, wcisnął go z powrotem i ponownie zajrzał do rzeźni. Jej wnętrze było słabo oświetlone zwisającymi z sufitu lampami, które rzucały zagadkowe cienie na ściany i podłogę. Kiedy tam zaglądał, otworzyły się nagle drzwi po przeciwnej stronie budynku i mrok rozświetliła burza płomieni wylotowych. Wysoko na pomostach zobaczył kolejne płomienie wylotowe błyskające w różnych częściach budynku. Zdążył wdrapać się na pomost i był już w połowie drogi do skrzyń, za którymi zabarykadował się jeden z Donnellych, kiedy Rick krzyknął z drugiej strony rzeźni, ostrzegając Billy'ego. Billy oddał dwa strzały, z których drugi trafił Lucę w pierś, nad sercem, zapierając mu dech. Strzał można było porównać do silnego ciosu zadanego przez potężnego mężczyznę, ale nie wystarczył, by go znokautować, i sekundę później Luca skoczył na Billy'ego, wytrącając mu z dłoni broń i łapiąc za szyję, wskutek czego tamten nie mógł wydać z siebie żadnego dźwięku poza gardłowym spanikowanym pomrukiem. Luca odczekał minutę, żeby dojść do siebie. Przez cały czas trzymał przed sobą Billy'ego niczym tarczę.

— Billy! — zawołał Rick z drugiej części budynku.

JoJo i chłopcy wycofali się na ulicę. W rzeźni zapadła

cisza. Słychać było tylko nierówny charkot Billy'ego i dobiegające z jakiegoś niewidocznego miejsca ciche buczenie.

— Twojemu bratu nic się nie stało — krzyknął Luca, odsuwając wolną ręką na bok piramidę skrzyń. Kilka z nich spadło sześć metrów w dół. — Wyjdź z ukrycia, Rick. — Nie mając przed sobą skrzyń, Luca pchnął Billy'ego przed siebie, aż do balustrady. Jedną ręką trzymał go za szyję, w drugiej, opuszczonej, zaciskał rewolwer. — Chce się z tobą... widzieć Narwany Joe — powiedział, kiedy Rick się nie odezwał i nie pokazał. — Chce pogadać z tobą i z Billym.

— Opowiadasz takie brednie... — odparł Rick. — Ty pokręcony czubku. — Mówił, jakby siedział z Lucą przy stole. Gdyby nie rozbrzmiewające w jego głosie znużenie, można by pomyśleć, że świetnie się bawi.

Luca pchnął Billy'ego na balustradę i lekko go uniósł. Billy trochę się odprężył, a Luca rozluźnił chwyt, dzięki czemu chłopakowi łatwiej było oddychać.

— Wyłaź — powiedział. — Nie każ mi... faszerować ołowiem... twojego braciszka. Giuseppe chce... z wami tylko pogadać.

— Kłamiesz — odparł Rick, nadal schowany za stertą skrzyń. — Pracujesz teraz dla Rodziny Corleone i wszyscy o tym wiedzą.

— Pracuję dla siebie — oznajmił Luca. — Wy, Irlandczycy, powinniście o tym wiedzieć.

Billy szarpnął się w jego uścisku.

— On kłamie, Rick! Zastrzel sukinsyna! — krzyknął.

— No dobrze, Billy — szepnął mu do ucha Luca, po czym podniósł go i wystawił za balustradę, gdzie Billy zaczął wierzgać i kwiczeć. — Pożegnaj się... ze swoim braciszkiem — powiedział Luca do Ricka i w tym samym momencie Rick zrzucił na dół dwie skrzynie i stanął naprzeciwko niego z rękoma podniesionymi do góry. — Dobrze — mruknął Luca, po czym puścił Billy'ego, podniósł rewolwer i opróżnił cały bębenek, mierząc w pierś i brzuch Ricka.

Rick zachwiał się do tyłu, a potem do przodu, fiknął przez balustradę i wylądował na taśmociągu.

Na posadzce na dole Billy zajęczał i próbował się podnieść, ale miał paskudnie złamaną nogę. Z uda wystawał mu fragment kości. Billy zwymiotował i zemdlał.

— Załóżcie im cementowe buciki — polecił Luca, kiedy do rzeźni wszedł JoJo, a w ślad za nim Paulie i Vinnie. — I wrzućcie do rzeki — dodał, podchodząc do drabiny. Był zmęczony i marzył o tym, żeby się porządnie wyspać.

. . .

Na ganku domu Romerów kilku mężczyzn w tandetnych ciemnych garniturach rozmawiało z dwiema młodymi kobietami w fikuśnych kapclusikach i obcisłych sukienkach, które nie wydawały się zbyt odpowiednie na stypę. Sonny domyślił się, że poza tym nie bardzo miały co na siebie włożyć. Zaparkował wcześniej za rogiem i przez pół godziny obserwował ulicę, nim uznał, że może bezpiecznie pojawić się na stypie po Vinniem. Rodzina Corleone wysłała wieniec do domu pogrzebowego, a Sonny miał w kieszeni marynarki grubą kopertę z pięcioma tysiącami dolarów, które chciał oddać osobiście, choć kazano mu się trzymać z daleka od pogrzebów, a zwłaszcza od pogrzebu Vinniego. Według Genca, Mariposa nie zawahałby się go sprzątnąć na stypie. Sonny wziął głęboki oddech i poczuł krzepiący ucisk kabury pod pachą.

Zanim dotarł do ganku, dwie dziewczyny spostrzegły go i zniknęły wewnątrz budynku. Kiedy ruszył na drugie piętro, gdzie mieszkali bracia Romero, Angelo i Nico Angelopoulos czekali już na niego na podeście. Angelo postarzał się o kilkanaście lat. Oczy miał nabiegłe krwią i otoczone sinymi obwódkami. Wyglądał, jakby nie zmrużył oka od dnia parady. Na górze słychać było stłumione głosy gości.

— Angelo... — powiedział Sonny i z zaskoczeniem stwierdził, że nie może wykrztusić z siebie nic więcej, że w gardle utkwiła mu twarda gula. Wcześniej w ogóle nie myślał o Vinniem. Odnotował w myślach jego śmierć i postawił kropkę. Vinnie nie żyje i nic poza tym, nic, co by poczuł, nic, o czym chciałby myśleć. Ale teraz, kiedy wymówił imię Angela, coś w nim nagle pękło, stanęło w gardle i odebrało głos.

— Nie powinieneś tu przyjeżdżać. — Angelo potarł oczy tak mocno, jakby chciał je rozgnieść, a nie uśmierzyć pieczenie. — Jestem zmęczony. Niewiele spałem — dodał, wyjaśniając coś, co było aż nadto oczywiste.

— Ma złe sny — oznajmił Nico i położył dłoń na ramieniu Angela. — Nie może przez nie spać.

— Przykro mi, Angelo — wyjąkał Sonny. Niełatwo mu było wypowiedzieć te słowa.

— Jasne — odparł Angelo — ale nie powinieneś tu przyjeżdżać.

Sonny przełknął z trudem ślinę i wyjrzał przez okienko w drzwiach na ulicę. Dzień był pochmurny i szary. Odkrył, że łatwiej będzie mu mówić o sprawach przyziemnych, o szczegółach.

— Sprawdziłem ulicę, zanim tu przyszedłem — powiedział. — Nikt nie obserwuje tego domu i w ogóle. Nic mi nie grozi.

— Nie to miałem na myśli — odparł Angelo. — Chodzi o to, że nie chce cię tu widzieć moja rodzina, moi rodzice. Nie możesz brać udziału w stypie. Nie zgodzą się na to.

Do Sonny'ego dotarło to dopiero po chwili.

— Przyniosłem to — mruknął, wyciągając z kieszeni kopertę i podając Angelowi. — Jest tego sporo.

Angelo skrzyżował ręce na piersi i zignorował wsparcie.

— Nie wracam do pracy u waszej Rodziny — oświadczył. — Będę miał kłopoty?

— Nie — odparł Sonny i opuścił rękę z kopertą. — Dlaczego ci to przyszło do głowy? Mój ojciec to zrozumie.

— To dobrze — mruknął Angelo i podszedł do niego bliżej. Sprawiał wrażenie, jakby chciał go objąć, ale nie zrobił tego. — Co my sobie wyobrażaliśmy? — zapytał i w jego słowach zabrzmiał błagalny ton. — Że występujemy w komiksach, że tak naprawdę nic się nam nie stanie? — Angelo odczekał chwilę, jakby szczerze liczył, że Sonny mu odpowie. — To wszystko było jak sen — podjął, kiedy tamten się nie odezwał. — Myśleliśmy, że to tylko sen, że tak naprawdę nic nam się nie stanie. Że nie możemy zginąć, a tymczasem... — Wypuścił z płuc powietrze i zabrzmiało to trochę jak westchnienie, a trochę jak jęk, zupełnie jakby przyjmował w końcu do wiadomości śmierć Vinniego, godził się z nią. Nie spuszczając z oczu Sonny'ego, podszedł do schodów. — Przeklinam dzień, kiedy cię poznałem. Ciebie i twoją rodzinę — stwierdził to rzeczowym tonem, bez gniewu ani złości, a potem ruszył na górę i zniknął z pola widzenia.

— On nie myśli tak naprawdę, Sonny — powiedział po jego odejściu Nico. — Jest przygnębiony. Wiesz, jak blisko byli ze sobą związani. Każdy był jak cień tego drugiego. Jezu, Sonny.

— Jasne — mruknął Sonny, wręczając mu kopertę. — Powiedz mu, że rozumiem. I powiedz, że moja rodzina zapewni jego rodzinie wszystko, czego potrzebują, teraz i w przyszłości. Rozumiesz, Nico?

— On o tym wie — odparł Nico, chowając kopertę do kieszeni. — Dopilnuję, żeby to dostali.

Sonny poklepał go po ramieniu pożegnalnym gestem i ruszył po stopniach na dół.

— Odprowadzę cię do samochodu. — Nico ruszył w ślad za nim. — Co się teraz stanie z Bobbym? — zapytał, kiedy wyszli na ulicę. — Słyszałem, że się ukrywa.

— Nie wiem — odparł Sonny tonem, który świadczył, że nie ma ochoty mówić o Bobbym.

— Posłuchaj, chciałem ci o tym powiedzieć. — Nico wziął go pod łokieć i zatrzymał. — Gadaliśmy o tym z Angelem i jego zdaniem Bobby strzelał do Steviego Dwyera, a nie do twojego ojca. To nie ma sensu, żeby strzelał do twojego ojca, Sonny. Wiesz o tym.

— Do Steviego Dwyera?

— Tak uważa Angelo. I tak się wydawało Vinniemu. Rozmawiali o tym, zanim Vinnie zginął.

Sonny podrapał się w głowę i zerknął na jezdnię, jakby mógł w jakiś sposób zobaczyć, co wydarzyło się na paradzie.

— Do Steviego Dwyera? — powtórzył.

— Tak twierdzi Angelo. Nie widzieli tego, ale Angelo powiedział, że Stevie stał za twoim ojcem, a potem, po strzale

Bobby'ego, Luca sprzątnął Steviego. Nie było mnie tam — dodał, wciskając ręce do kieszeni — ale, do cholery, Sonny, przecież Bobby kocha ciebie i twoją rodzinę i nienawidził Steviego. To chyba logiczne?

Sonny próbował wrócić myślami do parady. Widział, jak Bobby celuje do jego ojca, a potem Vito padł. To wszystko, co zapamiętał. Ludzie strzelali na wszystkie strony. Stevie Dwyer zginął. Próbował przypomnieć sobie coś więcej, ale wszystko, co wydarzyło się podczas parady i zaraz potem, plątało mu się w głowie. Pomasował kłykciami podbródek.

— Nie wiem — powiedział. — Nie wiem, co się, do diabła, wydarzyło. Muszę pogadać z Bobbym. To nie wygląda dobrze — dodał. — To, że się ukrywa.

— Tak, ale przecież wiesz — odparł Nico. Byli już blisko samochodu Sonny'ego. — Wiesz, że Bobby nie strzeliłby do twojego ojca. To jest po prostu nie do pomyślenia. Wiesz o tym, Sonny.

— Sam nie wiem, co wiem. — Sonny zszedł na jezdnię przy samochodzie. — A co u ciebie? — zapytał, zmieniając temat. — Jak ci się podoba nowa praca?

— Praca jak praca. — Nico zdjął z głowy kapelusz i wcisnął jego denko. — W porcie trzeba ostro zasuwać.

— Tak słyszałem. — Sonny wsiadł do samochodu i zatrzasnął drzwi. — Ale będąc w związkach, dostajesz przynajmniej porządne pieniądze?

— Jasne — odparł Nico. — Nie kupuję już sobie szykownych strojów i w ogóle, ale jest w porządku. Słyszałeś, że mam dziewczynę?

— Nie. Kto to jest?

— Nie znasz jej. Ma na imię Anastasia.

— Anastasia — powtórzył Sonny. — Poderwałeś miłą grecką panienkę.

— Zgadza się. Rozmawiamy już o tym, żeby się pobrać i mieć dzieci. Myślę, że teraz, kiedy mam porządną robotę, mogę im zapewnić dobrą przyszłość. — Nico uśmiechnął się i zaczerwienił, jakby zrobiło mu się wstyd. — Podziękuj w moim imieniu ojcu, Sonny. Powiedz, że jestem wdzięczny, że załatwił mi tę robotę, dobrze?

Sonny zapalił silnik i wysunął rękę przez okno, żeby uścisnąć mu dłoń.

— Uważaj na siebie — mruknął.

— Jasne — odparł Nico, a potem stojąc przy drzwiach samochodu, zawahał się, jakby chciał powiedzieć coś więcej.

Stał tam jeszcze kilka sekund, aż poczuł się niezręcznie — jakby to, czym zamierzał się podzielić, nie dawało mu spokoju — i w końcu skapitulował, roześmiał się i odszedł.

. . .

Jimmy Mancini pchnął ramieniem wąskie drzwi i wciągnął Corra Gibsona do pozbawionego okien pomieszczenia, gdzie przy długim stole z nierdzewnej stali stał Clemenza, trzymając w prawej ręce lśniący rzeźnicki nóż, jakby sprawdzał, czy jest dobrze wyważony. W ślad za Jimmym do środka wszedł Al Hats, niosąc pałkę Corra.

— Gdzie ja, do diabła, jestem? — zapytał Irlandczyk, kiedy Jimmy pomógł mu stanąć na nogi. Robił wrażenie w sztok pijanego i rzeczywiście chlał prawie przez całą noc, zanim Jimmy i Al znaleźli go śpiącego we własnym łóżku i sprawili mu manto, po którym stracił przytomność. Odzyskując ją później i na powrót tracąc, stale pytał, gdzie jest i co się dzieje, tak jakby nigdy do końca się nie ocknął.

— Pete — powiedział, łypiąc przez spuchnięte, na pół-zamknięte powieki. — Clemenza. Gdzie ja jestem?

Clemenza zdjął wiszący na wieszaku fartuch i włożył go.

— Nie wiesz, gdzie jesteś, Corr? — zdziwił się, zawiązując fartuch na plecach. — To słynne miejsce. Sklep rzeźnicki Maria w Little Italy. Kupuje tutaj kiełbaski sam burmistrz LaGuardia. — Clemenza podszedł z powrotem do stołu i dotknął palcem ostrza noża. — Mario dba o swoje narzędzia pracy — stwierdził. — Noże ma zawsze naostrzone.

— Naprawdę? — Corr wyrwał ramię z uścisku Jimmy'ego i udało mu się z trudem stanąć o własnych siłach. Spojrzał na stół z nierdzewnej stali i rzeźnicki nóż w ręce Clemenzy i roześmiał się. — Pierdoleni makaroniarze — mruknął. — Ależ z was barbarzyńcy.

— Oczywiście Sycylijczycy tu nie przychodzą — dodał Clemenza, nadal mówiąc o sklepie Maria. — To miejsce, w którym sprzedają neapolitańskie kiełbaski, a my ich nie lubimy. Nie potrafią ich robić, nawet mając pod ręką to całe wymyślne wyposażenie. — Clemenza przyjrzał się lśniącym rondlom, patelniom oraz najprzeróżniejszym kulinarnym narzędziom, łącznie z leżącą po drugiej stronie stołu piłą taśmową.

— Gdzie jest moja pałka? — zapytał Corr i zobaczył, że Al opiera się na niej niczym Fred Astaire. — Och, ile bym dał za to, by móc strzaskać ją na twojej głowie, Pete — stwierdził tęsknie.

— Nie będziesz miał okazji — odparł Clemenza i dał znak Jimmy'emu. — Zajmij się nim w chłodni — powiedział. —

Tam jest ciszej. — Wychodząc, Corr nie stawiał żadnego oporu. — Do zobaczenia za parę minut, Corr! — zawołał za nim Clemenza.

Kiedy Irlandczyk i chłopcy zniknęli za drzwiami, przez chwilę podziwiał wiszącą na ścianie kolekcję noży i pił w najróżniejszych kształtach, rozmiarach i rodzajach.

— Popatrz, popatrz — mruknął i gwizdnął z uznaniem.

. . .

Tessio, idący za Emiliem Barzinim i przed Phillipem Tattaglią, przeciskał się między stolikami, przy których siedziało, jedząc, rozmawiając i śmiejąc się, może z pięćdziesiąt osób. Klub, nie tak modny jak Stork, ale całkiem elegancki, mieścił się w hotelu w środku Manhattanu i co wieczór gościł znane osobistości — nie odwiedzali go jednak członkowie żadnej z Rodzin. Przemierzając salę, Tessio lustrował wzrokiem stoliki. Zdawało mu się, że przy jednym z nich widzi Joan Blondell razem z wytwornym facetem, którego nie znał. Na służącym za scenę długim białym podwyższeniu z boku sali do mikrofonu stojącego przy wielkim białym fortepianie podszedł dyrygent we fraku, postukał weń pałeczką i orkiestra zagrała skoczną wersję *My Blue Heaven*.

— Ta kobitka ma anielski głos — zauważył Tattaglia, kiedy młoda kobieta z długimi ciemnymi włosami i zasnutymi mgłą oczyma zaczęła śpiewać do mikrofonu.

— Aha — mruknął Tessio i te dwie krótkie sylaby zabrzmiały jak bolesne westchnienie.

Przy podwójnych oszklonych drzwiach z tyłu sali stał, podpierając się pod boki i patrząc na piosenkarkę, Mały Carmine, jeden z chłopaków Tomasina. Oszklone drzwi zakrywała cienka firanka, przez którą Tessio widział sylwetki dwóch siedzących przy stole mężczyzn. Mały Carmine otworzył przed nimi drzwi i Emilio, Tessio oraz Tattaglia weszli do pomieszczenia, gdzie stał okrągły stół, dość duży, by mogło zasiąść przy nim kilkunastu biesiadników, lecz nakryty tylko dla pięciu osób. Przy Mariposie, który miał na sobie popielaty trzyczęściowy garnitur z jasnoniebieskim krawatem i białym goździkiem w butonierce, stał kelner z butelką wina w ręce. Obok, w pogniecionej marynarce, rozluźnionym krawacie i z rozpiętym kołnierzykiem koszuli siedział Tomasino Cinquemani.

— Salvatore! — zawołał Mariposa, kiedy Tessio wszedł do pokoju. — Miło cię widzieć, stary druhu — dodał, po czym wstał i podał mu rękę, którą Tessio uścisnął.

— Mnie też miło cię widzieć. — Tessio skinął lekko głową Tomasinowi, który choć nie wstał, ucieszył się chyba na jego widok.

— Siadaj! — powiedział Mariposa, zapraszając gestem Tessia, by usiadł obok niego. Kiedy Barzini i Tattaglia również zajęli miejsca przy stole, skupił uwagę na kelnerze. — Chcę, żeby moi przyjaciele dostali wszystko, co najlepsze. Dopilnuj, żeby *antipasti* były świeże — poinstruował go. — Jeśli idzie o sosy, do spaghetti dajcie kałamarnicę, czarną i piękną, do ravioli świeżego pomidora z odpowiednią ilością czosnku. Nie dawajcie go za dużo tylko dlatego, że jesteśmy Włochami! — dodał ze śmiechem i rozejrzał się dokoła. — Zamówiłem dla nas prawdziwą ucztę — zapewnił Tessia. — Będzie ci smakowało.

— Joe jest prawdziwym smakoszem — poinformował wszystkich Tattaglia. — To dla nas zaszczyt, że osobiście zamawia dania dla wszystkich — dodał, zwracając się do Tessia.

— *Basta* — mruknął Joe, ale widać było, że słowa Tattaglii sprawiły mu przyjemność. — Dopilnuj, żeby jagnięcina była z najmłodszej sztuki, jaką macie — zwrócił się ponownie do kelnera. — Pieczone ziemniaki mają być... — tu przesunął kciukiem po palcu wskazującym — ...chrupiące. *Capisc'?*

— Oczywiście — odparł kelner i wyszedł przez drzwi, które otworzył przed nim od zewnątrz Mały Carmine.

Po wyjściu kelnera Barzini nachylił się do Tessia. Jego mina i ton głosu świadczyły, że ma zamiar opowiedzieć żart.

— Joe zawsze nalega, żeby do przygotowywanych dla niego posiłków kucharze używali oliwy z pierwszego tłoczenia — powiedział. — Ale nigdy firmy Genco Pura! — dodał, podnosząc palec.

Mariposa roześmiał się wraz z innymi, lecz nie wydawał się szczególnie ubawiony. Kiedy umilkły śmiechy, poprawił się na krześle, złożył przed sobą dłonie i popatrzył na Tessia. Oszklone drzwi tłumiły dobiegającą z sąsiedniej sali muzykę i głosy gości, ale Mariposa i tak musiał podnieść głos, żeby być dobrze słyszanym.

— Nie wiesz, jaka to przyjemność widzieć cię tutaj — oświadczył. — Jestem zaszczycony, że w nadchodzących latach możemy zostać prawdziwymi przyjaciółmi.

— Zawsze zależało mi na twojej przyjaźni, don Mariposa — odparł Tessio. — Podziwiałem twoją mądrość i siłę. — Mówiąc to, jak zwykle cedził słowa, jakby wygłaszał mowę pogrzebową, lecz Mariposa i tak się rozpromienił.

— Ach, Salvatore — westchnął i nagle na jego twarzy odbiła się powaga. — Na pewno to rozumiesz, Salvatore —

dodał i dotknął ręką serca. — Za nic nie chcieliśmy tej historii z paradą, ale Corleone zabarykadowali się w swojej posiadłości na Long Island! *Madon'!* Nawet armia nie zdołałaby ich stamtąd wykurzyć! Barzini musiał się zakradać jak wąż, żeby przekazać ci wiadomość. — Mariposa wydawał się głęboko zagniewany, wściekły na Vita Corleone. — Wymusili na nas tę historię z paradą — powiedział — i zobacz, czym to się skończyło! Makabrą!

— *Si* — potwierdził ponuro Tessio. — Makabrą.

— A teraz zapłacą nam za to. — Mariposa nachylił się do Tessia. — Powiedz mi, Salvatore — rzekł, nalewając mu ze stojącej na stole butelki montepulciano — co mogę dla ciebie zrobić w rewanżu za przysługę, jaką mi wyświadczyłeś?

Tessio rozejrzał się dokoła, jakby zaskoczyło go, że tak szybko przechodzą do interesów. Emilio pokiwał do niego głową, dając do zrozumienia, żeby odpowiedział.

— Zależy mi na spokojnym życiu — oświadczył Tessio. — Bukmacherka w Brooklynie. Koncesje na Coney Island. To wszystko, czego potrzebuję.

Mariposa odchylił się do tyłu na krześle.

— To bardzo dobre życie... i spokojne — stwierdził i przez chwilę milczał, jakby się zastanawiał. — Masz na to moje słowo — powiedział w końcu.

— W takim razie doszliśmy do porozumienia. Dziękuję, don Mariposa.

Tessio wstał, wyciągnął nad stołem rękę do Mariposy i wymienili uścisk dłoni.

— *Splendido* — mruknął Emilio, po czym razem z Tattaglią grzecznie zaklaskał i zerknął na zegarek. — Teraz, kiedy wy dwaj doszliście do porozumienia — zwrócił się do Giuseppego — Tattaglia i ja musimy załatwić parę spraw z naszymi chłopakami. — Wstał i Tattaglia dołączył do niego. — Daj nam pięć minut. Zaraz wracamy.

— Ale dokąd idziecie? — zaprotestował Mariposa. Wydawał się zaskoczony. — Musicie wychodzić akurat teraz?

— Musimy nagrać pewne sprawy — wyjaśnił Tattaglia.

— To nie zajmie nawet pięciu minut — dodał Emilio, po czym położył dłoń na jego plecach i wyprowadził go przez drzwi, które ponownie magicznym sposobem się przed nimi otworzyły.

Giuseppe spojrzał na Tomasina, jakby szukał u niego potwierdzenia, że wszystko jest w porządku.

— Interesy... — powiedział do Tessia, wydymając wargi. — Zaraz wrócą.

Kiedy Tattaglia i Barzini wyszli z pokoju, Tomasino obrócił się do Mariposy i objął go swoimi potężnymi łapskami, przygważdżając do krzesła. W tym samym momencie Tessio wstał i wsadził mu do ust serwetę.

Giuseppe wykręcił szyję, próbując spojrzeć na człowieka, który go unieruchomił.

— Tomasino! — wybełkotał przez serwetkę.

— To tylko interesy, Joe — odparł Tomasino, a Tessio wyciągnął z kieszeni marynarki garotę i napiął wąską fortepianową strunę przed twarzą Giuseppego.

— Normalnie nie wykonuję już brudnej roboty — powiedział, stojąc za Mariposą. — Ale to jest coś wyjątkowego — dodał, szepcząc mu do ucha. — Tylko dla ciebie. Nalegałem.

Owinął drut wokół szyi Mariposy, z początku powoli, pozwalając mu poczuć chłodny dotyk metalu na skórze. A potem Tomasino puścił Mariposę i Tessio pociągnął mocniej za drut, wbijając jednocześnie kolano w oparcie krzesła, żeby się zaprzeć. Giuseppe wierzgnął i udało mu się kopnąć nogę stołu, odsuwając go i zrzucając na podłogę jedno nakrycie. Drut przeciął mu tętnicę i strumień krwi trysnął na biały obrus. Sekundę później jego ciało zwiotczało i Tessio pchnął go do przodu. Mariposa nie spadł z krzesła; jego głowa legła na stole. Tryskająca z szyi krew szybko napełniła talerz, który wyglądał, jakby podano w nim czerwoną zupę.

— Nie był aż takim draniem, za jakiego go wszyscy uważają — stwierdził Tomasino, po czym poprawił marynarkę i wygładził włosy. — Mam nadzieję, że don Corleonc uzna moją współpracę za dowód lojalności wobec jego osoby.

— Przekonasz się, że warto pracować dla Vita — odparł Tessio, po czym wskazał mu drzwi i Tomasino wyszedł z pokoju.

Tessio zmoczył wodą serwetkę i próbował wytrzeć plamę krwi z mankietu. Kiedy udało mu się ją tylko rozmazać, podwinął mankiet i schował go w rękawie marynarki. Przy drzwiach po raz ostatni spojrzał na Mariposę, który krwawił z głową leżącą na stole.

— Możesz mi teraz podskoczyć, Joe — powiedział ze złością, która nie wiadomo skąd się w nim wzięła, a potem splunął na podłogę i wyszedł z pokoju. Na zewnątrz czekali na niego Eddie Veltri i Ken Cuisimano, którzy zajęli strategiczne pozycje przy drzwiach, zasłaniając przed wzrokiem gości to, co działo się w środku. Orkiestra grała *Smoke Gets in Your Eyes*.

— Lubię tę piosenkę — zwrócił się Tessio do Kena, po czym dotknął ramienia Eddiego. — *Andiamo*.

Kiedy wszyscy trzej przeciskali się przez labirynt stolików,

Tessio zaczął nucić razem z młodą piosenkarką. Po tym, jak zaśpiewał na głos „nie mogę zaprzeczyć, że czuję to, co czuję", Eddie poklepał go po plecach.

— Wiesz, że osłoniłbym cię własnym ciałem, Sal, ale *Madre 'Dio*, przestań śpiewać.

Tessio spojrzał na niego z ukosa, a potem szeroko się uśmiechnął i roześmiał. I nadal się śmiał, wychodząc z klubu na zatłoczoną ulicę Manhattanu.

. . .

Donnie O'Rourke ściszył radio. Jego rodzice przez cały wieczór kłócili się w sąsiednim pokoju, oboje pijani, i teraz wreszcie, późno, bo późno, skończyli, grubo po północy według spikera w radiu. Donnie zmniejszył głośność i odwrócił się do otwartego przy łóżku okna, przy którym słyszał szelest poruszanych wiatrem firanek. Siedział w bujanym fotelu zwróconym w stronę łóżka i okna, z rękoma na kolanach i nogami okrytymi szalem. Szybko przeczesał dłonią włosy, poprawił na nosie ciemne okulary, zapiął koszulę pod szyją i wyprostował się w fotelu, przygotowując się na to, co go czekało.

Ponownie stracił poczucie czasu: nie miał pojęcia, jaki to dzień miesiąca, ale wiedział, że jest wiosna i że niedługo zacznie się lato. Wyczuwał to węchem. Ostatnio wszystko wyczuwał węchem. Wiedział, czy do kuchni wchodzi jego matka, czy ojciec, poznawał to po wydawanych przez nich odgłosach i po zapachach — piwa i whiskey, odmiennymi dla każdego z nich, różniącymi się lekko i natychmiast przez niego rozpoznawanymi, choć nie umiałby ich opisać. Teraz wiedział, że to Luca Brasi, który stał na schodach przeciwpożarowych. Wiedział to na pewno. Słysząc, jak wchodzi do pokoju przez otwarte okno, uśmiechnął się do niego i wypowiedział cicho jego imię.

— Luca. Luca Brasi.

— Skąd wiedziałeś... że to ja? — odparł Luca głosem niewiele się różniącym od szeptu.

— Nie musisz się przejmować moimi starymi — powiedział Donnie. — Są zbyt pijani, żeby przysporzyć jakichś problemów.

— Nie przejmuję się... nimi. — Luca przeszedł przez pokój i stanął przed jego fotelem. — Skąd wiedziałeś... że to ja, Donnie?

— Poczułem twój zapach — odparł Donnie i roześmiał się. — Jezu, jak ty śmierdzisz, Luca. Jak szambo.

— Nie kąpię się tak często... jak powinienem — przyznał Luca. — Nie lubię się... moczyć. Mam problem... z wodą. Boisz się? — zapytał po chwili.

— Czy się boję? Jezu, Luca, czekałem na ciebie.

— W porządku. Przyszedłem, Donnie — powiedział Luca i objął rękoma jego szyję.

Donnie odchylił się w fotelu, rozpiął kołnierzyk i zadarł głowę do góry.

— Śmiało — szepnął. — Zrób to.

Luca zacisnął mocno palce i prawie natychmiast zrobiło się cicho i ciemno, i wszystko zniknęło, nawet dochodzący z kuchni kwaśny odór piwa i whiskey, nawet słodki zapach wiosny i zmieniającej się pory roku.

27

Krople deszczu — a właściwie raczej gęstej mżawki niż deszczu — kapały z czarnych schodów przeciwpożarowych w alejce za piekarnią Eileen. O tej porze Caitlin powinna już spać i Sonny zdziwił się, kiedy Eileen, trzymając ją na rękach, stanęła w oknie salonu i zasunęła żaluzje. Zobaczył je tam obie, Eileen z rudawozłotymi loczkami i Caitlin z jasnymi włosami opadającymi na ramiona. Zdjął z głowy kapelusz i strząsnął z niego krople wody. Czekał już w tej alejce bardzo długo. Zaparkował przed zmierzchem kilka przecznic dalej, zaczekał, aż się ściemniło, otworzył niezamkniętą na klucz metalową furtkę i skrył się w alejce, z której mógł obserwować tylne okna mieszkania Eileen. Nie spodziewał się raczej, żeby Bobby był tutaj, razem z Eileen i Caitlin, ale z drugiej strony nie wiedział, gdzie indziej mógłby się podziać — i kilka sekund po tym, jak Eileen zasunęła żaluzje, zdał sobie sprawę, że Bobby jest u niej. Odwiedzając ją tyle razy, nigdy nie widział, żeby je zasuwała. Okno wychodziło na ślepą ścianę przy alejce, z której korzystali tylko śmieciarze. Minutę później w małym pokoiku za piekarnią rozjaśnił się pomarańczowym blaskiem luksfer i Sonny był pewien, że to Bobby. Widział niemal, jak kładzie się na tej wąskiej kozetce i zapala stojącą obok sterty książek stołową lampę.

W kieszeni spodni miał śrubokręt, który zabrał, wiedząc, że jeśli będzie trzeba, wyważy nim zamek. Zacisnął teraz palce na żłobionej drewnianej rękojeści. Przez kilka minut obserwował tylne drzwi do piekarni. Nie był w stanie się skupić ani nawet poruszyć. Obficie się pocił i było mu niedobrze. Kilka razy głęboko odetchnął, po czym wyjął tłumik i uważnie mu się przyjrzał: ciężki, srebrzysty cylinder, żłobkowany tam, gdzie przykręcało się go do lufy. Wziął pistolet za lufę i przymocował do niej tłumik. Skończywszy, schował broń do kieszeni, ale nadal nie ruszał się z miejsca, nadal stał tam na deszczu, obserwując wejście, jakby w każdej chwili mógł w nim stanąć Bobby, śmiejąc się z niego i zapraszając do środka.

Pomasował oczy palcami i słysząc, jak Eileen krzyczy na córkę, słysząc w jej krzyku ostrą nutkę frustracji, zorientował się, że przecina alejkę i wciska śrubokręt między zamek i framugę. Drzwi piekarni bez trudu ustąpiły i wszedł do cichego ciemnego pomieszczenia, w którym unosił się zapach cynamonu. Z pokoiku Bobby'ego sączyła się smuga światła. Na górze, dokładnie nad głową, słyszał szum wody i tupot stóp Caitlin wchodzącej i wychodzącej z łazienki. Wyjął z kieszeni pistolet, schował go, wyjął z powrotem i w końcu pchnął wąskie drzwi, za którymi, tak jak się spodziewał, zobaczył Bobby'ego leżącego na kozetce z książką w ręce, a obok lampę z osłaniającym żarówkę nowym jasnopomarańczowym kloszem. Bobby zerwał się, zrzucając książkę na podłogę, a potem znieruchomiał, podniósł książkę i z powrotem się położył, podkładając pod głowę splecione dłonie. Nie spuszczał wzroku z ręki Sonny'ego.

— Jak się tu dostałeś? — zapytał.

Sonny celował w niego z pistoletu. Po chwili opuścił dłoń i oparł się o ścianę. Wolną ręką pomasował oczy.

— Jezu Chryste, Bobby — mruknął.

Bobby zamrugał i uniósł głowę.

— Co ty tutaj robisz, Sonny?

— A jak myślisz, Bobby? Postrzeliłeś mojego ojca.

— To był wypadek. — Cork obserwował twarz Sonny'ego. — Clemenza ci nie powiedział?

— Co miał mi powiedzieć?

— Eileen przekazała mu wiadomość. Powinien ci powtórzyć. On wie, co się wydarzyło na paradzie, Sonny.

— Ja też wiem, co się wydarzyło — odparł Sonny. — Byłem tam, nie pamiętasz?

Bobby odgarnął włosy z twarzy i podrapał się po głowie. Miał na sobie spodnie khaki i rozpiętą niebieską roboczą koszulę. Ponownie spojrzał na pistolet w dłoni Sonny'ego.

— Z tłumikiem — stwierdził i roześmiał się. — Sonny, to był wypadek, to, że postrzeliłem Vita. Zobaczyłem, że ten kretyn Dwyer zachodzi go od tyłu. Strzeliłem do niego i przypadkowo trafiłem Vita. Tak było, Sonny. Zastanów się. Nie sądzisz chyba, że strzelałbym do twojego ojca?

— Widziałem, że do niego strzelałeś.

— Tak, ale celowałem do Dwyera.

— Muszę przyznać — powiedział Sonny, znowu trąc oczy — że nigdy nie był z ciebie dobry strzelec.

— Byłem zdenerwowany — odparł Bobby, jakby bronił

się przed zarzutem, że jest marnym strzelcem. — Wszędzie świstały kule. Dzięki Bogu trafiłem go tylko w ramię. — Ponownie spojrzał na pistolet w ręce Sonny'ego. — Przyszedłeś mnie zabić. Jezu Chryste, Sonny.

Sonny potarł grzbiet nosa i spojrzał na sufit, jakby mogły się tam ukazać słowa, których szukał.

— Muszę cię zabić, Bobby — oznajmił — nawet jeśli to, co mówisz, jest prawdą. Nikt ci nie uwierzy, a jeśli powiem, że ja ci wierzę, okażę słabość. Wyjdę na głupka.

— Wyjdziesz na głupka? Tak powiedziałeś? Chesz mnie zabić, żeby nie wyjść na głupka? O to ci chodzi?

— Uznają mnie za kogoś słabego — odparł Sonny — i głupiego. W mojej Rodzinie będę skończony.

— I dlatego mnie zabijesz? — Po minie Bobby'ego można by sądzić, że bardzo go to rozbawiło. — Jezu Chryste — powtórzył. — Nie możesz mnie zabić, nawet jeśli wydaje ci się, że musisz, co swoją drogą jest kurewsko śmieszne.

— To nie jest śmieszne.

— Owszem jest — odparł Bobby i w jego głosie zabrzmiał gniew, mimo że dalej leżał na łóżku, opierając głowę na splecionych dłoniach. — Nie możesz mnie zabić, Sonny. Poznaliśmy się, kiedy byliśmy młodsi od Caitlin. Kogo ty chcesz oszukać? Nie możesz mnie zabić tylko dlatego, że będziesz lepiej wyglądał w oczach swojej Rodziny. — Bobby wpatrywał się w Sonny'ego, obserwował jego oczy i twarz. — Nie zastrzelisz mnie. To tak jakbyś zastrzelił samego siebie. Nie możesz tego zrobić.

Sonny podniósł broń, wycelował w Bobby'ego i zdał sobie sprawę, że tamten ma rację. Nie był w stanie pociągnąć za spust. Wiedział o tym, wiedział, że nigdy tego nie zrobi. Bobby też chyba to wiedział.

— Bardzo mnie rozczarowałeś — powiedział. — Łamie mi się serce, kiedy pomyślę, że chciałeś zrobić coś takiego. To do ciebie niepodobne, Sonny — dodał, mierząc go płonącym wzrokiem. — Chyba nie sądziłeś, że zdołasz zrobić coś takiego.

Sonny nadal celował prosto w serce Bobby'ego.

— Muszę, Cork — powiedział. — Nie mam wyboru.

— Nie powtarzaj tych bzdur. Oczywiście, że masz wybór.

— Nie mam — mruknął Sonny.

Cork zakrył oczy dłońmi i westchnął, jakby wpadał w desperację.

— Nie możesz tego zrobić — powtórzył, nie patrząc na Sonny'ego. — Nawet jeśli jesteś tak głupi, że wydaje ci się, że musisz.

Sonny opuścił broń.

— Wy, Irlandcy — mruknął — zawsze mieliście niezłą gadkę.

— Mówię tylko szczerą prawdę — odparł Cork. — Prawda to prawda, nawet jeśli jesteś zbyt głupi, żeby ją dostrzec.

— Uważasz mnie za głupka?

— Ty to powiedziałeś, Sonny.

Sonny miał wrażenie, że zmaga się z niedającym się rozwiązać problemem. Spojrzał na pistolet, który trzymał w dłoni, a potem na Corka, i chociaż jego oczy poruszały się, ciało zastygło w bezruchu. W miarę jak mijały kolejne sekundy, jego twarz pociemniała.

— Może i jestem głupi, Bobby — odezwał się w końcu — ale moja siostra nie jest kurwą.

Cork spojrzał na niego i wybuchnął śmiechem.

— O czym ty chrzanisz?

— Mówię o Eileen — odparł Sonny. — Człowieku, rżnąłem Eileen od lat.

— Co w ciebie wstąpiło? — zapytał Cork i usiadł na kozetce. — Dlaczego mówisz takie rzeczy?

— Bo to prawda, głupi Irlandcu. Rżnąłem ją trzy razy w tygodniu, odkąd...

— Stul dziób, ty głupi sukinsynu! — Cork spojrzał w górę, nasłuchując, czy w łazience płynie nadal woda, jakby bał się, że Eileen lub Caitlin mogą usłyszeć, o czym mówią. — To nie jest wcale śmieszne, jeśli tak ci się wydaje. Eileen nie zniżyłaby się, żeby sypiać z takimi jak ty, i obaj o tym wiemy.

— Niestety się mylisz — odparł Sonny i odsunął się od ściany, nareszcie odzyskując władzę w nogach i dając krok do przodu. — Eileen to uwielbia. Uwielbia obciągać...

Cork zerwał się z łóżka i rzucił na Sonny'ego, który podniósł pistolet, wycelował w jego serce i strzelił. Broń wydała odgłos podobny do uderzenia młotkiem w tynk. Luksfer w oknie roztrzaskał się na kawałki, które uderzyły w klosz lampy, wywracając ją na podłogę. Sonny upuścił pistolet i złapał padającego Corka w ramiona. Zobaczył szeroką plamę z tyłu jego koszuli i nie miał żadnych wątpliwości, że Cork nie żyje, że kula trafiła go w serce, wyszła z tyłu i utkwiła w luksferze okna wychodzącego na alejkę. Nie spiesząc się, podniósł ciało, położył na łóżku i zakrył ranę na sercu otwartą książką, zupełnie jakby chciał ją ukryć przed Eileen, która zbiegała już po schodach, wołając brata, pytając, czy wszystko jest w porządku.

Sonny przebiegł alejkę i był już przy furtce, kiedy usłyszał jej krzyk. Krzyknęła raz, głośno i długo, a potem zapadła cisza. W samochodzie zapalił silnik, otworzył drzwi i wyrzygał się na ulicę. Kiedy odjeżdżał, ocierając nerwowo usta, głowę wypełniało mu dziwne głośne brzęczenie, echo krzyku Eileen i echo wystrzału, dźwięk, który jednocześnie słyszał w głowie i czuł w kościach, jakby kula trafiła i jego. W przypływie szaleństwa, bojąc się, że też w jakiś sposób oberwał, zerknął na własną pierś i widząc krew na koszuli, wpadł w panikę. Dopiero po kilku sekundach zdał sobie sprawę, że to krew Corka, lecz mimo to wsunął palce pod koszulę i obmacał skórę przy sercu, pragnąc rozpaczliwie upewnić się, że nic mu nie jest, że nic mu się nie stało — a potem uprzytomnił sobie, że nie wraca do domu, ale zmierza w stronę doków i rzeki. Nie wiedział, dlaczego tam jedzie, ale to było silniejsze od niego. Miał wrażenie, że coś go tam ciągnie — i dopiero kiedy zobaczył wodę, zaparkował przy niej i zobaczył w oddali światła miasta, serce zaczęło mu bić wolniej, rozjaśniło mu się w głowie i ucichło echo krzyku Eileen i wystrzału, który nadal słyszał i czuł w kościach i w sercu.

28

Vito odchylił się do tyłu na sofie i objął siedzącą na jego kolanach Connie, która klejąc się do niego, obserwowała z autentycznym zaciekawieniem dyskutujących o baseballu Jimmy'ego Manciniego i Ala Hatsa. Córka Jimmy'ego, Lucy, siedziała obok nich, z zapałem łącząc kropki w kolorowym zeszycie do ćwiczeń i co jakiś czas zerkając na Connie, by sprawdzić, czy w czasie, gdy zajmuje się rysunkiem, jej przyjaciółka nigdzie sobie nie poszła. Siedzieli w salonie Vita przy Hughes Avenue, było urocze niedzielne popołudnie z bezchmurnym niebem i temperaturą w okolicy dwudziestu kilku stopni. Kiedy do pokoju wszedł Tessio, Al i Jimmy przestali się spierać o szanse Gigantów na ponowne zwycięstwo w World Series.

— Myślisz, że Dodgersi zostaną mistrzami, Sal? — zapytał Al i obaj mężczyźni wybuchnęli śmiechem, ponieważ Dodgersom groziło raczej wypadnięcie z ligi. Tessio, który był zagorzałym fanem Brooklyńskich Dodgersów, zignorował ich, usiadł obok Lucy i zainteresował się jej zeszytem do ćwiczeń.

Z kuchni dobiegły głośne śmiechy i chwilę później Sandra wybiegła z niej z rumieńcami na policzkach i zaczęła wchodzić po schodach, najprawdopodobniej do łazienki. Vito nie słyszał wymiany zdań, ale nie musiał nikogo pytać, żeby zgadnąć, że jedna z kobiet rzuciła jakąś sprośną uwagę na temat Sandry i Santina. Takie pogwarki zaczęły się tuż po ogłoszeniu jej zaręczyn z Sonnym i miały się skończyć dopiero po weselu i miodowym miesiącu. Vito trzymał się z daleka od kuchni, kiedy kobiety przygotowywały tam posiłek i plotkowały. Idąc na górę, Sandra wpadła na schodzącego Toma, który wziął jej ręce w swoje, pocałował w policzek i oboje wdali się w rozmowę na tyle interesującą, że usiedli w końcu obok siebie na schodach. Rozmowa, jak domyślał się Vito, musiała dotyczyć Santina, który zaszył się w swoim mieszkaniu i od tygodnia z niego nie wychodził. Sandra i Carmella namawiały go, żeby poszedł do lekarza, ale on oczywiście nie chciał o tym słyszeć. Wcześniej tego dnia Vito usłyszał, jak Carmella mówi do Sandry: „Jest uparty jak mężczyzna". A teraz Tom trzymał dłonie Sandry w swoich i próbował ją pocieszyć. „Nie martw się o niego". Carmella prosiła Vita, żeby kazał synowi się przebadać, lecz on odmówił. „Nic mu nie będzie", powiedział. „Daj mu trochę czasu".

Ktoś w kuchni — prawdopodobnie Michael — włączył radio i cały dom wypełnił szum odbiornika i głos burmistrza LaGuardii, który natychmiast zirytował Vita. Podczas gdy reszta miasta i kraju szybko zapominała o masakrze, przypisując ją bandzie stukniętych Irlandczyków, którzy nienawidzili Włochów za to, że ci odebrali im pracę — co było wersją propagowaną przez kilku dobrze opłacanych dziennikarzy — LaGuardia nie dawał za wygraną. Zaperzał się tak, jakby to jego osobiście postrzelono. W gazetach i w radiu wciąż gadał o „kanaliach". Vito miał już tego dosyć i kiedy znowu go usłyszał, mówiącego coś o „arogancji", a potem znowu o „kanaliach", posadził Connie obok Lucy i poszedł do kuchni zgasić radio. Z zaskoczeniem odkrył, że włączył je Fredo siedzący między żonami Genca i Jimmy'ego, nie zdziwiło go jednak to, że syn wcale nie słuchał wystąpienia burmistrza. Kiedy Vito wyłączył odbiornik, sięgając za plecami Freda, nikt tego nawet nie zauważył.

— Gdzie jest Michael? — zapytał Carmellę, która stała przy kuchence razem z panią Columbo.

Carmella nadziewała *braciol'*, a pani Columbo lepiła klopsiki i rzucała je na skwierczący na patelni tłuszcz.

— Na górze w swoim pokoju — odparła Carmella, jakby ją to denerwowało. — Jak zawsze z głową w książce! Każ mu zejść! — zawołała, kiedy Vito ruszył do drzwi, żeby porozmawiać z Michaelem. — To niezdrowe!

Zastał Michaela w łóżku, leżącego na brzuchu z otwartą książką opartą na poduszce. Kiedy wszedł do sypialni, chłopiec odwrócił głowę.

— Dlaczego mama jest zła? — zapytał. — Zrobiłem coś?

Vito usiadł obok niego i poklepał po nodze, dając do zrozumienia, żeby się nie przejmował, nikt nie jest na niego zły.

— Co czytasz? — zapytał.

Michael obrócił się na plecy i położył sobie książkę na piersi.

— To historia Nowego Orleanu — odparł.

— Nowego Orleanu — zdziwił się Vito. — Po co czytasz o Nowym Orleanie?

— Ponieważ to miejsce, w którym doszło do największego masowego linczu w historii Stanów Zjednoczonych — wyjaśnił Michael, kładąc dłonie na książce.

— To straszne. Dlaczego o tym czytasz?

— Myślę, że mógłbym napisać o tym moją pracę.

— Zdawało mi się, że miałeś zamiar napisać o Kongresie.

— Zmieniłem zdanie — odparł Michael, po czym zsunął książkę z piersi i usiadł, opierając się o wezgłowie. — Nie chcę już pisać o Kongresie.

— Dlaczego? — zapytał Vito, kładąc dłoń na nodze syna i obserwując wyraz jego twarzy. Michael wzruszył ramionami i nie odpowiedział. — Więc teraz piszesz pracę o kolorowych, którzy padli ofiarą linczu na Południu? — Vito podciągnął do góry krawat i wystawił z ust język, chcąc rozśmieszyć chłopca.

— To nie byli kolorowi, tato — wyjaśnił Michael. — To byli Włosi.

— Włosi! — Vito odchylił się do tyłu i spojrzał na syna z niedowierzaniem.

— W porcie Nowego Orleanu pracowali kiedyś Irlandczycy, ale przyszli Sycylijczycy i odebrali im tę robotę.

— Sycylijczycy pracowali na morzu od tysięcy lat — zauważył Vito.

— Wszystko było w porządku — podjął Michael — dopóki nie pojawili się włoscy gangsterzy, prawdopodobnie z mafii.

— Z mafii? — przerwał mu Vito. — Jakiej mafii? Tak piszą w tej twojej książce? Nie ma takiej rzeczy jak mafia, przynajmniej tu, w Ameryce.

— No więc dobrze, pojawili się gangsterzy — powiedział Michael. Było jasne, że chce skończyć swoją historię. — Zastrzelili szefa policji, a potem, kiedy ich wypuszczono...

— Wypuszczono ich? — podchwycił Vito. — A zatem tego nie zrobili, tak?

— Niektórzy zostali zwolnieni — wyjaśnił Michael — ale ci gangsterzy chyba to zrobili. Dlatego tłum obywateli włamał się do więzienia i zlinczował wszystkich Włochów, których udało się znaleźć. Zginęło jedenastu Włochów, a większość z nich prawdopodobnie była niewinna.

— Większość? — zapytał Vito.

— Tak. — Michael spojrzał ojcu w oczy i uważnie go obserwował. — Całą sprawę spowodowało, jak się zdaje, kilku gangsterów.

— Aha. Rozumiem — mruknął Vito, odwzajemniając spojrzenie syna tak długo, aż odwrócił wzrok. — I o tym chcesz napisać swoją pracę.

— Być może — odparł Michael i znowu na niego spojrzał. W jego głosie zabrzmiała twarda nuta. — A może o włosko--amerykańskich weteranach wojny światowej. Moim zdaniem to też może być ciekawe. W tej wojnie walczyło wielu Amerykanów włoskiego pochodzenia.

— Nie wątpię w to — odparł Vito. — Michael... — zaczął po chwili, jakby chciał coś wyjaśnić synowi, ale potem umilkł i poklepał go łagodnie po policzku. — Każdy ma swoje przeznaczenie — powiedział, biorąc twarz syna w dłonie i przyciągając go do siebie, żeby pocałować.

Michael wyglądał, jakby się ze sobą zmagał. W końcu pochylił się do przodu i objął ojca. Po chwili Vito wstał z łóżka.

— Kiedy skończysz czytać, dołącz do nas na dole. Twoja matka robi *braciol'* — powiedział, całując opuszki palców, żeby pokazać, jakie będą pyszne. — Aha... Dostałem to dla ciebie — dodał, jakby dopiero teraz sobie o tym przypomniał, po czym wyjął z kieszeni kartkę z osobistym listem do Michaela, zachęcającym go do dalszej nauki i podpisanym przez burmistrza LaGuardię. Dał ją chłopcu, zmierzwił mu włosy i zostawił samego.

29

Sonny nalał właśnie do szklanki wodę z kryształowej karafki, kiedy ktoś położył mu lekko dłoń na ramieniu.

— Hej, Sonny. Jak długo jeszcze będą tam siedzieć? — zapytał go elegancko ubrany barczysty mężczyzna z haczykowatym nosem.

— Czy ja pana znam?

Clemenza i Tessio stali nieopodal, w małym gronie przyjaciół i wspólników sześciu obradujących w przyległej sali konferencyjnej szefów Rodzin — pięciu z Nowego Jorku oraz Mike'a DiMea z New Jersey.

— Virgil Sollozzo — przedstawił się facet, wyciągając rękę.

— Już kończą — odparł Sonny, ściskając ją. — Mój ojciec tyle mówi, że musi naoliwić przewody — wyjaśnił, pokazując szklankę z wodą.

— Jakiś problem, Sonny? — zapytał Clemenza.

On i Tessio podeszli z tyłu do Sollozza i stanęli po jego obu stronach. Clemenza trzymał w ręce srebrną tacę, na której piętrzyło się prosciutto, *capicol'*, salami, anchois i bruschetta.

— Wszystko w porządku. — Sonny spojrzał na długi stół uginający się od jedzenia i picia i na obsługujących gości kucharzy z chochlami i łopatkami w rękach. — Tato przeszedł sam siebie — stwierdził. — To królewska uczta.

— To dla twojego ojca? — zapytał Tessio, wskazując trzymaną przez Sonny'ego szklankę.

— Zgadza się. Musi naoliwić przewody — powtórzył Sonny.

— Ej! — mruknął Clemenza, wskazując tacą drzwi do sali konferencyjnej. — *Avanti!*

— Już idę! — odparł Sonny. — *Madon'!*

W sali konferencyjnej parafii Świętego Franciszka, pod zdobiącymi ściany portretami świętych, wciąż przemawiał Vito Corleone. Siedział u szczytu stołu na zwykłym krześle — tronu, na którym zasiadał Mariposa, nie było nigdzie widać — mając po jednej stronie Stracciego i Cunea, po drugiej Tattaglię i DiMea, a naprzeciwko siebie Barziniego. Widząc Sonny'ego, dał znak, by podał mu wodę. Sonny postawił szklankę przed ojcem i zajął swoje miejsce przy innych stojących przy ścianie ochroniarzach.

Vito pociągnął łyk wody i położył dłonie na stole.

— Uważam, że dokonaliśmy tu dzisiaj wielkich rzeczy, panowie — podjął. — Zanim zakończymy naszą dyskusję, chciałbym jeszcze raz przyrzec na honor mojej rodziny i dać wam słowo... a wiecie, przyjaciele, że moje słowo ma wagę złota. Daję wam teraz słowo, że wojna dobiegła końca. Nie zamierzam wtrącać się w żaden sposób do interesów żadnego z tu obecnych. — Vito przerwał i przyjrzał się kolejno każdemu z siedzących przy stole. — Jak uzgodniliśmy, będziemy się spotykali raz lub dwa razy w roku, żeby przedyskutować wszelkie trudności, jakie mogą mieć ze sobą nasi ludzie. Ustaliliśmy pewne zasady, poczyniliśmy pewne uzgodnienia i mam nadzieję, że będziemy przestrzegali tych zasad i uzgodnień... a kiedy wyłonią się jakieś problemy, możemy stawić im czoło i rozwiązać je jak dobrzy biznesmeni. — Wymawiając słowo „biznesmeni", Vito postukał palcem w stół, by podkreślić jego wagę. — W Nowym Jorku jest teraz pięć Rodzin. Są Rodziny w Detroit, Cleveland, San Francisco i w całym kraju. Pewnego dnia wszystkie te Rodziny... wszystkie, które będą przestrzegać naszych zasad i uzgodnień... powinny być reprezentowane w komisji, której naczelnym zadaniem będzie utrzymanie pokoju. — Vito przerwał i ponownie przyjrzał się siedzącym przy stole mężczyznom. — Wszyscy wiemy — podjął — że jeśli znowu dojdzie do masakr podobnych do tej, która przytrafiła się podczas ostatniej parady, albo do jatki, która ma teraz miejsce w Chicago, czeka nas wszystkich zguba. Natomiast jeśli uda nam się prowadzić interesy w pokojowy sposób, wszyscy będziemy prosperowali.

Kiedy Vito przerwał, by napić się wody, Emilio Barzini wstał i oparł palce na wypolerowanym blacie stołu, jakby miał przed sobą klawiaturę fortepianu.

— W obecności wszystkich zgromadzonych tutaj znakomitych gości chciałbym oświadczyć, że popieram don Vita Corleone i przysięgam przestrzegać ustalonych dzisiaj zasad — oznajmił. — Mam nadzieję, że wszyscy złożycie przysięgę wraz ze mną, przyrzekając przestrzegać tego, co zostało tu uzgodnione.

Pozostali mężczyźni pokiwali głowami, wyrażając pomrukiem zgodę. Phillip Tattaglia szykował się, żeby wstać i również złożyć przysięgę, ale Vito odezwał się pierwszy, nie dopuszczając go do głosu.

— Przysięgnijmy również — powiedział, wpatrując się w Barziniego — że jeśli kiedykolwiek któryś z nas będzie miał coś wspólnego z taką *infamitá* jak masakra na paradzie, zbrodnia, której ofiarą padli niewinni ludzie, wśród nich małe dziecko, jeśli kiedykolwiek jeszcze któryś z nas narazi na niebezpieczeństwo niewinnych i członków rodzin, nie będzie dla niego litości ani wybaczenia.

Kiedy wszyscy nagrodzili brawami Vita, w którego głosie, gdy wypowiadał ostatnie zdanie, zabrzmiało więcej pasji niż kiedykolwiek wcześniej podczas długiego spotkania, kiedy Barzini również dołączył się do oklasków, choć zrobił to sekundę później od innych, i kiedy każdy z nich przysiągł przestrzegać ustalonych zasad, Vito złożył ręce jak do modlitwy i splótł razem palce.

— Głęboko pragnę — podjął — byście traktowali mnie jak ojca chrzestnego, człowieka, którego obowiązkiem jest świadczenie przyjaciołom wszelkich usług, pomaganie im we wszelkich kłopotach: dobrą radą, pieniędzmi, wpływami oraz siłą moich ludzi. Oświadczam wszystkim siedzącym przy tym stole: wasi wrogowie są moimi wrogami, wasi przyjaciele są moimi przyjaciółmi. Niech to spotkanie zapewni pokój między nami.

Nie czekając, aż skończy, mężczyźni wstali i ponownie nagrodzili go brawami. Vito podniósł rękę, prosząc o ciszę.

— Dotrzymajmy danego słowa — powiedział tonem sugerującym, że chce dodać tylko kilka słów i na tym skończy. — Zarabiajmy na chleb, nie przelewając krwi innych. Wszyscy wiemy, że świat na zewnątrz zmierza do wojny, ale w naszym świecie zachowajmy pokój — oświadczył, po czym podniósł szklankę z wodą, jakby wznosił toast, i pociągnął z niej długi łyk.

Mężczyźni ponownie zaczęli bić brawo, a potem po kolei podchodzili do Vita, ściskali mu dłoń i zamieniali z nim kilka słów.

Stojący na swoim posterunku przy ścianie Sonny patrzył, jak ojciec wymienia uścisk dłoni i obejmuje się z każdym z szefów Rodzin. Kiedy nadeszła kolej Barziniego, Vito objął go, jakby odzyskał dawno utraconego brata, a kiedy go puścił, Barzini pocałował go w policzek.

— Można by pomyśleć, że to najlepsi przyjaciele — powiedział Sonny do Tomasina, który stanął obok niego i też przyglądał się tej scenie.

— Bo są nimi — odparł Tomasino i poklepał Sonny'ego po plecach. — Już po wszystkim. Teraz musimy być grzeczni. — Tomasino puścił do niego oko. — Będę musiał napić się z moim nowym kumplem Lucą — dodał, po czym pomasował bliznę pod okiem, roześmiał się i ruszył w stronę drzwi i zastawionego suto stołu.

Sonny spojrzał jeszcze raz na rozmawiających z ojcem Barziniego i Tattaglię, a potem wyszedł w ślad za Tomasinem z sali.

. . .

Kiedy ostatni zaproszeni wyszli z parafii Świętego Franciszka, słońce wisiało nisko nad dachami domów. Poziome smugi światła wpadały przez dwa okna i oświetlały leżące na talerzach resztki antipasti, mięsa i makaronu. Zostali tylko członkowie Rodziny Corleone i oni też zbierali się do wyjścia.

Vito przystawił sobie krzesło w połowie stołu. Genco i Tessio usiedli po jego lewej stronie, a Sonny i Clemenza po prawej. Jimmy Mancini, Al Hats i inni poszli po samochody i w sali zrobiło się przez chwilę zupełnie cicho, nie dobiegały tam nawet zwykłe odgłosy miasta.

— Patrzcie — powiedział Clemenza, przerywając ciszę i wyjmując ze skrzynki pod stołem butelkę szampana. — Zostawili jedną — mruknął, po czym obwiązał serwetą korek i na oczach wszystkich zaczął go wyciągać. Kiedy szampan strzelił, Tessio postawił na tacy pięć czystych kieliszków, wziął sobie jeden i przesunął pozostałe w stronę Vita.

— To był dobry dzień. — Vito wziął kieliszek i pozwolił, by Clemenza nalał mu szampana. — Jesteśmy teraz najsilniejszą Rodziną w Nowym Jorku — powiedział, gdy Clemenza nalewał innym. — Za dziesięć lat będziemy najsilniejszą Rodziną w Ameryce.

— Słuchajcie, słuchajcie! — zawołał na to Tessio i wszyscy mężczyźni podnieśli kieliszki i wypili.

Kiedy znowu zapadła cisza, Clemenza wstał i spojrzał na szefa, jakby nie był czegoś pewny.

— Vito — powiedział po krótkim wahaniu i w jego tonie zabrzmiała powaga, co zwróciło na niego uwagę wszystkich, bo coś takiego prawie mu się nie zdarzało. — Vito — powtórzył. — Wiemy, że nie tego chciałeś dla Sonny'ego. Marzyłeś dla niego o czymś innym — dodał i skłonił głowę — lecz teraz, kiedy życie ułożyło się tak, jak się ułożyło, myślę, że wszyscy możemy być dumni z naszego Santina, który przeszedł ostatnio chrzest bojowy, okazał miłość swojemu ojcu i w ten sposób dołączył do naszego świata, do naszego biznesu. Jesteś teraz jednym z nas, Santino — powiedział

Clemenza, zwracając się bezpośrednio do Sonny'ego, po czym podniósł kieliszek i uhonorował go tradycyjnym toastem. — *Cent'anni!*

— *Cent'anni!* — powtórzyli za nim inni, łącznie z Vitem, i opróżnili kieliszki.

— Dziękuję — odparł Sonny, nie bardzo wiedząc, jak się zachować, i to rozśmieszyło wszystkich oprócz Vita. Sonny zaczerwienił się, spojrzał na swój kieliszek i wypił. Widząc zakłopotanie syna, Vito złapał go za głowę i pocałował w czoło, co inni nagrodzili brawami. A potem zaczęło się poklepywanie po plecach i uściski, które Sonny skwapliwie odwzajemniał.

30

Stojąc przy kuchennym zlewie i szorując dno patelni, którą przypaliła poprzedniego wieczoru, Eileen nie wiedziała, co bardziej działa jej na nerwy: słaba wentylacja w mieszkaniu, przez którą to miejsce zmieniało się w saunę za każdym razem, kiedy temperatura przekraczała trzydzieści stopni, tak jak to się działo teraz, w to słoneczne lipcowe popołudnie; nierówny terkot stojącego za nią na stole taniego wiatraka, który miesił tylko zalegające w kuchni gorące powietrze; czy jęki Caitlin, która przez cały dzień marudziła z tego czy innego powodu. W tym akurat momencie z powodu upału nie przylepiały jej się nalepki w zeszycie do nalepianek.

— Caitlin — powiedziała, nie podnosząc głowy znad patelni — jeśli natychmiast nie przestaniesz jęczeć, przygotuj się na porządne lanie. — Chciała, by w jej ostrzeżeniu zabrzmiała nutka matczynej miłości, ale w ogóle jej się to nie udało. Zabrzmiała w nim złość i niechęć.

— Wcale nie jęczę — zaprotestowała Caitlin. — Nalepki nie chcą się przykleić i nie mogę się przez to bawić.

Eileen nalała na dno patelni wody z mydlinami i zostawiła ją. Zdusiła w sobie gniew i odwróciła się do córki.

— Dlaczego nie wyjdziesz i nie pobawisz się z koleżankami? — zapytała najsłodziej, jak potrafiła.

— Nie mam żadnych koleżanek — odparła Caitlin. Drżała jej dolna warga i w oczach stanęły łzy.

— Na pewno masz jakieś koleżanki — stwierdziła Eileen, wycierając ręce czerwoną ściereczką i uśmiechając się do córki.

— Nie mam — powtórzyła Caitlin i łzy, które usiłowała powstrzymać, popłynęły nagle szeroką strugą po policzkach. Jej ramionami wstrząsnął szloch i schowała twarz w dłoniach, zatracając się w cierpieniu.

Eileen obserwowała bez współczucia płaczącą córkę. Wiedziała, że powinna do niej podejść i pocieszyć, zamiast tego zostawiła ją jednak przy stole i poszła do sypialni, gdzie padła na wznak na nieposłane łóżko i rozłożywszy szeroko ręce, utkwiła wzrok w suficie. W sypialni było goręcej niż w kuchni, ale ściany tłumiły przynajmniej płacz Caitlin. Leżała tak przez dłuższy czas jakby w odurzeniu, wodząc oczyma po suficie, ścianach i toaletce, na której fotografia Bobby'ego stała obok zdjęcia Jimmy'ego — w miejscu, gdzie mogła widzieć ich obu każdego wieczoru przed pójściem spać i każdego ranka po obudzeniu.

Caitlin przywędrowała w końcu do sypialni, nie płacząc już, ale trzymając w ręce swoją żyrafę. Wdrapała się na łóżko i smutna się na nim położyła.

Eileen pogładziła ją po włosach i pocałowała delikatnie w czubek głowy. Caitlin przytuliła się do matki, zarzucając jej rękę na brzuch, i wśród panującej w mieszkaniu ciszy leżały tam obie w letnim skwarze, przysypiając na nieposłanym łóżku Eileen.

. . .

Pośrodku dziedzińca, wewnątrz potężnych murów posiadłości, mniej więcej dwadzieścioro sąsiadów i przyjaciół utworzyło krąg i spleceni ramionami przytupywali i tańczyli, podczas gdy Johnny Fontane śpiewał na drewnianej scenie *Luna Mezzo Mare* z towarzyszeniem Nina Valentiego grającego na mandolinie i niewielkiej orkiestry w białych frakach. Vito obserwował tłum z podium ustawionego obok muru, na małym wzniesieniu przy skraju dziedzińca. Podium stało na gołym spłachetku ziemi, gdzie próbował bez powodzenia wyhodować drzewa figowe i gdzie miał zamiar urządzić ogród na wiosnę. Wcześniej siedział przy stole panny młodej, blisko sceny, ale odszedł stamtąd, bo chciał uciec przed głośną muzyką, mieć lepszy widok i pobyć chwilę z własnymi myślami. Niestety natychmiast wypatrzyli go tam Tessio i Genco i podeszli, żeby pogadać. Teraz klaskali i przytupywali, uśmiechając się od ucha do ucha, nawet Tessio. Vito znalazł oparte o mur krzesło i usiadł, by przyjrzeć się weselnikom.

Panował upał, ponad trzydzieści stopni, i wszyscy, on też, byli spoceni. Rozpiął kołnierzyk koszuli i rozluźnił krawat. Na przyjęciu byli wszyscy jego wspólnicy biznesowi, wszyscy, którzy pełnili jakieś ważne funkcje. Pousadzano ich w różnych miejscach na dziedzińcu, między członkami jego rodziny, przyjaciółmi i sąsiadami, ale większość już przed kilkoma godzinami porzuciła swoje miejsca i teraz Emilio i Ettore

Barzini dzielili stół z braćmi Rosato i ich kobietami. Obok nich dwóch ludzi Tessia, Eddie Veltri i Ken Cuisimano, siedziało razem z Tomasinem Cinquemanim i JoJem DiGiorgiem, jednym z chłopaków Luki. Byli tu nawet ludzie z New Jersey, którzy towarzyszyli Mike'owi DiMeowi, jego żonie i dzieciom. Wszyscy śmiali się, klaskali w rytm muzyki, rozmawiali albo głośnymi okrzykami zachęcali do zabawy innych. Wśród tańczących w kręgu był Ottilio Cuneo, który z jednej strony splótł ramiona ze swoją córką, a z drugiej z żoną. Phillip Tattaglia i Anthony Stracci stali na zewnątrz kręgu z żonami i dziećmi, które nieśmiało się ich trzymały. To było wesele jego najstarszego syna i Vito cieszył się, że nikogo na nim nie zabrakło. Jeszcze większą satysfakcję sprawiało mu to, że prezenty, życzenia i gratulacje zostały przekazane ze szczerego serca. Wszyscy zarabiali teraz pieniądze i wszyscy byli chętni do zabawy.

Kiedy piosenka skończyła się przy wtórze oklasków i wesołych okrzyków, Genco wspiął się na podium i podszedł do Vita i innych z drewnianą misą pełną pomarańczy.

— O co chodzi z tymi pomarańczami? — zapytał Clemenza, wyciągając z kieszeni pogniecionej marynarki mokrą chusteczkę i ocierając nią czoło. — Wszędzie, gdzie spojrzę, widzę pomarańcze.

— Zapytaj Sala — poradził Genco, częstując Tessia. — Przywiózł ich dzisiaj kilka skrzynek.

Tessio wziął do ręki jedną pomarańczę i ignorując pytanie Clemenzy, uważnie jej się przyjrzał i zważył w dłoni.

— Wspaniale, Vito — powiedział Genco, obejmując Vita i mając na myśli wesele. — Przepięknie.

— Dziękuję, przyjacielu — odparł Vito.

— Wkrótce weźmie ślub ktoś inny, kogo znamy — szepnął mu do ucha Genco.

— To znaczy? — zapytał Vito.

Genco odszedł z nim trochę dalej od Clemenzy i Tessia, żeby ich nie usłyszeli.

— Dziś rano — powiedział — dostaliśmy wiadomość o Luigim Battaglii.

— O kim?

— O Hooksie. Człowieku Luki, który wydał go gliniarzom i zwiał z jego forsą.

— Aha. I co z nim?

— Okazało się, że otworzył restaurację gdzieś na pustkowiu w Wirginii Zachodniej. Żeni się z jakąś miejscową dziewoją. — Genco skrzywił się, dając do zrozumienia, co myśli o takim idiotyzmie. — Dzięki temu go odnaleźliśmy. Jego nazwisko pojawiło się w zapowiedziach. Imbecyl podał prawdziwe.

— Czy Luca o tym wie? — zapytał Vito.

— Nie — odparł Genco.

— To dobrze. Dopilnuj, żeby to się nie zmieniło. Luca nie musi o tym wiedzieć.

— On zwinął mu sporo forsy, Vito — mruknął Genco.

— Luca nie może się o tym dowiedzieć — oświadczył Vito, podnosząc palec. — Nigdy. Ani słowa.

Zanim Genco zdołał powiedzieć coś więcej, na podium weszła Ursula Gatto, trzymając za rękę swojego dziesięcioletniego syna Pauliego, a w ślad za nimi Frankie Pentangeli. Frankie uściskał się z Tessiem i Clemenzą, a Ursula podeszła z synem do Vita. Chłopiec stanął przed nim i powtórzył słowa, które matka najwyraźniej kazała mu wykuć na pamięć.

— Dziękuję, don Corleone, że zaprosił mnie pan na wesele Santina i Sandry.

— Bardzo nam miło cię widzieć — odparł Vito. Zmierzwił włosy małego i wyciągnął ręce do Ursuli, która z oczyma pełnymi łez padła mu w objęcia. Vito poklepał ją po plecach i pocałował w czoło. — Należysz do naszej Rodziny — powiedział, ocierając jej łzy. — *La nostra famiglia!* — powtórzył.

— *Si* — odrzekła. — *Grazie.*

Próbowała coś dodać, ale wzruszenie odebrało jej głos. Wzięła Pauliego za rękę, pocałowała jeszcze raz w policzek Vita i odwróciła się, żeby odejść. W stronę podium zmierzał Tom Hagen.

Po drugiej stronie dziedzińca, dokładnie naprzeciwko nich, Luca Brasi podszedł do kamiennego muru i odwrócił się, by spojrzeć na zgromadzonych. Miał nieobecny wzrok, ale niewykluczone, że patrzył prosto na Vita.

— Rozmawiałeś ostatnio z Lucą? — zapytał Genco, który go zauważył. — Z każdym dniem robi się coraz głupszy.

— Nie musi być mądry — mruknął Vito.

Tom Hagen wszedł na podium i uścisnał ojca. W ślad za nim zrobili to Tessio, Clemenza i Frankie Pentangeli i wszyscy oni zapragnęli nagle wziąć udział w rozmowie. Tom usłyszał ostatnią uwagę Genca na temat Luki.

— Snuje się jak zombie — powiedział. — Nikt z nim nie rozmawia.

— I strasznie śmierdzi! — zawołał Clemenza. — Śmierdzi jak skunks! Powinien się wykąpać!

Wszyscy spojrzeli na Vita, czekając, jak na to zareaguje.

— Kto mu o tym powie? — spytał, wzruszając ramionami.

Mężczyźni zastanawiali się nad tym przez chwilę, a potem wybuchnęli śmiechem.

— Kto mu o tym powie? — powtórzył Tessio, jakby to był przedni żart, a potem dalej obierał pomarańczę.

. . .

Carmella klęczała przy Sandrze, trzymając w ustach igłę z nitką. Obluzował się jeden z wielu rzędów paciorków ozdabiających jej białą satynową suknię i Carmella przyszyła go właśnie z powrotem. Wygładziła materiał i spojrzała na okoloną tiulami i koronkami piękną twarz nowej córki.

— *Bella!* — powiedziała i zerknęła na Santina, który stał z rękoma w kieszeniach, obserwując, jak pięć albo sześć kobiet szykuje Sandrę do ślubnej fotografii. Connie i jej koleżanka Lucy siedziały na podłodze przy Sandrze, bawiąc się poduszeczką do ślubnych obrączek. Kobiety zajęły nowy gabinet Vita. Tace z kosmetykami stały na biurku z włoskiego orzecha, pudełka po prezentach leżały na pluszowym dywanie. Dolce siedział na jednym z nich i uderzał łapą jasnożółtą wstążkę.

— Sonny! Idź po ojca! — zawołała Carmella.

— Po co?

— Po co? — powtórzyła Carmella, jak zwykle udając, że jest zagniewana. — Po to, żeby zrobić z nim zdjęcie!

— *Madon'!* — jęknął Sonny, jakby ze smutkiem godził się z koniecznością pójścia po ojca.

Od kilku tygodni brał posłusznie udział we wszystkich związanych z ceremonią ślubną rytuałach: od spotkań z księdzem i daniem na zapowiedzi po próby, przyjęcia i całą resztę, a teraz miał nadzieję, że to się skończy. Między gabinetem i frontowymi drzwiami domu zatrzymywali go trzy razy ludzie, których prawie nie znał, i kiedy wyszedł wreszcie na dwór i przekonał się, że jest sam, przystanął, wziął głęboki oddech i przez kilka chwil cieszył się, że nie musi mleć jęzorem. Z miejsca, gdzie stał pod portykiem, przy wejściu do domu, miał dobry widok na scenę. Johnny śpiewał balladę, która przykuła uwagę wszystkich, a goście tańczyli w uprzątniętym miejscu między rzędami stolików i sceną.

— *Cazzo* — mruknął na widok radnego Fischera rozmawiającego z Hubbellem i Mitznerem, dwoma wziętymi adwokatami ojca, oraz z dwoma ludźmi Clemenzy, Alem Hatsem i Jimmym Mancinim. Wszyscy gawędzili i śmiali się ze swoich dowcipów jak starzy przyjaciele.

Z boku dziedzińca, tuż przy nowym domu, w którym miał zamieszkać z Sandrą po powrocie z miesiąca miodowego, spostrzegł ojca stojącego na podium ze splecionymi przed sobą rękoma i wzrokiem utkwionym gdzieś ponad tłumem. Emanowała z niego wielka powaga. Naprzeciwko podium, po drugiej stronie dziedzińca Luca Brasi mrużył oczy i przyglądał się gościom, jakby wypatrywał czegoś albo kogoś, kogo stracił. Na oczach Sonny'ego obaj unieśli jednocześnie do ust pomarańcze. Vito odgryzł kawałek i wytarł usta chusteczką, a Luca wbił zęby w swoją, ze skórką i wszystkim, nie zwracając uwagi na sok kapiący mu z policzków i podbródka. Na podium, gdzie stał Vito, wskoczył Michael uciekający przed Fredem, który wymachiwał jakimś kijem. Michael zderzył się z ojcem, o mało go nie wywracając, i Sonny roześmiał się na ten widok. Vito odebrał kij Fredowi i żartobliwie trzepnął go po tyłku, a Sonny ponownie się roześmiał, podobnie jak stojący po obu stronach Vita Frankie Pentangeli i Tessio, a także mały Paulie Gatto, który ścigał Freda i Michaela i wskoczył na podium w ślad za nimi.

Sonny, nie niepokojony przez nikogo, obserwował przez dłuższą chwilę świętujących i kiedy tak patrzył na radnego, adwokatów, sędziów i gliniarzy pozostających w najlepszej komitywie z szefami Rodzin i ich ludźmi, uświadomił sobie, że jego Rodzina jest najpotężniejsza i nic nie może ich teraz powstrzymać. Mieli wszystko i nic nie stało im na drodze — nic nie stało na jego drodze, ponieważ był najstarszym synem i dziedzicem królestwa. Mam wszystko, pomyślał i choć nie potrafił powiedzieć, co to oznacza, czuł to porami skóry, przenikało go to do szpiku kości, niczym fala gorąca, tak mocno, że chciał odchylić głowę do tyłu i krzyczeć. Kiedy Clemenza dał znak, by dołączył do niego na podium, Sonny otworzył ramiona, jakby chciał objąć jego i wszystkich weselnych gości — i wyszedł na dziedziniec, do swojej Rodziny.

Słownik włoskich przekleństw, słów
i zwrotów użytych w *Rodzinie Corleone*

agita — niestrawność; wymowa w południowym dialekcie słowa
  aciditá

andate — iść

andiamo — idziemy

animale — zwierzę

aspett' — czekaj

attendere — czekać

avanti — naprzód

bambino — dziecko

basta — dosyć

bastardo, bastardi — bękart, bękarty

bella — piękna

bestia — bestia

braciole, braciol' — wąskie pasemka smażonej wołowiny z tartym
  serem, pietruszką i bekonem, które zawija się, zawiązuje, smaży
  na patelni i dusi w sosie pomidorowym

buffóne — bufon

cafon' — cymbał, ktoś ordynarny

cannoli — włoskie ciastko ze słodkim nadzieniem z sera ricotta

capicol' — wędlina, coś pomiędzy szynką i salami

capisce, capisc' — rozumiesz?

capo, caporegime — stojący wysoko w hierarchii członek przestępczej rodziny, mający pod sobą własnych żołnierzy

capozzell', capozzell' d'angell' — przecięta na pół jagnięca głowa

cazzo — przekleństwo, dosłownie „penis" albo „fiut"

cent'anni — tradycyjny toast, „sto lat"

cetriol — dosłownie „ogórek", używane w znaczeniu „burak", o kimś, kto jest głupi

che cazzo — przekleństwo, używane w znaczeniu „co jest, kurwa?"

che minchia — to samo co „che cazzo" w dialekcie południowym

ciuccio, ciucc' — dosłownie „osioł" albo „dupek", określa się w ten sposób kogoś głupiego

consigliere — doradca

demone — demon

diavolo — diabeł

disgrazia — wstyd

esattament' — dokładnie

finocchio, finnocch' — dosłownie „koper", obraźliwe określenie homoseksualisty

giamoke, giamope — w południowym dialekcie frajer albo nieudacznik

grazie — dziękuję

grazie mille — wielkie dzięki

guerra — wojna

idiota — idiota

il mio diavolo — mój diabeł

infamitá — hańba

imbecille — imbecyl

infezione — infekcja

la nostra famiglia — nasza rodzina

lupara — strzelba

Madon' — Madonna; matka

Madonna mia — dosłownie „moja Madonna", używa się w charakterze wykrzyknika

Madre 'Dio — Matka Boska

mammalucc' — przyjazne określenie kogoś mianem „głuptasa", po
   którym można poklepać tę osobę po ramieniu
mannaggia, mannagg' — przekleństwo w południowym dialekcie,
   odpowiednik polskiego „cholera"
mannaggia la miseria — mój cholerny pech
mezzofinocch' — homoseksualista; ciota
mi' amico — mój przyjaciel
mi dispiace — przykro mi
mi dispiace davvero — naprawdę mi przykro
minchia — przekleństwo, dosłownie: fiut
mi vergogno — wstydzę się
mortadell' — dosłownie: rodzaj mielonej wędliny, określa się tym
   słowem nieudacznika
mostro — potwór
non forzare — nie zmuszaj
non più — starczy, dziękuję
non so perché — nie wiem dlaczego
paisan' — krajan, ziomek
parli — mów
pazzo — szalony, chory psychicznie
per carità — litości
per favore — proszę
per piacere — proszę
pezzonovante — ważniak
salute — „zdrowie", odpowiednik toastu
sciupafemmine — kobieciarz
scucciameen, scucc' — ktoś, z kim są problemy, utrapienie
scungilli — duży małż o spiralnej muszli spotykany u wybrzeży Włoch
sfaccim — przekleństwo w południowym dialekcie, dosłownie
   „sperma"
sfogliatella — włoskie ciastko
sì — tak
signora — pani
splendido — wspaniale
sta'zitt' — zamknij się

stronz', stronzo, l.mn. *stronzi* — gówniarz, dureń

stugots, sticazz' — od włoskich słów *(qu)esto cazzo*, co za kutas, przekleństwo w południowym dialekcie

stupido — głupiec

suicidi — samobójstwa

va fa' Napule! — przekleństwo; idź do diabła, niech to szlag; dosłownie „idź do Neapolu"

v'fancul, 'fancul' — dosłownie „wsadź to sobie w dupę", odpowiednik „pierdol się" albo „co jest, kurwa?" w zależności od kontekstu

Podziękowania

Dziękuję Neilowi Olsonowi, że dał mi możność napisania tej powieści. Postaci i tematy Maria Puzo stawały się tym bardziej frapujące i absorbujące, im głębiej je eksplorowałem. Dziękuję Tony'emu Puzo i całej rodzinie Puzo oraz Jonowi Karpowi za to, że zaaprobowali wybór Neila, a przede wszystkim dziękuję Mariowi Puzo, który — mam szczerą nadzieję — zaakceptowałby *Rodzinę Corleone*. Saga o Ojcu Chrzestnym stała się za życia Maria elementem amerykańskiej mitologii. To dla mnie zaszczyt, że miałem szansę pracować na tak bogatym materiale.

Dziękuję również Mitchowi Hoffmanowi za wnikliwą pracę redakcyjną, słowa zachęty oraz niezmiennie dobry humor; a także Jamie Raab, Jennifer Romanello, Lindsey Rose, Leah Tracosas i wszystkim utalentowanym fachowcom w wydawnictwie Grand Central. Specjalne podziękowania należą się Clorindzie Gibson, która sprawdziła moją znajomość włoskiego i z tego względu musiała pracować ze wszystkimi słowami, których nie wolno jej było używać, kiedy dorastała w porządnej włoskiej rodzinie.

Jak zawsze jestem głęboko wdzięczny moim przyjaciołom i rodzinie oraz wielu pisarzom i artystom, których w ciągu wielu lat miałem szczęście poznać i z nimi współpracować. Dziękuję wam wszystkim.

OJCIEC CHRZESTNY

Jedna z największych powieści XX wieku, wsławiona obsypanym Oscarami filmem Francisa Forda Coppoli z genialną rolą tytułową Marlona Brando. Opowieść o honorze i nienawiści, szacunku i pogardzie, miłości i śmierci. Motto książki stanowi cytat z Balzaca – *Za każdą wielką fortuną kryje się zbrodnia.*

Don Vito Corleone jest Ojcem Chrzestnym jednej z sześciu nowojorskich rodzin mafijnych. Tyran i szantażysta (słynne powiedzenie: *Mam dla Ciebie propozycję nie do odrzucenia*), a zarazem człowiek honoru, sprawuje rządy żelazną ręką. Jego decyzje mają charakter ostateczny. Wśród swoich wrogów wzbudza respekt i strach, wśród przyjaciół – zasłużony, choć nie całkiem bezinteresowny szacunek. Kiedy odmawia uczestnictwa w nowym, intratnym interesie (handlu narkotykami), wchodzi w ostry, krwawy konflikt z Cosą Nostrą. Honor rodziny może uratować tylko ukochany syn Vita Michael, bohater wojenny. Czy okaże się godnym następcą Ojca Chrzestnego?

SYCYLIJCZYK

Kolejna część sagi zapoczątkowanej *Ojcem Chrzestnym*. Puzo wciąga czytelnika w mroczny świat sycylijskiej prowincji, świat przemocy, w którym każda zniewaga musi zostać zmyta krwią.

Po dwuletnim pobycie na Sycylii syn Vita Corleone, Michael, ma powrócić do domu. Ojciec Chrzestny zleca mu ważną misję: ma zabrać do Ameryki Salvatore Guiliana, uwielbianego przez wszystkich legendarnego sycylijskiego banitę, który od kilku lat na czele swojej bandy broni uciskanych ziomków przed wszechwładzą miejscowych bogaczy i przywódców mafijnych. Guiliano ośmielił się stawić czoło ściągniętym z Rzymu karabinierom. Mafia nasłała na niego skrytobójców; zdrada czai się wszędzie. Los Salvadore wydaje się przesądzony. Czy pomoże mu tajna broń – testament, w którym opisał swoją bliską, nieznaną opinii publicznej, współpracę z politykami i kościelnymi eminencjami? Publikacja dokumentu spowodowałaby upadek włoskiego rządu. Michael staje przed zadaniem niemożliwym do wykonania...